SERMONS
SUR LE CANTIQUE

ŒUVRES COMPLÈTES

XI

SOURCES CHRÉTIENNES

N° 431

BERNARD DE CLAIRVAUX

SERMONS SUR LE CANTIQUE

Tome 2

(Sermons 16-32)

TEXTE LATIN DES *S. BERNARDI OPERA* PAR
J. LECLERCQ, H. ROCHAIS ET CH. H. TALBOT

INTRODUCTION, TRADUCTION ET NOTES

par

Paul Verdeyen, s.j.
Professeur à l'Université d'Anvers

Raffaele Fassetta, o.c.s.o.
Moine de Notre-Dame de Tamié

Ouvrage publié avec le concours
du Centre National du Livre

LES ÉDITIONS DU CERF, 29, Bd Latour-Maubourg, PARIS 7e
1998

La publication de cet ouvrage a été préparée avec le concours de l'Institut des « Sources Chrétiennes» (UPRES A 5035 du Centre National de la Recherche Scientifique).

ISBN : 2-204-05997-8
ISSN : 0750-1978

AVANT-PROPOS

Dans cette édition du deuxième tome des *Sermons sur le Cantique* de Bernard de Clairvaux, l'introduction et l'annotation reviennent au P. Paul VERDEYEN et la traduction au Frère Raffaele FASSETTA. L'apparat biblique a été mis au point par Sr Marie-Imelda HUILLE, o.c.s.o., de l'abbaye Notre-Dame d'Igny ainsi que par M. Jean FIGUET. Par ailleurs, celui-ci a établi les notes bibliques (signalées par un astérisque). Le P. François ÉVAIN, s.j., a revu la traduction. Le P. VERDEYEN a assuré la relecture de l'ensemble.

Sources Chrétiennes

NOTE SUR L'ÉDITION DES ŒUVRES COMPLÈTES DE BERNARD DE CLAIRVAUX

Mise en œuvre à la demande du Centre des Textes Cisterciens, qui dépend de la conférence des Pères abbés et Mères abbesses francophones de l'Ordre Cistercien de la Stricte Observance, la présente édition des Œuvres de Bernard de Clairvaux, avec traduction française, est réalisée sur les bases suivantes.

Le texte original est repris de l'édition critique des *Sancti Bernardi Opera,* procurée par dom Jean Leclercq, assisté de MM. Henri Rochais et Charles H. Talbot, et publiée en huit tomes par le Saint Ordre de Cîteaux, de 1957 à 1977, à Rome, aux Éditions Cisterciennes. A partir du volume n° 393 de la Collection des Sources Chrétiennes, le latin est imprimé sur la base de la saisie informatique réalisée par le Centre de Traitement Électronique des Documents (CETEDOC) de Louvain-la-Neuve.

Depuis sa parution, ce texte a bénéficié de corrections. Une première série d'errata, colligés par l'auteur lui-même, est à la disposition du public dans le tome 4 du *Recueil d'études sur saint Bernard et ses écrits* de dom Jean Leclercq (Rome 1987, p. 409-418). Une seconde série, moins longue, a été établie par le CETEDOC en vue de la préparation du *Thesaurus sancti Bernardi Claraevallensis,* paru chez Brepols, à Turnhout, en 1987. Pour certaines œuvres, en particulier les traités, un dernier apport provient des notes critiques dues à dom Denis Farkasfalvy et parues pour la plupart dans le tome 1 de l'édition en langue allemande des *Sämtliche Werke* de Bernard de Clairvaux (Innsbruck 1990), en appendice à chaque œuvre traduite. L'édition des Sources Chrétiennes profite de ces amendements. La pagination de l'édition critique est indiquée dans la marge du texte latin; la linéation est nouvelle.

L'apparat critique n'est pas reproduit, les principes d'édition étant rappelés dans l'introduction à chacune des œuvres; les variantes les plus intéressantes sont éventuellement indiquées dans l'annotation. En revanche, un apparat des citations scripturaires a été mis au point sur des bases nouvelles; dans la mesure du possible, on a précisé les sources de ces citations : Vulgate, Pères de l'Église, liturgie, Règle de saint Benoît. Certaines notes, marquées d'un astérisque, explicitent les références scripturaires. Elles sont l'œuvre de M. Jean Figuet.

A la fin de chacune des œuvres sont donnés les index habituels : index des citations scripturaires, index des noms de personnes et de lieux, et index des mots; celui-ci, étant donné le caractère exhaustif des relevés du *Thesaurus sancti Bernardi Claraevallensis,* se limite à un choix de thèmes avec lemmes en français.

On trouvera sur la page ci-contre le plan d'édition des *Œuvres complètes* de Bernard de Clairvaux aux *Sources chrétiennes.* Quelques modifications ne peuvent manquer de survenir, concernant les années prévues pour les parutions. Dans la colonne «Paru» est indiqué en coefficient, après la date, le dernier tome paru de l'œuvre publiée.

LA SÉRIE BERNARDINE DANS LA COLLECTION «SOURCES CHRÉTIENNES»

N° SC	N° série bernardine	Ouvrages	Date envisagée	Paru
380	I	Introduction générale		1992
425	II-IX	Lettres	1998-2005	1997[1]
414, 431	X-XV	Sermons sur le Cantique	1999-2001	1996[1]-1998[2]
–	XVI-XIX	Sermons pour l'année	1999-2005	–
390	XX	A la louange de la Vierge Mère		1993
–	XXI	Aux clercs, sur la conversion. Le Précepte et la Dispense	1998	–
–	XXII-XXIV	Sermons divers	2001-2003	–
–	XXV-XXVII	Sentences. Paraboles	2000-2004	–
–	XXVIII	Les Degrés de l'humilité et de l'orgueil. Sermons variés	2000	–
393	XXIX	L'Amour de Dieu. La Grâce et le Libre Arbitre		1993
–	XXX	L'Apologie. Office de saint Victor. Prologue de l'Antiphonaire	1999	–
367	XXXI	Éloge de la nouvelle chevalerie. Vie de saint Malachie. Épitaphe. Hymnes		1990
–	XXXII	La Considération	2004	–

SIGLES ET ABRÉVIATIONS

Œuvres de Bernard de Clairvaux[1]

Abb Sermon aux abbés (S. pour l'année) ...... *SBO* V
AdvA Sermons pour l'Avent (S. pour l'année) IV
AdvV Sermon pour l'Avent (S. variés) VI-1
Alt Sermons pour l'élévation et l'abaissement du cœur (S. pour l'année) V
AndN Sermons pour la fête de saint André (S. pour l'année) V
AndV Sermon pour la vigile de saint André (S. pour l'année) V
Ann Sermons pour l'Annonciation (S. pour l'année) ... V
Ant Prologue à l'Antiphonaire III
Apo Apologie à l'abbé Guillaume III
Asc Sermons pour l'Ascension (S. pour l'année) V
AssO Sermon pour le dimanche après l'Assomption (S. pour l'année) V
Assp Sermons pour l'Assomption (S. pour l'année) V
Ben Sermon pour la fête de saint Benoît (S. pour l'année) V
Circ Sermons pour la Circoncision (S. pour l'année) IV

1. En ce qui concerne les œuvres de Bernard de Clairvaux, la présente liste reprend celle du *Thesaurus SBC*, p. XXIII, avec quelques minimes simplifications : suppression d'une abréviation spéciale pour les trois lettres 42, 77 et 190, suppression des astérisques marquant les différences avec la liste de LECLERCQ, *Recueil*, t. 3, p. 9-10 ; en outre *Con+* et *Par+* ont été normalisés en *Conv** et *Par**.

Clem Sermon pour la fête de saint Clément (S. pour l'année) .... *SBO* V
Conv Aux clercs sur la conversion IV
*Conv** Aux clercs sur la conversion (version courte) ... IV
Csi La Considération III
Ded Sermons pour la dédicace de l'église (S. pour l'année) V
Dil L'Amour de Dieu III
Div Sermons sur différents sujets VI-1
Doni Sermon sur les sept dons du Saint-Esprit (S. variés) VI-1
Ep Lettres .... VII-VIII
EpiA Sermons pour l'Épiphanie (S. pour l'année) IV
EpiO Sermon pour l'octave de l'Épiphanie (S. pour l'année) IV
EpiP Sermons pour le Ier dimanche après l'octave de l'Épiphanie (S. pour l'année) IV
EpiV Sermon pour l'Épiphanie (S. variés) VI-1
Gra La Grâce et le Libre Arbitre III
HM4 Sermon pour le mercredi de la semaine sainte (S. pour l'année) V
HM5 Sermon pour la Cène du Seigneur (S. pour l'année) V
Hum Les Degrés de l'humilité et de l'orgueil III
Humb Sermon pour la mort d'Humbert (S. pour l'année) V
Inno Sermon pour les fêtes de saint Étienne, de saint Jean et des saints Innocents (S. pour l'année) IV
JB Sermon pour la Nativité de saint Jean-Baptiste (S. pour l'année) V
Lab Sermons lors du travail de la moisson (S. pour l'année) V

MalE	Épitaphe de saint Malachie	*SBO* III
MalH	Hymne de saint Malachie	III
MalS	Sermon sur saint Malachie (S. variés)	VI-1
MalT	Sermon lors de la mort de Malachie (S. pour l'année)	V
MalV	Vie de saint Malachie	III
Mart	Sermon pour la fête de saint Martin (S. pour l'année)	V
Mich	Sermons pour la commémoration de saint Michel (S. pour l'année)	V
Mise	Sermon sur les miséricordes du Seigneur (S. variés)	VI-1
Miss	A la louange de la Vierge Mère (H. sur « Missus est »)	IV
Nat	Sermons pour Noël (S. pour l'année)	IV
NatV	Sermons pour la vigile de Noël (S. pour l'année)	IV
NBMV	Sermon pour la Nativité de la Bienheureuse Vierge Marie (S. pour l'année)	V
Nov1	Sermons pour le dimanche qui précède le 1er novembre (S. pour l'année)	V
OS	Sermons pour la Toussaint (S. pour l'année)	V
Palm	Sermons pour le dimanche des Rameaux (S. pour l'année)	V
Par	Paraboles	VI-2
*Par**	Paraboles (*ASOC* et *Cîteaux*)	
Pasc	Sermons pour la résurrection du Seigneur (S. pour l'année)	V
PasO	Sermons pour l'octave de Pâques (S. pour l'année)	V
Pent	Sermons pour la Pentecôte (S. pour l'année)	V
PlA	Sermon pour la conversion de saint Paul (S. pour l'année)	IV

PlV	Sermon pour la conversion de saint Paul (S. variés)	*SBO* VI-1
PP	Sermons pour la fête des saints Pierre et Paul (S. pour l'année)	V
PPV	Sermon pour la vigile des saints Pierre et Paul (S. pour l'année)	V
pP4	Sermon pour le 4e dimanche après la Pentecôte (S. pour l'année)	V
pP6	Sermons pour le 6e dimanche après la Pentecôte (S. pour l'année)	V
Pre	Le Précepte et la Dispense	III
Pur	Sermons pour la fête de la Purification de la Bienheureuse Vierge Marie (S. pour l'année)	IV
QH	Sermons sur le Psaume « Qui habite » (S. pour l'année)	IV
Quad	Sermons pour le Carême (S. pour l'année)	IV
Rog	Sermon pour les Rogations (S. pour l'année)	V
SCt	Sermons sur le Cantique	I-II
Sent	Sentences	VI-2
Sept	Sermons pour la Septuagésime (S. pour l'année)	IV
Tpl	Éloge de la nouvelle chevalerie	III
VicO	Office de saint Victor	III
VicS	Sermons pour la fête de saint Victor (S. variés)	VI-1
Vol	Sermon sur la volonté divine (S. variés)	VI-1

Ouvrages, revues, instruments plus fréquemment utilisés

AB	*Analecta Bollandiana*, Bruxelles
ACist	*Analecta Cisterciensia*, Rome, continuation de *ASOC*
AnMon	*Analecta Montserratensia*, Montserrat
ASOC	*Analecta Sacri Ordinis Cisterciensis*, Rome
ASS	*Acta Sanctorum*, Bruxelles
AUBERGER, *L'Unanimité*	J.-B. AUBERGER, *L'unanimité cistercienne primitive, mythe ou réalité ?*, Achel 1986
BdC	COLLOQUE DE LYON-CÎTEAUX-DIJON, *Bernard de Clairvaux : histoire, mentalités, spiritualité* (Sources Chrétiennes 380), Paris 1992
Bernard de Clairvaux	Commission d'Histoire de l'ordre de Cîteaux, *Bernard de Clairvaux*, Paris 1953
BOUTON-VAN DAMME	J. de la C. BOUTON et J. B. VAN DAMME, *Les plus anciens textes de Cîteaux*, Achel 1974
BREDERO, *Études*	A.H. BREDERO, *Études sur la Vita prima de saint Bernard*, Rome 1960 (nous suivons la pagination de ce volume et non celle des articles parus dans les *ASOC*)
CANIVEZ, *Statuta*	J.-M. CANIVEZ, *Statuta capitulorum generalium ordinis cisterciensis ab anno 1116 ad*

	annum 1786, 8 t., Louvain 1933-1941
CistC	*Cistercienser-Chronik*, Mehrerau
Cîteaux	*Cîteaux in de Nederlanden*, Achel, continué par *Cîteaux, Commentarii cistercienses*, Cîteaux
COCR	*Collectanea Ordinis Cisterciensium Reformatorum*, Scourmont, continués sous le titre suivant
CollCist	*Collectanea Cisterciensia*, Mont-des-Cats
Gesta Friderici	OTTON DE FREISING, *Gesta Friderici I, Imperatoris* (éd. par F. J. Schmale, Ausgewählte Quellen zur deutschen Geschichte des Mittelalters, 17), Darmstadt 1974
JACQUELINE, *Épiscopat*	B. JACQUELINE, *Épiscopat et papauté chez saint Bernard de Clairvaux* (Atelier de reproduction des thèses), Lille 1975
LECLERCQ, *Recueil*	J. LECLERCQ, *Recueil d'études sur saint Bernard et ses écrits*, 5 t., Rome 1962-1992
Mélanges A. Dimier	*Mélanges à la mémoire du Père Anselme Dimier*, 3 t. de 2 vol., sous la direction de B. Chauvin, Pupillin 1982-1988
Opere di san Bernardo	SAN BERNARDO, *Opere*, sous la direction de F. Gastaldelli (Scriptorium claravallense), Milan ; t. 1, *Trattati*, 1984 ; t. 6/1 et 6/2 *Lettere*, 1986-1987

RB	Règle de saint Benoît (*SC* 181-182)
RHE	*Revue d'Histoire Ecclésiastique*, Louvain
Saint Bernard théologien	*Saint Bernard théologien* (Actes du Congrès de Dijon, 15-19 septembre 1953), in *ASOC*, 9 (1953)
SBO	*Sancti Bernardi Opera*, 8 t. (éd. par J. Leclercq, H.-M. Rochais et C. H. Talbot, Editiones Cistercienses), Rome 1957-1977
SC	Sources Chrétiennes
Thesaurus SBC	*Thesaurus Sancti Bernardi Claraevallensis* (Série A, Formae, CETEDOC, sous la direction de P. Tombeur), Turnhout 1987
VACANDARD, *Vie*	E. VACANDARD, *Vie de saint Bernard, abbé de Clairvaux*, 2 t., Paris 1895

Autres abréviations

BA	*Bibliothèque Augustinienne*, Paris
CCL	*Corpus Christianorum Series Latina*, Turnhout
CCM	*Corpus Christianorum Continuatio Medievalis*, Turnhout
CSEL	*Corpus Scriptorum Ecclesiasticorum Latinorum*, Vienne

DSp	*Dictionnaire de Spiritualité*, Paris
JÉRÔME, *Nom. hebr.*	JÉRÔME, *Liber Interpretationis Hebraicorum Nominum*, éd. P. de Lagarde, *CCL* 72 (1959), p. 57-161
Lit.	Origine liturgique des citations bibliques
Patr.	Origine patristique des citations bibliques
PL	*Patrologie Latine*, Migne
RBén	*Revue Bénédictine*, Maredsous
Vg	Vulgate
Vl	Vieille latine
≠	Divergence entre Bernard et la Vulgate

INTRODUCTION

I. Date des sermons 16-32

Dans l'Introduction au tome 1, nous avons signalé que les *Sermons sur le Cantique* 1 à 23 ont été écrits entre novembre 1135 et la fin de l'année 1136, avant le troisième voyage de Bernard en Italie[1]. Ce voyage a commencé au début de 1137 et il a duré jusqu'au mois de juin 1138. C'est sans doute pendant l'automne de 1138 que Bernard a repris le fil interrompu des *Sermons sur le Cantique.* Il a d'abord écrit le sermon 24 en lui donnant une nouvelle forme définitive. Il est utile de citer à ce sujet les remarques judicieuses de J. Leclercq :

> Dans certains manuscrits le sermon 24 est divisé en deux courts sermons commençant respectivement par les mots *Recti diligunt te* et *Hoc demum tertio.* Le second fait allusion au retour du troisième voyage à Rome en 1138. Dans les autres manuscrits le sermon commence par *Hoc demum tertio,* et se compose des mêmes éléments que les deux sermons courts, habilement refondus dans un ordre différent. Cette nouvelle forme du texte est la rédaction définitive que lui a donnée saint Bernard[2].

Dans le tome 1 des *S. Bernardi Opera,* on peut lire les deux traditions différentes du sermon 24. On se rend facilement compte que le contenu est quasiment le même. Pour cette raison nous ne reprenons que la forme définitive de ce texte.

L'abbé de Clairvaux a consacré une grande partie du sermon 26 à la commémoration de son frère Gérard. On

1. *SC* 414, 23.
2. *SBO* I, p. XVI.

sait que celui-ci accompagnait Bernard pendant le troisième voyage en Italie. C'est en avril 1137 que Gérard tomba gravement malade dans la ville de Viterbe, où résidait le pape Innocent II. Bernard supplia le ciel de rendre la santé au mourant, au moins jusqu'au retour à Clairvaux. Sa prière fut exaucée. Gérard put regagner la communauté de Clairvaux et reprendre sa charge de cellérier. Hélas, pas pour longtemps. On ne connaît pas la date exacte de sa mort, mais on ne se trompera pas de beaucoup en la situant au cours de l'année 1139. Gérard n'avait pas cinquante ans. Si la date est exacte, on peut en déduire que les *Sermons sur le Cantique* 26 à 32 ont été prononcés en 1139 et 1140, c'est-à-dire juste avant la controverse entre Bernard et Abélard.

II. Le sermon 26 sur la mort de Gérard

Ce sermon a toujours beaucoup retenu l'attention. Il interrompt le cours normal de l'exposé. De plus, Bernard devient ici tellement personnel qu'on ressent directement les vibrations de sa vie affective. Bérenger, le disciple d'Abélard, va bientôt lui reprocher d'imiter de près le sermon d'Ambroise sur son frère Satyrus[1]. Mais le texte que Bérenger présente comme étant un plagiat[2] ne se trouve pas dans le sermon de Bernard. La critique de Bérenger est une preuve supplémentaire de l'immense succès du texte bernardin.

Cette oraison funèbre de Gérard n'a-t-elle pas été surestimée? Nous ne le pensons pas. Le message religieux est riche et important. L'émotion et les larmes ne sont pas feintes, mais vraies. Bernard montre comment l'amitié

1. *CSEL* 73, 212-214.
2. *PL* 178, 1865.

spirituelle peut surmonter la douleur de la mort. L'intérêt porté au sort de l'ami disparu chasse la tristesse et fait considérer la joie de celui qui a obtenu un trône de gloire. Sans le dire expressément, Bernard développe une vue chrétienne de la mort. C'est dans ce but qu'il évoque les dernières paroles de Gérard : « Qu'elle est grande la bonté de Dieu, de vouloir être le Père des hommes. Qu'elle est grande la gloire des hommes, d'être fils de Dieu, héritiers de Dieu ! Car, s'ils sont fils, ils sont aussi héritiers. » Par ces paroles le moribond peut vaincre les affres de la mort. « Il change presque le deuil en chant[3]. »

A côté de ce thème central, Bernard évoque d'autres vérités non négligeables. Le sort de Gérard est moins pénible que celui des survivants, car au ciel il a trouvé d'autres amis ainsi que la présence du Seigneur. Dieu s'intéresse-t-Il à nos misères? Sûrement, car tout en étant incapable de pâtir, Il ne cesse de compatir. Le sermon décrit amplement la vie active de Gérard dans sa fonction de cellérier. Il oppose cette vie active à la vie contemplative, sans juger la première comme inférieure. A la fin, Bernard justifie son affection et sa plainte en les comparant à celles de David, de Samuel et du Seigneur.

L'oraison funèbre de Gérard est restée une œuvre très appréciée des lecteurs de saint Bernard. Il en existe une traduction en langue d'oïl de la fin du XIIe siècle[4]. On sait qu'Aelred de Rievaulx a imité l'exemple de Bernard en terminant le premier livre de son *Miroir de la charité* par l'éloge funèbre de son ami Simon[5]. Le sermon de Bernard a profondément influencé un grand poème en moyen néerlandais du XIVe siècle. Je cite la traduction de la première strophe :

3. *SCt* 26, 11.

4. A. Henry, *Automne : études de philologie, de linguistique et de stylistique,* Paris 1977, p. 77-94.

5. *CCM* 1, 57-65.

Egidius, où m'est compagnie?
Ô mon ami, je languis tant;
Tu pris la mort, me laissas la vie.
Bonne amitié nous fut d'antan,
Et rêve, mourir en même temps[1].

Cette complainte sur la mort d'Égide est conservée dans le manuscrit Gruuthuse de Bruges. Je pense qu'il faut chercher le poète parmi les frères de l'abbaye des Dunes, célèbre monastère cistercien. Mais la plus grande preuve du succès immédiat de ce texte est donnée par la critique virulente et injustifiée de Bérenger de Poitiers, disciple d'Abélard. Comme ce texte semble peu connu, nous en donnons un large extrait :

> Pierre Abélard s'est trompé, soit. Mais toi, pourquoi t'es-tu trompé? Tu t'es trompé à ton insu ou non. Si tu t'es sciemment trompé, tu te montres un ennemi de l'Église. Si tu t'es inconsciemment trompé, comment es-tu alors un défenseur de l'Église, puisque tu ne sais pas discerner l'erreur? Tu t'es réellement trompé quand tu as affirmé que l'origine des âmes se trouve au ciel. Pour le lecteur vigilant je vais reconstituer depuis son point de départ comment tu présentes cette doctrine dans ton livre, puisque cet exposé est utile et facile à suivre. Il y a un livre que les juifs nomment Sirhasirim, et les latins Cantique des cantiques. Ce texte recèle pour les esprits vigilants une certaine connaissance divine. Bernard donne une explication de ce livre. Pour faire sortir le fruit d'un sens supérieur de ces pages pleines d'images, il emploie un langage réservé et retenu. Mais, demandons-nous d'abord, pourquoi Bernard a-t-il édité un volume tellement immense, après que tant d'auteurs illustres avaient déjà exercé leur génie en expliquant ce livre? Car si nos prédécesseurs ont pleinement et suffisamment éclairé les obscurités de ce livre, je me demande par quel manque de modestie tu t'es attaqué à une œuvre

1. Traduction Émile Lauf dans C. LEMAIRE, *Le cercle des choses,* Bruxelles 1970, p. 88.

déjà fouillée jusqu'à l'ongle. Si te sont révélés quelques sens cachés, qu'ils n'ont pas remarqués, je n'ai rien à te reprocher, au contraire, j'approuve vivement tes efforts. Mais quand j'étudie de près tes expositions et ton commentaire, je constate que tu n'as rien dit de nouveau. Je découvre au contraire que tu as habillé de tes propres mots la pensée d'autrui. Ton explication semble donc être bien superflue. Et pour que personne ne me soupçonne de paroles non prouvées, je vais nommer quatre auteurs qui avaient déjà expliqué le livre biblique. Il s'agit d'Origène le Grec, d'Ambroise de Milan, de Réticius d'Autun et de Bède l'Anglais. Le premier a dépassé par ses livres tous les autres ; et il s'est dépassé lui-même dans le Cantique des cantiques – je cite Jérôme. Le second a expliqué l'amour de l'Époux et de l'épouse dans un commentaire érudit et louable. Le troisième a élucidé d'une façon sublime l'obscurité du volume biblique. Le quatrième a écrit sept livres pour expliquer les lieux opaques du texte. Bernard se met à la charrue après des auteurs de cette qualité, qui avaient déjà tant travaillé, comme si nos prédécesseurs avaient négligé quelque aspect important.

Nous pourrions accepter les explications de notre auteur disert, s'il n'avait pas composé une tragédie plutôt qu'un commentaire. Car quand on ouvre son livre à certaines pages, il mentionne d'une façon inattendue la mort de son frère, pour les funérailles duquel il écrit presque deux cahiers. Je dirai en quelques mots comment il s'éloigne de son sujet d'une façon maladroite. Le livre de Salomon, écrit sous l'inspiration de l'Esprit, présente l'embrassement du Christ et de son Église, sous l'image de l'Époux et de l'épouse. La joie doit présider aux noces. Bernard au contraire s'est laissé prendre par un dégoût des choses obscures, ou bien il a négligé la parole de l'apôtre Paul qui nous exhorte à nous réjouir avec ceux qui se réjouissent (*Rom.* 12, 15) et c'est son frère mort qu'il conduit aux noces. Pourtant il est écrit : « Il n'est pas le Dieu des morts, mais des vivants » (*Mc* 12, 27).

Tandis que l'Époux serre l'épouse dans ses bras et que les jeunes hommes de l'Époux et de l'épouse applaudissent les jeunes filles avec des chants de joie alternés, il fait retentir tout à coup la trompette de la mort. Le festin se termine en deuil, les orgues annoncent la mort. La tragédie chasse le rire du festin nuptial. N'es-tu pas devenu un cithariste indiscret et de mauvais goût, toi qui as joué des chants funèbres au repas royal? Qui a jamais imaginé un comportement aussi monstrueux? Nous avons l'habitude de rire de peintures qui présentent une tête d'homme sur un corps d'âne.

Souviens-toi, je t'en prie, des commentaires grandioses que les anciens ont consacré à ce livre et tu n'en trouveras aucun qui ait mêlé la tristesse et la joie. Les précieux vers de Réticius d'Autun disent ce qui suit :

« Il faut suivre cette excellente coutume : que la trompette annonce les transports joyeux de l'Époux et de l'épouse. Il n'est pas permis de distraire l'esprit par le deuil, car la joie des convives invite à produire des chants de noce. Mais puisque nous sommes incapables ou peu capables de les produire, j'aurai recours à la grâce de celui qui dit en son Évangile : 'Sans moi, vous ne pouvez rien faire.' Car le verbe qui passe ne me manquera point, quand je me confie au Verbe qui est au commencement auprès de Dieu[1]. »

Parole vraiment digne d'un maître catholique. Confesseur fidèle de la grâce, cet homme sage a bien pendu le fil à plomb de son jugement, puisqu'il a mis une telle distance entre la tristesse et la joie. Mais toi, tu as transgressé les bornes que nos pères ont posées (cf. *Prov.* 22, 28). D'une façon misérable tu as changé les chants de joie en élégies, les vers lyriques en lamentations[2].

Quelle est la force de tes sentences? Quelle est la coupe de tes arguments? Tu es entièrement emporté par tes

1. La citation que fait Bérenger du *Commentaire* de Reticius d'Autun sur le Cantique est le seul passage conservé de ce commentaire malheureusement perdu.

2. *PL* 178, 1863-1864.

propres mots. Ton syllogisme ridicule et exsangue tourne en rond[3].

Ces dernières phrases trahissent les préjugés de Bérenger. Il cherche et désire entendre des sentences, des arguments et des syllogismes. Bernard n'écrit pas un cours de théologie dialectique. Il écrit une complainte lyrique qui ne prouve rien, mais révèle la profonde douleur de son cœur.

III. Traités de vie morale

Les *Sermons sur le Cantique* ne pratiquent pas l'exégèse scientifique contemporaine. Bernard entend bien se conformer aux règles de l'exégèse médiévale. Ainsi on lit au sermon 23, 4 : « Disons donc que le jardin exprime l'histoire pure et simple ; le cellier exprime le sens moral et la chambre le mystère de la vision contemplative. » Il reprend ici la vision médiévale des quatre sens des Écritures : le sens littéral ou historique, le sens moral, le sens allégorique et le sens anagogique ou mystique – la vision contemplative contient les deux derniers sens. Le Moyen Age tardif a fixé cette doctrine dans un distique facile à retenir :

> Littera gesta docet, quid credas allegoria,
> Moralis quid agas, quo tendas anagogia[4].

Par ailleurs, Bernard ne se conforme pas toujours à la structure des quatre sens. Les trois temps du salut – création, réconciliation, renouvellement – n'appartiennent pas au sens littéral du jardin (*Cant.* 5, 1), mais au sens allégorique. De même son interprétation littérale s'aventure quelquefois assez loin du texte. Constatons donc que

3. *PL* 178, 1865.
4. Cité par H. de Lubac, *Exégèse médiévale,* t. 1, Paris 1959, p. 23.

Bernard s'intéresse surtout au sens moral et spirituel du Cantique. Exprimons-nous clairement à ce sujet : Bernard écrit des traités de vie morale et spirituelle en partant du texte biblique et en reprenant beaucoup de symboles propres au Cantique. C'est donc bien à tort que certains exégètes s'indignent de la méthode bernardine. L'abbé de Clairvaux ne joue pas sur leur terrain.

Par contre, dans plusieurs sermons, Bernard se révèle comme le premier grand moraliste français. Il décrit finement le comportement de ses moines à toutes les étapes de leur vie monastique. Donnons quelques exemples de ses observations perspicaces. Ainsi il relève la persistance du vieil homme qui se cache sous l'habit nouveau du moine :

> Nous avons parfois entendu certains moines évoquer et claironner, avec une extrême impudence, leurs fautes passées. Par exemple, leurs prouesses dans quelque tournoi d'armes ou dans quelque joute littéraire... L'humble habit que portent de telles gens n'est pas la récompense d'une sainte nouveauté de vie, mais il est le manteau qui couvre le vieil homme... J'ai honte d'évoquer l'effronterie de certains : elle est si grande qu'ils ne rougissent pas de se vanter allègrement d'actions dont ils devraient pleurer. Vous voulez des exemples? Même après avoir pris le saint habit, ils ont supplanté quelqu'un avec ruse, ont circonvenu un frère dans une affaire, appliqué le talion pour l'injure ou pour la malédiction[1].

Dans le sermon 19, ce sont les jeunes novices et leurs tentations qui entrent en scène :

> Le jeûne régulier ne vous suffit pas, ni les veilles ordinaires, ni la discipline imposée, ni la mesure que nous vous assignons dans les vêtements et la nourriture. Vous préférez vos pratiques privées à celles de la communauté... Dieu est Sagesse et il demande un amour non seulement tendre, mais aussi sage. D'où cette parole de

1. *SCt* 16, 9.

> l'Apôtre : « Votre culte sera raisonnable. » Sans quoi l'esprit d'erreur se jouera très facilement de ton zèle, si tu négliges la science[2].

Au sermon 23, les supérieurs sont directement visés et chapitrés :

> C'est là une leçon pour les supérieurs, toujours soucieux de se faire craindre plutôt que d'être utiles à ceux qui leur sont confiés. Instruisez-vous, juges de la terre. Apprenez que vous devez être mères et non seigneurs de vos sujets. Cherchez à vous faire aimer plutôt que redouter; et si parfois la sévérité est nécessaire, qu'elle soit paternelle et non tyrannique. Montrez-vous mères en consolant, pères en corrigeant. Devenez doux, renoncez à la dureté. Faites cesser les coups, présentez les seins *(Suspendite verbera, producite ubera)*[3].

Le lait de la tendresse obtient plus que la rigueur du fouet.

Le sermon 30 s'adresse plutôt à des moines bien installés et qui ont perdu de vue l'idéal de leur jeunesse : ils peuvent avoir vingt-cinq à trente ans de vie religieuse :

> Que dites-vous à ce propos, vous qui êtes pointilleux pour la nourriture et négligents dans vos mœurs? Hippocrate et ses élèves enseignent à sauver les âmes en ce monde, le Christ et ses disciples à les perdre. Lequel des deux choisissez-vous de suivre comme maître? Il se trahit, celui qui discute ainsi : « Ceci est nuisible pour les yeux et ceci pour la tête, cela pour la poitrine ou pour l'estomac »... Épicure et Hippocrate donnent la priorité, l'un au plaisir du corps, l'autre à la bonne mine : mon Maître enseigne le mépris de l'un comme de l'autre... A quoi bon s'abstenir des voluptés si l'on s'adonne chaque jour à étudier la diversité des santés et à examiner la variété des aliments? « Les légumes provoquent des flatulences, dit-il. Le fromage alourdit l'estomac, le lait est nuisible pour la tête, ne boire que de l'eau affaiblit les poumons, les choux entretiennent la mélan-

2. *SCt* 19, 7.
3. *SCt* 23, 2.

> colie, les poireaux échauffent la bile, les poissons ... ne conviennent point à ma santé. Comment se fait-il que dans tous les fleuves, les champs, les potagers et les celliers, on ne trouve rien que tu puisses manger[1]?

Rappelons enfin l'insistance que met Bernard à combattre le vice de médisance, ce grand fléau des communautés religieuses. Ici l'abbé s'adresse à tous les moines de tout âge et de toute condition. Ce vice est tellement nocif qu'il mine la charité aussi bien individuelle que communautaire. Or la charité est la vertu principale de toute vie chrétienne :

> (Ces âmes) souffrent de voir quelque bien dans leurs anciens et se régalent de leurs défauts. Regarde-les se promener à l'écart, se réunir et s'asseoir ensemble et aussitôt donner libre cours à leurs mauvaises langues dans des chuchotements détestables. Elles se serrent l'une contre l'autre, sans la moindre distance entre elles, si grande est leur démangeaison de médire ou d'entendre des médisances. Elles s'acoquinent pour dire du mal, toujours d'accord pour semer la discorde. Elles lient entre elles des amitiés nourries d'inimitiés et l'odieuse cabale se trame dans un même sentiment de méchanceté complice[2].
>
> Les uns vomissent le venin de la médisance tel qu'il leur vient aux lèvres, avec une insolente franchise. Les autres par contre cherchent à voiler, par le fard d'une réserve simulée, la méchanceté qu'ils ont conçue et qu'ils ne peuvent retenir. Regarde-les : après un préambule de profonds soupirs, ils lâchent leur calomnie avec une sorte de gravité hésitante, le visage affligé, les yeux baissés et la voix plaintive. Et ils sont d'autant plus persuasifs que leurs auditeurs croient les entendre parler à contrecœur, et même plutôt par compassion que par malice[3].

1. *SCt* 30, 10-11.
2. *SCt* 24, 3.
3. *SCt* 24, 4.

Au sermon 29, 3 à 5, on peut lire des considérations de la même veine. Bernard est un psychologue de grand talent et cela plusieurs siècles avant l'étude scientifique des faits psychologiques.

IV. Traités de vie spirituelle

Les sermons sur le Cantique dépassent plusieurs fois le sens moral pour atteindre le sens spirituel ou mystique. C'est grâce à ces pages que Bernard peut être considéré comme un grand auteur mystique.

Rappelons d'abord l'opposition entre la vasque et le canal dans le sermon 18, 3-4. La vasque est prise comme image de la vie contemplative, le canal comme image de la vie active.

> Un canal reçoit l'eau et la répand presque tout de suite. Une vasque en revanche attend d'être remplie et communique ainsi sa surabondance sans se faire du tort... Vraiment, dans l'Église d'aujourd'hui, nous avons beaucoup de canaux, mais très peu de vasques. Ceux qui font ruisseler sur nous les fleuves célestes ont une charité si grande qu'ils veulent se répandre avant d'être remplis... La charité veut être abondante pour soi-même afin de pouvoir la partager avec tous ; elle en garde pour soi une mesure suffisante pour que personne n'en manque. Autrement, si elle n'est pas comble, elle n'est pas parfaite[4].

Si l'on doute, de nos jours, de la nécessité de la contemplation pour l'action, Bernard n'hésite nullement : il est dangereux de s'adonner à l'action, en étant seulement « canal » et non « vasque[5] ».

4. *SCt* 18, 3.
5. Voir aussi *SCt* 30, 7.

Au sermon 20, 9, Bernard signale les trois degrés de l'amour : charnel, raisonnable et spirituel. C'est le seul texte de Bernard qui mentionne explicitement ces trois degrés de l'amour dans l'âme humaine. Il s'agit sans aucun doute d'une idée qui lui a été communiquée par son ami Guillaume de Saint-Thierry. Si on cherche une explication plus étoffée et plus poussée de ces trois degrés de la vie spirituelle, il faut lire la *Brevis Commentatio* I à III, et surtout la deuxième partie de la *Lettre d'Or*[1].

Mentionnons enfin deux textes qui disent bien comment l'épouse, ayant la charité parfaite, veut aider les jeunes qui l'accompagnent. Comment favorise-t-elle leur avancement spirituel ?

> Ce qui paraît austère et dur, je le réserve pour moi, qui suis forte, saine et parfaite. Voilà pourquoi je dis au singulier : Entraîne-moi. Ce qui est doux et agréable, je le communique à toi, qui es faible. Et je dis : Nous courrons. Je sais que les jeunes filles sont délicates et tendres et moins aptes à endurer les tentations... Quant à moi, dit-elle, ô mon Époux, corrige-moi, exerce-moi, éprouve-moi, entraîne-moi sur tes pas, car je suis prête à recevoir les coups, et capable de les supporter[2].

N'est-ce pas l'âme généreuse de Bernard qui prête ici ses sentiments à l'épouse parfaite du Cantique ?

Dans le second texte l'abbé de Clairvaux donne une interprétation positive du verset : « Les fils de ma mère ont combattu contre moi. »

> Les hommes spirituels dans l'Église combattent contre leurs frères charnels avec le glaive de l'Esprit, qui est la parole de Dieu, les blessant pour leur salut et les entraînant par de tels combats vers les réalités spirituelles. Plaise à Dieu que le juste me corrige et me reprenne avec miséricorde, me frappant pour me guérir,

1. *SC* 223, 296-383.
2. *SCt* 21, 11.

me faisant mourir pour me faire vivre. J'oserais dire alors moi aussi : « Je vis, mais ce n'est plus moi, c'est le Christ qui vit en moi. » ... Pour moi, si j'ai parfois contristé de la sorte l'un ou l'autre d'entre vous, je ne le regrette pas. Car il a été contristé pour son salut. Je n'ai pas conscience de l'avoir jamais fait sans en ressentir moi aussi une profonde tristesse, selon cette parole : « La femme, lorsqu'elle enfante, est dans la tristesse. » Mais loin de moi le souvenir des douleurs, puisque je possède le fruit de ma souffrance, en voyant le Christ formé dans mes enfants. Je ne sais trop pourquoi, ceux qui, par suite de mes réprimandes et grâce à elles, ont repris vigueur après la maladie, je leur suis plus tendrement attaché qu'aux forts, qui se sont toujours montrés tels et n'ont pas eu besoin de pareil remède[3].

De façon imperceptible Bernard s'insère lui-même dans le dialogue de l'Époux et de l'épouse. Il se présente d'abord comme un pauvre homme charnel, qui doit être corrigé, repris et frappé pour s'approcher ainsi de son Sauveur. Mais quelques lignes plus bas, il devient l'homme fort, l'abbé de la communauté, qui corrige, reprend et frappe. L'image de la mère qui enfante vient adoucir et attendrir ses paroles. Tout se termine dans un paroxysme d'amour, qui doit autant à la nature qu'à la grâce.

V. Le texte latin

Le texte latin est repris de l'édition critique des *SBO* I, p. 89-233. En 1987 dom Jean Leclercq a publié une liste de corrections[4]. Nous avons nous-même ajouté quelques autres corrections. Voici l'ensemble des *errata* des *Sermons sur le Cantique* 16 à 32.

3. *SCt* 29, 6.
4. *Recueil,* t. 4, p. 409-410.

SBO	**Au lieu de**	**Sermon *SCt***	**Leçon corrigée**
89, 21	; sed	16, 1	. Sed
90, 6	Elisei	16, 1	Elisaei
102, 14	non solum adversum	17, 7	non solum adversus
111, 10	si eis suis	19, 5	si eis sui
118, 11	V. Ergo	20, 5	Ergo
118, 13	6. Et nota	20, 6	V. 6. Et nota
118, 18	Adstat	20, 6	Astat
120, 4	8. Licet	20, 8	VI. 8. Licet
139, 16	EXULTABIMUS	23, 2	*exsultabimus*
171, 20	, quibus poteram viribus, fidei	26, 3	quibus poteram viribus fidei
181, 4	singultum	26, 14	singultuum
183, 4	adstitisse	27, 2	astitisse
185, 2	quam plurimas	27, 5	quamplurimas
188, 10	potius	27, 9	potitus
191, 5	adstantem	27, 13	astantem
191, 26	Pulchrae	27, 14	Pulchre
196, 3	6. Interim	28, 6	III. 6. Interim
196, 20	III. 7. Et ut scias	28, 7	7. Et ut scias
197, 20	adscribitur	28, 8	ascribitur
202, 8	osbcuram	28, 13	obscuram
208, 8	saggita	29, 7	sagitta
209, 12	adscribat	29, 9	ascribat
216, 1	apellatione	30, 9	appellatione
222, 11	fraudasti eam?	31, 5	fraudasti eam.
227, 10	adstringi	32, 2	astringi
227, 26	sponsam	32, 3	speciosam
232, 25	pascere, cum illo	32, 10	pascere cum illo

***Capitula* et divisions du texte.**

On sait que les *SBO* I et II font précéder les *Sermons sur le Cantique* par des *capitula* ou chapitres trouvés dans le manuscrit O (Oxford, Merton College 46). Ces titres sont parfois obscurs et déficients. Pour cette raison nous préférons donner dorénavant les titres tels qu'on les lit dans le manuscrit du Séminaire de Bruges 21-68. Nous ne signalerons plus les différences textuelles entre les titres de Bruges et ceux d'Oxford. Tout lecteur averti pourra comparer lui-même nos titres avec ceux des *SBO.*

Nous avons repris la division en paragraphes numérotés en chiffres arabes, tels que Mabillon les a faits pour son édition. Elle est devenue traditionnelle et les références sont données souvent d'après elle. Nous l'avons utilisée aussi pour tous les renvois, en précisant le numéro de ligne selon la linéation de notre édition. Les lignes des *capitula* ne sont pas comptées dans le total des lignes.

VI. Bibliographie : les traductions

1. Traductions françaises.

Stewart G., *La traduction en prose française du XIIe siècle des « Sermones in Cantica » de saint Bernard* (Sermons 1 à 43), Éditions Rodopi, Amsterdam 1994.

Antoine de St. Gabriel (= Desprez), *Les Sermons de saint Bernard sur le Cantique des cantiques*, Paris 1682.

Dion-Charpentier, *Œuvres complètes de saint Bernard. Sermons sur le Cantique des cantiques*, t. 4, p. 149-637, Paris 1867.

Ravelet A., *Œuvres de saint Bernard. Sermons sur le Cantique des cantiques*, t. 3, p. 7-302, Bar-le-Duc 1870.

Béguin A., *Œuvres mystiques de saint Bernard*, Paris 1953.

2. Traduction allemande.

Winkler G., *Bernhard von Clairvaux. Sämtliche Werke. Sermones super Cantica Canticorum* 1-38, Teil 5, Tyrolia Verlag, Innsbruck 1994 (Anmerkungen von G.B. Winkler und J.B. Bauer).

3. Traduction anglaise.

Walsh K., *Bernard of Clairvaux. Song of Songs I and II*, Kalamazoo (USA) 1981 et 1976.

4. Traduction espagnole.

Aranguren I., *San Bernardo. Sermones sobre el Cantar de los Cantares*, Madrid 1987.

5. Traduction néerlandaise.

An., *Bernard van Clairvaux. Toespraken over het Hooglied*, Pro manuscripto, Tilburg (Pays-Bas) 1973.

TEXTE ET TRADUCTION

SERMO XVI

I. Quod excursus factus sit ad modum prospicientis de sublimi, aut venatoris aliam feram sectantis. – II. De miraculo Elisaei quod posuit os, oculos, manus, super mortuum, et quid significet. – III. De septem oscitationibus, quid significent. – IV. De duplici pudore. – V. De duplici timore. – VI. De trina confessione, et primum de humili. – VII. De simplici confessione. – VIII. De fideli confessione et de septem phialis quas attulit Dominus Iesus, oleo quinque, duas vino plenas.

SBO 89

I. Quod excursus factus sit ad modum prospicientis de sublimi, aut venatoris aliam feram sectantis.

1. Quid sibi ergo vult septenarius iste? Nescio enim an ita simplex quispiam in nobis sit, qui otiosas esse has vices, et numerum hunc putet fortuitum. Ego nec illud vacare reor, quod Propheta *incumbens super* mortuum, 5 ad mensuram puerilis corporis sese contraxit, *os suum ori illius* coniunxit, *oculisque oculos, et manibus manus*[a]. Spiritus Sanctus sic omnia fieri, et sic scribi fecit, ad eruditionem procul dubio illorum spirituum, quos corrupti corporis circumvenit infida societas, ac stulta mundi sapientia 10 desipere docuit : *Corpus* quippe *quod corrumpitur, aggravat animam, et deprimit terrena inhabitatio sensum multa cogitantem*[b]. Propterea nemo miretur aut moleste

1. a. IV Rois 4, 34 ≠ b. Sag. 9, 15

SERMON 16

I. Digression faite à la manière d'un homme qui regarde du haut d'un sommet, ou d'un chasseur qui se met à poursuivre une autre bête. – II. Signification du miracle d'Élisée, lorsqu'il mit la bouche, les yeux, les mains sur le mort. – III. Signification des sept bâillements. – IV. La double honte. – V. La double crainte. – VI. Les trois espèces de confession, et d'abord la confession humble. – VII. La confession simple. – VIII. La confession fidèle et les sept fioles apportées par le Seigneur Jésus, cinq pleines d'huile, deux de vin.

I. Digression faite à la manière d'un homme qui regarde du haut d'un sommet, ou d'un chasseur qui se met à poursuivre une autre bête.

1. Que signifie donc le nombre sept? Je ne sais en effet s'il y a parmi nous un homme d'un esprit aussi simple qu'il considère les sept bâillements comme superflus, et ce nombre sept comme fortuit. Quant à moi, je n'estime pas même dénué de sens le fait que le Prophète, « se couchant sur » le mort, se soit rapetissé à la mesure du corps de l'enfant, ait appliqué « la bouche sur la bouche, les yeux sur les yeux, et les mains sur les mains[a] ». Sans aucun doute, l'Esprit-Saint a-t-il fait en sorte que toutes ces actions se passent ainsi, et soient ainsi décrites, pour instruire ces esprits que la compagnie sournoise d'un corps soumis à la corruption a trompés et que la folle sagesse du monde a égarés. « Car le corps qui se corrompt appesantit l'âme, et cette demeure terrestre accable l'intelligence par une multiplicité de pensées[b]. » C'est pourquoi, que nul ne soit étonné ou

accipiat, si in his scrutandis, tamquam quibusdam Spiritus Sancti apothecis, curiosus exsisto, cum sciam quia *sic*
15 *vivitur, et in talibus vita spiritus mei*[c]. Dico tamen his qui, praevolantes ingenio, in omni sermone ante pene flagitant finem, quam principium teneant, debitorem me etiam tardioribus esse[d], et maxime. Sed nec studium tam esse mihi ut exponam verba, quam ut imbuam corda. Et
20 haurire et propinare me oportet, quod non fit celeriter percurrendo, sed tractando diligenter et exhortando frequenter. Quamquam et praeter spem quoque meam, diu nos discussio detinuit sacramentorum. Putavi, fateor, unum
90 ad hoc sermonem sufficere, silvamque istam umbrosam
25 latebrosamque allegoriarum pertransire nos cito, et ad planitiem moralium sensuum *itinere diei* quasi *unius* pervenire; sed secus contigit. Biduum quippe iam in eo expendimus, et adhuc *restat via*[e]. Ictus oculi eminus summitates ramorum et montium cacumina pervolabat; sed
30 vallium subter iacens vastitas et densitas dumetorum frustrabatur obtutus. Numquid, verbi gratia, Elisaei miraculum[f] praevidere valebam, quia nobis videlicet de Gentium vocatione et repulsione Iudaeorum disserentibus, ita de subito in medium prosiliret? Et nunc, quandoquidem incidimus,
35 non pigeat nos paululum immorari, consequenter ad id quod praetermittimus postea reversuros : siquidem ani-

c. Is. 38, 16 d. Cf. Rom. 1, 14 e. III Rois 19, 4. 7 f. Cf. IV Rois 4, 34-35

1. « Je suis le débiteur des esprits plus lents. » Voir *SCt* 22, 3, l. 4. Il faut proposer des interprétations plus simples aux esprits plus simples.

2. « Mon propos n'est pas tellement d'expliquer des mots, mais plutôt de désaltérer les cœurs. » Ces paroles n'ont pas pour but de déprécier l'exégèse scientifique. Mais ce que Bernard recherche et propose, ce sont plutôt des paroles de vie qui enflamment le cœur des auditeurs et des lecteurs.

3. (Pseudo-)GRÉGOIRE LE GRAND, *Commentaire sur I Rois*, t. 1 (*SC* 351, 147). Il est possible que ce commentaire soit écrit vers 1150. Dans ce

contrarié, si je me montre curieux d'explorer ces mystères, qui sont comme des resserres de l'Esprit-Saint. Car je le sais : « C'est cela qui fait vivre, c'est là que mon esprit trouve la vie[c] ». Quant à ceux qui me devancent par l'agilité de leur intelligence, et qui en tout discours guettent la fin, avant même d'avoir entendu le commencement, je leur déclare que je suis aussi, voire surtout, le débiteur des esprits plus lents[d][1]. D'autre part, mon propos n'est pas tellement d'expliquer des mots, mais plutôt de désaltérer les cœurs[2]. Il faut que je puise d'abord et qu'ensuite je donne à boire, ce qui ne peut se faire en se précipitant, mais en traitant les questions avec exactitude et en faisant de fréquentes exhortations. Il est vrai toutefois que l'examen de ces mystères nous a longtemps retenus, et cela contre mon attente. Je pensais, je l'avoue, qu'un seul sermon eût suffi pour ce travail, et que nous aurions vite traversé cette forêt d'allégories sombre et touffue, pour parvenir à la plaine des sens moraux « après moins d'un jour de marche » ; mais il en est advenu autrement. Car il y a déjà deux jours que nous marchons, et « il nous reste encore beaucoup de chemin à faire[e] ». De loin, je survolais d'un coup d'œil le faîte des branchages et les cimes des montagnes ; mais la vaste étendue des vallées en dessous et l'épaisseur des buissons se dérobaient au regard[3]. Pouvais-je, par exemple, prévoir le miracle d'Élisée[f], c'est-à-dire qu'il viendrait soudain se placer au milieu de notre route, tandis que nous discourions de la vocation des nations et du rejet des juifs ? Mais puisque nous sommes tombés sur ce miracle, n'hésitons pas à nous y attarder un peu, quitte à revenir ensuite au sujet que nous avons délaissé. Car ce nouveau

cas, le texte de Bernard serait plus ancien. Voir A. DE VOGÜÉ, « L'auteur du Commentaire des Rois attribué à saint Grégoire : un moine de Cava ? », *RBén.* 106 (1996), p. 319-331.

marum cibus nihilominus est iste. Canibus quoque ac venatoribus plerumque contingit a bestia, quam aggressi erant, desistere, et sequi aliam, quae inopinantibus forte
40 occurrerit.

II. De miraculo Elisaei quod posuit os, oculos, manus, super mortuum, et quid significet.

2. Non parvum fiduciae robur praestat mihi, quod magnus ille *vir Propheta, potens in opere et sermone*[a], de excelso monte caelorum descendens, visitare dignatus est me, *cum sim cinis et pulvis*[b], misereri mortuo, inclinare
5 se iacenti, contrahi et coaequari parvo, caeco partiri lumen oculorum suorum, et os mutum oris proprii osculo solvere, *debilesque manus* suarum *roborare*[c] contactu. Suaviter rumino ista : et replentur viscera mea, et interiora mea saginantur, et omnia ossa mea germinant laudem[d]. Hoc
10 semel contulit universitati ; hoc quotidie singuli in nobis actitari sentimus, et cordi scilicet tribui intelligentiae lumen, et ori aedificationis verbum, et manibus opus iustitiae. Dat sentire fideliter, dat proferre utiliter, dat efficaciter adimplere. Et est *funiculus triplex,* qui *difficile rumpitur*[e],
15 ad extrahendas animas de carcere diaboli, et trahendas post se ad regna caelestia, si recte sentias, si digne proloquaris, si vivendo confirmes. Oculis suis tegit meos, interioris hominis frontem claris luminaribus ornans, fide et intellectu. Ori meo iunxit suum, et mortuo signum
20 pacis impressit, quoniam cum adhuc peccatores essemus,

2. a. Lc 24, 19 b. Gen. 18, 27 ≠ c. Is. 35, 3 ≠ d. Cf. Is. 66, 14 ; Is. 61, 11 e. Eccl. 4, 12 ≠

1. La parenthèse explique amplement le miracle du prophète Élisée. Mais Bernard ne s'éloigne pas beaucoup du thème principal : le regret et la confession des péchés, ainsi que le salut par le nom de Jésus.
2. *RB* Prol. 1 (*SC* 181, 412).

thème est tout aussi bien une nourriture pour nos âmes. De la même manière, il arrive souvent aux chiens et aux chasseurs de se détourner de l'animal qu'ils poursuivaient, pour en suivre un autre, survenu à l'improviste[1].

II. Signification du miracle d'Élisée, lorsqu'il mit la bouche, les yeux, les mains sur le mort.

2. Voici ce qui ne me donne pas peu d'assurance. Ce grand « Prophète, puissant en actes et en paroles[a] », descendant des cieux comme d'une haute montagne, a daigné me visiter, « moi qui suis cendre et poussière[b] ». Il a eu pitié du mort, il s'est penché sur celui qui gisait, il s'est rapetissé et s'est proportionné à ma petitesse. Il a donné à l'aveugle que j'étais la lumière de ses yeux, il a délié ma bouche muette par le baiser de sa propre bouche, « et il a raffermi mes mains défaillantes[c] » par le contact des siennes. Je rumine avec douceur toutes ces grâces : mon cœur en est comblé, mes entrailles en sont gavées, et de tous mes os germe la louange[d]. Tout cela, il l'a communiqué une seule fois à l'humanité entière ; tout cela, nous le sentons se reproduire chaque jour en chacun de nous. C'est ainsi que la lumière de l'intelligence est octroyée à notre cœur ; que la parole qui édifie l'est à notre bouche, et l'œuvre de justice à nos mains. Il donne de penser selon la foi, de parler utilement, d'agir avec efficacité[2]. Voilà « la corde à trois brins, qui se rompt difficilement[e] ». Il s'en sert pour tirer les âmes de la prison du diable, et pour les entraîner à sa suite dans le royaume des cieux. Voici les trois brins : avoir des pensées droites, des paroles dignes, une vie qui y corresponde. De ses yeux, le Prophète a touché les miens, ornant le visage de l'homme intérieur de lumières étincelantes : la foi et l'intelligence. A ma bouche il a uni la sienne, et il a imprimé sur le mort le signe de paix : lorsque nous étions

reconciliavit nos Deo[f], iustitiae mortuos. Os ori applicavit, iterato *inspirans in faciem meam spiraculum vitae*[g], sed
91 sanctioris quam primo : nam primo quidem *in animam viventem* creavit me, secundo *in spiritum vivificantem*[h]
25 reformavit me. Manus suas meis superposuit, *exemplum praebens bonorum operum*[i], formam oboedientiae. Aut certe *manus suas misit ad fortia*[j], ut *doceret meas ad proelium et digitos meos ad bellum*[k].

III. De septem oscitationibus, quid significent.

3. *Et oscitavit,* inquit, *puer septies*[a]. Sufficiebat ad gloriam manifestandi miraculi oscitasse semel ; sed multiplicitas et insignis numerus mysterii admonent. Si illud ingens universi humani generis primum quidem exanime corpus
5 attendas, vides ubique Ecclesiam, ex quo vitam Propheta incumbente recepit, quasi septies oscitasse, et *septies in die laudem dicere*[b] consuevit. Si teipsum advertas, in hoc teipsum noveris vita vivere spirituali, ac mysticum hunc implere numerum, si sensualitatis tuae quinarium caritatis
10 binario subicis, *exhibes*que iuxta Apostolum, *membra tua servire iustitiae in sanctificationem,* quae prius *exhibuisti servire iniquitati ad iniquitatem*[c] ; aut certe si eumdem quinarium proximorum saluti impertiens, ad perficiendum septenarium duo haec adicias, *misericordiam* scilicet *et*
15 *iudicium cantare Deo*[d].

f. Cf. Rom. 5, 10 g. Gen. 2, 7 ≠ h. I Cor. 15, 45 ≠ i. Tite 2, 7 ≠ j. Prov. 31, 19 ≠ k. Ps. 143, 1 ≠
3. a. IV Rois 4, 35 b. Ps. 118, 164 ≠ c. Rom. 6, 19 ≠ d. Ps. 100, 1 ≠

1. Allusion aux sept parties de l'office divin au long de la journée monastique : Matines, Laudes, Tierce, Sexte, None, Vêpres et Complies. La *Règle* (*RB* 16, 1, *SC* 182, 524) énonce ces sept « heures » en y joignant la même citation du *Ps.* 118, 164.

encore pécheurs, il nous a réconciliés avec Dieu[f], nous qui étions morts à la justice. Il a appliqué sa bouche sur ma bouche, «insufflant une seconde fois sur ma face l'haleine de vie[g]», mais d'une vie plus sainte que la première fois. Car la première fois il m'a créé «âme vivante», la deuxième fois il m'a recréé «esprit vivifiant[h]». Il a posé ses mains sur les miennes, me «donnant l'exemple des bonnes œuvres[i]», le modèle de l'obéissance. Ou plutôt, «il a mis la main à une œuvre pleine de vigueur[j]», pour «exercer mes mains au combat et mes doigts à la guerre[k]».

III. Signification des sept bâillements.

3. «Et l'enfant, dit-il, bâilla sept fois[a].» Il suffisait d'avoir bâillé une seule fois pour manifester l'éclat du miracle; mais cette multiplicité et ce nombre remarquable nous avertissent qu'il y a là un mystère. Si tu considères l'immense corps de tout le genre humain, qui était mort, tu vois que partout l'Église a, pour ainsi dire, bâillé sept fois, dès qu'elle a reçu la vie du Prophète qui s'est couché sur elle; car elle a coutume de «chanter les louanges sept fois le jour[b 1]». Si tu te regardes toi-même, tu reconnaîtras que tu vis de la vie spirituelle, et que tu accomplis ce nombre mystique, si tu soumets les cinq sens de ton corps aux deux mouvements de la charité. Selon l'Apôtre, «tu montres ainsi que tu mets au service de la justice, pour ta sanctification, les membres que tu mettais jadis au service de l'iniquité pour aboutir à l'iniquité[c]». Ou bien encore, tu consacres au salut de ton prochain ces mêmes cinq sens et, pour compléter le nombre sept, tu ajoutes ces deux choses: «chanter la miséricorde et la justice de Dieu[d 2].»

2. «Chanter la miséricorde et la justice de Dieu.» Bernard explicite ici le fil conducteur de son exposé: le dialogue entre la miséricorde et la justice divines (*Ps.* 100, 1 et 84, 11).

4. Habeo et alias septem oscitationes, septem videlicet experimenta, sine quibus vera et certa salus redivivi spiritus minime constat : quatuor ad sensum compunctionis, tria ad confessionis sonum pertinentia. Si vivis, si vox, si
5 sensus est, tu quoque eadem in te recognoscis. Porro sensum ex integro recuperasse te scias, si tuam conscientiam quadruplici sentis compunctione morderi, pudore gemino et gemino metu : nam vitam ad perficiendum septenarium triplex confessionis species attes-
10 tatur, de quibus postea videbitur. Nonne et sanctus Ieremias in suo planctu observat hunc numerum?

IV. De duplici pudore.

Et tu igitur in tua pro te lamentatione formam habens propheticam, *Deum* cogita *factorem tuum*[a], cogita et benefactorem, cogita patrem, cogita dominum. Ad omnia reus
15 es : plange per singula. Ad primum et ultimum respondeat timor tuus, ad duo media pudor. Pater sane non metuitur, cum pater sit. Patris est misereri semper et parcere. Et si *percutit, virga*[b], non baculo percutit; et cum percus-
92 serit, sanat. Paterna vox est : *Percutiam, et ego sanabo*[c].
20 Non est proinde quod a patre formides, qui, etsi quando feriat, ut emendet, numquam tamen ut vindicet. At vero cogitantem quod patrem offenderim, est certe quod pudeat, etsi non quod terreat. *Voluntarie genuit me verbo*

4. a. Deut. 32, 15 ≠ b. Prov. 23, 14 ≠ c. Deut. 32, 39

1. Le livre biblique « Lamentations du prophète Jérémie » comprend cinq chapitres. Ces textes sont chantés pendant les offices de la Semaine sainte. Tout le sermon semble s'insérer dans la liturgie du carême.

2. *Deus cui proprium est misereri semper et parcere*, « Dieu à qui il appartient d'avoir toujours pitié et de pardonner » (Collecte de la messe d'enterrement). Voir aussi *SCt* 26, 5.

3. Bernard oppose souvent « correction avec le bâton » et « correction

4. Je vois encore sept autres bâillements, à savoir sept expériences sans lesquelles il n'est pas de salut véritable ni garanti pour l'esprit revenu à la vie. Quatre se rapportent au sentiment du regret des péchés, trois à la voix qui les confesse. Si tu es vivant, si tu as le sentir et la voix, tu peux, toi aussi, reconnaître en toi ce que je viens de dire. Sache donc que tu as entièrement recouvré le sentir, si tu sens dans ta conscience la morsure d'un quadruple regret : une double honte et une double crainte. Et pour compléter le nombre sept, il y a trois espèces de confession qui attestent le retour à la vie ; nous en parlerons plus loin. N'est-il pas vrai que saint Jérémie se conforme lui aussi à ce nombre dans ses *Lamentations*[1] ?

IV. La double honte.

Toi donc, lorsque tu pleures sur toi-même suivant l'exemple du Prophète, pense que « Dieu est ton créateur[a] », ton bienfaiteur aussi, ton père, ton seigneur. A l'égard de ces quatre noms divins tu es coupable : pleure pour chacun d'eux. Que la crainte réponde au premier et au dernier, la honte aux deux autres. Car le père ne saurait être craint, puisqu'il est père. Le propre du père, c'est d'avoir toujours pitié et de pardonner[2]. « S'il frappe, c'est avec une baguette[b] », non pas avec un bâton[3] ; et après avoir frappé, il guérit. La voix du père dit : « Je frapperai, et c'est moi qui guérirai[c]. » Il n'y a donc rien à craindre du père : même si parfois il châtie, c'est pour corriger, jamais pour se venger. Mais lorsque je pense que j'ai pu offenser mon père, même si je n'ai pas de quoi avoir peur, j'ai bien de quoi avoir honte. « De son plein gré, il m'a engendré par sa parole de

avec la baguette ». Cf. *Sent* III, 118 (*SBO* VI-2, 213, l. 13-14). Les pasteurs doivent avoir un bâton pour chasser les loups et une baguette pour corriger les brebis.

veritatis[d], non stimulo carnalis cupiditatis excussit, quem-
25 admodum genitor carnis meae. Deinde etiam non pepercit Unigenito[e] pro sic genito. Ita ipse quidem patrem se exhibuit mihi, sed non ego me illi vicissim filium. Quanam fronte attollo iam oculos ad vultum patris tam boni, tam malus filius? Pudet indigna gessisse genere meo,
30 pudet tanto patre vixisse degenerem. *Exitus aquarum deducite, oculi mei*[f]; *operiat confusio faciem meam*[g], vultum meum pudor suffundat, occupetque caligo. *Deficiat in dolore vita mea, et anni mei in gemitibus*[h]. Proh pudor! *quem fructum habui in quibus nunc erubesco*[i]? Si *in*
35 *carne seminavi, de carne non metam nisi corruptionem*[j]; si in *mundo, et* ipse *transit, et concupiscentia eius*[k]. Quid? Caduca, vana et prope nulla, et quorum finis mors[l] est, infelix et insanus praeferre non erubui aeterni patris amori et honori. Confundor, confundor audire : *Si ego pater, ubi*
40 *est honor meus*[m]?

5. Sed et si pater non esset, obrueret me beneficiis. *Instaurat adversum me testes*[a], ut alia innumera taceam, huius corporis victum, et usum temporis huius, et super omnia sanguinem dilecti Filii clamantem de terra[b]. Pudet
5 ingratitudinis. Quamquam ad confusionis cumulum, arguar etiam reddidisse *mala pro bonis et odium pro dilectione*[c]. Minime quidem mihi a benefactore, sicut nec a Patre timendum. Verus quippe beneficus est, *dans affluenter, et non improperans*[d]. Non improperat dona, quia dona

d. Jac. 1, 18 ≠ e. Cf. Rom. 8, 32 f. Ps. 118, 136 ≠ g. Ps. 68, 8 ≠ h. Ps. 30, 11 ≠ i. Rom. 6, 21 ≠ j. Gal. 6, 8 ≠ k. I Jn 2, 17 ≠ l. Cf. Phil. 3, 19 m. Mal. 1, 6 ≠

5. a. Job 10, 17 ≠ b. Cf. Gen. 4, 10 c. Ps. 108, 5 d. Jac. 1, 5 ≠

vérité[d] » ; ce n'est pas, comme le père de mon corps, sous l'aiguillon de la convoitise charnelle qu'il m'a fait naître. Et après m'avoir ainsi engendré, il n'a pas même épargné pour moi son Fils unique[e]. Vraiment, il s'est montré pour moi un père ; mais, en retour, je ne me suis pas montré pour lui un fils. De quel front puis-je lever les yeux vers le visage d'un père si bon, moi qui suis un si mauvais fils ? J'ai honte d'avoir commis des actions indignes de mon origine ; j'ai honte d'avoir vécu en fils dégénéré d'un tel père. « Vous, mes yeux, ruisselez de larmes[f] » ; « que ma face soit couverte de confusion[g] », mon visage submergé par la honte et tout assombri. « Que ma vie se consume dans la douleur, mes années dans les gémissements[h]. » Hélas ! « quel fruit ai-je recueilli de ces actions, dont je rougis maintenant[i] ? » Si « j'ai semé dans la chair, de cette chair je ne moissonnerai que corruption[j] » ; si j'ai semé dans le monde, « le monde passe, lui et sa convoitise[k] ». Eh quoi ! Malheureux et insensé, je n'ai pas rougi de préférer à l'amour et à l'honneur du père éternel des biens caducs, vains, proches du néant et qui aboutissent à la mort[l]. Je suis couvert de confusion en m'entendant dire : « Si je suis père, où est l'honneur qui m'est dû[m] ? »

5. Mais, même s'il n'était pas père, il me comblerait de bienfaits. « Voici les témoins qu'il dresse contre moi[a] », sans parler d'une infinité d'autres : la nourriture de ce corps, les avantages du temps présent, et surtout le sang de son Fils bien-aimé, dont la clameur monte de la terre[b]. J'ai honte de mon ingratitude. Mais aussi, pour comble de confusion, je suis reconnu coupable d'avoir rendu « le mal pour le bien et la haine pour l'amour[c] ». Certes, je n'ai rien à craindre du bienfaiteur, pas plus que du père. Car il est vraiment bienfaisant, « lui qui donne à profusion, et ne fait pas de reproches[d] ». Il ne me fait pas reproche de ses dons, puisque ce sont des dons. Quant

10 sunt ; et beneficia sua mihi dedit, non vendidit. Denique *sine paenitentia sunt dona*[e] eius. At quanto de illo benignius, tanto de me indignius sentire cogor. Erubesce et dole nihilominus, anima mea, quoniam etsi illum non repetere et non improperare decet, nos tamen omnino 15 dedecet ingratos immemoresque exstitisse. Heu ! *quid* vel nunc tandem *retribuam pro omnibus quae retribuit mihi*[f] ?

6. Quod si segnior forte minus suas partes exsequitur pudor, timor sane excitetur in adiutorium. Excitetur, ut excitet.

V. De duplici timore.

93 Sepone parum pia vocabula benefactoris et patris, atque 5 ad austeriora convertere. Nempe qui legitur *Pater misericordiarum et Deus totius consolationis*[a], legitur nihilominus *Deus ultionum Dominus*[b], legitur *Deus iudex iustus et fortis*[c], legitur *terribilis in consiliis super filios hominum*[d], legitur *Deus zelans*[e]. Quod Pater est, quod beneficus est, 10 tibi est ; quod Dominus ac Creator, sibi est : etenim *propter semetipsum fecit omnia*[f], Scriptura teste. Qui ergo quod tuum est defensat tibi et servat, putas et pro se aliquando non zelabit ? Putas sui non requiret principatus honorem ? *Propter* hoc *irritavit impius Deum,* quia *dixit in corde* 15 *suo : Non requiret*[g]. Et quid est in corde suo dicere : *Non*

e. Rom. 11, 29 f. Ps. 115, 12 ≠
6. a. II Cor. 1, 3 b. Ps. 93, 1 c. Ps. 7, 12 d. Ps. 65, 5 e. Ex. 20, 5 (Patr.) f. Prov. 16, 4 ≠ g. Ps. 9, 34 ≠

1. * Dans ce verset, ainsi que dans les versets parallèles (*Ex.* 34, 14 ; *Deut.* 4, 24), les versions latines ont adopté diverses traductions : *zelans, zelotes* (*Vg* pour *Ex.* 20, 5), *zelator, aemulator.* Il est à noter que Bernard n'a jamais utilisé que *zelans* et cette seule fois. Les Pères avaient été très nombreux à écrire *Deus* (ou *Dominus*) *zelans,* en particulier AUGUSTIN (dans les *Quaestiones in Heptateuchum* et le *Contra Adimantum*) et RABAN MAUR (*in Exodum*).

à ses bienfaits, il me les a donnés, et non pas vendus. Bref, ses «dons sont sans repentance[e]». Mais, plus j'ai le sentiment de sa bienveillance, plus je dois avoir le sentiment de mon indignité. Rougis et afflige-toi, mon âme; car, même s'il ne convient pas à Dieu de nous redemander ses dons et de nous en faire reproche, il nous convient encore moins d'être ingrats et oublieux. Hélas! «que rendrai-je, dès maintenant, au Seigneur pour tout le bien qu'il m'a fait[f]?»

6. Et si la honte, trop négligente, ne joue pas assez son rôle, que la crainte s'éveille et vienne à son secours. Qu'elle s'éveille, pour nous éveiller.

V. La double crainte.

Laisse un instant de côté les doux noms de bienfaiteur et de père, et tourne ton regard vers des noms plus sévères. Car celui qui est appelé dans l'Écriture «Père des miséricordes et Dieu de toute consolation[a]», n'en est pas moins appelé «Dieu, Seigneur des vengeances[b]», «Dieu, juge juste et fort[c]», «redoutable dans ses desseins sur les fils des hommes[d]», «Dieu jaloux[e 1]». S'il est père, s'il est bienfaisant, c'est pour toi; s'il est Seigneur et Créateur, c'est pour lui-même. En effet, «il a fait toutes choses pour lui-même[f 2]», selon le témoignage de l'Écriture. Lui qui défend et garde pour toi ce qui t'appartient, crois-tu qu'il ne sera pas également jaloux de ce qui est à lui? Crois-tu qu'il n'exigera pas l'honneur dû à sa souveraineté? «Si l'impie a irrité Dieu, c'est parce qu'il a dit en son cœur: Il n'exigera rien[g].» Et qu'est-ce que dire en son cœur: «Il n'exigera rien», sinon ne pas

2. * Citation libre de *Prov.* 16, 4 (*Vg*: *Universa propter semetipsum operatus est Dominus*). Bernard a pu trouver *omnia* chez CASSIEN, *Collationes* 11, 6, 3 (*CSEL* 13, 318, l. 16).

requiret, nisi non metuere quod requirat? Sed requiret *usque ad novissimum quadrantem*[h], requiret et *retribuet abundanter facientibus superbiam*[i]. Requiret a redempto servitium, honorem et gloriam ab eo quem plasmavit.

7. Esto quod dissimulet Pater, ignoscat beneficus, sed non Dominus et Creator; et qui parcit filio, non parcet figmento, non parcet servo nequam. Pensa cuius sit formidinis et horroris, tuum atque omnium contempsisse fac-
5 torem, offendisse Dominum maiestatis. Maiestatis est timeri, Domini est timeri, et maxime huius maiestatis huiusque Domini. Nam si reum regiae maiestatis, quamvis humanae, humanis legibus plecti capite sancitum est, quis finis contemnentium divinam omnipotentiam erit? *Tangit*
10 *montes, et fumigant*[a] : et tam tremendam maiestatem audet irritare vilis pulvisculus, uno levi flatu dispergendus et minime recolligendus? Ille, ille *timendus* est, *qui postquam occiderit* corpus, *potestatem habet mittere* et *in gehennam*[b]. Paveo gehennam, paveo iudicis vultum ipsis quoque tre-
15 mendum angelicis potestatibus. Contremisco ab ira potentis, *a facie furoris eius*[c], a fragore ruentis mundi, a conflagratione elementorum, a *tempestate valida*[d], a *voce archangeli*[e], et *a verbo aspero*[f]. Contremisco a dentibus

h. Matth. 5, 26 (Patr.) i. Ps. 30, 24 ≠
7. a. Ps. 143, 5 ≠ b. Lc 12, 5 ≠ c. Is. 51, 13 d. Ps. 49, 3 ≠ e. I Thess. 4, 16 f. Ps. 90, 3

1. * Bernard écrit toujours (7 fois) *usque... ad*, « jusqu'au... » Cette expression, absente de tous les manuscrits bibliques, est ajoutée de plus en plus souvent au cours des siècles par les Pères. C'est une formule facile, un peu redondante, qui se rencontre même dans des traductions actuelles faites sur le grec... qui ne la comporte pas non plus.

2. * Les expressions « Seigneur de majesté » *(Dominus maiestatis)* et « Seigneur de gloire » *(Dominus gloriae)* sont, respectivement, les traductions *Vl* et *Vg* de *I Cor.* 2, 8. Bernard, qui trouvait une tradition patristique abondante et mélangée, a utilisé le plus souvent « Seigneur de majesté ». On compte 25 emplois de ce dernier; cf. *SCt* 28, 5, l. 10,

craindre qu'il exige son dû? Mais il l'exigera «jusqu'au dernier centime[h 1]»; il l'exigera et «punira sévèrement ceux qui font les orgueilleux[i]». De celui qu'il a racheté, il exigera le service, et de celui qu'il a façonné, l'honneur et la gloire.

7. Même en admettant que le père ferme les yeux et que le bienfaiteur pardonne, le Seigneur et le Créateur n'en feront pas autant. Lui qui ménage le fils, ne ménagera pas l'argile modelée, ni le mauvais serviteur. Considère combien il est effrayant et horrible d'avoir méprisé ton Créateur et le Créateur de toutes choses, d'avoir offensé le Seigneur de majesté[2]. Il sied à la majesté d'être crainte; il sied au Seigneur d'être craint; et surtout une telle majesté et un tel Seigneur! En effet, si les lois humaines condamnent à mort le coupable de lèse-majesté envers un homme, quelle sera la fin de ceux qui méprisent la toute-puissance divine? «Dieu touche les montagnes, et elles fument[a]»; comment un minable grain de poussière oserait-il irriter une majesté si terrible, lui qu'un souffle léger disperse sans qu'on puisse le recueillir? «Il faut craindre bien plutôt celui qui, après avoir tué le corps, a le pouvoir de jeter aussi dans la géhenne[b].» Je redoute la géhenne, je redoute la face du juge qui fait trembler jusqu'aux puissances angéliques[3]. Je tremble lorsque je pense à la colère du Puissant, «à son visage courroucé[c]», au fracas du monde qui s'écroule, à la conflagration des éléments, «à la tempête violente[d]», «à la voix de l'archange[e]» et «à la parole terrible[f]». Je tremble lorsque

soit comme appellation divine, soit comme allusion lointaine à ce verset paulinien. Il emploie 17 fois «Seigneur de gloire» (voir l'Index scripturaire), le plus souvent en se référant à *I Cor.* 2, 8 (voir l'Index scripturaire *ad loc.*). Chez lui, les deux expressions sont très liées au Dieu grand et redoutable, mais aussi au Dieu incarné et à l'effroi provoqué par l'évocation de son rejet et de sa crucifixion.

3. Cf. la préface commune de la messe : *tremunt potestates.*

bestiae infernalis, a ventre inferi[g], *a rugientibus praeparatis ad escam*[h]. Horreo vermem rodentem, et ignem[i] torrentem, fumum, vaporem[j] et sulfurem, et *spiritum procellarum*[k], horreo *tenebras exteriores*[l]. *Quis dabit capiti meo aquam, et oculis meis fontem lacrimarum*[m], ut praeveniam fletibus *fletum, et stridorem dentium*[n], et manuum pedumque dura vincula, et pondus catenarum prementium, stringentium, urentium, nec consumentium? Heu me, *mater mea! ut quid me genuisti*[o] filium doloris, filium amaritudinis, et indignationis et plorationis aeternae! *Cur exceptus genibus, cur lactatus uberibus*[p], natus *in combustionem et cibus ignis*[q]?

8. Qui sic afficitur, sensum procul dubio recuperavit, et in duplici metu isto, itemque pudore illo aeque duplici, habet oscitationes quatuor.

VI. De trina confessione, et primum de humili.

Tres quae restant ex voce confessionis adiciet, et nequaquam dicetur iam de eo quod *non sit vox neque sensus*[a] : si tamen de corde humili, simplici fidelique processerit illa confessio. Omne ergo quod remordet conscientiam, confitere humiliter, pure, fideliter; et has vices implesti. Sunt *qui gloriantur cum male fecerint et exsultant in rebus pessimis*[b], quos notans Propheta : *Peccata,* inquit, *sua praedicaverunt sicut Sodoma*[c]. Verum hos ab hac disputatione, tamquam saeculares amoveo : nam *quid* ad nos *de his qui foris sunt*[d]?

g. Cf. Jonas 2, 3 h. Sir. 51, 4 ≠ i. Cf. Mc 9, 47 j. Cf. Joël 2, 30 k. Ps. 10, 7 ≠ l. Matth. 8, 12 m. Jér. 9, 1 n. Matth. 8, 12 ≠ o. Jér. 15, 10 ≠ p. Job 3, 12 ≠ q. Is. 9, 5

8. a. IV Rois 4, 31 ≠ b. Prov. 2, 14 ≠ c. Is. 3, 9 ≠ d. I Cor. 5, 12 ≠

1. Bernard dit deux fois *contremisco,* « je tremble » et deux fois *horreo,* « je suis pris d'effroi ». La peur de l'enfer doit provoquer le regret et la confession des péchés.

je pense aux dents de la bête infernale, au ventre de l'enfer[g], «aux lions rugissants prêts à me dévorer[h]». Je suis pris d'effroi devant le ver rongeur et le feu[i] consumant, devant la fumée, la vapeur[j] et le soufre, devant «le tourbillon des ouragans[k]»; je suis pris d'effroi devant «les ténèbres extérieures[l1]». «Qui donnera de l'eau à ma tête, et à mes yeux une source de larmes[m]», pour que par mes pleurs je prévienne «les pleurs éternels, le grincement de dents[n]», les dures entraves des mains et des pieds, le poids des chaînes qui écrasent, serrent, brûlent sans consumer? Malheur à moi, «ma mère! Pourquoi m'as-tu enfanté[o]», moi, fils de douleur, fils d'amertume, d'indignation et de désolation éternelle? «Pourquoi s'est-il trouvé des genoux pour m'accueillir, des seins pour m'allaiter[p]», moi qui suis né «pour brûler et devenir la pâture du feu[q]»?

8. L'homme qui est ainsi touché, a sans doute recouvré le sentir et, grâce à cette double crainte, ainsi qu'à cette double honte, il a déjà bâillé quatre fois.

VI. Les trois espèces de confession, et d'abord la confession humble.

Cet homme doit ajouter les trois bâillements qui restent par la voix qui confesse les péchés. Alors on ne pourra plus dire de lui qu'«il n'a ni voix ni sentir[a]». Mais à une condition : cette confession devra jaillir d'un cœur humble, simple et fidèle. Confesse donc humblement, loyalement et fidèlement tout ce dont ta conscience a le remords; et tu auras accompli ce nombre sept. Il y en a «qui se glorifient d'avoir fait le mal et qui se complaisent dans les actions dépravées[b]». Le Prophète les blâme en disant : «Ils ont étalé leurs péchés comme Sodome[c].» Mais je ne veux pas parler d'eux ici, car ce sont des gens du siècle; et «qu'avons-nous à faire avec ceux du dehors[d]?»

9. Quamquam et de his, qui religiose vestiti et professi sunt religionem, nonnumquam audimus aliquos reminisci et iactitare impudentissime mala sua praeterita, quae, verbi gratia, aliquando vel fortiter gladiatorio, vel argute littera-
5 torio gessere conflictu, seu aliud quid secundum mundi quidem vanitatem favorabile, secundum animae vero salutem nocivum, perniciosum, damnosum; saecularis adhuc animi indicium est hoc, et humilis habitus qui gestatur a talibus non sanctae novitatis est meritum, sed priscae vetus-
10 tatis operculum. Nonnulli talia quasi dolendo et paenitendo rememorant; sed gloriam intentione captantes, commissa sua non diluunt, sed seipsos illudunt : nam *Deus non irridetur*[a]. Veterem hominem non exuerunt, sed novo se palliant[b]. Non proditur aut proicitur *vetus fermentum*[c] illa
15 confessione, sed statuitur, secundum illud : *Inveteraverunt ossa mea, dum clamarem tota die*[d]. Pudet reminisci quorumdam tantam proterviam, ut non pudeat eos cum exsultatione lugenda iactitare, quod et post susceptum sanctum
95 habitum, callide quempiam supplantaverint, et *circumve-*
20 *nerint in negotio fratrem*[e], aut quod talionem pro convicio vel maledicto, id est *malum pro malo aut maledictum pro maledicto* audacter *reddiderint*[f].

10. Sed est confessio eo periculosius noxia, quo subtilius vana, cum ipsa etiam inhonesta et turpia de nobis detegere non veremur, non quia humiles sumus, sed ut

9. a. Gal. 6, 7 b. Cf. Col. 3, 9-10 (Patr.) c. I Cor. 5, 7
d. Ps. 31, 3 e. I Thess. 4, 6 ≠ f. I Pierre 3, 9 ≠

---

1. Il y a deux manières de se confesser sans humilité. Ou bien on se glorifie de certaines fautes passées (§ 9), ou bien on les confesse avec une fausse humilité qui est le manteau qui couvre l'orgueil.

9. Cependant, même parmi ceux qui ont revêtu l'habit du moine et qui ont fait la profession monastique, nous en avons parfois entendu certains évoquer et claironner, avec une extrême impudence, leurs fautes passées[1]. Par exemple, leurs prouesses dans quelque tournoi d'armes ou dans quelque joute littéraire, ou bien d'autres exploits, flatteurs selon la vanité du monde, mais nuisibles, pernicieux et funestes pour le salut de l'âme. C'est là le signe d'un esprit encore attaché au siècle. L'humble habit que portent de telles gens n'est pas la récompense d'une sainte nouveauté de vie, mais il est le manteau qui couvre le vieil homme. Il en est qui rappellent leurs actions passées sur un ton de douleur et de repentir, mais dans l'intention d'en tirer gloire. Ainsi, ils n'effacent pas leurs péchés, mais ils se leurrent eux-mêmes ; car « on ne se moque pas de Dieu[a]. » Ils n'ont pas dépouillé le vieil homme, mais ils s'enrobent de l'homme nouveau[b2]. Une telle confession ne dévoile ni ne rejette « le vieux levain[c] » ; au contraire, elle le renforce, selon cette parole : « Mes os ont vieilli, tandis que je criais tout le jour[d]. » J'ai honte d'évoquer l'effronterie de certains : elle est si grande qu'ils ne rougissent pas de se vanter allègrement d'actions dont ils devraient pleurer. Vous voulez des exemples ? Même après avoir pris le saint habit, ils ont supplanté quelqu'un avec ruse, « circonvenu un frère dans une affaire[e] », appliqué le talion pour l'injure ou pour la malédiction, c'est-à-dire « ils ont rendu insolemment le mal pour le mal, ou la malédiction pour la malédiction[f] ».

10. Mais il y a une confession d'autant plus dangereusement coupable que la vanité s'y cache de façon plus subtile. Elle consiste à mettre à nu sans crainte jusqu'à nos actes déshonnêtes et honteux, non point parce

2. * Dans ses nombreuses allusions (15 à 20) à ce verset, Bernard remplace *exspoliantes (Vg)* par *exuentes (Vl)*.

esse putemur. Appetere autem de humilitate laudem, humi-
5 litatis non est virtus, sed subversio. Verus humilis vilis vult reputari, non humilis praedicari. Gaudet contemptu sui, hoc solo sane superbus quod laudes contemnit. Quid perversius, quidve indignius, ut humilitatis custos, confessio, superbiae militet, et inde velis videri melior,
10 unde videris deterior? Mirabile iactantiae genus, ut non possis putari sanctus, si non appareas sceleratus. At talis confessio speciem habens humilitatis, non virtutem[a], non solum veniam non meretur, sed et provocat iram. Numquid profuit Saul quod se ad increpationem Samuelis peccasse
15 confessus est[b]? Culpabilis procul dubio fuit illa confessio, quae culpam non diluit. Quando enim humilem contemneret confessionem humilitatis magister, et cui *humilibus dare gratiam*[c] certe ingenitum est? Omnino non poterat non placari si, quae in ore sonuit, in corde radiasset
20 humilitas. Ecce cur humilem esse debere confessionem dixi.

VII. De simplici confessione.

11. Oportet autem esse et simplicem. Non intentionem, forte quia latet homines, excusare delectet, si sit rea, nec levigare culpam quae gravis est, nec alieno adumbrare suasu, cum invitum nemo coegerit. Primum illud non
5 confessio est, sed defensio; nec placat, sed provocat. Sequens monstrat ingratitudinem, et quo minor reputatur culpa, eo minuitur et gloria indultoris. Sed enim minus

10. a. Cf. II Tim. 3, 5   b. Cf. I Sam. 15, 30   c. Jac. 4, 6 ≠

---

1. Après sa victoire sur les Amalécites, Saül avait permis au peuple de garder, malgré l'anathème général, le meilleur des bœufs et des brebis. Interpellé par le prophète Samuel, Saül lui dit : «J'ai péché». Mais en même temps il excusa sa faute, disant que le peuple voulait sacrifier ces bêtes au Seigneur. Dieu rejeta cette confession ambiguë qui ne venait pas d'un cœur humble. Saül fut déchu de la royauté d'Israël.

que nous sommes humbles, mais pour qu'on nous considère comme tels. Rechercher la louange que procure l'humilité, ce n'est pas la vertu d'humilité, c'est sa ruine. Celui qui est vraiment humble veut être tenu pour misérable, non pas être proclamé humble. Il se réjouit d'être méprisé, et ne met sa fierté que dans le mépris des louanges. Quoi de plus pervers, quoi de plus indigne que cette confession qui travaille pour l'orgueil, quand elle devrait être la sauvegarde de l'humilité. Tu veux paraître meilleur par cela même qui te fait paraître pire! Étonnante vantardise : tu ne peux passer pour saint qu'en te montrant scélérat. Mais une telle confession n'a que le faux-semblant de l'humilité, sans en avoir la vertu[a]; non seulement elle ne mérite pas le pardon, mais encore elle provoque la colère. Quel avantage Saül a-t-il tiré d'avoir confessé son péché devant la réprimande de Samuel[b]? Cette confession fut sans aucun doute coupable, puisqu'elle n'effaça point la faute[1]. En effet, le maître de l'humilité, auquel il est naturel de « donner sa grâce aux humbles[c] », pourrait-il jamais mépriser une humble confession? Certainement il se serait laissé apaiser, si l'humilité des lèvres avait rayonné aussi du cœur. Voilà pourquoi j'ai dit que la confession doit être humble.

VII. La confession simple.

11. Mais il faut aussi que la confession soit simple. Qu'elle ne se plaise pas à excuser une intention qui serait coupable, sous prétexte qu'elle échappe aux hommes ; ni à atténuer une faute grave ; ni à la couvrir sous l'instigation d'autrui, puisque personne n'est contraint malgré lui. La première attitude n'est pas une confession, mais un plaidoyer ; au lieu d'apaiser, elle provoque. La suivante fait montre d'ingratitude car, plus on amoindrit la faute, plus on diminue la gloire de celui qui la remet.

libenter beneficium datur, quod minus grate minusve necessarie provenire sentitur. Veniam proinde sibi abiu-
10 dicat, qui munus largitoris attenuat : quod quidem omnis, qui reatum suum verbis alleviare conatur, facit. Iam a postremo primi hominis dehortetur exemplum, nec culpam siquidem diffitentis, nec tamen consequentis veniam, non dubium, quin ob reatus mulieris admixtionem[a]. Genus
15 excusationis est, cum argueris tu, alium incusare. Porro excusare te velle quando corriperis, quam sit non modo
96 minime fructuosum, sed et perniciosum, sanctum David interroga. *Verba* nempe *malitiae excusationes in peccatis* appellat, ne *in ea declinet cor suum*[b] rogans et sup-
20 plicans. Merito quidem. *In animam* etenim *peccat suam*[c] qui se excusat, repellens perinde a se indulgentiae medicinam, et sic vitam sibi ore proprio intercludens. Et quaenam maior malitia, quam propriam armari in salutem, et linguae tuae temetipsum mucrone confodere? Denique
25 *qui sibi nequam, cui est bonus*[d]?

VIII. De fideli confessione et de septem phialis quas attulit Dominus Iesus, oleo quinque, duas vino plenas.

12. Sit autem et fidelis confessio, ut confitearis in spe, de indulgentia penitus non diffidens, ne tuo te ore non tam iustifices quam condemnes[a]. Iudas certe proditor Domini et Cain fratricida confessi sunt, et diffisi sunt :
5 alter : *Peccavi,* inquit, *tradens sanguinem iustum*[b]; alter :

11. a. Cf. Gen. 3, 12 b. Ps. 140, 4 ≠ c. Sir. 19, 6 ≠ d. Sir. 14, 5 (Patr.)
12. a. Cf. Matth. 12, 37; Lc 19, 22 b. Matth. 27, 4

1. * On trouve 9 fois ce texte chez Bernard; voir *SCt* 18, 4, l. 43. Le plus souvent *est* et *erit* sont omis; toujours, *alii*. Cette formulation se rencontre chez Augustin, Grégoire le Grand, Bède, et d'autres Pères plus nombreux par la suite.

D'autre part, on accorde moins volontiers un bienfait dont on sait que, jugé peu utile, il suscite peu de reconnaissance. Il se rend donc indigne du pardon, celui qui déprécie la largesse du bienfaiteur; voilà ce que fait tout homme qui essaye d'atténuer sa faute par des paroles. Quant à la troisième attitude, que l'exemple du premier homme nous en détourne. Certes, il n'a pas nié sa faute; pourtant, il n'a pas obtenu le pardon, sans aucun doute parce qu'il a mis en cause la faute de sa femme[a]. Accuser autrui, lorsqu'on te reprend toi-même, c'est une manière de t'excuser. Demande au saint prophète David combien il est non seulement inutile, mais pernicieux, de vouloir t'excuser quand tu es réprimandé. En effet, « ces excuses des péchés » il les appelle « paroles de malice », priant avec insistance pour que « son cœur ne penche pas vers elles[b] ». A juste titre. Car l'homme qui s'excuse, « pèche contre son âme[c] » : il repousse loin de lui le remède du pardon, et il se ferme ainsi par ses propres paroles l'accès à la vie. Est-il plus grande malice que de t'armer contre ton propre salut et de te percer toi-même du poignard de ta langue? Enfin, « celui qui est cruel envers soi-même, envers qui est-il bon[d 1]? »

VIII. La confession fidèle et les sept fioles apportées par le Seigneur Jésus, cinq pleines d'huile, deux de vin.

12. Que la confession soit aussi fidèle. Confesse-toi dans l'espérance, avec une profonde confiance dans le pardon, de peur que tes paroles ne te condamnent au lieu de te justifier[a]. Judas, qui a trahi le Seigneur, et Caïn, qui a tué son frère, ont confessé leur faute, mais sans faire confiance. L'un a dit : « J'ai péché, en livrant le sang d'un juste[b] »; et l'autre : « Mon iniquité est trop

Maior est iniquitas mea, quam ut veniam merear[c]; et verax licet, nil eis profuit infidelis confessio. Hae itaque tres confessionis observantiae, iunctae quatuor superioribus compunctionis, septenarium implent.

13. Iam vero sic compunctus, et sic confessus, ac propria perinde certus de vita, certus quoque nihilominus es, ut arbitror, vacuo nequaquam nomine appellari Iesum, eum qui in te talia valuit et voluit operari, nec vacue subse-
5 cutum fuisse baculum quem praemiserat[a]. Non venit vacue, quia non venit vacuus. Nam quomodo vacuus, in quo habitavit plenitudo[b]? *Neque enim ei datus est ad mensuram Spiritus*[c]. Denique et venit in plenitudine temporis[d], plenum perinde venire se indicans. Bene plenum,
10 quem *unxit* Pater *oleo laetitiae prae consortibus suis*[e], unxit et misit *plenum gratiae et veritatis*[f]. Unxit ut ungeret. Omnes ab eo uncti sunt, qui de plenitudine eius meruerunt accipere[g]. Ideo ait : *Spiritus Domini super me, eo quod unxerit me; ad annuntiandum mansuetis misit me, ut*
15 *mederer contritis corde, ut praedicarem captivis indulgentiam et clausis apertionem, ut praedicarem annum placabilem Domino*[h]. Veniebat, ut audis, ungere contritiones nostras ac lenire dolores; ideoque venit unctus, venit mansuetus *et mitis, et multae misericordiae omnibus invo-*
20 *cantibus se*[i]. Sciebat se ad infirmos descendere, exhi-

c. Gen. 4, 13
13. a. Cf. IV Rois 4, 29-31 b. Cf. Col. 2, 9 c. Jn 3, 34 ≠
d. Cf. Gal. 4, 4 e. Ps. 44, 8 ≠ f. Jn 1, 14 g. Cf. Jn 1, 16
h. Is. 61, 1-2 ≠ i. Ps. 85, 5 ≠

1. Répétons les trois règles d'une bonne confession : elle doit être fidèle (§ 12), simple (§ 11) et humble (§ 10).

2. Les quatre règles du regret rappellent la double honte (§ 4) et la double crainte (§ 6).

grande pour que je puisse mériter le pardon[c].» Bien que sincère, cette confession sans la foi ne leur servit de rien. C'est ainsi que ces trois règles de la confession[1], jointes aux quatre précédentes concernant le regret des péchés[2], accomplissent le nombre sept.

13. Ayant ainsi regretté et confessé tes péchés, tu es désormais certain d'être revenu à la vie, et tu es également certain, je pense, que Jésus ne porte pas son nom en vain[3], lui qui a pu et voulu opérer en toi de tels miracles. Il n'a pas suivi en vain le bâton qu'il avait envoyé devant lui[a]. Il n'est pas venu en vain, parce qu'il n'est pas venu les mains vides. Et comment serait-il venu les mains vides, lui en qui habitait la plénitude[b]? «En effet, l'Esprit ne lui a pas été donné avec mesure[c].» Aussi est-il venu à la plénitude des temps[d], montrant par là qu'il venait lui aussi en plénitude. Oui, parfaite plénitude de celui que le Père «a oint d'une huile d'allégresse de préférence à ses compagnons[e]». Le Père l'a oint et l'a envoyé «plein de grâce et de vérité[f]». Il l'a oint, pour qu'il puisse en oindre d'autres. Tous ceux qui ont mérité de recevoir de sa plénitude[g] ont été oints par lui. C'est pourquoi il dit : «L'Esprit du Seigneur est sur moi, car il m'a consacré par l'onction. Il m'a envoyé porter la bonne nouvelle aux hommes doux, panser les cœurs meurtris, proclamer aux captifs le pardon et aux prisonniers la délivrance, proclamer une année de grâce pendant laquelle le Seigneur se laisse apaiser[h].» Il venait, tu l'as entendu, oindre nos blessures et adoucir nos souffrances. C'est pourquoi il est venu après avoir reçu l'onction; il est venu dans la mansuétude «et la douceur, plein de miséricorde pour tous ceux qui l'invoquent[i]». Il savait qu'il descendait chez des malades, et il s'est montré tel qu'il

3. Josué a porté son nom en vain comme on peut le lire en *SCt* 15, 8 (*SC* 414, 345).

buitque qualem oportuit. Et quoniam multae erant infir-
97 mitates, multa quoque providus medicus medicamina
curavit afferre. Attulit *spiritum sapientiae et intellectus, spiritum consilii et fortitudinis, spiritum scientiae et pietatis,*
25 *et spiritum timoris Domini*[j].

14. Vides quot *phialas plenas odoramentis*[a] caelestis
medicus praeparavit, ad sananda vulnera illius miseri qui
incidit in latrones[b]. Septem sunt numero, septem fortasse
praefatis excitandis oscitationibus accommodatae. Spiritus
5 enim vitae erat in phialis. Ex his profecto *infudit oleum*
meis vulneribus; infudit *et vinum*[c], sed minus quam olei.
Sic nempe congruebat infirmitatibus meis, ut *misericordiam superexaltaret iudicio*[d], quemadmodum vino
oleum superfertur infusum. Attulit proinde quinque cados
10 olei, vini nonnisi duos. Vinum siquidem timor tantum et
fortitudo fuere, reliqua quinque oleum propria suavitate
designant. In spiritu denique fortitudinis, *tamquam potens
crapulatus a vino*[e], descendit ad inferos, *contrivit portas
aereas et vectes ferreos confregit*[f], *alligavit fortem, et vasa*
15 captivitatis *eripuit*[g]. Descendit nihilominus in spiritu
timoris, sed timendus, non timidus.

15. O Sapientia! Quanta arte medendi in vino et oleo
animae meae sanitatem restauras, fortiter suavis et suaviter fortis! Fortis pro me, et suavis mihi. Denique *attingis
a fine usque ad finem fortiter et disponis omnia suaviter*[a],
5 propellens inimicum et infirmum fovens. *Sana me Domine*

j. Is. 11, 2-3 ≠
14. a. Apoc. 5, 8 ≠ b. Lc 10, 30 c. Lc 10, 34 ≠ d. Jac. 2, 13 ≠ e. Ps. 77, 65 f. Ps. 106, 16 g. Matth. 12, 29 ≠
15. a. Sag. 8, 1 ≠

1. Les sept dons du Saint-Esprit (*Is.* 11, 2) sont mentionnés ici comme les médicaments les plus efficaces pour toute âme malade. (Voir *Sent* III, 19 et 20, *SBO* VI-2, p. 76.)

le fallait. Et parce que les infirmités étaient nombreuses, ce médecin prévoyant a pris soin d'apporter de nombreux remèdes. Il a apporté «l'esprit de sagesse et d'intelligence, l'esprit de conseil et de force, l'esprit de science et de piété, l'esprit de crainte du Seigneur[j 1]».

14. Tu vois combien le médecin céleste a préparé de «fioles remplies de baumes[a]», pour guérir les blessures de ce malheureux qui «tomba aux mains des brigands[b]». Elles sont au nombre de sept, et propres, me semble-t-il, à provoquer les sept bâillements dont nous avons parlé. En effet, l'Esprit de vie était dans ces fioles. C'est d'elles sans doute qu'«il a versé l'huile» sur mes blessures, «ainsi que le vin[c]», mais en moindre quantité que l'huile. Car il fallait pour mes infirmités que «la miséricorde s'élève au-dessus du jugement[d]», comme l'huile surnage au-dessus du vin auquel on la mélange[2]. C'est pourquoi il a apporté cinq jarres d'huile, et deux seulement de vin. En effet, seules la crainte et la force sont comparables au vin; les cinq autres désignent l'huile par leur douceur. C'est dans l'esprit de force que le Seigneur, «comme un homme puissant ragaillardi par le vin[e]», est descendu aux enfers, «a brisé les portes d'airain et fracassé les verrous de fer[f]», «a ligoté l'homme fort et lui a arraché les vases[g]» qu'il tenait en son pouvoir. Il est descendu aussi dans l'esprit de crainte, mais pour être craint, et non pas en homme craintif.

15. Ô Sagesse! Avec quel art de bon médecin, tu refais la santé de mon âme par le vin et par l'huile! Tu es douce avec force et forte avec douceur. Tu es forte en ma faveur et douce à mon égard. Car «tu exerces ta puissance d'un bout à l'autre du monde avec force et c'est avec douceur que tu disposes tout[a]», repoussant l'ennemi et protégeant le faible. «Guéris-moi, Seigneur,

2. Le vin est symbole du jugement, l'huile de la miséricorde. Voir Cassiodore, *In Ps.* 127, 4 (*PL* 70, 933).

et sanabor[b], psallam et *confitebor nomini tuo*[c], et dicam : *Oleum effusum nomen tuum*[d]. Non vinum effusum – *nolo* enim ut *intres in iudicium cum servo tuo*[e] –, sed oleum, quia *coronas me misericordia et miserationibus*[f]. Oleum
10 plane, quod dum supernatat cunctis quibus immiscetur liquoribus, liquido designat *nomen quod est super omne nomen*[g]. O nomen praesuave et praedulce ! O nomen praeclarum, praeelectum, et praeexcelsum, et *superexaltatum in saecula*[h] ! Hoc vere oleum quod exhilarat faciem
15 hominis[i], quod caput ieiunantis impinguat[j], ut *oleum peccatoris*[k] non sentiat. Hoc *nomen novum, quod os Domini nominavit*[l], *quod* et *vocatum est ab angelo priusquam in utero conciperetur*[m]. Hoc non solum Iudaeus, sed *qui-*
98 *cumque invocaverit, salvus erit*[n], in tantum usquequaque
20 effusum est. Hoc Pater donavit Filio, sponso Ecclesiae, Domino nostro Iesu Christo, *qui est benedictus in saecula. Amen*[o].

b. Jér. 17, 14 c. Ps. 53, 8 d. Cant. 1, 2 e. Ps. 142, 2 ≠
f. Ps. 102, 4 ≠ g. Phil. 2, 9 ≠ h. Dan. 3, 52 ≠ i. Cf. Ps. 103, 15

et je serai guéri[b] » ; je chanterai et « je confesserai ton nom[c] » en disant : « Ton nom est une huile répandue[d]. » Non pas un vin répandu – car « je ne veux pas que tu entres en jugement avec ton serviteur[e] » –, mais une huile, parce que « tu me couronnes de miséricorde et de tendresse[f] ». Oui, une huile qui surnage au-dessus de tous les liquides auxquels on la mélange, désignant clairement « le nom qui est au-dessus de tout nom[g] ». Ô nom infiniment doux et aimable ! Ô nom lumineux, choisi et éminent entre tous, « exalté pour les siècles[h] » ! La voilà, l'huile qui déride le visage de l'homme[i] et qui parfume la tête de celui qui jeûne[j], afin qu'il ne recherche pas « l'huile du pécheur[k] ». Le voilà « le nom nouveau, que la bouche du Seigneur a prononcé[l] », et « dont l'enfant a été nommé par l'ange avant sa conception dans le sein[m] » de sa mère. Ce nom, « quiconque l'invoquera sera sauvé[n] », et pas seulement le juif ; car ce nom est répandu en tout lieu. C'est le nom que le Père a donné au Fils, lui l'Époux de l'Église, notre Seigneur Jésus-Christ, « qui est béni dans les siècles. Amen[o]. »

j. Cf. Matth. 6, 17 k. Ps. 140, 5 ≠ l. Is. 62, 2 ≠ m. Lc 2, 21 ≠
n. Rom. 10, 13 ≠ o. Rom. 1, 25

SERMO XVII

I. De Spiritus praesentia vel absentia. – II. De dubietate vel falsitate, quod Spiritu praesente abscedunt. – III. Quod iudicium de diabolo praecesserit in caelo datum. – IV. Quod in his duobus iudiciis humilis consoletur, et transitus ad moralia.

I. De Spiritus praesentia vel absentia.

1. Putamusne satis processum est in sanctuario Dei, dum scrutamur mirabile sacramentum, an ad perscrutandum adhuc, si quid restat, audemus Spiritum ad interiora sequi? *Spiritus* nempe iste *scrutatur* non solum
5 *hominum corda et renes,* sed *etiam profunda Dei*[a] : et sive ad nostra, sive ad alta, securus *sequor* eum *quocumque ierit*[b]. Tantum ut *custodiat corda nostra et intelligentias nostras*[c], ne forte cum non aderit, adesse putemus, nostrumque pro ipso sequamur sensum
10 deviantes. Venit namque, et vadit *prout vult*; et nemo facile *scit unde veniat vel quo vadat*[d]. At istud sine damno fortasse salutis nescire licet ; ceterum quando veniat, vel quando vadat, id plane periculosissime ignoratur. Cum

1. a. Ps. 7, 10 ≠; I Cor. 2, 10 ≠ b. Lc 9, 57 ≠ c. Phil. 4, 7 ≠ d. Jn 3, 8 ≠

1. Bernard évoque le thème majeur de tous les *SCt* : les multiples rapports entre l'âme individuelle et l'Époux divin. Ici, il s'agit de la venue et du départ du Saint-Esprit. Plus tard, il décrira le va-et-vient

SERMON 17

I. Présence et absence de l'Esprit. – II. En présence de l'Esprit, le doute et le mensonge s'enfuient. – III Le premier jugement sur le diable a été rendu au ciel. – IV. Dans ces deux jugements, l'humble est consolé. Passage à l'exégèse morale.

I. Présence et absence de l'Esprit.

1. Avons-nous déjà pénétré assez loin dans le sanctuaire de Dieu, en scrutant ce mystère admirable? Ou bien oserons-nous suivre l'Esprit jusque dans les endroits les plus secrets, pour scruter plus à fond encore s'il reste quelque chose à découvrir? Car « l'Esprit scrute non seulement les cœurs et les reins des hommes, mais aussi les profondeurs de Dieu[a] ». Où qu'il nous conduise, soit vers nous-mêmes, soit vers les hauteurs, « je peux le suivre en toute sécurité partout où il ira[b] ». Seulement, « qu'il daigne garder nos cœurs et nos intelligences[c] », de peur que nous ne le croyions présent, alors qu'il ne l'est pas, et que nous ne nous égarions en suivant notre propre sens, au lieu du sien. Il vient et il s'en va « à son gré »; et personne « ne peut savoir facilement d'où il vient ni où il va[d] ». Mais peut-être est-il permis de ne pas avoir cette connaissance sans préjudice de notre salut. Par contre, il est assurément très dangereux d'ignorer le moment de sa venue ou de son départ[1]. En effet, si l'on

du Verbe divin (*SCt* 32, 2-3 et 74, 5). Toujours il met l'accent sur la nécessité de l'attention intérieure.

enim hae Spiritus Sancti circa nos dispensatoriae quidem
15 vicissitudines vigilantissime non observantur, fit ut nec absentem desideres, nec praesentem glorifices. Nempe qui idcirco recedit ut avidius requiratur, quonam modo, si abesse nescitur, requiritur? Et rursum qui dignanter ad hoc redit ut consoletur, qualiter digne pro sua maiestate
20 suscipitur, si nec adesse sentitur? Mens ergo quae ignorat abscessum, patet seductioni; et quae reditum non observat, erit ingrata visitationi.

99 **2.** Petiit quondam aliquid Elisaeus a magistro, cum discessum eius imminere persensit; nec obtinuit, sicut scitis, nisi ea quidem conditione, si videret quando tolleretur a se[a]. In figura contigit hoc illis, scriptum est autem propter
5 nos[b]. Vigiles esse et solliciti circa opus nostrae salutis, quod mira subtilitate ac suavitate divinae suae artis incessanter actitat Spiritus in intimo nostri prophetico docemur et monemur exemplo. Numquam sane, sine nostra conscientia, magistra *unctio,* quae *docet de omnibus*[c], tol-
10 latur a nobis, si duplicato volumus munere non fraudari. Numquam, cum venerit, inveniat imparatos, sed semper vultus suspensos, expansosque habentes sinus ad largam Domini benedictionem. Quales denique quaerit? *Similes hominibus exspectantibus Dominum suum, quando rever-*
15 *tatur a nuptiis*[d], qui utique ab illis supernae mensae copiosis deliciis vacua numquam revertitur manu. Vigilandum proinde, et *vigilandum* omni *hora, quia nescimus*

2. a. Cf. IV Rois 2, 9-10 b. Cf. I Cor. 10, 11 c. I Jn 2, 27 ≠ d. Lc 12, 36

ne prête pas l'attention la plus vigilante à ces diverses interventions de l'Esprit-Saint en notre faveur, il arrive qu'on ne le désire pas lorsqu'il est absent, et qu'on ne le glorifie pas lorsqu'il est présent. Il se retire justement pour qu'on le cherche avec un désir plus intense. Mais comment pourrait-on le chercher, si l'on ne sait pas qu'il est absent? D'autre part, il daigne revenir pour nous consoler; mais comment pourrait-on l'accueillir d'une façon digne de sa majesté, si l'on ne s'aperçoit même pas qu'il est présent? L'âme qui ignore son départ s'expose donc à l'illusion; et celle qui ne remarque pas son retour ne lui saura pas gré de sa visite.

2. Un jour, Élisée demanda quelque chose à son maître, au moment où il pressentit que celui-ci était sur le point de partir. Il ne l'obtint, vous le savez, qu'à la condition qu'il verrait son maître à l'instant où il serait enlevé d'auprès de lui[a]. Cet événement leur arriva comme une préfiguration, mais c'est pour nous qu'il a été mis par écrit[b]. L'exemple des deux prophètes nous enseigne et nous demande un soin vigilant pour l'œuvre de notre salut. L'Esprit accomplit sans cesse cette œuvre au plus intime de notre être par l'admirable finesse et douceur de son art divin. Que jamais «l'onction, qui nous enseigne tout[c]», ne nous soit enlevée sans que nous en ayons conscience, si nous ne voulons pas être frustrés d'une double grâce. Que jamais sa venue ne nous prenne au dépourvu, mais qu'elle nous trouve toujours aux aguets, le visage impatient et le cœur grand ouvert pour recevoir la généreuse bénédiction du Seigneur. Quelles dispositions l'Esprit exige-t-il de nous? Il nous demande d'être «semblables aux hommes qui attendent leur maître à son retour de noces[d]», lui qui ne revient jamais les mains vides de cette table céleste, garnie de délices abondantes. Il nous faut donc veiller, et «veiller à toute heure, car

qua hora Spiritus *venturus sit*[e], seu iterum abiturus. It et redit Spiritus, et qui stat eo tenente, deserente cadat[f]
20 necesse est; sed *non collidetur, quia Dominus* rursum *supponit manum suam*[g]. Et has alternare vices non cessat in his qui spirituales sunt, vel quos potius spirituales perinde ipse creare intendit, *visitans diluculo, et subito probans*[h]. Denique *septies cadit iustus, et* septies *resurgit*[i] :
25 si tamen cadat in die, ut se cadere videat, et cecidisse sciat, et surgere cupiat, et requirat manum adiuvantis, et dicat : *Domine, in voluntate tua praestitisti decori meo virtutem; avertisti faciem tuam a me, et factus sum conturbatus*[j].

II. De dubietate vel falsitate, quod Spiritu praesente abscedunt.

3. Aliud est dubitare de veritate, quod patiaris necesse est, cum Spiritus minime spirat, et aliud sapere falsitatem, quod facile caves, si eamdem tuam ignorantiam non ignoras, quatenus dicas et tu : *Et si quid ignoravi, igno-*
5 *rantia mea mecum est*[a]. Sancti Iob sententia est. Agnoscite. Pessimae matris ignorantiae, pessimae itidem filiae duae sunt[b] : falsitas et dubietas, illa miserior, ista miserabilior; perniciosior illa, ista molestior. Cum loquitur Spiritus, cedit utraque; et est non solum veritas, sed et certa veritas.
10 Est quippe *veritatis* ille *Spiritus*[c], cui contraria falsitas est;

e. Matth. 24, 42 ≠ f. Cf. I Cor. 10, 12 g. Ps. 36, 24 ≠
h. Job 7, 18 ≠ i. Prov. 24, 16 ≠ j. Ps. 29, 8 ≠
3. a. Job 19, 4 ≠ b. Cf. Prov. 30, 15 c. Jn 15, 26 ≠

1. Le paragraphe 3 décrit trois tentations de l'homme spirituel : l'ignorance, le mensonge et le doute. La différence entre vérité et mensonge dépend surtout de la sincérité de celui qui parle.

nous ne savons pas à quelle heure l'Esprit viendra[e] », ni à quelle heure il s'en ira. L'Esprit s'en va et revient, et l'homme qui se tient debout grâce à son appui, tombe[f] nécessairement lorsque l'Esprit l'abandonne. Mais « il ne sera pas brisé, car aussitôt le Seigneur le soutient de sa main[g] ». Par cette alternance incessante de présence et d'absence, l'Esprit agit en ceux qui sont spirituels, ou plutôt en ceux qu'il a l'intention de rendre spirituels. « Il vient les visiter à l'aube, et tout d'un coup il les met à l'épreuve[h]. » Ainsi « le juste tombe sept fois, et sept fois il se relève[i] », si du moins il tombe de jour. C'est-à-dire s'il se voit tomber, s'il se rend compte qu'il est tombé, s'il désire se relever, et s'il cherche la main qui peut le secourir, en disant : « Seigneur, par ta volonté tu avais donné à ma beauté son éclat. Tu as détourné de moi ta face, et me voici bouleversé[j]. »

II. En présence de l'Esprit, le doute et le mensonge s'enfuient.

3. Autre chose est douter de la vérité, ce qui arrive nécessairement lorsque l'Esprit ne souffle point ; autre chose prendre goût au mensonge, ce que tu peux éviter aisément, si tu n'ignores pas ton ignorance. Ainsi tu pourras dire, toi aussi : « Si j'ai ignoré quelque chose, mon ignorance ne m'est pas inconnue[a]. » C'est une parole du saint homme Job. Comprenez-moi bien. L'ignorance, mère très perverse, a deux fils également pervers[b] : le mensonge et le doute[1]. Le premier est plus malheureux, le deuxième plus pitoyable ; le premier est plus funeste, le deuxième plus pénible. Lorsque l'Esprit parle, l'un et l'autre se retirent. Alors non seulement la vérité paraît, mais la vérité en toute sa certitude. Car il est « l'Esprit de vérité[c] », à qui le mensonge est contraire ; et il est

100 est et sapientiae, quae cum sit *candor* vitae *aeternae*[d], et *ubique attingat propter munditiam suam*[e], obscurum ambigui non admittit. Cavenda sane, cum Spiritus iste non loquitur, etsi non molesta dubietas, certe falsitas exse-
15 cranda. Aliud est enim sub incerto, hoc vel illud opinando sentire, aliud temere affirmare quod nescias. Aut ergo loquatur semper Spiritus, quod nostri quidem minime arbitrii est; aut quando silere placet, hoc ipsum indicet, et loquatur saltem suum silentium, ne ipsum nobis falso
20 praeire putantes, nostrum pro ipso male securi sequamur errorem : et si suspendit ambiguo, non relinquat mendacio. Est qui dubie profert mendacium nec mentitur, et qui veritatem quam nescit affirmat, et mentitur. Nam et ille, non quidem quod non est, esse, sed se quod credit,
25 credere dicit, et verum dicit, etiamsi hoc verum non sit quod credit; et is, cum se certum unde certus non est dicit, verum non dicit, etiamsi verum sit de quo asserit.

4. His praemissis ad cautelam talia inexpertorum, sequar iam Spiritum, sicut confido, praeeuntem, eadem tamen cautela, si potero, quam praemisi; et tentabo facere ipse quod doceo, ne dicatur et mihi : *Tu qui alios doces,*

d. Sag. 7, 26 (Patr.) e. Sag. 7, 24 ≠

1. * Bernard emploie 10 fois ce verset de la *Sagesse.* Deux fois, il se conforme à *Vg* et écrit *lucis*; 8 fois, comme ici, il modifie le texte et écrit *vitae,* lequel n'a aucun répondant biblique. GRÉGOIRE LE GRAND (cf. *Moralia in Iob* 32, 46; *CCL* 143 B, 1663, l. 64), le premier, avait écrit : «Qu'est-ce que la neige sinon la blancheur de la vie éternelle *(candor vitae caelestis)?*» Phrase reprise par Paterius, Raban Maur, Paschase Radbert. Bernard, enfin, se met à user de ces 3 mots comme d'une citation biblique; voir *SCt* 25, 6, l. 8-9; *SCt* 28, 2, l. 7. Sept des huit occurrences patristiques de ce verset sont dans *SCt.* Herbert de Boseham et Garnier de Saint-Victor useront du texte ainsi légué, associé d'ailleurs à l'un ou l'autre contexte de Bernard. Sans ignorer *lucis,* Bernard paraît avoir préféré *vitae,* peut-être parce que «la blancheur» est une mauvaise définition de «la lumière»; à «la couleur blanche» correspond mieux «la vie candide», telle que *SCt* 25, 6 et *SCt* 28, 2,

aussi l'Esprit de sagesse. Cette sagesse, étant « la splendeur de la vie éternelle[d1] », et « atteignant tout lieu grâce à sa pureté[e] », ne souffre pas les ombres de l'ambiguïté. Mais lorsque l'Esprit se tait, il faut se garder, sinon du doute pénible, tout au moins du mensonge détestable. En effet, autre chose est avoir une opinion incertaine sur tel ou tel point, autre chose est affirmer avec témérité ce que tu ne sais pas. Souhaitons donc que l'Esprit parle toujours, mais cela ne dépend nullement de notre volonté. S'il lui plaît de se taire, qu'il nous le fasse savoir, et qu'il nous parle du moins par son silence. Sans quoi, croyant faussement qu'il nous précède, nous serions en danger de suivre notre propre erreur au lieu de son inspiration. S'il nous tient en suspens dans l'incertitude, que du moins il ne nous abandonne pas au mensonge. Tel homme dans le doute exprime une opinion fausse, et pourtant il ne ment pas ; tel autre donne pour certaine une vérité qu'il ne connaît pas : il ment. Le premier en effet n'affirme pas l'existence de ce qui n'est pas, mais il présente comme une hypothèse ce qu'il croit, et il dit vrai, même si ce qu'il croit n'est pas vrai. Le second en revanche, se déclarant certain d'une chose dont il n'est pas certain, ne dit pas vrai, même si ce qu'il affirme s'avère vrai.

4. J'ai posé ces préliminaires pour mettre en garde ceux qui n'ont pas d'expérience en ce domaine. Maintenant je peux suivre l'Esprit qui, je l'espère, me précède, pourvu que je mette en œuvre, dans la mesure de mes possibilités, cette même circonspection dont je viens de parler. J'essayerai de pratiquer moi-même ce que j'enseigne, afin qu'on n'ait pas à me dire : « Toi qui enseignes

avec tous leurs contextes, la proposent. On peut remarquer que Bernard va jusqu'à présenter ce verset biblique altéré comme une définition ; cf. *SCt* 25, 6, l. 8-9.

5 *teipsum non doces*[a]. Distinguendum sane inter manifesta et dubia, nec illa scilicet adduci in dubium, nec ista temere affirmari. Quod quidem ipsum de magisterio sperandum est Spiritus : nec enim nostra ad illud omnino industria sufficit.

III. Quod iudicium de diabolo praecesserit in caelo datum.

10 Quis novit hominum, an id quod inter homines iudicatum a Deo sermo superior patefecit, in supernis quoque iudicium iam factum praecesserit?

5. Utrumnam videlicet *Lucifer qui mane oriebatur*[a], sed praepropere elevabatur, antequam *verteretur in tenebras*[b], generi nostro inviderit et ipse olei infusionem, ut per seipsum iam tunc indignabundus mussitaret, dicens intra 5 se quodammodo : *Ut quid perditio haec*[c]? Hoc ego non assero Spiritum dicere, sed nec contradicere dico ; nescio enim. Potuit autem contingere, si tamen incredibile non putetur, *plenum sapientia et perfectum decore*[d] homines praescire potuisse futuros, etiam et profecturos in pari 101 10 gloria. Sed si praescivit, in Dei Verbo absque dubio vidit, et in livore suo invidit, et molitus est habere subiectos, socios dedignatus. Infirmiores sunt, inquit, inferioresque natura : non decet esse concives, nec aequales in gloria. An forte prodit impiam hanc eius machinationem illa prae-

4. a. Rom. 2, 21 ≠
5. a. Is. 14, 12 ≠ b. Job 3, 4 ≠ c. Matth. 26, 8 d. Éz. 28, 12 ≠

---

1. « Le jugement prononcé par Dieu parmi les hommes » se réfère au jugement divin entre Israël et les nations (*SCt* 14, 1, *SC* 414, 306-307).

les autres, tu ne t'enseignes pas toi-même[a]. » Il faut donc distinguer entre choses évidentes et choses douteuses : les unes ne doivent pas être mises en doute, ni les autres affirmées avec témérité. Mais ce discernement lui-même, c'est du magistère de l'Esprit que nous devons l'espérer ; car notre ingéniosité n'est point à la hauteur de cette tâche.

III. Le premier jugement sur le diable a été rendu au ciel.

Qui sait si le jugement prononcé par Dieu parmi les hommes, tel qu'un sermon antérieur nous l'a fait voir[1], n'a pas été précédé par un jugement prononcé auparavant au ciel ?

5. « Ce Lucifer qui se levait matin[a] », mais qui était trop pressé de s'élever, n'aurait-il pas, avant d'« être changé en ténèbres[b] », envié au genre humain l'infusion de l'huile ? Rempli d'indignation, déjà à ce moment il maugréait à part soi. Il se disait en lui-même : « A quoi bon ce gaspillage[c] ? » Je n'affirme pas que ce soit l'Esprit qui dit cela, mais je ne dis pas non plus qu'il le contredise ; je n'en sais rien en effet. Voici néanmoins ce qui a pu arriver, si l'on ne tient pas pour invraisemblable ce qui suit. Lucifer, « plein de sagesse et parfait en beauté[d] », a pu connaître d'avance qu'il y aurait un jour des hommes, et aussi qu'ils parviendraient à une gloire égale à la sienne. Mais s'il l'a connu d'avance, il l'a sans aucun doute vu dans le Verbe de Dieu et, dans sa hargne, il en a conçu de l'envie. C'est ainsi qu'il a projeté d'avoir des sujets, refusant avec dédain d'avoir des compagnons. Les hommes, dit-il, sont plus faibles et inférieurs par nature : il ne leur sied pas d'être mes concitoyens, ni mes égaux dans la gloire. Cette machination impie ne se découvre-t-elle pas dans l'ascension présomptueuse de

15 sumpta ascensio, sessioque significans magisterium? *Ascendam,* inquit, *super montem excelsum, sedebo in lateribus aquilonis*[e], quo Altissimi quamdam perinde similitudinem obtineret, si quemadmodum ille *super Cherubim sedens*[f], gubernat omnem angelicam creaturam, ita et ipse 20 altus sederet, regeretque genus humanum? Absit. *Iniquitatem meditatus est in cubili suo*[g], *mentiatur iniquitas sibi*[h]. Nos alium non agnoscimus iudicem quam auctorem. Non diabolus, sed *Dominus iudicabit orbem terrae*[i]; ipse *Deus noster in saeculum et in saeculum saeculi, ipse reget* 25 *nos in saecula*[j].

6. Ergo in caelo *concepit dolorem, et* in paradiso *peperit iniquitatem*[a], prolem malitiae, matrem mortis et aerumnarum, omniumque prima parens superbia. Nam etsi *invidia diaboli intravit mors in orbem terrarum*[b], *initium* 5 tamen *omnis peccati superbia*[c]. Verum quid illi profuit? Nihilominus *tu in nobis es, Domine, et nomen tuum invocatum est super nos*[d] et dicit *populus acquisitionis*[e], dicit Ecclesia redemptorum : *Oleum effusum nomen tuum*[f]. Cum eicior ego, tu illud effundis post me et in me, quoniam 10 *cum iratus fueris, misericordiae recordaberis*[g]. Accepit tamen Satan regnum *super omnes filios superbiae*[h], factus *princeps tenebrarum harum*[i], ut regno humilitatis superbia militet, dum in uno suo principatu temporali, et tali, multos humiles excelsos aeternosque reges constituit. 15 Iucundum iudicium, ut superbus ille, humilium malleator, eisdem ipsis nesciens fabricet coronas perpetuas, impu-

e. Is. 14, 13 ≠ f. I Sam. 4, 4 ≠ etc. g. Ps. 35, 5 h. Ps. 26, 12 ≠ i. Ps. 9, 8-9 ≠ j. Ps. 47, 15 ≠

6. a. Ps. 7, 15 ≠ b. Sag. 2, 24 ≠ c. Sir. 10, 15 ≠ d. Jér. 14, 9 ≠ e. I Pierre 2, 9 f. Cant. 1, 2 g. Hab. 3, 2 h. Job 41, 25 ≠ i. Éphés. 6, 12 ≠

1. * Bernard cite souvent (20 fois environ) l'une ou l'autre partie des 2 versets *Isaïe* 14, 13-14, avec un texte variable, dont la partie *Vl* est : *Ascendam super montem excelsum, ponam sedem meam ad Aquilonem.*

Lucifer, et dans sa prétention à un rang qui marquerait sa supériorité? «Je monterai, dit-il, sur une haute montagne, je siégerai aux côtés de l'aquilon[e 1]», pour obtenir quelque ressemblance avec le Très-Haut. Comme celui-ci «siège sur les Chérubins[f]» et gouverne toute créature angélique, ainsi Lucifer occuperait lui aussi un siège élevé et régnerait sur le genre humain. A Dieu ne plaise! «Il a médité l'iniquité sur sa couche[g]» : «que l'iniquité se mente à elle-même[h].» Nous ne reconnaissons pas d'autre juge que le Créateur. Ce n'est pas le diable, mais «le Seigneur qui jugera la terre entière[i]»; c'est lui qui est «notre Dieu dans tous les siècles des siècles, lui qui régnera sur nous jusqu'à la fin des temps[j]».

6. Ainsi Lucifer «a conçu la douleur» au ciel, et au paradis «il a enfanté l'iniquité[a]», fille de la méchanceté, mère de la mort et des souffrances. La racine de tous ces maux, a été l'orgueil. En effet, même si «la mort est entrée dans le monde par l'envie du diable[b]», «l'orgueil n'en est pas moins le principe de tout péché[c]». Mais Lucifer, quel avantage en a-t-il tiré? «Tu ne laisses pas d'être au milieu de nous, Seigneur, et ton nom est invoqué sur nous[d]»; et «le peuple que tu t'es acquis[e]», l'Église des rachetés, s'écrie : «Ton nom est une huile répandue[f].» Lorsque je suis repoussé loin de toi, tu répands cette huile sur mes pas et en moi-même, car, «dans ta colère, tu te souviens de ta miséricorde[g]». Satan, toutefois, a reçu l'empire «sur tous les fils de l'orgueil[h]», et il est devenu «prince de ce monde de ténèbres[i]», afin que l'orgueil combatte pour le royaume de l'humilité. En effet, durant ce règne temporaire qui seul lui appartient – et quel règne! –, Satan institue grands rois pour l'éternité une foule d'hommes humbles. Jugement plein d'humour! Cet orgueilleux, marteleur des humbles, leur forge à son insu des couronnes impérissables. Il les persécute tous,

gnando omnes, et omnibus succumbendo. Siquidem ubique et semper *iudicabit Dominus populos*[j], *et salvos faciet filios pauperum, et humiliabit calumniatorem*[k].
20 Ubique et semper defensabit suos, propulsabit nocentes, et tollet *virgam peccatorum desuper sortem iustorum, ut non extendant iusti ad iniquitatem manus suas*[l]; eritque tandem cum ex toto *arcum conteret, et confringet arma,*
102 *et scuta comburet igni*[m]. Tu tibi, miser, sedem collocas
25 in aquilone[n], plaga nebulosa et frigida; et ecce *suscitantur de pulvere inopes et de stercore pauperes, ut sedeant cum principibus et solium gloriae teneant*[o], doleasque impleri illud : *Pauper et inops laudabunt nomen*[p].

7. Gratias tibi, pater orphanorum et iudex pupillorum[a] : incaluit super nos *mons coagulatus, mons pinguis*[b]; *caeli distillaverunt a facie Dei Sinai*[c], effusum est oleum, dilatatum est nomen, quod nobis et cui nos invidebat iniquus;
5 dilatatum, inquam, usque ad corda et ora parvulorum, et *in ore infantium et lactentium perficitur laus*[d]. Porro peccator videbit, et irascetur[e]; et erit sicut ira implacabilis, sic flamma inextinguibilis[f], quae iam parata est ei et angelis eius[g]. *Zelus Domini exercituum faciet hoc*[h].

IV. Quod in his duobus iudiciis humilis consoletur, et transitus ad moralia.

10 Quomodo me amas, Deus meus, amor meus! Quomodo

j. Ps. 7, 9 ≠ k. Ps. 71, 4 l. Ps. 124, 3 ≠ m. Ps. 45, 10 ≠ n. Cf. Is. 14, 13 o. I Sam. 2, 8 ≠; Ps. 112, 7 ≠ p. Ps. 73, 21
7. a. Cf. Ps. 67, 6 b. Ps. 67, 16 c. Ps. 67, 9 d. Ps. 8, 3 ≠ e. Cf. Ps. 111, 10 f. Cf. Mc 9, 44 g. Cf. Matth. 25, 41 h. Is. 9, 7

1. «La montagne grasse et fertile nous a communiqué sa ferveur.» Le *Dil* 27 nous apprend de quelle montagne il s'agit. «Le quatrième degré de l'amour de Dieu est une montagne... C'est bien une montagne solide, une montagne fertile» (*SC* 393, 129). Ailleurs Bernard identifie expressément la «montagne grasse et fertile» avec le Christ. Voir

mais par tous il est vaincu. Partout et toujours, « c'est le Seigneur qui jugera les peuples[j] », « sauvera les enfants des pauvres et humiliera le calomniateur[k] ». Partout et toujours il défendra les siens, repoussera les malfaisants et soustraira « le domaine des justes au sceptre des pécheurs, afin que les justes ne tendent pas leurs mains vers l'iniquité[l] ». Enfin le jour viendra où « il brisera complètement l'arc, détruira les armes et jettera les boucliers au feu[m] ». Toi, misérable, tu établis ton siège du côté de l'aquilon[n], dans une contrée brumeuse et froide. Mais voilà que « les indigents se relèvent de la poussière et les pauvres du fumier, pour s'asseoir avec les princes et occuper un trône de gloire[o] ». Quant à toi, tu t'affligeras de voir s'accomplir cette parole : « Le pauvre et l'indigent loueront le nom du Seigneur[p]. »

7. Grâces te soient rendues, père des orphelins et défenseur des enfants sans appui[a] : « la montagne grasse et fertile[b] » nous a communiqué sa ferveur[1]. « Les cieux ont ruisselé devant la face de Dieu, le Dieu du Sinaï[c] » ; l'huile s'est répandue ; le nom s'est propagé, ce nom que le mauvais nous enviait et auquel par envie il voulait nous arracher. Il s'est propagé, dis-je, jusqu'au cœur et à la bouche des tout-petits, si bien que « dans la bouche des nouveau-nés et des nourrissons la louange est rendue parfaite[d] ». Le pécheur verra, et il enragera[e] ; et sa rage sera implacable, comme sera inextinguible la flamme[f], qui est déjà toute prête pour lui et pour ses anges[g]. « L'amour jaloux du Seigneur des armées fera cela[h]. »

IV. Dans ces deux jugements, l'humble est consolé. Passage à l'exégèse morale.

Comme tu m'aimes, mon Dieu, mon amour ! Comme

Asc IV, 6 (*SBO* V, 143, l. 5-11) ; *Div* 33, 7-9 (*SBO* VI-1, 226-228) ; *Sent* II, 36 (*SBO* VI-2, 33, l. 10) ; *Sent* III, 22 (*SBO* VI-2, 80, l. 6-7).

me amas, ubique recordans mei, ubique zelans salutem egeni et pauperis, non solum adversus homines superbos, sed etiam adversus sublimes angelos! In caelo et in terra *iudicas, Domine, nocentes me, expugnas impugnantes me*[i]; 15 ubique subvenis, ubique assistis, ubique *a dextris es mihi, ne commovear*[j]. Haec *cantabo Domino in vita mea, psallam Deo meo quamdiu sum*[k]. Hae *virtutes eius,* haec *mirabilia eius quae fecit*[l]. Hoc primum et maximum iudicium, quod mihi illa conscia secretorum aperuit virgo 20 Maria : *Deposuit,* inquiens, *potentes de sede, et exaltavit humiles. Esurientes implevit bonis, et divites dimisit inanes*[m]. *Secundum autem simile est huic*[n], quod iam audistis : *Ut qui non vident videant, et qui vident caeci fiant*[o]. In his duobus iudiciis consoletur se pauper, et 25 dicat : *Memor fui iudiciorum tuorum a saeculo, Domine, et consolatus sum*[p].

8. Sed revertamur ad nos ipsos, *scrutemur*que *vias nostras*[a] : et ut in veritate id possimus, invocemus *Spiritum veritatis*[b], et revocemus ab alto quo nos eduxerat, quatenus antecedat nos etiam ad nos, quoniam sine ipso 5 possumus nihil[c]. Nec verendum quod dedignetur condescendere nobis, qui potius, si vel exiguum quid absque 103 ipso conamur, indignatur. Non est enim ille *vadens et non rediens*[d], sed *ducit* nos *et reducit*[e] *de claritate in claritatem, tamquam Domini Spiritus*[f], quandoque rapiens 10 ad se in lumine suo, quandoque contemperans et *illuminans tenebras nostras*[g], ut sive supra nos, sive apud

i. Ps. 34, 1 ≠ j. Ps. 15, 8 k. Ps. 103, 33 l. Ps. 77, 4 ≠ m. Lc 1, 52-53 n. Matth. 22, 39 o. Jn 9, 39 p. Ps. 118, 52

8. a. Lam. 3, 40 ≠ b. Jn 14, 17 c. Cf. Jn 15, 5 d. Ps. 77, 39 e. Tob. 12, 3 ≠ f. II Cor. 3, 18 ≠ g. Ps. 17, 29 ≠

1. Voir *SCt* 14, 2 (*SC* 414, 308).

tu m'aimes, toi qui partout te souviens de moi, qui partout prends à cœur le salut de l'indigent et du pauvre, non seulement contre les hommes orgueilleux, mais aussi contre les anges superbes! Au ciel et sur la terre, «Seigneur, tu juges ceux qui me font du mal, tu attaques ceux qui m'assaillent[i]». Partout tu me secours, tu m'assistes, «tu te tiens à ma droite, pour que je ne sois pas ébranlé[j]». «Je vais chanter pour le Seigneur tant que je vis, psalmodier pour mon Dieu tant que je dure[k].» Voilà «sa puissance», voilà «les merveilles qu'il a faites[l]». Voilà le premier, le suprême jugement, que la Vierge Marie, confidente de ses secrets, m'a dévoilé par ces paroles : «Il a renversé les puissants de leurs trônes, et élevé les humbles. Il a comblé de biens les affamés, et renvoyé les riches les mains vides[m].» «Le deuxième jugement est semblable au premier[n]», et vous l'avez déjà entendu : «Afin que voient ceux qui ne voient pas, et que ceux qui voient deviennent aveugles[o][1].» Que le pauvre soit consolé par ces deux jugements, et qu'il dise : «Je me suis rappelé tes jugements d'autrefois, Seigneur, et j'ai été consolé[p].»

8. Mais revenons à nous-mêmes, et «examinons nos voies[a]». Pour pouvoir le faire en vérité, invoquons «l'Esprit de vérité[b]». Rappelons-le des hauteurs où il nous avait entraînés, afin qu'il nous précède aussi sur le chemin qui nous conduit vers nous-mêmes; car sans lui nous ne pouvons rien[c]. Il ne faut pas craindre qu'il dédaigne d'acquiescer à notre désir. Il s'indigne plutôt, si nous essayons de faire quelque chose, si peu que ce soit, sans recourir à lui. Car il n'est pas un Esprit «qui s'en va sans retour[d]». Au contraire, «il nous mène et nous ramène[e]» «de clarté en clarté, étant l'Esprit du Seigneur[f]». Tantôt il nous emporte vers lui dans sa lumière, tantôt il se mêle à «nos ténèbres et il les éclaire[g]». Ainsi, au-dessus comme au-dedans de nous, toujours dans la lumière, toujours

nos, semper in luce, semper *ut filii lucis ambulemus*[h]. Transivimus allegoriarum umbras ; ventum est ad indaganda moralia. Aedificata est fides, instruatur vita ; exer-
15 citatus est intellectus, dictetur actus. Siquidem *intellectus bonus omnibus facientibus eum*[i], si tamen et actus, et intelligentia dirigantur *in laudem et gloriam*[j] Domini nostri Iesu Christi, *qui est benedictus in saecula*[k].

h. Éphés. 5, 8 ≠ i. Ps. 110, 10 j. Phil. 1, 11 ≠ k. Rom. 1, 25

« nous marchons en fils de lumière[h] ». Nous avons traversé les ombres des allégories ; nous voici parvenus à la recherche du sens moral. L'édifice de la foi est achevé[1] : il nous faut ordonner la vie. L'intelligence a fait son travail, que l'action suive ses directives. Car « l'intelligence est utile à tous ceux qui la mettent en œuvre[i] », pourvu que l'action et l'intelligence soient orientées « à la louange et à la gloire[j] » de notre Seigneur Jésus-Christ, « qui est béni dans les siècles[k] ».

1. Voir AUGUSTIN, *De cura pro mortuis* XVI, 20 (*CSEL* 41, 654, 10) : *ad aedificandam fidem,* « pour édifier la foi ».

SERMO XVIII

I. De gemina Spiritus operatione, quae sunt infusio et effusio. – II. De his qui prius effundere volunt quam ipsi infundantur. – III. Quanta infundi oportet priusquam effundamus.

I. De gemina Spiritus operatione, quae sunt infusio et effusio.

1. *Oleum effusum nomen tuum*[a]. Quid certum demonstrat Spiritus Sanctus nobis in nobis, occasione huius capituli ? Profecto, quod interim occurrit, geminae cuiusdam suae operationis experimentum : unius quidem,
5 qua nos primo intus virtutibus solidat ad salutem, alterius vero, qua foris quoque muneribus ornat ad lucrum. Illas nobis, haec nostris accipimus. Verbi gratia, fides, spes, caritas nobis propter nos dantur : absque his quippe salvi esse non possumus. Porro scientiae seu sapientiae sermo,
10 gratia curationis, prophetia similiaque[b] quibus carere cum integritate etiam salutis propriae possumus, proximorum procul dubio in salutem expendenda donantur. Et has Spiritus Sancti operationes, quas vel in nobis vel in aliis experimur, ut ex re nomina accipiant, infusionem, si placet,
104 15 atque effusionem nominemus. Cuinam ergo harum convenit : *Oleum effusum nomen tuum ?* Nonne effusioni ?

1. a. Cant. 1, 2 b. Cf. I Cor. 12, 8-10

1. Dans ce paragraphe Bernard décrit d'abord les trois vertus théologales (foi, espérance et charité) qu'il attribue à l'« infusion » de l'Esprit. Il les oppose aux dons que peut nous faire l'Esprit pour l'utilité du prochain ; il nomme ceux-ci « effusion » de l'Esprit.

SERMON 18

I. Les deux opérations de l'Esprit : infusion et effusion. – II. A propos de ceux qui veulent se répandre avant d'être eux-mêmes remplis. – III. Dans quelle mesure il faut être rempli avant de se répandre.

I. Les deux opérations de l'Esprit : infusion et effusion.

1. «Ton nom est une huile répandue[a].» Quelle vérité de notre vie intérieure l'Esprit-Saint nous fait-il connaître par ce texte? Sans aucun doute, il explique l'expérience, qui nous arrive parfois, de deux de ses opérations. Par la première, il nous affermit d'abord intérieurement dans les vertus requises pour notre salut. Par la seconde, il nous pare aussi extérieurement de ses dons pour gagner les autres à Dieu. Nous recevons les vertus pour nous, les dons pour notre prochain. Par exemple, la foi, l'espérance et la charité nous sont données pour nous-mêmes : car sans elles nous ne pouvons pas être sauvés. En revanche, le langage de la science ou de la sagesse, le charisme de guérison, la prophétie et d'autres dons semblables[b], dont nous pouvons manquer sans aucun préjudice pour notre salut, nous sont assurément accordés pour le salut de nos proches[1]. Ces opérations de l'Esprit-Saint, dont nous faisons l'expérience en nous-mêmes ou dans les autres, appelons-les, si vous le voulez, infusion et effusion, pour que les noms correspondent à la réalité. A laquelle des deux ces paroles conviennent-elles : «Ton nom est une huile répandue»? N'est-ce pas à l'effusion?

Nam de infusione «infusum» potius quam «effusum» dixisset. Denique ob bonum odorem uberum extrinsecus perfusorum, ait sponsa : *Oleum effusum nomen tuum,* 20 ascribens ipsum odorem nomini sponsi, tamquam oleo effuso super ubera. Et quicumque munere gratiae exterioris perfusum se sentit, quo et ipse aliis refundere possit, etiam huic dicere est : *Oleum effusum nomen tuum.*

2. Sed sane cavendum in his, aut dare quod nobis accepimus, aut quod erogandum accepimus retinere. Rem profecto proximi retines tibi, si, verbi causa, plenus virtutibus cum sis, forisque nihilominus donis scientiae et 5 eloquentiae adornatus, metu forte aut segnitie, aut minus discreta humilitate, *verbum bonum*[a], quod posset prodesse multis, inutili, immo et damnabili ligas silentio, certe *maledictus,* quod *frumenta abscondis in populis*[b]. Rursum quod tuum est spargis et perdis, si priusquam infundaris 10 tu totus, semiplenus festines effundere, contra legem *arans in primogenito bovis, et ovis primogenitum tondens*[c]. Nimirum vita atque salute, quam alteri das, te fraudas, dum sana vacuus intentione, *gloriae inanis*[d] vento inflaris, aut terrenae cupiditatis veneno inficeris, et letali apo- 15 stemate turgens interis.

3. Quamobrem, si sapis, concham te exhibebis, et non canalem. Hic siquidem pene simul et recipit, et refundit ; illa vero donec impleatur exspectat, et sic quod superabundat sine suo damno communicat, sciens maledictum

2. a. Ps. 44, 2 b. Prov. 11, 26 ≠ c. Deut. 15, 19 ≠ d. Gal. 5, 26 ≠

1. L'amour de soi bien ordonné par la prière contemplative est une condition préalable à toute activité apostolique.

2. * Formule de malédiction, ayant une apparence juridique, que Bernard cite 3 fois sans lui donner d'attribution ; voir *Csi* I, 6 (*SBO* III, 400, l. 13) ; *Div* 23, 1 (*SBO* VI-1, 179, l. 3). Elle n'est pas biblique. On ne la trouve pas avant Bernard ; elle est dans HUGUES DE S.-VICTOR, *De sacramentis christianae fidei* II, XIV, 9 (*PL* 176, 573 D), puis dans

En effet, à propos de l'infusion on aurait dit huile «infuse» plutôt que «répandue». C'est à cause de la bonne odeur dont ses seins ont été embaumés, que l'épouse dit : «Ton nom est une huile répandue.» Elle attribue cette bonne odeur au nom de l'Époux, comme à une huile répandue sur ses seins. Quiconque se sent comblé de grâces extérieures, qu'il peut à son tour reverser sur les autres, est en mesure de dire pareillement : «Ton nom est une huile répandue.»

2. Mais ici il faut bien se garder, d'une part de donner ce que nous avons reçu pour nous-mêmes, et d'autre part de retenir ce que nous avons reçu pour en faire largesse. Tu retiens pour toi-même le bien de ton prochain si, par exemple, tu es rempli de vertus et doué aussi extérieurement de science et d'éloquence et que, par crainte peut-être ou par paresse, ou par une humilité indiscrète, tu enfermes dans un silence inutile, voire blâmable, «la bonne parole[a]» dont beaucoup auraient pu profiter. «Tu encours ainsi la malédiction des peuples, puisque tu leur dérobes le blé[b].» En revanche, tu gaspilles et tu perds ton bien si tu te hâtes de le répandre avant d'être toi-même entièrement comblé, toi qui n'es qu'à moitié rempli. Tu violes ainsi la loi qui défend «de labourer avec le premier-né d'une vache, et de tondre le premier-né d'une brebis[c]». Tu te prives toi-même de la vie et du salut que tu donnes à autrui, lorsque, sans pureté d'intention, tu te gonfles du vent «de la vaine gloire[d]». Ou lorsque tu te laisses empoisonner par une cupidité terrestre et, enflé par un abcès mortel, tu finis par en mourir.

3. La sagesse consiste à faire de soi une vasque et non pas un canal. Un canal reçoit l'eau et la répand presque tout de suite. Une vasque en revanche attend d'être remplie et communique ainsi sa surabondance sans se faire de tort[1]. Car celui qui gaspille sa part[2] encourt

Adam Scot, Pierre le Mangeur, Guillaume de Tyr, Pierre de Blois (une fois dans chacun d'eux).

qui partem suam facit deteriorem. Et ne meum consilium
5 contemptibile ducas, audi sapientiorem me : *Stultus,* ait Salomon, *profert totum spiritum suum simul, sapiens reservat in posterum*[a]. Verum canales hodie in Ecclesia multos habemus, conchas vero perpaucas. Tantae caritatis sunt per quos nobis fluenta caelestia manant, ut ante
10 effundere quam infundi velint, loqui quam audire paratiores, et prompti docere quod non didicerunt, et aliis praeesse gestientes, qui seipsos regere nesciunt.

II. De his qui prius effundere volunt quam ipsi infundantur.

Ego nullum ad salutem pietatis gradum illi gradui anteponendum existimo, quem Sapiens posuit dicens : *Miserere*
105 15 *animae tuae placens Deo*[b]. Quod si *non habeo nisi parumper olei quo ungar*[c], putas tibi debeo dare et remanere inanis? Servo illud mihi, et omnino nisi ad Prophetae iussionem non profero[d]. Si instriterint rogitantes aliqui ex his, qui forte *existimant* de me *supra id quod*
20 *vident in me, aut audiunt aliquid ex me*[e], respondebitur eis : *Ne forte non sufficiat nobis et vobis, ite potius ad vendentes et emite vobis*[f]. Sed *caritas,* inquis, *non quaerit quae sua sunt*[g]. Et tu scis quam ob rem? Non quaerit quae sua sunt, profecto quia non desunt. Quisnam quaerat
25 quod habet? Caritas quae sua sunt, id est propriae saluti necessaria numquam non habet; nec modo habet, sed etiam abundat. Vult abundare sibi, ut possit et omnibus;

3. a. Prov. 29, 11 ≠ b. Sir. 30, 24 c. IV Rois 4, 2 ≠ d. Cf. III Rois 17, 12-14 e. II Cor. 12, 6 ≠ f. Matth. 25, 9 g. I Cor. 13, 4-5 ≠

1. * Cette citation des *Proverbes*, unique dans les *SBO,* diffère de *Vg* par 4 points. Seul NICOLAS DE CLAIRVAUX (*PL* 196, 1597 D) a un texte semblable.

la malédiction. Pour ne pas mépriser mon conseil, écoute un plus sage que moi : « Le sot, dit Salomon, exprime aussitôt tout ce qu'il a dans l'esprit, le sage le garde pour plus tard[a 1]. » Vraiment, dans l'Église d'aujourd'hui, nous avons beaucoup de canaux, mais très peu de vasques. Ceux qui font ruisseler sur nous les fleuves célestes ont une charité si grande qu'ils veulent se répandre avant d'être remplis. Ils sont plus enclins à parler qu'à écouter, prompts à enseigner ce qu'ils n'ont pas appris, et impatients de diriger les autres, alors qu'ils ne savent même pas se gouverner eux-mêmes.

II. A propos de ceux qui veulent se répandre avant d'être eux-mêmes remplis.

Pour moi, je pense que le degré suprême de la piété en vue du salut a été posé par le Sage lorsqu'il a dit : « Si tu veux plaire à Dieu, aie de la miséricorde pour ton âme[b]. » Car si « je n'ai que fort peu d'huile pour me frotter moi-même[c] », crois-tu que je doive te la donner et rester démuni? Je la garde pour moi, et je ne l'offre point, à moins d'un ordre du Prophète[d]. Si quelques-uns persistent à me la demander, peut-être parce qu'« ils m'estiment supérieur à ce qu'ils voient en moi ou entendent de moi[e] », on leur répondra : « De peur qu'il n'y en ait pas assez pour nous et pour vous, allez plutôt chez les marchands et achetez-en pour vous[f]. » Mais tu vas me dire : « La charité ne cherche pas son avantage[g]. » Oui, mais sais-tu pourquoi? Elle ne cherche pas son avantage, parce qu'elle ne manque de rien. Qui chercherait ce qu'il possède déjà? La charité n'est jamais dépourvue de son avantage, à savoir de ce qui est nécessaire au salut; et non seulement elle le possède, mais elle l'a en abondance. Elle veut cette abondance pour soi-même, afin de pouvoir la partager avec tous; elle en garde pour soi

servat sibi quantum sufficiat, ut nulli deficiat. Alioquin si plena non est, perfecta non est.

4. Ceterum tu, frater, cui firma satis propria salus nondum est, cui caritas adhuc aut nulla est, aut adeo tenera atque arundinea quatenus omni flatui cedat[a], *omni credat spiritui*[b], *omni circumferatur doctrinae vento*[c],
5 immo cui tanta est caritas ut ultra mandatum quidem diligas proximum tuum plus quam teipsum[d], et rursum tantilla ut contra mandatum favore liquescat, pavore deficiat, perturbetur tristitia, avaritia contrahatur, protrahatur ambitione, suspicionibus inquietetur, conviciis exa-
10 gitetur, curis evisceretur, honoribus tumeat, livore tabescat : tu, inquam, ita in propriis teipsum sentiens, quanam dementia, quaeso, aliena curare aut ambis aut acquiescis? Sed enim audi quid consulat cauta vigilque caritas : *Non quod aliis*, inquit, *remissio, vobis autem tribulatio, sed ex*
15 *aequalitate*[e]. *Noli nimium esse iustus*[f]. Sufficit ut *diligas proximum tuum tamquam teipsum*[g] : hoc quippe est ex aequalitate. Dicit David : *Sicut adipe et pinguedine repleatur anima mea, et labiis exsultationis laudabit os meum*[h], infundi nimirum prius volens et sic effundere,
20 nec solum infundi prius, sed et impleri, quatenus de plenitudine eructaret, non oscitaret de inanitate : caute quidem, ne quod aliis remissio, sibi tribulatio esset ; et nihilominus caste, imitans illum, *de cuius plenitudine*

4. a. Cf. Matth. 11, 7 b. I Jn 4, 1 ≠ c. Éphés. 4, 14 ≠ d. Cf. Matth. 22, 39 e. II Cor. 8, 13 ≠ f. Eccl. 7, 17 (Patr.) g. Matth. 22, 39 ≠ h. Ps. 62, 6 ≠

---

1. « Elle se liquéfie dans ses préférences ». Le verbe *liquescere*, « se liquéfier » a presque toujours un sens positif. Voir *SC* 393, 133, n. 3 sur *Dil* 28. Ici le sens est nettement péjoratif.

2. * Dans ce verset très souvent cité par les Pères, à la place du *multum*, « beaucoup » *(Vg)*, les *SBO* donnent 4 fois *nimium* et une fois

une mesure suffisante pour que personne n'en manque. Autrement, si elle n'est pas comble, elle n'est pas parfaite.

4. Mais toi, mon frère, ton salut personnel n'est pas encore bien assuré, ta charité est encore nulle, ou semblable à un roseau fragile, si bien qu'elle cède à tout souffle[a], «croit à tout esprit[b]» et «se laisse emporter à tout vent de doctrine[c]». Tantôt ta charité est si grande que, dépassant le commandement, tu aimes ton prochain plus que toi-même[d]. Tantôt elle est si petite qu'en dépit du commandement elle se liquéfie dans ses préférences[1], défaille sous le coup de la peur, est troublée par la tristesse, rabougrie par l'avarice, emportée par l'ambition, agitée par les soupçons, vexée par les injures, dévorée par les soucis, gonflée par les honneurs, rongée par l'envie. Toi, dis-je, qui te découvres tel en ton âme, par quelle démence, je te prie, aspires-tu ou consens-tu à t'occuper des autres? Écoute plutôt les conseils de la charité avisée et vigilante : «Il ne s'agit pas de vous mettre dans la gêne en soulageant les autres, mais d'établir l'égalité[e].» «Ne sois pas juste à l'excès[f2].» Il suffit que «tu aimes ton prochain comme toi-même[g]» : c'est cela établir l'égalité. David déclare : «Que mon âme soit rassasiée comme de graisse et d'huile, et ma bouche, la joie aux lèvres, chantera des louanges[h].» Il voulait d'abord recevoir l'infusion, et ensuite la répandre; et non seulement recevoir d'abord l'infusion, mais même en être rempli. Il pourrait ainsi donner de sa plénitude au lieu de bâiller d'inanition. Avec prudence bien sûr, pour ne pas se mettre dans la gêne en soulageant les autres; mais aussi avec pureté, imitant celui «qui nous a tous comblés

nimis. *Nimium* se trouve en particulier chez Pierre Damien, Yves de Chartres et Bérenger de Tours. *Nimis,* inconnu jusqu'à Bernard, est la forme la plus fréquente au XIIe s.

omnes accepimus [i]. Disce et tu nonnisi de pleno effundere,
106 25 nec Deo largior esse velis. Concha imitetur fontem : non manat ille in rivum, nec in lacum extenditur, donec suis satietur aquis. Non pudeat concham non esse suo fonte profusiorem. Denique ipse *Fons vitae* [j] plenus in seipso et plenus seipso, nonne primum quidem ebulliens et
30 saliens in proxima secreta caelorum, *omnia implevit bonitate* [k]; et tunc demum impletis superioribus secretioribusque partibus, erupit ad terras, ac de superfluo *homines et iumenta salvavit, quemadmodum multiplicavit misericordiam suam* [l]? Prius interna replevit, et sic
35 exundans *in multis miserationibus suis* [m], *visitavit terram et inebriavit eam, multiplicavit locupletare eam* [n]. Ergo *et tu fac similiter* [o]. Implere prius, et sic curato effundere. *Benigna* prudensque *caritas* [p] affluere consuevit, non effluere. *Fili ne pereffluas* [q], ait Salomon ; et Apostolus :
40 *Propterea,* inquit, *debemus intendere his quae dicuntur, ne forte pereffluamus* [r]. Quid enim ? Tune Paulo sanctior, sapientior Salomone ? Alioquin nec mihi sedet ditari ex te exinanito. Si enim *tu tibi nequam, cui bonus eris* [s]? De cumulo, si vales, adiuva me ; sin autem, parcito tibi.

III. Quanta infundi oportet priusquam effundamus.

5. Sed iam audite, quae et quanta saluti propriae necessaria sint, quae et quanta infundi oporteat, priusquam

i. Jn 1, 16 ≠ j. Ps. 35, 10 k. Ps. 103, 28 ≠ l. Ps. 35, 7-8 ≠ m. Dan. 9, 18 ≠ n. Ps. 64, 10 ≠ o. Lc 10, 37 p. I Cor. 13, 4 q. Prov. 3, 21 (Patr.) = Hébr. 2, 1 (Patr.) r. Prov. 3, 21 (Patr.) = Hébr. 2, 1 (Patr.) s. Sir. 14, 5 (Patr.)

1. * Ces deux citations se trouvent dans cet ordre dans Jérôme, *Adv. Iovin.* I, 28 (*PL* 23, 250). Le verset des *Proverbes* calque la *Septante* et est proche du seul Jérôme, *supereffluas*. Le verset des *Hébreux* est plus proche de Jérôme que de *Vg*. Aucun relais entre Jérôme et Bernard n'a été trouvé.

de sa plénitude[i]». Apprends, toi aussi, à ne te répandre que lorsque tu es rempli : ne prétends pas être plus généreux que Dieu. Que la vasque imite la source : celle-ci ne s'écoule pas en un ruisseau, ni ne s'étale en un lac, avant d'être elle-même saturée. Il n'y a aucune honte pour la vasque à ne pas être plus prodigue que la source. Enfin, «la Source de vie[j]», pleine en elle-même et par elle-même, n'a-t-elle pas commencé par jaillir en bouillonnant sur les espaces les plus proches et les plus secrets des cieux, «qu'elle a remplis de sa bonté[k]»? Ensuite seulement, une fois remplis les lieux les plus hauts et les plus secrets, elle s'est déversée sur la terre, et de sa surabondance «elle a sauvé les hommes et les bêtes, en multipliant sa miséricorde[l]». Elle a d'abord rempli les demeures célestes, puis, débordant «d'une immense compassion[m]», «elle a visité la terre et l'a enivrée, elle l'a comblée de richesses[n]». «Toi aussi fais de même[o].» Laisse-toi d'abord remplir, aie soin ensuite de te répandre. «La charité bienveillante[p]» et sage a coutume d'amasser, non pas de disperser. «Mon fils, ne te disperse pas[q]», dit Salomon[1]. L'Apôtre ajoute : «C'est pourquoi nous devons prêter attention aux enseignements qui nous sont donnés, de peur de nous disperser[r].» Quoi donc? Serais-tu plus saint que Paul, plus sage que Salomon? D'ailleurs, moi non plus je ne souhaite pas m'enrichir au prix de ton dénuement. Car si «tu es cruel envers toi-même, envers qui seras-tu bon[s][2]?» Si tu le peux, aide-moi de ton surplus; sinon, ménage-toi toi-même.

III. Dans quelle mesure il faut être rempli avant de se répandre.

5. Mais écoutez donc ce qui est nécessaire à notre propre salut, et dans quelle mesure; ce qui est néces-

2. * Cf. p. 63, n. 1 sur *Sir.* 14, 5 (Patr.) cité en *SCt* 16, 11.

effundere praesumamus, quae tamen in praesenti breviter colligere potero. Hora siquidem iam multum ascendit, et 5 sermonis urget ad finem. Accedit medicus ad vulneratum, spiritus ad animam. Quam enim non reperiat gladio diaboli vulneratam, etiam post sanatum vulnus antiqui delicti medicamento baptismatis? Ergo ad illam animam quae dicit : *Putruerunt et corruptae sunt cicatrices meae a facie* 10 *insipientiae meae*[a], cum accedit spiritus, quid primo opus est? Ut tumor vel ulcus, quod forte supercrevit in vulnere, et potest impedire sanitatem, ante omnia amputetur. Abscidatur itaque ferro acutae compunctionis ulcus inveteratae consuetudinis. Sed est acerbus dolor : leniatur 15 proinde unguento devotionis, quod non est aliud, nisi concepta de spe indulgentiae exsultatio. Hanc continendi parit facultas, et victoria de peccato. Iam gratias agit, et 107 dicit : *Dirupisti vincula mea, tibi sacrificabo hostiam laudis*[b]. Deinde apponitur medicamentum paenitentiae, 20 malagma ieiuniorum, vigiliarum, orationum, et si qua sunt alia paenitentium exercitia. In labore cibandus est cibo boni operis, ne deficiat. Quod opus sit cibus, inde doceris : *Meus cibus est,* inquit, *ut faciam voluntatem Patris mei*[c]. Itaque comitentur paenitentiae labores pietatis opera quae 25 confortent. *Magnam,* ait, *fiduciam praestat apud Altissimum eleemosyna*[d]. Cibus sitim excitat : potandus est.

5. a. Ps. 37, 6 b. Ps. 115, 16-17 c. Jn 4, 34 ≠ d. Tob. 4, 12 ≠

---

1. Le thème du médecin divin et de la guérison du pécheur se trouve ailleurs chez Bernard. Voir *Sent* III, 197 (*SBO* VI-2, 155-159); *Hum* 37 (*SBO* III, 45, l. 4-9). Le *Christus medicus* est évoqué par plusieurs Pères. Par exemple AUGUSTIN, *Sermo* 142, 6 (*PL* 38, 782); 155, 10 (*PL* 38, 846-847). Voir aussi G. FICHTNER, art. «Christus medicus», *Lexikon des MA 2* (1983), p. 1942.

2. «La volonté de mon Père». Bernard suit ici Ambroise et Augustin. Voir AMBROISE, *Epistolae* 3, 11 (*CSEL* 82, 24, 109); *De fide ad Gratianum*

saire pour être rempli et dans quelle mesure, avant d'avoir la prétention de se répandre. Je tâcherai maintenant de condenser ce sujet en peu de mots. Car l'heure est déjà fort avancée, et me presse de terminer le sermon. Le médecin s'approche du blessé, l'Esprit-Saint de l'âme. En effet, quelle est l'âme qu'il ne trouve blessée par le glaive du diable, même après que la plaie de l'antique faute a été guérie par le remède du baptême? Quelle est donc la première chose à faire, lorsque l'Esprit s'approche de l'âme qui dit : « Mes plaies sont infectées et suppurent à cause de ma folie[a] »? Il faut d'abord percer l'abcès ou l'ulcère qui s'est formé dans la plaie, et qui peut empêcher la guérison. Que le fer d'un regret aigu retranche l'ulcère de l'habitude invétérée[1]. Mais la douleur est vive : il faut l'adoucir par l'onguent de la ferveur, qui n'est rien d'autre que la joie engendrée par l'espérance du pardon. Cette joie est le fruit de la continence, et de la victoire sur le péché. Dès lors, l'âme peut rendre grâces et dire : « Tu as brisé mes liens, je t'offrirai le sacrifice de louange[b]. » Ensuite, on applique le remède du repentir, l'emplâtre des jeûnes, des veilles, des prières, et les autres exercices des hommes repentants. Pour que l'âme ne défaille pas dans cet effort, il faut lui donner la nourriture des bonnes œuvres. Que la nourriture soit nécessaire, cette parole nous l'apprend : « Ma nourriture est de faire la volonté de mon Père[c2]. » Ainsi, les labeurs du repentir doivent être accompagnés par les œuvres de piété qui fortifient. « L'aumône, dit l'Écriture, donne une grande confiance auprès du Très-Haut[d3]. » Manger donne soif :

5, 13, 170 (*CSEL* 78, 277, 120); *Exp. evang. sec. Lucam* 7, 30 (*CCL* 14, 225, 340). AUGUSTIN, *Sermo Domini in monte* 1, 2, 6 (*CCL* 35, 96).

3. * Cette citation de *Tobie,* unique dans les *SBO* et assez démarquée de *Vg,* ne se trouve, dans tout *PL,* que chez deux auteurs postérieurs à Bernard, Pierre le Mangeur et Innocent III.

Accedat cibo boni operis orationis potus, componens in stomacho conscientiae quod bene gestum est, et commendans Deo. Orando bibitur *vinum laetificans cor* 30 *hominis*[e], vinum Spiritus, quod inebriat et carnalium voluptatum infundit oblivionem. Humectat interiora arentis conscientiae, escas bonorum actuum digerit, et deducit per quaedam animae membra, fidem roborans, spem confortans, vegetans *ordinansque caritatem*[f], et impin- 35 guans mores.

6. Sumpto cibo potuque quid iam restat, nisi ut pauset aegrotus, et quieti contemplationis post sudores actionis incumbat? Dormiens in contemplatione somniat Deum; *per speculum* siquidem *et in aenigmate,* non *autem facie* 5 *ad faciem*[a] interim intuetur. Tamen sic non tam spectati quam coniectati, idque raptim et quasi sub quodam coruscamine scintillulae transeuntis, tenuiter vix attacti inardescit amore; et ait : *Anima mea desideravit te in nocte, sed et spiritus meus in praecordiis meis*[b]. Talis amor zelat; 10 hic decet *amicum sponsi*[c], hoc necesse est ardeat *fidelis servus et prudens, quem constituit Dominus supra familiam suam*[d]. Hic replet, hic fervet, hic ebullit, hic iam securus effundit exundans et erumpens, et dicit : *Quis infirmatur*

e. Ps. 103, 15 ≠ f. Cant. 2, 4 ≠
6. a. I Cor. 13, 12 (Patr.) b. Is. 26, 9 (Lit., Patr.) c. Jn 3, 29 ≠ d. Matth. 24, 45

1. * Une partie ou l'autre de ce verset de Paul se rencontrent 42 fois chez Bernard; souvent, il s'agit d'une allusion réduite à *per speculum (et) in aenigmate,* voire moindre; ainsi on lit *speculum atque aenigma* en *SCt* 41, 4 (*SBO* II, 31, 1). En 13 lieux, les *SBO* écrivent le *et*; 5 fois ils l'omettent; les autres sont si allusifs qu'ils ne sont pas significatifs. La tradition quasi unanime de *Vg* omet le *et.* Les Pères, qui ont très souvent cité ce texte (environ 700 extraits significatifs de ce texte dont 300 avec *et* et 400 sans *et*), emploient de plus en plus souvent *et*; Bernard est ainsi conforme à la pratique de son temps. ~ Dans les *SCt,* Bernard fait observer que l'opposition «dans un miroir» / «face à face» n'est pas abolie par les «visites de l'Époux»; car l'épouse est

il faut boire. Ajoutons à la nourriture des bonnes œuvres le breuvage de la prière, qui dans l'estomac de la conscience se mêle à nos belles actions, et les rend agréables à Dieu. En priant, on boit «le vin qui réjouit le cœur de l'homme[e]», le vin de l'Esprit, qui enivre et fait oublier les voluptés charnelles. Il irrigue les profondeurs de la conscience aride, il lui fait digérer les aliments des bonnes actions et les charrie, pour ainsi dire, à travers les membres de l'âme. Ainsi il renforce la foi, fortifie l'espérance, vivifie et «ordonne la charité[f]», et affermit les bonnes mœurs.

6. Une fois la nourriture et la boisson prises, que reste-t-il à faire? Le malade n'a plus qu'à se délasser et s'adonner au repos de la contemplation, après les sueurs de l'action. Dans le sommeil de la contemplation il voit Dieu en rêve; car ici-bas il ne le contemple que «dans un miroir et en énigme, non pas face à face[a1]». Cependant, pour ce Dieu qu'il devine plus qu'il ne le voit vraiment, qu'il n'aperçoit qu'à la dérobée et comme dans la lueur incertaine d'une étincelle furtive, pour ce Dieu à peine effleuré, il s'enflamme d'amour; et il dit: «Mon âme la nuit t'a désiré, mon esprit dans le tréfonds de mon cœur[b2].» Cet amour est passionné; c'est celui qui convient à «l'ami de l'époux[c]», celui dont devra brûler «le serviteur fidèle et avisé, que le Seigneur a établi sur les gens de sa maison[d]». Cet amour comble, échauffe, bouillonne, se répand enfin avec assurance, rompant toutes les digues,

encore dans le temps de l'*interim,* de l'entre-deux; voir *SCt* 26, 1, l. 32-33, p. 278 et *SCt* 31, 8, l. 12, p. 442.

2. * Bernard utilise 3 fois un verset peu cité d'*Isaïe* (cf. *SCt* 31, 5, l. 20-21, p. 436; *NatV* 6, 1; *SBO* IV, 234, l. 19). Il écrit *spiritus meus,* que donnent quelques manuscrits de *Vg,* des bréviaires du haut Moyen Age et un unique passage du seul Alcuin. *Vg* propose un texte «difficile», *spiritu meo.* Les contextes bernardins où est inséré ce verset montrent que Bernard a bien écrit *spiritus (meus),* qui, dans chacune de ses phrases, est sujet.

et ego non infirmor? Quis scandalizatur, et ego non uror[e]?
15 Praedicet, fructificet, *innovet signa et immutet mirabilia*[f] : non est quo se immisceat vanitas, ubi totum occupat caritas. Siquidem *plenitudo legis* et cordis *est caritas*[g], si tamen plena. Denique *Deus caritas est*[h], et nihil est in rebus quod possit replere creaturam factam ad imaginem
20 Dei[i], nisi caritas Deus, qui solus maior est illa. Eam nondum adeptus periculosissime promovetur, quantislibet
108 aliis videatur pollere virtutibus. *Si habuerit omnem scientiam, si dederit omnem substantiam suam pauperibus, si tradiderit corpus suum, ita ut ardeat, absque caritate*
25 *vacuus est*[j]. En quanta prius infundenda sunt, ut effundere audeamus, de plenitudine, non de penuria largientes : primo quidem compunctio, deinde devotio, tertio paenitentiae labor, quarto pietatis opus, quinto orationis studium, sexto contemplationis otium, septimo plenitudo

e. II Cor. 11, 29 ≠ f. Sir. 36, 6 ≠ g. Rom. 13, 10 (Patr.)
h. I Jn 4, 16 i. Cf. Gen. 1, 27 j. I Cor. 13, 2-3 ≠

1. * Bernard, dans ses 4 citations de la fin du verset 10, écrit *caritas*; voir *SCt* 23, 7, l. 29, p. 214. Mais, en *Div* 56, 2 (*SBO* VI-1, 285, l. 15), il paraît avoir réuni *caritas* et *dilectio* en une allusion. Pour cette partie de verset, la tradition patristique, Augustin surtout, puis Bède, Raban Maur, enfin Guillaume de Saint-Thierry emploient beaucoup plus souvent *caritas.* Mais l'emploi biblique par Bernard de *caritas / dilectio* serait aussi à considérer dans son ensemble, selon les divers textes pauliniens ou johanniques, sans omettre *Cant.* 8, 6 : onze *dilectio* dans *SBO* contre quatre *caritas, Vg* ayant unanimement *dilectio.*

2. «Dieu est charité et rien au monde ne saurait combler la créature faite à l'image de Dieu, sinon ce Dieu charité qui seul est plus grand que sa créature.» Phrase résumant beaucoup de thèmes typiques de la spiritualité cistercienne : l'être humain fait à l'image de Dieu, la noblesse

et il s'écrie : « Qui est faible, que je ne sois faible ? Qui vient à tomber, qu'un feu ne me brûle[e] ? » Qu'il prêche, qu'il porte du fruit, « qu'il renouvelle les signes et répète les merveilles[f] » : la vanité ne peut plus s'infiltrer là où la charité occupe toute la place. Car « la charité est la plénitude de la loi[g 1] » et du cœur, si toutefois elle est comble. Enfin, « Dieu est charité[h] », et rien au monde ne saurait combler la créature faite à l'image de Dieu[i], sinon ce Dieu charité, qui seul est plus grand que sa créature[2]. Il est très dangereux de confier une charge élevée[3] à l'homme qui n'est pas encore parvenu à cette charité, quelque grandes que soient les autres vertus dont il semble paré. « Quand il aurait toute la science, quand il distribuerait tous ses biens aux pauvres, quand il livrerait son corps pour être brûlé, s'il n'a pas la charité[j] », il est vide. Voilà ce dont nous devons être remplis, avant d'oser nous répandre, car c'est de notre plénitude et non de notre pénurie qu'il faut faire largesse. Premièrement, nous devons avoir le regret du péché ; ensuite, la ferveur ; en troisième lieu, le labeur du repentir ; en quatrième lieu, les œuvres de piété ; en cinquième lieu, l'application à la prière ; en sixième lieu, le loisir de la contemplation ;

de l'âme humaine, le désir indéracinable de retrouver son origine, le Créateur qui seul assouvit le désir fondamental de sa créature, le rôle essentiel de l'amour divin. Cf. *Dil* 21 (*SC* 393, 113-115). Voir GUILL. DE S.-TH., *Nature et dignité de l'amour 2* (*PL* 184, 381 A) : « L'amour fut mis naturellement dans l'âme humaine par l'Auteur de la nature. »

3. « Une charge élevée ». Bernard pense aussi bien aux charges monastiques qu'aux élections épiscopales. C'est comme en passant qu'il laisse transparaître pour quelle raison il a voulu influencer beaucoup de nominations d'évêques. Mais comment jugeait-il du degré de charité des différents candidats ?

30 dilectionis. *Haec omnia operatur unus atque idem Spiritus*[k] secundum operationem, quae infusio appellatur, quatenus illa, quae effusio dicta est, pure, et ob hoc tute, iam administretur, ad laudem et gloriam Domini nostri Iesu Christi[1], qui cum Patre et eodem Spiritu Sancto vivit
35 et regnat Deus per omnia saecula saeculorum. Amen.

k. I Cor. 12, 11 l. Cf. Phil. 1, 11

---

1. On retrouve les mêmes sept vertus infuses dans *Sent* III, 97 (*SBO* VI-2, 155-159). Il faut passer par le chemin de la pénitence et

en septième lieu, la plénitude de l'amour[1]. « C'est un même et unique Esprit qui opère tout cela[k] », par cette opération qu'on appelle infusion. Quant à celle qu'on nomme effusion, il faut l'accomplir avec pureté, et donc sans péril, à la louange et à la gloire de notre Seigneur Jésus-Christ[1], notre Dieu qui vit et règne avec le Père et le même Esprit-Saint, pour tous les siècles des siècles. Amen.

de la prière pour se répandre sans danger dans toutes les formes de l'apostolat.

SERMO XIX

I. Qua consequentia dicitur : *Adolescentulae dilexerunt te nimis.* – II. Ratio qua singuli beatorum spirituum ordines Christum Dominum diligant. – III. Qua ratione adolescentulae diligant, et correptio novitiorum quod vita communi nolint esse contenti.

I. Qua consequentia dicitur : *Adolescentulae dilexerunt te nimis.*

1. Adhuc sponsa amatoria loquitur, et adhuc pergit amplius prosequi laudes sponsi, et *gratiam* provocat, dum monstrat eam, quam iam acceperat, *in se vacuam non fuisse*[a]. Audi etenim quid secuta adiungit : *Propterea,* 5 inquit, *adolescentulae dilexerunt te nimis*[b]. Quasi dicat : « Non frustra nec inaniter *nomen tuum exinanitum*[c] est, o sponse, atque effusum in ubera mea ; *propterea* enim *adolescentulae dilexerunt te nimis.* » Propter quid? Propter nomen effusum, et propter ubera ex eo perfusa. Inde 10 quippe excitatae sunt in amorem sponsi, inde sumpserunt 109 ut diligant. Sponsa infusum munus excipiente, illae mox sensere fragrantiam, quae longe a matre minime esse poterant ; atque illa suavitate repletae dicunt : *Caritas Dei*

1. a. I Cor. 15, 10 ≠ b. Cant. 1, 2 (Lit.) c. Cant. 1, 2 (Patr.)

---

1. * Bernard utilise toujours *propterea* et non *ideo,* sans raison connue. Quant à *nimis,* il se trouve dans une antienne de laudes et vêpres du « commun des non-vierges » et était déjà signalé comme addition liturgique par Hugues de Saint-Cher ; cf. Abbaye Saint-Jérôme, *Biblia sacra iuxta latinam vulgatam...,* XI, Rome 1957, sur *Cant.* 1, 2.

SERMON 19

I. Comment ces paroles « Les jeunes filles t'ont aimé avec excès » se relient à ce qui précède. – II. Raison pour laquelle les différents ordres des esprits bienheureux aiment le Christ Seigneur. – III. Pour quelle raison les jeunes filles aiment-elles ? Réprimande aux novices, parce qu'ils ne veulent pas se contenter de la vie commune.

I. Comment ces paroles « Les jeunes filles t'ont aimé avec excès » se relient à ce qui précède.

1. L'épouse poursuit son amoureux discours. Elle continue à célébrer toujours davantage les louanges de l'Époux. Ainsi, elle attire « la grâce », en montrant que celle déjà reçue « n'a pas été stérile[a] ». Écoute la suite de ses paroles : « C'est pourquoi, dit-elle, les jeunes filles t'ont aimé avec excès[b 1]. » Comme si elle disait : « Ce n'est pas en vain ni sans fruit, ô mon Époux, que 'ton nom a été anéanti[c 2]' et répandu sur mes seins. Car 'c'est pour cela que les jeunes filles t'ont aimé avec excès'. » Pourquoi donc ? Pour le nom répandu, et pour les seins qu'il a embaumés. Ainsi s'est éveillé dans les jeunes filles l'amour de l'Époux ; de là l'origine de leur amour. Tandis que l'épouse accueillait le don de cette infusion, les jeunes filles en ont senti aussitôt les effluves, car elles ne pouvaient pas être bien loin de leur mère. Alors, comblées

2. « Ton nom a été anéanti. » Le verbe latin *exinanitum est* évoque le texte paulinien *Phil.* 2, 7 : « Le Christ Jésus s'est anéanti lui-même. » Texte clef auquel se réfère toute ascèse chrétienne et tout anéantissement mystique (cf. *SCt* 11, 7 ; 15, 4 ; GUERRIC D'IGNY, *Sermons, SC* 166, 188 et 326).

diffusa est in cordibus nostris per Spiritum Sanctum qui
15 *datus est nobis*[d]. Ergo ipsarum devotionem sponsa commendans : « Hic, inquit, fructus, o sponse, effusi nominis tui, quod *propterea adolescentulae dilexerunt te.* Effusum siquidem sentiunt quod integrum capere non valebant ; propterea dilexerunt te. » Effusio quippe nomen facit
20 capabile, captum amabile, sed adolescentulis dumtaxat. Qui capaciores sunt integro gaudent, effuso non indigent.

II. Ratio qua singuli beatorum spirituum ordines Christum Dominum diligant.

2. Angelica creatura, irrepercussa mentis acie, intuetur divinorum *iudiciorum abyssum multam*[a], quorum summae aequitatis ineffabili delectatione beata, gloriatur insuper effectui ea per suum ministerium mancipari ac palam fieri ;
5 et propterea diligit merito Dominum Christum. *Nonne omnes,* ait, *administratorii spiritus sunt, missi in ministerium propter eos qui hereditatem capiunt salutis*[b]? Porro

d. Rom. 5, 5
2. a. Ps. 35, 7 ≠ b. Hébr. 1, 14 ≠

---

1. *Rom.* 5, 5. Autre texte clef des auteurs mystiques. L'Esprit-Saint prend possession des âmes disponibles pour y répandre et fortifier l'amour de Dieu. GUILL. DE S.-TH. explique ce texte par des considérations trinitaires très remarquables. « Par ton don l'Esprit vient en nous et il nous apprend la vérité tout entière. Il nous fait entrer en toi, ô Père, principe de la suprême divinité ; en toi, ô Fils, qui nais éternellement de l'éternelle consubstantialité ; en toi, ô Saint-Esprit, sainte communion du Père et du Fils. Il nous révèle l'égalité une et simple en trois Personnes de la sainte consubstantialité » (*Expositio super Epist. ad Rom.* V, 5, *CCM* 86, 63, l. 103-107). Voir P. VERDEYEN, « Un théologien de l'expérience », *BdC p.* 572-577.

2. Hadewijch d'Anvers commente le même verset (1, 2). C'est pourquoi il est dit dans le Cantique : *Oleum effusum,* etc., « Votre nom est une huile répandue ; il attire les jeunes filles. » « Ah ! qu'elle dit vrai, cette fiancée, comme elle entend bien sa Nature en disant que son Nom se

de cette douceur, elles s'écrient : « L'amour de Dieu a été répandu dans nos cœurs par l'Esprit-Saint qui nous a été donné[d1]. » L'épouse fait l'éloge de leur ferveur, en disant : « Voici le fruit, ô mon Époux, de l'effusion de ton nom : 'c'est pour cette raison que les jeunes filles t'ont aimé'. Incapables de comprendre le nom tout entier, elles sont sensibles à son effusion. C'est pour cette raison qu'elles t'ont aimé. » En effet, l'effusion rend le nom compréhensible ; la compréhension éveille l'amour, mais chez les jeunes filles seulement. Ceux qui sont davantage capables de comprendre jouissent du nom tout entier : ils n'ont pas besoin de son effusion[2].

II. Raison pour laquelle les différents ordres des esprits bienheureux aiment le Christ Seigneur.

2. La créature angélique[3] contemple « le profond abîme des jugements[a] » divins par un regard aigu de l'esprit qui ne rencontre aucun obstacle[4]. Elle prend un plaisir ineffable à ces jugements suprêmes et équitables. En outre, elle se glorifie de ce que ces jugements se réalisent et se manifestent par son ministère. Voilà pourquoi elle aime, à juste titre, le Seigneur Christ. « Tous les anges, dit l'Écriture, ne sont-ils pas des esprits chargés d'un ministère, envoyés pour servir ceux qui héritent du salut[b] ? » Quant

répand en toutes les voies, irriguant chaque esprit selon ses besoins, selon qu'il en est digne et selon le service que Dieu entend de lui » (*Lettres spirituelles,* trad. J. B. Porion, Genève 1972, p. 178-179).

3. Il peut paraître étrange que Bernard commence ici un long exposé sur les neuf chœurs des anges. Pourtant cet exposé s'insère dans le thème général de l'infusion et de l'effusion de l'Esprit. Si on se demande quel rapport il peut y avoir entre la contemplation des anges et la grâce accordée à la créature humaine, il faut lire les paragraphes 6 et 7.

4. *Irrepercussa mentis acie,* « Par un regard aigu de l'esprit qui ne rencontre aucun obstacle. » Voir AUGUSTIN, *De Trinitate* XII, 23 ; GRÉGOIRE, *Mor.* V, 58.

Archangelos – ut eis aliquid differentius ab his[c], qui simpliciter Angeli sunt, tribuamus – mirabiliter, credo, delectat,
10 quod ipsis quoque aeternae sapientiae consiliis familiarius admittuntur, eademque per ipsos locis quaeque suis atque temporibus summo moderamine dispensantur. Et haec causa quod diligunt Dominum Christum et ipsi. Illae quoque beatitudines – quae Virtutes ex eo forsitan appel-
15 latae sunt, quod virtutum ac prodigiorum occultas perpetuasque causas felici curiositate rimari ac mirari divinitus ordinatae, signa quae et quando volunt ex omnibus elementis terris potenter exhibeant –, et ipsae ergo exinde non immerito inardescunt *Dominum virtutum*[d] diligere,
20 et *Dei virtutem Christum*[e]. Plenum quippe est suavitatis et gratiae[f] *incerta et occulta sapientiae*[g] in ipsa sapientia intueri, plenum nihilominus honoris et gloriae causarum in Dei Verbo absconditarum mundo spectandas mirandasque in manu ipsorum dirigi efficientias.

3. Sed et illi spiritus, qui Potestates nominantur, dum Crucifixi nostri divinam omnipotentiam ubique *fortiter attingentem*[a] intueri ac magnificare delectantur, exturbare et debellare daemonum hominumque contrarias potestates
5 pro his, *qui hereditatem capiunt salutis*[b], accipiunt potes-
110 tatem. Et hi nonne iustissimam habent causam, ut diligant

c. Cf. Hébr. 1, 4 d. Ps. 23, 10 ≠ e. I Cor. 1, 24 ≠ f. Cf. Jn 1, 14 g. Ps. 50, 8
3. a. Sag. 8, 1 ≠ b. Hébr. 1, 14 ≠

1. Bernard va énumérer et caractériser les neuf chœurs des anges : Anges, Archanges, Vertus, Puissances, Principautés, Dominations, Trônes, Chérubins et Séraphins. Il a trouvé cette liste dans les écrits de GRÉGOIRE LE GRAND (*Hom. in Evang.* 34, 7, *PL* 76, 1249 D). Le Pseudo-Denys semble avoir peu influencé l'angélologie de Bernard. Voir E. BOISSARD, « La doctrine des anges chez S. Bernard », *Saint Bernard théologien,* p. 128-135.

2. Bernard assigne aux Vertus la fonction d'opérer miracles et prodiges dans les éléments matériels ; elles n'interviennent donc que dans

aux Archanges[1] – car il faut bien leur attribuer quelque chose de plus[c] qu'aux simples Anges – ce qui, je crois, les réjouit merveilleusement, c'est de se voir admis plus intimement dans les desseins de l'éternelle sagesse. Ils voient que, par leur intermédiaire, ces mêmes desseins sont mis à exécution, chacun en son temps et en son lieu, suivant une providence souveraine. Tel est le motif pour lequel ils aiment, eux aussi, le Seigneur Christ. Il y a encore des esprits bienheureux qu'on a appelés Vertus, sans doute parce qu'ils ont été institués par Dieu pour scruter, avec une heureuse curiosité et dans l'émerveillement, les causes cachées et éternelles des vertus et des prodiges. Ils peuvent choisir parmi tous les éléments des signes, tels qu'ils veulent et quand ils veulent, pour les montrer avec puissance à la terre entière[2]. Voilà pourquoi, non sans raison, eux aussi brûlent d'amour pour « le Seigneur des vertus[d] », et pour « le Christ, vertu de Dieu[e] ». Car c'est le comble de la douceur et de la grâce[f] que de contempler « les secrets obscurs de la sagesse[g] » dans la sagesse elle-même. Mais il n'y a pas moins d'honneur et de gloire que Dieu daigne se servir de leur ministère pour faire connaître et admirer au monde les effets des causes cachées dans son Verbe divin.

3. D'autres esprits sont appelés Puissances. Ils se plaisent à contempler et à célébrer notre Christ crucifié en sa toute-puissance divine, « qui s'exerce en tout lieu avec force[a] ». Ils en reçoivent le pouvoir de repousser et de terrasser les puissances hostiles des démons et des hommes, en faveur de « ceux qui héritent du salut[b] ». Dès lors, n'ont-ils pas un motif très juste d'aimer le Sei-

les cas extraordinaires (par ex. la comète qui guide les Rois mages, les signes cosmiques à la fin des temps). Il ne dit rien d'une influence sur le cours normal et ordinaire des choses. Voir E. BOISSARD, *o.c.*, p. 134, note 1.

Dominum Iesum? Sunt et super istos Principatus, qui et ipsum altius speculantes, et liquido pervidentes universitatis esse principium et *primogenitum omnis creaturae*[c],
10 tanta proinde principatus dignitate donantur, ut ubique terrarum habeant potestatem, quasi de summo quodam rerum cardine, regna, et principatus, et quaslibet pro arbitrio mutare et ordinare dignitates, pro quorumque meritis facere *primos novissimos et novissimos primos*[d],
15 *deponere potentes de sede et exaltare humiles*[e]. Et haec istis quoque ratio diligendi. Sed diligunt et Dominationes. Cur? Nescio quid subtilius sublimiusque indagare de Christi interminabili atque irrefragabili dominatu, laudabili quadam praesumptione feruntur, quod scilicet ubique universitatis
20 non solum potens, sed et praesens, supra infraque obsequi rectissimae voluntati suae cursus temporum, motus corporum, nutus mentium, ordine utique pulcherrimo cogat; idque cura tam vigili, ut ne puncto quidem aut iotae uni[f], ut dicitur, horum omnium debitum subtrahere famu-
25 latum ullatenus liceat, opera tamen tam facili, ut turbationem seu anxietatem ullam omnino gubernator non sentiat. Intuentes ergo *Dominum Sabaoth* tanta *cum tranquillitate omnia iudicantem*[g], intentissimae suavissimaeque contemplationis stupore nimio, sed sensato rapti in illud
30 divinae claritatis tam ingens pelagus, recipiunt sese in secretiori quodam mirae tranquillitatis recessu, ubi tanta pace ac securitate fruuntur, ut quiescentibus ipsis, pro

c. Col. 1, 15 ≠ d. Matth. 19, 30 ≠ e. Lc 1, 52 ≠ f. Cf. Matth. 5, 18 g. Sag. 12, 18 (Patr.)

---

1. Les Principautés en revanche, ont un ministère important. Elles choisissent et protègent les nations, les princes et les prélats. Bernard se réfère aux Évangiles pour préciser leur ministère (*Hébr.* 1, 14).

2. * Bernard écrit d'ordinaire : *Dominus Sabaoth cum tranquillitate iudicat omnia,* se rencontrant ainsi partiellement avec certains Pères ; cf. *SCt* 19, 6, l. 33 ; 23, 16, l. 7 ; cf. *SC* 414, 140, n. 1 sur *SCt* 6, 2.

gneur Jésus? Au-dessus d'eux il y a les Principautés[1], qui jouissent d'une contemplation plus haute du Seigneur : elles voient clairement qu'il est le principe de l'univers et « le premier-né de toute créature[c] ». Aussi reçoivent-elles une dignité princière si grande, que leur puissance s'étend sur toute la terre et que du lieu sublime où elles se trouvent elles ont le pouvoir d'enlever et de distribuer à leur gré les royaumes, les principautés et n'importe quelles dignités. Selon les mérites de chacun, elles peuvent mettre « au premier rang les derniers et au dernier rang les premiers[d] », « renverser les puissants du trône et exalter les humbles[e] ». Telle est la raison de leur amour. Mais les Dominations elles aussi aiment. Pourquoi? Elles sont entraînées par une louable hardiesse à découvrir je ne sais quoi de plus subtil et de plus sublime dans la domination illimitée et inébranlable du Christ. Elles perçoivent partout dans l'univers non seulement sa puissance, mais aussi sa présence. Elles voient que, dans les régions supérieures comme dans les inférieures, il fait obéir à sa volonté souverainement juste le cours des temps, les mouvements des corps, les inclinations des esprits, dans un ordre très harmonieux. Il fait cela avec un soin si vigilant, que rien ni personne ne s'écarte – fût-ce d'un point ou d'un seul iota[f], comme on dit – de l'obéissance prescrite. Néanmoins, le maître gouverne avec une telle aisance, qu'il n'en ressent pas le moindre trouble ni la moindre inquiétude. Regardant donc « le Seigneur Sabaoth régir toutes choses avec tant de sérénité[g2] », les Dominations sont ravies dans l'océan immense de la clarté divine par l'éblouissement trop fort, mais pleinement lucide, de leur contemplation si intense et si douce. Aussi se retirent-elles dans le secret d'une sérénité merveilleuse, où elles goûtent une paix et une sécurité profondes. C'est pourquoi, pendant leur repos, la multitude des autres

reverentia praerogativae, tamquam vere dominationibus ministrare et militare videatur cetera multitudo.

4. In Thronis sedet Deus. Et puto quod his spiritibus supra omnes qui memorati sunt, et iustior causa, et copiosior sit materia diligendi. Etenim si intres hominis regis cuiuscumque palatium, nonne cum plenum sit sellis, 5 scamnis cathedrisque regia sedes in eminenti posita cernitur? Et non est necesse quaerere ubi rex sedere solitus sit : nimirum mox manifesta occurrit sedes eius, ceteris altior ornatiorque sedilibus. Sic quoque omni decoris ornatu cunctis aliis praeeminere spiritibus istos intellige, 10 in quibus speciali quodam stupendae dignationis munere divina elegit residere maiestas. Quod si sessio significat magisterium, puto illum, qui *unus est nobis magister*[a] in 111 caelo et in terra, *Dei sapientiam Christum*[b], cum alias quidem *ubique attingat propter munditiam suam*[c], specialius 15 tamen istos atque principalius tamquam propriam sedem sua illustrare praesentia, et inde tamquam de solemni auditorio docere angelum, *docere hominem scientiam*[d]. Inde Angelis divinorum notitia iudiciorum, inde consiliorum Archangelis. Ibi Virtutes audiunt, quando, 20 et ubi, et qualia proferant signa. Ibi denique universi, sive sint Potestates, sive Principatus, sive Dominationes, discunt profecto quid ex officio debeant, quid pro dignitate praesumant et, quod praecipue cautum omnibus est, accepta potestate ad propriam voluntatem seu gloriam 25 non abuti.

5. Illa tamen agmina, quae Cherubim nuncupantur, si eis sui vocabuli servetur interpretatio, arbitror nil habere

4. a. Matth. 23, 8 ≠ b. I Cor. 1, 24 ≠ c. Sag. 7, 24 ≠ d. Ps. 93, 10 ≠

1. Bernard a parlé dans deux écrits des ordres angéliques : *SCt* 19, 2-6 et *Csi* V, 7-8 et 11 (*SBO* III, 471-473 et 475-476). Ces textes se complètent mutuellement.

anges, par respect pour leur privilège, semble leur prêter service et obéissance, comme si elles avaient vraiment la domination.

4. Sur les Trônes Dieu est assis. Je pense que ces esprits ont une plus juste cause et un plus ample motif d'aimer que tous les autres esprits déjà mentionnés. Quand tu entres dans le palais de n'importe quel roi de la terre, ne vois-tu pas le trône royal placé dans le lieu le plus élevé parmi les chaises, les tabourets et les sièges qui remplissent la salle ? Et il n'est pas nécessaire de demander où le roi a coutume de s'asseoir : car son siège, plus élevé et plus orné que les autres, le désigne aussitôt à la vue. De même, les Trônes l'emportent sur tous les autres esprits par l'éclat de leur beauté, puisque la majesté divine a choisi de résider en eux par une faveur spéciale d'étonnante complaisance. Si donc être assis sur le trône est le signe du magistère, je pense que « notre seul maître[a] » au ciel et sur la terre, « le Christ sagesse de Dieu[b] », même s'« il atteint tout lieu grâce à sa pureté[c] », illumine plus spécialement et plus vivement de sa présence ceux dont il a fait son trône. De là, comme d'une chaire solennelle, « il enseigne la science » aux anges et « aux hommes[d] ». De là il transmet aux Anges la connaissance de ses jugements, et aux Archanges celle de ses desseins. Là les Vertus entendent quels signes elles doivent donner, à quel moment et en quel lieu. Là enfin tous ces esprits, soit les Puissances, soit les Principautés, soit les Dominations, apprennent exactement quels sont les devoirs de leur charge, ce qu'ils peuvent se permettre selon leur dignité, et aussi ce dont tous doivent surtout se garder : abuser du pouvoir reçu au profit de leur volonté propre ou de leur propre gloire[1].

5. Toutefois je pense que ces armées célestes qu'on appelle Chérubins, si l'on observe la signification de leur nom, n'ont rien à recevoir des Trônes ni par les Trônes,

quod ab ipsis aut per ipsos accipiant, cum de ipso fonte haurire[a] ad plenum liceat, ipso ea per se Domino Iesu
5 dignanter introducente in omnem plenitudinem veritatis[b], et *thesauros sapientiae scientiaeque qui in eo omnes absconditi sunt*[c], largissime revelante. Sed nec ea quae appellata sunt Seraphim, quippe quae ipsa *caritas Deus*[d] in se adeo traxit et absorbuit, atque in eumdem rapuit
10 sanctae affectionis ardorem, ut *unus cum Deo esse spiritus*[e] videantur, instar profecto ignis, qui aerem, quem inflammat, dum suum ei totum calorem imprimit, induitque colorem, non ignitum, sed ignem fecisse cernitur. Amant itaque praecipue contemplari in Deo illi quidem spiritus
15 scientiam, *cuius non est numerus*[f], hi vero *caritatem, quae numquam excidit*[g]. Unde et nomina ista sortiti sunt ex eo quique, in quo praeeminere videntur : nam Cherubim quidem plenitudo scientiae, Seraphim vero incendentia vel incensa dicuntur.

6. Diligitur ergo ab Angelis Deus ob iudiciorum suorum summam aequitatem ; ab Archangelis ob consiliorum summam moderationem ; porro a Virtutibus ob benignissimam exhibitionem miraculorum, per quae incredulos
5 dignantissime trahit ad fidem ; a Potestatibus vero ob illam

5. a. Cf. Is. 12, 3 b. Cf. Jn 16, 13 (Patr.) c. Col. 2, 3 ≠ d. I Jn 4, 8 ≠ e. I Cor. 6, 17 (Patr.) f. Ps. 146, 5 ≠ g. I Cor. 13, 8 ≠

1. * Bernard fait 8 allusions à ce texte, 2 fois selon la *Vg* de son temps (*docebit vos omnem...*), 6 fois avec *introducet, inducet, perducet in...*, tous verbes qui marquent une « entrée dans » la vérité et que la tradition patristique avait largement employés. Voir AUGUSTIN, *in Iohann.* 96, 4 ; 100, 1 (*CCL* 36, 571, l. 13 et 588, l. 2 : *Docebit vos,* inquit, *omnem veritatem,* vel, quod in nonnullis codicibus legitur : *deducet vos in omni veritate*) ; voir aussi la collecte du mercredi après la Pentecôte : *Mentes nostras... Paraclitus... inducat in omnem sicut tuus promisit Filius veritatem,* « Que le Paraclet, selon la promesse de ton Fils, conduise nos pensées vers l'entière vérité. »

puisqu'ils peuvent puiser pleinement à la source même[a]. En effet, le Seigneur Jésus en personne daigne les introduire dans toute la plénitude de la vérité[b 1], et leur révéler à profusion «les trésors de la sagesse et de la science, qui sont tous cachés en lui[c]». De même pour ceux qu'on appelle Séraphins. Car «Dieu, qui est la charité[d]» même, les a tellement attirés, plongés en lui, et ravis dans l'ardeur de son saint amour, qu'ils semblent «être un seul esprit avec Dieu[e 2]». Ainsi le feu, en transmettant toute sa chaleur et sa couleur à l'air qu'il embrase, ne le rend pas seulement incandescent, mais le change en feu. Les Chérubins donc aiment surtout à contempler en Dieu la science, «qui est sans mesure[f]», et les Séraphins «la charité, qui ne passe jamais[g]». C'est pourquoi ils ont reçu en partage leurs noms d'après la grâce qui les distingue chacun de façon éminente. En effet, Chérubin signifie plénitude de science[3], et Séraphin, flamboyant ou enflammé[4].

6. Ainsi, Dieu est aimé par les Anges pour l'équité suprême de ses jugements; par les Archanges, pour la souveraine providence de ses desseins; par les Vertus, pour les miracles qu'il daigne accomplir en sa bonté afin d'attirer les incroyants à la foi; par les Puissances, pour la force de cette puissance si juste qui a coutume de

2. * On retrouvera 2 autres fois dans ce volume ce texte employé plus de 50 fois par Bernard; cf. *SCt* 26, 5, l. 14 et *SCt* 31, 6, l. 3-4. Bernard écrit d'ordinaire «Dieu» *(Vl)* et non «le Seigneur» *(Vg)*, suivant en cela une tendance de son époque, qui voit *Deo*, rare aux premiers siècles, rejoindre en nombre *Domino*. Dans ce texte-ci, on a d'autre part l'ajout «avec lui», assez fréquent chez Bernard et chez certains Pères des XIe et XIIe s., dont le Ps.-Hugues de S.-Victor; cf. *SC* 367, 420, n. 4 sur *MalS* 6.

3. *Cherubim : scientiae plenitudo.* Voir JÉRÔME, *Nom. hebr.*, *CCL* 72, 14, l. 20; GRÉGOIRE, *Hom. in Ezech.* II 9, 585 (*CCL* 142, 372).

4. *Seraphim : incendentia vel incensa.* Voir JÉRÔME, *Nom. hebr.*, *CCL* 72, 121, 24; GRÉGOIRE, *Hom. in Ev.* 34, 10, 34 (*PL* 76, 1252 B).

iustissimae potentiae vim, qua solet a piis malignantium propulsare et arcere crudelitatem; verum a Principatibus ob aeternam et originalem illam virtutem, qua dat esse et essendi principium omni creaturae[a] superiori et infe-
10 riori, spirituali et corporali, *attingens a fine usque ad finem*
112 *fortiter*[b]; a Dominationibus quoque ob placidissimam voluntatem, qua licet ubique dominetur *in fortitudine brachii sui*[c], virtute tamen potentiori pro sua ingenita lenitate et imperturbabili *tranquillitate disponit omnia sua-*
15 *viter*[d]. Diligitur et a Thronis ob benevolentiam magistrae sapientiae *sine invidia* sese *communicantis*[e], et *unctionem* quae gratis *docet de omnibus*[f]. Ceterum a Cherubim propterea diligitur, quia *Deus scientiarum Dominus est*[g], et sciens quid cuique opus sit ad salutem, discrete provi-
20 deque dona sua digne poscentibus, prout novit expedire, distribuit; a Seraphim quoque quia *caritas est*[h] et *nihil odit eorum quae fecerit*[i], et *vult omnes homines salvos fieri et ad agnitionem veritatis venire*[j].

III. Qua ratione adolescentulae diligant, et correptio novitiorum quod vita communi nolint esse contenti.

7. Hi ergo omnes, prout capiunt, diligunt. Sed enim adolescentulae, quoniam minus sapiunt, minus et capiunt, nec omnino sufficiunt ad tam sublimia : parvulae quippe in Christo sunt, lacte et oleo nutriendae[a]. Ergo ex ube-
5 ribus sponsae opus sumere habent unde diligant. Habet oleum effusum sponsa, ad cuius illae excitantur odorem, *gustare et* sentire *quam suavis est Dominus*[b]. Cumque

6. a. Cf. Col. 1, 15 b. Sag. 8, 1 ≠ c. Job 22, 8 ≠ d. Sag. 8, 1; cf. Sag. 12, 18 e. Sag. 7, 13 ≠ f. I Jn 2, 27 ≠ g. I Sam. 2, 3 h. I Jn 4, 8 i. Sag. 11, 25 ≠ j. I Tim. 2, 4 ≠
7. a. Cf. I Cor. 3, 1-2 b. Ps. 33, 9 ≠

1. * *pro sua... imperturbabili tranquillitate,* « selon son imperturbable sérénité » Cf. *SCt* 23, 16 : *Tranquillus Deus tranquillat omnia.*

repousser et d'éloigner des fidèles la cruauté des méchants; par les Principautés, pour cette vertu éternelle et originelle, par laquelle il donne l'être et le principe de l'être à toute créature[a] supérieure et inférieure, spirituelle et corporelle, «atteignant avec force jusqu'aux extrémités de l'univers[b]»; par les Dominations, pour sa volonté très paisible qui, malgré «la force de son bras[c]» dominateur, «dispose néanmoins toutes choses avec douceur[d]» par une vertu plus puissante encore, selon sa bonté innée et son imperturbable «sérénité[1]». Il est aimé aussi par les Trônes pour le bienveillant enseignement de sa sagesse qui «se communique sans jalousie[e]», et pour «l'onction qui instruit de tout[f]» gratuitement. Il est aimé encore par les Chérubins parce qu'«il est le Dieu et le Seigneur des sciences[g]», et qu'il distribue ses dons avec discernement et prévoyance à ceux qui les lui demandent comme il convient, dans la mesure où il le considère utile. Car il sait ce qu'il faut à chacun pour son salut. Enfin, il est aimé par les Séraphins parce qu'«il est charité[h]» et qu'«il ne hait rien de ce qu'il a fait[i]», et parce qu'«il veut que tous les hommes soient sauvés et parviennent à la connaissance de la vérité[j].»

III. Pour quelle raison les jeunes filles aiment-elles? Réprimande aux novices, parce qu'ils ne veulent pas se contenter de la vie commune.

7. Tous ces esprits aiment donc selon la mesure de ce qu'ils comprennent. Mais les jeunes filles comprennent moins, parce qu'elles ont moins de sagesse, et elles ne sont nullement capables d'expériences si sublimes. Car elles sont toutes petites dans le Christ : il faut les nourrir de lait et d'huile[a]. Ainsi, elles devront chercher aux seins de l'épouse les sources de leur amour. L'épouse possède l'huile répandue, dont l'odeur éveille en elles le désir «de goûter et de sentir combien le Seigneur est doux[b]».

amore flagrantes persenserit, convertens se ad sponsum : *Oleum,* ait, *effusum nomen tuum, propterea adolescen-*
10 *tulae dilexerunt te nimis*[c]. Quid est, « nimis » ? Valde, vehementer, ardenter. Vel certe magis ex obliquo vos, qui nuper venistis, tangit spiritualis sermo, vestram illam, quam et nos frequenter reprimere conati sumus, minus discretam vehementiam, immo intemperantiam prorsus nimium obs-
15 tinatam, redarguens. Non vultis esse communi contenti vita. Non sufficit vobis regulare ieiunium, non solemnes vigiliae, non imposita disciplina, non mensura quam vobis partimur in vestimentis vel alimentis : privata praefertis communibus. Qui vestri curam semel nobis credidistis,
20 quid rursum de vobis vos intromittitis ? Nam illam, qua toties Deum, conscientiis vestris testibus, offendistis, propriam scilicet voluntatem vestram, ecce nunc iterum magistram habetis, non me. Illa vos naturae docet non parcere, rationi non acquiescere, non obtemperare
25 seniorum consilio vel exemplo, non oboedire nobis. An ignoratis quia *melior est oboedientia quam victimae*[d] ? Non
113 legistis in Regula vestra, quod quidquid fit sine voluntate vel consensu spiritualis patris, vanae gloriae deputabitur, non mercedi ? Non legistis in Evangelio quam formam
30 oboediendi puer Iesus pueris sanctis tradiderit ? Nam cum remansisset in Ierusalem[e] et dixisset in his quae Patris sui erant oportere se esse[f], non acquiescentibus parentibus eius, sequi illos in Nazareth non despexit, Magister discipulos, Deus homines, Verbum et Sapientia fabrum et

c. Cant. 1, 2 (Lit.) d. I Sam. 15, 22 e. Cf. Lc 2, 43 f. Cf. Lc 2, 49

1. * Cf. p. 106, n. 1 sur *Cant.* 1, 2 cité en *SCt* 19, 1.

2. *Vos qui nuper venistis,* « Vous qui êtes ici depuis peu de temps. » Bernard s'adresse aux novices qu'il assimile aux jeunes filles accompagnant l'épouse. L'épouse a reçu l'huile répandue, mais les novices se trouvent encore loin des charismes des anges.

Lorsque l'épouse les aperçoit brûlantes d'amour, elle se tourne vers l'Époux et lui dit : « Ton nom est une huile répandue, c'est pourquoi les jeunes filles t'ont aimé avec excès[c 1]. » Que signifie « avec excès » ? Beaucoup, passionnément, ardemment. Toutefois ce discours spirituel vous concerne de façon indirecte, vous qui êtes ici depuis peu de temps[2]. Il blâme cette véhémence indiscrète, voire ce zèle bien trop obstiné que nous-mêmes avons souvent essayé de réprimer en vous. Vous ne voulez pas vous contenter de la vie commune. Le jeûne régulier ne vous suffit pas, ni les veilles ordinaires, ni la discipline imposée, ni la mesure que nous vous assignons dans les vêtements et la nourriture. Vous préférez vos pratiques privées à celles de la communauté. Puisque vous vous en êtes remis à nous du soin de vous-mêmes une fois pour toutes, pourquoi vous mêler à nouveau de votre conduite ? Voilà que vous reprenez pour guide, non pas moi, mais cette volonté propre qui vous a fait offenser Dieu déjà si souvent, selon le témoignage même de vos consciences. C'est elle qui vous apprend à ne pas ménager la nature, à ne pas écouter la raison, à ne pas suivre le conseil ni l'exemple des anciens, à ne pas nous obéir. Ignorez-vous que « l'obéissance vaut mieux que les sacrifices[d] » ? N'avez-vous pas lu dans votre Règle[3], « que tout ce qui se fait sans le consentement ou l'accord du père spirituel sera imputé à la vaine gloire et restera sans récompense » ? N'avez-vous pas lu dans l'Évangile quel modèle d'obéissance l'Enfant Jésus a légué aux enfants appelés à la sainteté ? Il était resté à Jérusalem[e] et avait dit qu'il lui fallait être chez son Père[f] ; mais, comme ses parents n'y consentirent pas, il ne refusa pas de les suivre à Nazareth. Le Maître suivit les disciples, Dieu les hommes, le Verbe et la Sagesse un artisan et une femme. Or, qu'ajoute

3. « Votre règle » : *RB* 49, 9 (*SC* 182, 606-607).

35 feminam. Quid etiam addit sacra historia? *Et erat,* inquit, *subditus illis*[g]. Quousque vos *sapientes estis in oculis vestris*[h]? Deus se mortalibus credit et subdit, et vos in viis vestris adhuc ambulatis[i]? Bonum receperatis spiritum, sed non bene utimini eo. Vereor ne alium pro isto reci-
40 piatis, qui sub specie boni supplantet vos, et *qui spiritu coepistis, carne consummemini*[j]. An nescitis, quia angelus *Satanae* multoties *transfigurat se in angelum lucis*[k]? Sapientia est Deus, et vult se amari non solum dulciter, sed et sapienter. Unde Apostolus : *Rationabile,* inquit,
45 *obsequium vestrum*[1]. Alioquin facillime zelo tuo spiritus illudet erroris, si scientiam negligas : non habet callidus hostis machinamentum efficacius ad tollendam de corde dilectionem, quam si efficere possit, ut in ea incaute et non cum ratione ambuletur. Quamobrem ego cogito
50 modos quosdam tradere vobis, quos operae pretium est Deum diligentibus observare. Sed quia hic sermo finem desiderat, cras eos, si Deus vitam mihi et otium, quod nunc habemus ad disserendum, servaverit, explicare conabor. Tunc enim, recreatis sensibus nocturna quiete
55 et, quod est praecipuum, oratione praemissa, alacriores, ut iustum est, ad sermonem de dilectione conveniemus, praestante Domino Iesu Christo, cui *honor et gloria in saecula saeculorum. Amen*[m].

g. Lc 2, 51 h. Is. 5, 21 i. Cf. Is. 53, 6 j. Gal. 3, 3 ≠
k. II Cor. 11, 14 ≠ l. Rom. 12, 1 m. I Tim. 1, 17

1. * Nous avons ici l'un des 11 emplois (dont 3 citations) de *II Cor.* 11, 14 où Bernard remplace «Satan» par «l'ange de Satan» (= *II Cor.* 12, 7), tandis qu'il écrit une unique fois «Satan». Les manuscrits bibliques n'ont pas, en *II Cor.* 12, 7, la variante *angelus Satanae.* Mais les Pères utilisent de plus en plus souvent ce verset ainsi, en particulier Jérôme (2 fois), Cassien (1 fois); puis Lambert d'Hersfeld, 1; Yves de Chartres, 2; Abélard, 3. En outre, *angelus Satanae* devient chez eux l'une des expressions désignant «le diable», sans lien avec le contexte paulinien

encore l'histoire sainte? «Il leur était soumis[g]», dit-elle. Jusqu'à quand «serez-vous sages à vos propres yeux[h]»? Dieu fait confiance et se soumet à de simples mortels, et vous marchez toujours dans vos propres voies[i]? Vous aviez reçu le bon esprit, mais vous ne vous en servez pas bien. Je crains que, à la place de celui-ci, vous n'en receviez un autre qui vous trompera sous l'apparence du bien. Ainsi, «vous qui avez commencé par l'esprit, vous finirez par la chair[j]». Ne savez-vous pas que l'ange de «Satan maintes fois se transforme en ange de lumière[k 1]»? Dieu est Sagesse, et il demande un amour non seulement tendre, mais aussi sage. D'où cette parole de l'Apôtre : «Votre culte sera raisonnable[l].» Sans quoi, l'esprit d'erreur se jouera très facilement de ton zèle, si tu négliges la science[2]. Pour éteindre l'amour dans les cœurs, l'ennemi rusé ne dispose d'aucun autre artifice aussi efficace que celui-ci : faire en sorte que nous aimions sans prudence et sans nous conformer à la raison. C'est pourquoi je pense vous donner quelques règles, qu'il vaut la peine de suivre quand on aime Dieu. Mais puisque ce sermon tend à sa fin, je tâcherai demain de vous les expliquer, si Dieu me prête vie et nous conserve le loisir dont nous jouissons maintenant pour nous entretenir ensemble. Quand nous aurons repris des forces grâce au repos de la nuit, et surtout après avoir prié, nous nous rassemblerons avec plus d'allégresse, comme il se doit, pour parler de l'amour, avec l'aide du Seigneur Jésus-Christ. A lui «honneur et gloire dans les siècles des siècles. Amen[m]».

de *II Cor.* Après Bernard, ce verset ainsi lu est d'un usage très fréquent, en particulier dans les textes attribués à Innocent III (14 fois dans *PL*).

2. Voir FRANÇOIS DE SALES, *Traité de l'amour de Dieu* X, 16 : «Le diable se jouera de ton zèle, si tu négliges la science» (*Œuvres,* Annecy 1894, V, p. 229).

SERMO XX

I. In quo maxime accenditur amor in Dominum Iesum. – II. De triplici modo dilectionis Christi ad nos. – III. De tribus modis quibus ad Domini Iesu amorem debemus ascendere. – IV. Exemplum de Apostolis ad huius modi amoris ostensionem. – V. De amore cordis, qui quodammodo carnalis est, et quae sit eius mensura. – VI. De amore animae vel virtutis, qui est rationalis et spiritualis.

I. In quo maxime accenditur amor in Dominum Iesum.

1. Ut a Magistri verbis sermo exordium sumat : *Qui non amat Dominum Iesum, anathema sit*[a]. Valde omnino mihi amandus est, per quem sum, vivo, et sapio. Si ingratus sum, et indignus. Dignus plane est morte, qui tibi, Domine Iesu, recusat vivere, et mortuus est ; et qui tibi non sapit, desipit, et qui curat esse nisi propter te, pro nihilo est et nihil est. Denique *quid est homo,* nisi *quia* tu *innotuisti ei*[b]? *Propter temetipsum,* Deus, *fecisti omnia*[c], et qui esse vult sibi, et non tibi, nihil esse inter omnia incipit. *Deum time, et mandata eius observa ; hoc est,* inquit, *omnis homo*[d]. Ergo si hoc est omnis homo, absque hoc nihil homo. Inclina tibi, Deus, modicum id

1. a. I Cor. 16, 22 ≠ b. Ps. 143, 3 ≠ c. Prov. 16, 4 ≠ d. Eccl. 12, 13

---

1. Voir François de Sales, *Exhortation au service de Dieu* XXII : « Seigneur, tu as tout fait et refait pour toy, et qui ne veut estre à toy et

SERMON 20

I. Ce qui attise le plus l'amour pour le Seigneur Jésus. – II. La triple manière dont le Seigneur Jésus nous aime. – III. Les trois manières dont nous devons nous élever à l'amour pour le Seigneur Jésus. – IV. Illustration de cet amour par l'exemple des Apôtres. – V. L'amour du cœur est en quelque sorte charnel. Quelle doit être sa mesure. – VI. L'amour qui est propre à l'âme et à la force est raisonnable et spirituel.

I. Ce qui attise le plus l'amour pour le Seigneur Jésus.

1. Commençons ce sermon par les paroles de Paul, notre maître : « Qui n'aime pas le Seigneur Jésus, qu'il soit anathème[a]. » Oui, je dois aimer intensément celui par qui je suis, je vis et j'ai l'intelligence. Mon ingratitude me rendrait indigne. Il est tout à fait digne de mort, celui qui refuse de vivre pour toi, Seigneur Jésus ; et même, il est déjà mort. Celui qui ne partage pas ta sagesse est insensé ; celui qui cherche à être pour autre chose que pour toi est pour le néant et n'est que néant. Enfin, « que serait l'homme, si tu ne lui avais pas donné de te connaître[b] ? » « C'est pour toi seul, mon Dieu, que tu as fait toutes choses[c] », et celui qui veut être pour soi-même, et non pour toi, se condamne à n'être que néant, au cœur de toute la création[1]. « Crains Dieu, et observe ses commandements ; voilà tout l'homme[d] », est-il écrit. Si donc voilà tout l'homme, hors de là l'homme n'est que néant. Tourne vers toi, mon Dieu, le peu de chose que

pour toy, il commence d'estre un rien parmi toutes choses » (*Œuvres*, Annecy 1894, VII, 196).

quod me dignatus es esse. Atqui de ea misera vita suscipe, obsecro, *residuum annorum meorum*[e]; pro his vero quos
15 vivendo perdidi, quia perdite vixi, *cor contritum et humiliatum, Deus, non despicias*[f]. *Dies mei sicut umbra declinaverunt*[g], et praeterierunt sine fructu. Impossibile est ut revocem; placeat ut *recogitem tibi eos in amaritudine animae meae*[h]. Iam de sapientia – *ante te* est *omne desi-*
20 *derium meum*[i] et propositum cordis mei –, si qua esset in me, servarem ad te. Sed *Deus, tu scis insipientiam meam*[j], nisi quod hoc ipsum fortasse sapere est, quod
115 et ego agnosco eam, et quidem ex munere tuo. Auge illud mihi, minime quidem ingrato pro munusculo, sed
25 et sollicito pro eo quod deest. Pro his ergo ita sum amans te, quantum possum.

2. Sed est quod me plus movet, plus urget, plus accendit. Super omnia, inquam, reddit amabilem te mihi, Iesu bone, calix quem bibisti, opus nostrae redemptionis. Hoc omnino amorem nostrum facile vindicat totum sibi.
5 Hoc, inquam, est quod nostram devotionem et blandius allicit, et iustius exigit, et arctius stringit, et afficit vehementius. Multum quippe laboravit in eo Salvator, nec in omni mundi fabrica tantum fatigationis auctor assumpsit. Illa denique *dixit, et facta sunt; mandavit, et creata sunt*[a].
10 At vero hic et in dictis suis sustinuit contradictores, et in

e. Is. 38, 10 f. Ps. 50, 19 ≠ g. Ps. 101, 12 h. Is. 38, 15 (Lit.)
i. Ps. 37, 10 ≠ j. Ps. 68, 6
2. a. Ps. 32, 9 ≠

---

1. *Perdite vixi*, « j'ai vécu dans la perdition. » L'expression *perdite vivere* se lit plusieurs fois chez AUGUSTIN, *De civitate Dei*, II, 22, 12 (*CCL* 47, 56); XVI, 2, 25 (*CCL* 48, 499); XXI, 22, 26 (*CCL* 48, 787); *Sermo* 161 (*PL* 38, 879, l. 31); *Sermo* 393 (*PL* 39, 1713, l. 37); *De fide et operibus*, 24, 45 (*CSEL* 41, 90, l. 26). Voir aussi PIERRE DAMIEN, *Contra intemperantes clericos* IV (*PL* 145, 406 B) : *Qui nunc perdite vivunt... dignum est ut felle et absinthio debrientur*, « Ceux qui vivent maintenant

tu as bien voulu que je sois. De cette misérable existence reçois, je t'en prie, «les années qui me restent à vivre[e]». Quant à celles que j'ai vécues et perdues, car j'ai vécu dans la perdition[1], «ne méprise pas, mon Dieu, un cœur broyé et humilié[f]». «Mes jours se sont évanouis comme l'ombre[g]», et se sont écoulés sans fruit. Il m'est impossible de les rappeler; permets-moi au moins de «les évoquer devant toi dans l'amertume de mon âme[h]». Désormais, s'il y avait en moi un peu de sagesse, je la garderais pour toi – car «devant toi est tout mon désir[i]» et toute la résolution de mon cœur. Mais, «mon Dieu, tu connais mon manque de sagesse[j]», à moins qu'il n'y en ait peut-être en cet aveu même; et cela aussi est un don venant de toi. Fais-le grandir en moi. Non pas que je sois ingrat pour ce petit don que j'ai reçu, mais j'implore ce qui me manque. Pour tout cela je t'aime, autant que je le puis.

2. Mais il est une chose qui m'émeut plus encore, me harcèle et m'enflamme. Par-dessus tout, je l'affirme, Jésus miséricordieux, ce qui éveille mon amour pour toi, c'est le calice que tu as bu, l'œuvre de notre rédemption. Voilà ce qui requiert facilement de nous un amour total. Voilà, dis-je, ce qui attire notre ferveur avec plus de tendresse, l'exige avec plus de justice, la captive avec plus de force, attise son désir avec plus de véhémence. Car en cette œuvre le Sauveur eut beaucoup à souffrir; le Créateur n'eut pas autant de mal à former l'univers entier[2]. En effet, «il lui suffit d'un mot, et les choses furent faites; d'un ordre, et elles furent créées[a].» En revanche, pour l'œuvre de la rédemption, il a dû supporter d'être contredit

dans la perdition ... méritent d'être abreuvés de bile et d'absinthe.» Voir aussi *Ep* 2, 9 (*SC* 425, 115 s.).

2. Reprise d'une idée déjà énoncée dans *Dil* 15 : *Nec enim tam facile refectus quam factus*, «C'est que ma re-création n'a pas été aussi facile que ma création» (*SC* 393, 95-99). Voir aussi *SCt* 11, 7 (*SC* 414, 250-251).

factis observatores, et in tormentis illusores, et in morte exprobratores. Ecce quomodo dilexit. Adde quod hanc ipsam dilectionem non reddidit, sed addidit. Nam *quis prior dedit ei, et retribuetur ei*[b]? Sed ut sanctus Ioannes
15 evangelista ait : *Non quia nos dilexerimus eum, sed quia ipse prior dilexit nos*[c]. Denique dilexit et non exsistentes; sed adiecit et resistentes diligere, iuxta Pauli testimonium dicentis quoniam, *cum adhuc inimici essemus, reconciliati sumus Deo per sanguinem Filii sui*[d]. Alioquin si non
20 dilexisset inimicos, nondum possedisset amicos, sicut necdum quos sic diligeret essent, si non dilexisset qui nondum essent.

II. De triplici modo dilectionis Christi ad nos.

3. Dilexit autem dulciter, sapienter, fortiter. Dulce nempe dixerim, quod carnem induit; cautum, quod culpam cavit; forte, quod mortem sustinuit. Nam quos sane in carne visitavit, carnaliter tamen nequaquam amavit, sed in pru-
5 dentia spiritus. *Spiritus* quippe *ante faciem nostram Christus Dominus*[a], *aemulans nos Dei aemulatione*[b], non hominis, et certe saniori, quam primus Adam Evam suam. Itaque quos in carne quaesivit, dilexit in spiritu, redemit in virtute. Plenum prorsus omni suavitatis dulcedine, videre
10 hominem hominis Conditorem. At dum naturam prudenter selegit a culpa, etiam potenter mortem propulit a natura.

b. Rom. 11, 35 ≠ c. I Jn 4, 10 ≠ d. Rom. 5, 10 ≠
3. a. Lam. 4, 20 (Patr.) b. II Cor. 11, 2 ≠

---

1. * Dans ses 13 emplois de ce verset, Bernard ajoute toujours *prior*, «le premier», avec la *Vg* clémentine et de nombreux Pères.

2. * Texte *Vl* très fréquent chez Bernard, en particulier dans les *SCt* (cf. *Adv* 1, 10, *SBO* IV, 168, 17). On le trouve sous sa forme *Vl* dans *SCt* 20, 7, l. 6-7 et l. 17, p. 140, et dans *SCt* 31, 8, l. 10-11, p. 442. L'Origène latin, Ambroise peuvent être la source de Bernard; voir les

dans ses paroles, surveillé dans ses actions, raillé dans ses tourments, insulté dans sa mort. Voilà comment il a aimé. De plus, cet amour même n'était pas une réponse, il était donné par surcroît. En effet, « qui lui a donné le premier, pour devoir être payé en retour[b]? » Mais, comme le dit saint Jean l'évangéliste : « Ce n'est pas nous qui l'avons aimé, c'est lui qui nous a aimés le premier[c 1]. » Enfin, il nous a aimés alors que nous n'existions pas encore ; il a même continué de nous aimer alors que nous lui résistions. Paul en témoigne : « Lorsque nous étions encore ennemis, nous avons été réconciliés avec Dieu par le sang de son Fils[d]. » D'ailleurs, s'il n'avait pas aimé ses ennemis, il n'aurait jamais eu d'amis. De même, il n'aurait jamais eu personne à aimer, s'il n'avait pas aimé ceux qui n'existaient pas encore.

II. La triple manière dont le Seigneur Jésus nous aime.

3. Il nous a aimés avec tendresse, avec sagesse, avec force. J'ai dit avec tendresse, parce qu'il a revêtu notre chair ; avec sagesse, parce qu'il s'est gardé de la faute ; avec force, parce qu'il a enduré la mort. En effet, ceux qu'il a visités dans la chair, il ne les a pas aimés de manière charnelle, mais dans la prudence de l'esprit. Car « le Christ Seigneur est Esprit devant notre face[a 2] », « lui qui nous a jalousés d'une jalousie divine[b] », non pas humaine, mais bien plus saine que celle du premier Adam pour sa femme Ève. Ainsi, ceux qu'il est venu chercher dans la chair, il les a aimés dans l'esprit et rachetés dans la force. Quelle plénitude de douceur et de tendresse que de voir homme le Créateur de l'homme ! En séparant avec sagesse notre nature de la faute, il a aussi, avec puissance, chassé la mort de notre nature. En assumant

pages de J. DANIÉLOU, « S. Bernard et les Pères grecs », *Saint Bernard théologien*, p. 48-51.

116 In carnis assumptione condescendit mihi, in culpae vitatione consuluit sibi, in mortis susceptione satisfecit Patri : amicus dulcis, consiliarius prudens, adiutor fortis. Huic
15 securus me credo, qui salvare me velit, noverit, possit. Quem quaesivit, hunc et vocavit[c] per gratiam suam : numquid *venientem eiciet foras*[d]? Sed nec vim nec fraudem metuo profecto ullam, quod me videlicet *de manu eius possit eruere*[e], qui et vincentem omnia vicit mortem, et
20 seductorem universitatis serpentem arte utique sanctiore delusit, isto prudentior, illa potentior. *Carnis* quidem assumpsit veritatem, sed *peccati similitudinem*[f], dulcem prorsus in illa exhibens consolationem infirmo, et in hac prudenter abscondens laqueum deceptionis diabolo. Porro
25 ut Patri nos reconciliet, mortem[g] fortiter subit et subigit, fundens *pretium* nostrae *redemptionis*[h] sanguinem suum. Ergo nisi amasset dulciter, non me in carcere requisisset illa maiestas ; sed iunxit affectioni sapientiam, qua tyrannum deciperet, iunxit et patientiam, qua placaret
30 offensum Deum Patrem.

III. De tribus modis quibus ad Domini Iesu amorem debemus ascendere.

Hi sunt modi, quos vobis promiseram ; sed praemisi eos in Christo, ut commendabiliores haberetis.

4. Disce, christiane, a Christo, quemadmodum diligas Christum. Disce amare dulciter, amare prudenter, amare fortiter : dulciter, ne illecti, prudenter, ne decepti, fortiter,

c. Cf. Rom. 8, 30 d. Jn 6, 37 ≠ e. Job 10, 7 ≠ f. Rom. 8, 3 ≠ g. Cf. Rom. 5, 10 h. Ps. 48, 9 ≠

1. *Laqueum deceptionis,* « Un piège trompeur ». Bernard évoque ici un thème de la christologie primitive : le diable se laisse tromper par l'hameçon qui se cache dans l'humanité du Christ.

la chair il s'est mis à mon niveau, en évitant la faute il s'est gardé intact, en acceptant la mort il a donné satisfaction au Père : tendre ami, sage conseiller, puissant soutien. Je me confie en toute sécurité à celui qui veut, qui sait et qui peut me sauver. Il a appelé par sa grâce l'homme qu'il est venu chercher[c] : « Va-t-il jeter dehors celui qui vient à lui[d] ? » Non, je ne crains aucune violence ni aucune ruse qui « pourrait m'arracher à sa main[e] ». Car il a vaincu la mort, victorieuse de toutes choses, et il a déjoué par une adresse plus sainte encore le serpent qui s'était joué du monde entier. Il a été plus sage que le serpent, plus puissant que la mort. Il a assumé la vérité « de la chair, mais seulement l'apparence du péché[f] ». Par la première, il a prodigué une douce consolation à l'homme malade ; par la seconde, il a habilement dissimulé au diable un piège trompeur[1]. Enfin, pour nous réconcilier avec le Père, il subit et subjugue la mort[g] avec force, répandant son sang « pour prix de notre rédemption[h] ». S'il ne m'avait pas aimé avec tendresse, il ne serait pas venu me chercher dans ma prison, lui, la majesté souveraine. Mais il a joint à l'amour la sagesse, pour tromper le tyran ; il y a joint aussi la patience, pour apaiser l'offense faite à Dieu le Père.

III. Les trois manières dont nous devons nous élever à l'amour pour le Seigneur Jésus.

Voilà les manières d'aimer, dont j'avais promis de vous entretenir. Mais je les ai considérées d'abord dans le Christ, pour leur donner plus d'autorité à vos yeux.

4. Chrétien, apprends du Christ comment aimer le Christ. Apprends à l'aimer avec tendresse, avec sagesse, avec force. Ainsi tu ne te laisseras détourner de l'amour du Seigneur ni par la séduction, ni par la ruse, ni par la

ne oppressi ab amore Domini avertamur. Ne mundi gloria
5 seu carnis voluptatibus abducaris, dulcescat tibi prae his *sapientia Christus*[a]; ne seducaris spiritu mendacii et erroris, lucescat tibi *veritas* Christus[b]; ne adversitatibus fatigeris, confortet te *virtus Dei Christus*[c]. Zelum tuum inflammet caritas, informet scientia, firmet constantia. Sit
10 fervidus, sit circumspectus, sit invictus. Nec teporem habeat, nec careat discretione, nec timidus sit. Et vide ne forte tria ista tibi et in lege tradita fuerint, dicente Deo : *Diliges Dominum Deum tuum ex toto corde tuo, et ex tota anima tua, et ex tota virtute tua*[d]. Mihi videtur, si alius
15 competentior sensus in hac trina distinctione non occurrit, amor quidem cordis ad zelum quemdam pertinere affectionis, animae vero amor ad industriam seu iudicium rationis, virtutis autem dilectio ad animi posse referri
117 constantiam vel vigorem. Dilige ergo Dominum Deum
20 tuum toto et pleno cordis affectu, dilige tota rationis vigilantia et circumspectione, dilige et tota virtute, ut nec mori pro eius amore pertimescas, sicut scriptum est in consequentibus : *Quoniam fortis est ut mors dilectio, dura sicut inferus aemulatio*[e]. Sit suavis et dulcis affectui tuo
25 Dominus Iesus, contra male utique dulces vitae carnalis illecebras, et vincat dulcedo dulcedinem, quemadmodum clavum clavus expellit. Sed sit nihilominus intellectui praevia lux et dux rationi, non solum ob cavendas hae-

4. a. I Cor. 1, 24 ≠ b. Jn 14, 6 ≠ c. I Cor. 1, 24 ≠ d. Mc 12, 30 ≠ e. Cant. 8, 6 ≠

---

1. Cf. François de Sales, *Traité de l'amour de Dieu* X, 16. « Que donques ton zèle soit enflammé de charité, embelli de science, affermi de constance » (*Œuvres,* Annecy 1894, V, 229).

2. * Le texte *Vg* lit *fortitudine tua* au lieu de *virtute tua*. Cf. Cyprien, *Testimoniorum lib. 15 ad Quirinum* 3, 18 (*CCL* 3, 112); Ambroise, *In Ps.* 1, 30 (*CSEL* 64, 5, l. 20); Cassien, *Collationes Patrum* 8, 3, 4 (*CSEL* 13, 24).

violence. Pour ne pas être entraîné par la gloire du monde ou par les plaisirs de la chair, savoure avec une douceur encore plus intense « la sagesse qu'est le Christ[a] ». Pour ne pas être séduit par l'esprit de mensonge et d'erreur, laisse-toi illuminer par « la vérité » qu'est le Christ[b]. Pour ne pas être accablé par les adversités, puise ta force dans « la puissance de Dieu qu'est le Christ[c] ». Ton zèle, que la charité l'enflamme, que la science l'instruise, que la constance l'affermisse[1]. Qu'il soit fervent, réfléchi, indompté. Qu'il ne soit pas tiède, qu'il ne manque pas de discernement, qu'il ne soit pas timide. Examine si, peut-être, la loi elle aussi ne t'enseigne ces trois qualités de l'amour, lorsque Dieu dit : « Tu aimeras le Seigneur ton Dieu de tout ton cœur, de toute ton âme et de toute ta force[d 2]. » A moins qu'un autre sens plus pertinent ne se présente pour expliquer cette triple distinction, il me semble que l'amour du cœur désigne une certaine ardeur d'affection ; l'amour de l'âme vise l'activité ou le jugement de la raison ; enfin, aimer de toutes nos forces peut se rapporter à la constance ou à la vigueur de l'esprit. Aime donc le Seigneur ton Dieu avec une pleine et totale affection du cœur. Aime-le avec une totale vigilance et attention de la raison. Aime-le aussi de toutes tes forces, au point de ne pas craindre de mourir par amour de lui, ainsi qu'il est écrit dans la suite du Cantique : « Car l'amour est fort comme la mort, la jalousie inflexible comme l'enfer[e]. » Contre les séductions de la vie charnelle, douces pour ta perte, le Seigneur Jésus sera infiniment doux à ton cœur et la douceur vaincra la douceur, de même qu'un clou chasse l'autre[3]. Mais il sera aussi la lumière de ton intelligence et le guide de ta raison,

3. JÉRÔME, *Epist.* 125, 14 (*CSEL* 54, 132, l. 14) : *Amorem veterem amore novo quasi clavum clavo expellere,* « Chasser l'ancien amour par un amour nouveau comme on chasse un clou par un autre. » Voir CICÉRON, *Disp. Tusc.* IV, 35 ; BERNARD, *Conv* XIV, 27 (*SBO* IV, 102, l. 5, etc.).

reticae fraudis decipulas et fidei puritatem ab eorum ver-
30 sutiis custodiendam, verum ut cautus quoque sis nimiam et indiscretam vehementiam in tua conversatione vitare. Sit etiam fortis et constans amor tuus, nec cedens terroribus, nec succumbens laboribus. Ergo amemus affectuose, circumspecte, et valide : scientes amorem cordis, quem et
35 affectuosum dicimus, absque eo qui dicitur animae, dulcem quidem, sed seducibilem, illum vero absque illo qui virtutis est, rationabilem esse, sed fragilem.

IV. Exemplum de Apostolis ad huius modi amoris ostensionem.

5. Et vide in manifestis exemplis hoc ita esse ut dicimus. Cum aegre ferrent Discipuli quod de ascensuri Magistri discessu ab eodem ipso audierant, audierunt : *Si diligeretis me, gauderetis utique, quia vado ad Patrem*[a]. Quid
5 ergo? Non diligebant de cuius discessione dolebant? Sed diligebant quodam modo, et non diligebant. Diligebant dulciter, sed minus prudenter; diligebant carnaliter, sed non rationabiliter; denique diligebant toto corde, non autem tota anima. Dilectio eorum contra salutem eorum,
10 unde et aiebat : *Expedit vobis ut ego vadam*[b], culpans consilium, non affectum. Loquenti item de morte sua futura, obviare sibi conantem Petrum, qui eum tenere diligebat, cum ita, ut meministis, increpando repressit[c], quid in eo aliud quam imprudentiam reprehendit? Postremo
15 quid est : *Non sapis quae Dei sunt*[d], nisi : Non sapienter

5. a. Jn 14, 28 b. Jn 16, 7 c. Cf. Mc 8, 31-32 d. Mc 8, 33

1. L'amour de Dieu est accompagné des quatre vertus cardinales : la sagesse, la mesure, le courage et la justice. Bernard ne conçoit pas l'amour de Dieu sans l'équilibre de toutes les facultés humaines.

2. L'exemple de Pierre montre les différents degrés de l'amour de Dieu.

non seulement pour te défendre des pièges sournois des hérétiques et pour préserver de leurs ruses la pureté de ta foi, mais encore pour que tu prennes garde d'éviter une ardeur excessive et indiscrète dans ta vie monastique. Enfin, ton amour sera assez fort et assez constant pour ne pas céder aux peurs ni être écrasé de labeur. Aimons donc avec tendresse, avec sagesse et avec force. Nous savons en effet que l'amour du cœur, autrement dit la tendresse, est certes doux, mais exposé aux séductions, sans l'amour qui est propre à l'âme. Celui-ci, de son côté, sans l'amour qui est marqué par la force, est raisonnable mais fragile[1].

IV. Illustration de cet amour par l'exemple des Apôtres.

5. Reconnais, par des exemples évidents, qu'il en va bien ainsi. Comme les disciples s'affligeaient d'entendre le Maître leur annoncer sa prochaine ascension, ils s'entendirent déclarer : « Si vous m'aimiez, vous vous réjouiriez de ce que je vais vers le Père[a]. » Quoi donc? N'aimaient-ils pas celui dont ils regrettaient le départ? Bien sûr, mais ils l'aimaient d'une certaine façon, et aussi ils ne l'aimaient pas. Ils l'aimaient avec tendresse, mais avec trop peu de sagesse; ils l'aimaient selon la chair, non selon la raison; bref, ils l'aimaient de tout leur cœur, mais non de toute leur âme. C'était un amour contraire à leur salut. C'est pourquoi le Seigneur leur disait aussi : « C'est votre avantage que je m'en aille[b]. » Il blâmait leur jugement, non pas leur affection. De même, comme il parlait de sa mort prochaine, Pierre, qui l'aimait tendrement, essaya de s'y opposer[2]. Le Seigneur – vous vous en souvenez – le repoussa en le réprimandant[c]. Que lui a-t-il reproché d'autre que son manque de discernement? Que signifie : « Tu ne goûtes pas ce qui est de Dieu[d] », sinon : en

diligis, humanum sequens affectum, contra divinum consilium? Et vocavit Satanam[e], eo quod saluti, etsi nesciens, adversaretur, qui Salvatorem mori prohiberet. Unde et correctus, repetentem postmodum triste verbum minime
20 iam mori vetuit, sed se commoriturum esse promisit[f]. Non autem implevit, quia nondum ad tertium pervenerat
118 gradum, in quo tota virtute diligitur. Erat tota anima doctus diligere, sed adhuc infirmus; bene instructus, sed parum adiutus; non ignarus mysterii, sed martyrii pavidus. Non
25 plane illa *fortis ut mors dilectio*[g] tunc fuit, quae morti succubuit; fuit autem postea, cum ex promissione Iesu Christi *indutus virtute ex alto*[h], tanta tandem coepit virtute diligere, ut in concilio prohibitus praedicare nomen sanctum, constanter prohibentibus responderet : *Oboedire*
30 *oportet magis Deo quam hominibus*[i]. Tunc demum tota virtute dilexit, cum nec vitae suae pepercit pro dilectione. *Maiorem* siquidem *caritatem nemo habet, quam si animam suam ponat quis pro amicis suis*[j], quam etsi minime tunc posuit, iam tamen exposuit. Ergo non abduci blanditiis,
35 seduci fallaciis, nec iniuriis frangi, toto corde, tota anima, tota virtute diligere est.

V. De amore cordis, qui quodammodo carnalis est, et quae sit eius mensura.

6. Et nota amorem cordis quodammodo esse carnalem, quod magis erga carnem Christi, et quae in carne Christus gessit vel iussit, cor humanum afficiat. Hoc repletus amore,

e. Cf. Mc 8, 33 f. Cf. Mc 14, 31 g. Cant. 8, 6 ≠ h. Lc 24, 49 ≠ i. Act. 5, 29 ≠ j. Jn 15, 13 (Patr., Lit.)

1. * La vingtaine d'emplois de ce verset chez Bernard présentent un texte peu fixe, en particulier, pour le choix entre *caritatem* (12 fois, avec Patr. et Lit.) et *dilectionem* (10 fois, avec *Vg*). Pour le problème *dilectio / caritas,* cf. p. 102, n. 1 sur *SCt* 18, 6; pour ce verset-ci, cf. *SC* 393, 64, n. 1 sur *Dil* 1.

obéissant à une affection tout humaine, contraire au dessein de Dieu, tu aimes sans sagesse? Jésus l'appela Satan[e] parce que, même sans en avoir conscience, il faisait obstacle au salut, en voulant empêcher le Sauveur de mourir. Lorsqu'il se fut amendé et qu'ensuite Jésus lui eut répété cette triste parole, il ne chercha plus à le détourner de la mort, mais il promit de mourir avec lui[f]. Pourtant, il ne tint pas sa promesse, parce qu'il n'était pas encore parvenu au troisième degré, où l'on aime de toute sa force. Il avait appris à aimer de toute son âme, mais il était encore faible; il était bien instruit, mais peu affermi; il n'ignorait pas le mystère, mais il craignait le martyre. Son «amour» à ce moment-là n'était pas «fort comme la mort[g]», car il chancela devant la mort. Mais il le devint ensuite, lorsque Pierre fut «revêtu d'une force d'en haut[h]» selon la promesse de Jésus-Christ. Alors il commença d'aimer avec une force telle que, le Sanhédrin lui défendant de prêcher le saint nom de Jésus, il répondit avec fermeté à ceux qui lui faisaient cette défense : «Il faut obéir à Dieu plutôt qu'aux hommes[i].» A ce moment-là enfin il aima de toute sa force, lorsque par amour il n'épargna même pas sa propre vie. Car «nul n'a de plus grand amour que celui qui donne sa vie pour ses amis[j 1]»; et si Pierre ne la donna pas à ce moment, il la risqua néanmoins. Donc, aimer de tout son cœur, de toute son âme, de toute sa force, c'est ne pas se laisser entraîner par les caresses, ni séduire par les tromperies, ni abattre par les injures.

V. L'amour du cœur est en quelque sorte charnel. Quelle doit être sa mesure.

6. Et remarque que l'amour du cœur est en quelque sorte charnel, car il oriente l'affection du cœur humain surtout vers la chair du Christ et vers ce que le Christ a fait ou commandé aux jours de sa chair. Celui qui est

facile ad omnem de huiusmodi sermonem compungitur.
5 Nihil audit libentius, nihil legit studiosius, nihil frequentius recolit, nihil suavius meditatur. Inde holocausta orationum, tamquam ex adipe vituli saginati, impinguat. Astat oranti Hominis Dei sacra imago, aut nascentis, aut lactentis, aut docentis, aut morientis, aut resurgentis, aut ascendentis;
10 et quidquid tale occurrerit, vel stringat necesse est animum in amore virtutum, vel carnis exturbet vitia, fuget illecebras, desideria sedet. Hanc ego arbitror praecipuam invisibili Deo fuisse causam, quod voluit in carne *videri et cum hominibus* homo *conversari*[a], ut carnalium videlicet,
15 qui nisi carnaliter amare non poterant, cunctas primo ad suae carnis salutarem amorem affectiones retraheret, atque ita gradatim ad amorem perduceret spiritualem. Nonne denique in hoc gradu adhuc stabant qui aiebant : *Ecce nos reliquimus omnia, et secuti sumus te*[b]? Solo profecto
20 corporalis praesentiae amore reliquerant omnia, adeo ut salutaris futurae passionis et mortis ne audire quidem verbum aequanimiter sustinerent, sed nec gloriam ascendentis postmodum, nisi cum gravi maerore, suspicere. Hoc
119 enim est quod eis dicebat : *Quia haec locutus sum vobis,*
25 *tristitia implevit cor vestrum*[c]. Itaque in sola interim gratia praesentis suae carnis eos ab amore omnis carnis suspenderat.

7. Monstrabat autem postea eis altiorem amoris gradum, cum diceret : *Spiritus est qui vivificat, caro non prodest quidquam*[a]. Puto huc ascenderat iam qui dicebat : *Etsi*

6. a. Bar. 3, 38 ≠ b. Matth. 19, 27 c. Jn 16, 6
7. a. Jn 6, 64

1. GUILL. DE S.-TH., *Méditations* X, 5, 5 : «Parmi les principales causes de ton incarnation, celle-ci n'a pas été la moindre, que tes petits enfants... trouvent en toi une forme qui ne leur soit pas inconnue» (*SC* 324, 163). Toute la dixième Méditation a pour sujet l'humanité du Christ.

rempli de cet amour se laisse aisément attendrir par tout discours concernant ce sujet. Rien qu'il n'écoute plus volontiers, qu'il ne lise avec plus d'attention, qu'il ne se représente plus souvent, qu'il ne médite avec plus de douceur. Il en arrose les holocaustes de ses prières, comme de la graisse du veau gras. Lorsqu'il prie, il voit se dresser devant lui l'image sacrée de l'Homme-Dieu, tantôt naissant, tantôt au sein maternel, tantôt enseignant, tantôt mourant, tantôt ressuscitant ou montant au ciel. Et quelle que soit l'image qui se présente, elle fixe nécessairement l'âme dans l'amour des vertus, extirpe les vices de la chair, met les séductions en déroute, apaise les désirs. Voilà, à mon sens, le motif principal pour lequel le Dieu invisible voulut « être vu » dans la chair « et vivre en homme parmi les hommes[a 1] ». Il voulait ramener d'abord à l'amour salutaire de sa chair toutes les affections des hommes charnels, qui ne pouvaient aimer que charnellement. Ainsi, il les conduirait par degrés à l'amour spirituel. Ne se trouvaient-ils pas encore à ce premier degré, ceux qui disaient : « Voici que nous, nous avons tout laissé et t'avons suivi[b] » ? Certes, c'est seulement par amour de sa présence corporelle qu'ils avaient tout laissé, si bien qu'ils ne pouvaient pas supporter sans se troubler la moindre allusion à sa passion et à sa mort salutaires, désormais toutes proches. Ils ne pouvaient pas non plus lever les yeux vers la gloire de son ascension, sinon avec un profond chagrin. C'est en effet ce qu'il leur disait : « Parce que je vous ai parlé de ces choses, la tristesse a rempli votre cœur[c]. » Ainsi donc, pour le moment, il ne les avait détachés de tout amour charnel que par la grâce de sa présence charnelle.

7. Mais il leur montrait ensuite un degré plus élevé de l'amour, en disant : « C'est l'Esprit qui vivifie, la chair ne sert de rien[a]. » C'est à ce degré, je pense, qu'était déjà monté l'Apôtre qui disait : « Même si nous avons

cognovimus Christum secundum carnem, sed nunc iam
5 *non novimus*[b]. Fortassis et Propheta nihilominus in hoc ipso stabat, cum diceret : *Spiritus ante faciem nostram Christus Dominus.* Nam quod subiungit : *Sub umbra eius vivemus inter gentes*[c], mihi videtur ex persona incipientium addidisse, ut quiescant saltem in umbra, qui solis ferre
10 ardorem minus validos se sentiunt, et carnis dulcedine nutriantur, dum necdum valent *ea percipere quae sunt Spiritus Dei*[d]. Umbram siquidem Christi, carnem reor esse ipsius, de qua obumbratum est et Mariae[e], ut eius obiectu fervor splendorque Spiritus illi temperaretur. In carnis ergo
15 devotione interim consoletur qui vivificantem Spiritum necdum habet, eo dumtaxat modo quo habent illi qui aiunt : *Spiritus ante faciem nostram Christus Dominus*; et item : *Etsi cognovimus Christum secundum carnem, sed nunc iam non novimus.* Nam alias quidem nequaquam
20 sine Spiritu Sancto vel in carne diligitur Christus, etsi non in illa plenitudine. Cuius tamen mensura devotionis haec est, ut totum cor illa suavitas occupet, totum sibi ab amore universae carnis ac carnalis illecebrae vindicet. Hoc quippe toto corde diligere est. Alioquin si carnis meae
25 quamlibet consanguinitatem vel voluptatem forte praefero carni Domini mei, per quod me videlicet minus ea implere contingat, quae in carne manens verbo et exemplo me docuit, nonne liquido constat, quod toto nequaquam diligo corde, cum id divisum habens, partem impendere videar
30 carni eius, partem intorquere ad propriam? Denique ait :

b. II Cor. 5, 16 ≠ c. Lam. 4, 20 (Patr.) d. I Cor. 2, 14 ≠ e. Cf. Lc 1, 35

1. * Cf. p. 128, n. 2 sur *Lam.* 4, 20 (Patr.) cité en *SCt* 20, 3.

connu le Christ selon la chair, maintenant nous ne le connaissons plus ainsi[b]. » Peut-être le Prophète se trouvait-il lui aussi à ce même degré, lorsqu'il disait : « Le Christ Seigneur est Esprit devant notre face[1]. » Quant à ce qu'il ajoute : « Sous son ombre nous vivrons parmi les nations[c] », je crois qu'il l'a dit en pensant aux débutants, pour qu'au moins se reposent à l'ombre ceux qui se sentent moins capables de supporter l'ardeur du soleil. Ils se nourriront ainsi de la douceur de sa chair, aussi longtemps qu'ils ne sont pas capables de « percevoir ce qui appartient à l'Esprit de Dieu[d] ». Je pense en effet que l'ombre du Christ c'est sa chair. De cette ombre Marie aussi fut couverte[e], afin que cet écran tempérât pour elle l'ardeur et la splendeur de l'Esprit. Donc, la ferveur à l'égard de la chair du Christ consolera, en attendant, celui qui n'a pas encore l'Esprit vivifiant, ou qui ne l'a pas assez pour pouvoir dire : « Le Christ Seigneur est Esprit devant notre face », et aussi : « Même si nous avons connu le Christ selon la chair, maintenant nous ne le connaissons plus ainsi. » Car on ne peut nullement aimer le Christ, fût-ce dans sa chair, sans l'Esprit-Saint ; mais on ne l'aime pas encore en plénitude. Voici la bonne mesure de cette ferveur : sa douceur doit occuper le cœur tout entier et le revendiquer si totalement pour soi, qu'il n'y ait plus de place pour l'amour de toute chair et de ses plaisirs. C'est cela, aimer de tout son cœur. Autrement, si je préfère à la chair de mon Seigneur quelque lien naturel ou quelque volupté de ma propre chair, je montre par là que je ne pratique guère les enseignements qu'il m'a donnés, par la parole et l'exemple, lors de sa présence dans la chair. N'est-il pas alors évident que je ne l'aime point de tout mon cœur, puisque j'ai le cœur partagé : je semble le donner en partie à la chair du Seigneur, et le détourner en partie pour ma propre chair. C'est pourquoi il dit : « Qui aime

Qui amat patrem aut matrem plus quam me, non est me dignus; et qui amat filium aut filiam plus quam me, non est me dignus[f]. Ergo, ut breviter dicam, toto corde diligere est omne quod blanditur de carne propria vel aliena,
120 35 sacrosanctae carnis amori postponere, in quo et mundi aeque gloriam comprehendo, quia gloria mundi gloria est carnis, et qui ea delectantur, carnales esse non dubium est.

VI. De amore animae vel virtutis, qui est rationalis et spiritualis.

8. Licet vero donum et magnum donum Spiritus sit istiusmodi erga carnem Christi devotio, carnalem tamen dixerim hunc amorem, illius utique amoris respectu, quo non tam Verbum caro iam sapit quam Verbum sapientia,
5 Verbum iustitia, Verbum veritas, Verbum sanctitas, pietas, virtus, et si quid aliud, quod sit huiusmodi, dici potest. Et haec omnia nempe Christus, *qui factus est nobis sapientia a Deo, et iustitia, et sanctificatio, et redemptio*[a]. An tibi aeque et uno modo affecti videntur, is quidem
10 qui Christo passo compatitur, compungitur, et movetur facile ad memoriam horum quae pertulit, atque istius devotionis suavitate pascitur, et confortatur ad quaeque salubria, honesta, pia; itemque ille, qui iustitiae zelo semper est accensus, qui veritatem ubique zelat, qui
15 sapientiae fervet studiis, cui amica sanctitas vitae et morum disciplina, cuius mores erubescunt iactantiam, abhorrent detractionem, invidiam nesciunt, superbiam detestantur, omnem humanam gloriam non solum fugiunt, sed et fastidiunt et contemnunt, omnem in se carnis et cordis impu-
20 ritatem vehementissime abominantur et persequuntur,

f. Matth. 10, 37 ≠
8. a. I Cor. 1, 30 ≠

son père ou sa mère plus que moi n'est pas digne de moi ; et qui aime son fils ou sa fille plus que moi n'est pas digne de moi[f]. » Bref, aimer de tout son cœur c'est mettre l'amour de la chair très sainte du Christ avant tout ce qui fait l'attrait de sa propre chair ou de celle des autres. La gloire du monde en fait également partie, à mon avis, parce qu'elle est gloire de la chair ; et ceux qui y trouvent leur plaisir, il est certain qu'ils sont charnels.

VI. L'amour qui est propre à l'âme et à la force est raisonnable et spirituel.

8. Une telle ferveur à l'égard de la chair du Christ est un don de l'Esprit, et même un grand don. Pourtant, je qualifie cet amour de charnel, du moins par rapport à cet autre amour, qui ne nous fait plus goûter le Verbe chair autant que le Verbe sagesse, le Verbe justice, le Verbe vérité, le Verbe sainteté, pitié, vertu, et tout ce qui peut se dire de semblable. Car tout cela c'est le Christ, « qui est devenu pour nous sagesse venant de Dieu, justice, sanctification et rédemption[a] ». Crois-tu que soient animés des mêmes sentiments les deux hommes que voici ? D'une part, celui qui, le cœur transpercé, compatit au Christ souffrant, s'émeut volontiers au souvenir de tout ce qu'il a enduré, se nourrit doucement de cette ferveur, et y puise la force d'accomplir toutes les œuvres salutaires, honnêtes et saintes. D'autre part, celui qui est toujours enflammé de zèle pour la justice, qui partout se montre épris de la vérité, qui s'applique avec ardeur à étudier la sagesse, qui est ami d'une vie sainte et de mœurs bien réglées, qui a honte de la vantardise, répugne à la médisance, ignore l'envie, déteste l'orgueil ; qui non seulement fuit toute gloire humaine, mais éprouve pour elle du dégoût et du mépris, qui exècre et pourchasse en lui-même, avec la plus grande énergie, toute impureté de la chair et du cœur, bref qui rejette tout mal et

omne denique tamquam naturaliter et malum respuunt, et quod bonum est amplectuntur? Nonne, si compares utriusque affectiones, constat quodammodo illum superiorem, respectu quidem huius, amare quasi carnaliter?

9. Bonus tamen amor iste carnalis, per quem vita carnalis excluditur, contemnitur et vincitur mundus. Proficitur autem in eo, cum sit et rationalis; perficitur, cum efficitur etiam spiritualis. Porro rationalis tunc est, cum in
5 omnibus quae oportet de Christo sentiri, fidei ratio ita firma tenetur, ut ab ecclesiastici sensus puritate nulla veri similitudine, nulla haeretica seu diabolica circumventione aliquatenus devietur. Itemque cum in propria conversatione illa cautela servatur, ut discretionis meta nulla super-
10 stitione vel levitate vel spiritus quasi ferventioris vehe-
121 mentia excedatur. Et hoc esse tota anima Deum diligere, iam supra diximus. Quod si etiam adiuvantis Spiritus vigor tantus accedat, ut nulla vi laborum vel tormentorum, sed nec mortis metu iustitia umquam deseratur, in hoc etiam
15 tota virtute diligitur, et est amor spiritualis. Quod nimirum nomen huic specialiter amori congruere puto, ob praerogativam utique plenitudinis spiritus, qua praecellit. Et haec sufficiant pro eo quod sponsa dicit : *Propterea adolescentulae dilexerunt te nimis*[a]. In his quae sequuntur,
20 dignetur nobis aperire thesauros suae misericordiae ipse custos eorum, Iesus Christus Dominus noster, qui vivit et regnat in unitate Spiritus Sancti Deus, per omnia saecula saeculorum. Amen.

9. a. Cant. 1, 2 (Lit.)

1. Les trois degrés de l'amour de Dieu : amour charnel, raisonnable et spirituel. Voir GUILL. DE S.-TH., *Brevis commentatio* 1-3 (*PL* 184, 407-410). Voir auss : *Div* 59 (*SBO* VI-1, 290, l. 6-7).

2. * Cf. p. 106, n. 1 sur *Cant.* 1, 2 (Lit.) cité en *SCt* 19, 1.

embrasse tout bien comme par inclination naturelle. Si tu compares les sentiments de ces deux hommes, n'est-il pas évident que le premier, du moins par rapport au second, aime d'une façon en quelque sorte charnelle?

9. Pourtant, cet amour charnel est bon, puisque par lui la vie charnelle est écartée, le monde est méprisé et vaincu. On progresse dans cet amour lorsque, de plus, il est raisonnable; on y atteint la perfection, lorsqu'il devient aussi spirituel[1]. Il est raisonnable, lorsqu'en tout ce qu'il faut penser au sujet du Christ, on s'en tient si fermement à la règle de la foi, qu'aucun faux-semblant de vérité, aucune tromperie hérétique ou diabolique ne nous fait dévier tant soit peu de la pureté du sens tenu par l'Église. Cet amour est raisonnable, lorsque dans la vie monastique on garde cette prudence, qui ne permet pas de dépasser les bornes de la discrétion, que ce soit par scrupule excessif, par légèreté ou par une ferveur presque trop véhémente de l'esprit. C'est cela aimer Dieu de toute son âme : nous l'avons déjà dit plus haut. Et si, de plus, l'Esprit nous vient en aide avec une telle vigueur que ni la violence des labeurs et des tortures, ni même la peur de la mort, ne peuvent jamais nous faire abandonner la justice, alors nous aimons aussi de toute notre force. C'est là l'amour spirituel. Oui, je pense que ce nom convient tout spécialement à un tel amour, en vertu de sa prérogative : cette plénitude de l'Esprit qui est la raison de son excellence. Et cela suffit pour commenter les paroles de l'épouse : « C'est pourquoi les jeunes filles t'ont aimé avec excès[a 2]. » Quant à la suite, que Jésus-Christ notre Seigneur daigne nous ouvrir les trésors de sa miséricorde, dont il est lui-même le gardien. Lui qui, étant Dieu, vit et règne avec le Père dans l'unité de l'Esprit-Saint, pour tous les siècles des siècles. Amen.

SERMO XXI

I. Qua consequentia dicit sponsa : *Trahe me post te.* – II. Quid sit trahi post Christum, et qui hoc petant vel non. – III. Quod etiam spiritualis status crebra sit mutatio, et in quo imitemur aeternitatis statum. – IV. Quomodo imitantes Christum omnia trahunt ad se. – V. Cur dictum est *Trahe* singulariter et *curremus* pluraliter. – VI. De duplici auxilio correptionis et consolationis.

I. Qua consequentia dicit sponsa : *Trahe me post te.*

1. *Trahe me post te, in odore unguentorum tuorum curremus*[a]. Quid? Sponsane ergo necesse habet trahi, et hoc post sponsum, quasi vero invita eum et non libens sequatur? Sed non omnis qui trahitur, invitus trahitur. Nec
5 enim infirmum aut debilem, eum videlicet qui per se ire non valet, trahi ad balneum seu ad prandium piget, etsi reum pigeat trahi ad iudicium vel ad poenam. Denique trahi vult quae et hoc rogat : non autem rogaret, si sequi per seipsam dilectum, prout vellet, valeret. Ut quid vero
10 non valet? An infirmam fateamur et sponsam? Si una quaevis ex adolescentulis infirmam se diceret et trahi
 peteret, nequaquam miraremur. At vero de sponsa, quae

1. a. Cant. 1, 3 ≠

1. *Trahe me post te,* « Entraîne-moi sur tes pas. » Les Pères de l'Église lisent tous : *Trahe me, post te... curremus.* A partir du § 2, Bernard parlera surtout de l'imitation du Christ. * Bernard utilise très souvent ce verset en ajoutant « à l'odeur de tes parfums » au texte critique. De nombreux manuscrits *Vg,* ainsi que plusieurs pièces litur-

SERMON 21

I. Comment ces paroles de l'épouse « Entraîne-moi sur tes pas » se relient-elles à ce qui précède ? – II. Sens de l'expression : être entraîné sur les pas du Christ. Quelles personnes le demandent ou ne le demandent pas. – III. Même chez les spirituels, les bouleversements sont fréquents. Comment imiter la stabilité de l'éternité. – IV. Ceux qui imitent le Christ attirent à eux toutes choses. – V. Pourquoi le texte dit « Entraîne » au singulier et « Nous courrons » au pluriel. – VI. Le double secours de la correction et de la consolation.

I. Comment ces paroles de l'épouse « Entraîne-moi sur tes pas » se relient-elles à ce qui précède ?

1. « Entraîne-moi sur tes pas, nous courrons à l'odeur de tes parfums[a 1]. » Quoi ! l'épouse a donc besoin d'être entraînée, et par surcroît sur les pas de son Époux, comme si elle le suivait à contrecœur, et non de son plein gré ? Mais ceux qui sont entraînés ne le sont pas tous à contrecœur. En effet, un infirme ou un impotent, incapable de se déplacer lui-même, n'est pas fâché d'être conduit au bain ou au repas, tandis que le coupable regimbe, quand il est conduit au jugement ou au supplice. Bref, l'épouse veut être entraînée, puisqu'elle le demande. Car elle ne le demanderait pas, si elle pouvait, selon son désir, suivre son bien-aimé par ses propres forces. Mais pourquoi ne le peut-elle pas ? l'épouse serait-elle infirme ? Rien d'étonnant si l'une des jeunes filles se disait infirme et demandait à être entraînée. Mais l'épouse

giques comportaient ces mots. On les rencontre 9 fois dans les *SCt* 21 et 22, et de nouveau dans *SCt* 31, 7, l. 26-27 ; cf. *SC* 414, 208, n. 3.

trahere et alios, utpote fortis et perfecta, posse sufficere videbatur, cui non durum sonet quod et ipsa trahi, 15 tamquam infirma vel debilis, necesse habeat? De quanam anima iam confidimus quod valida sit et sana, si illam dici consenserimus infirmam, quae pro sui singulari perfectione et excellentiori virtute sponsa Domini nominatur? An Ecclesia forte id dixerit, cum intueretur dilectum ascen- 20 dentem, gestiens eum sequi atque assumi *cum ipso in gloria*[b]? Quamquam et quantaevis perfectionis anima, quamdiu quidem gemit sub *corpore mortis huius*[c] et huius saeculi nequam[d] retinetur inclusa carcere, vincta necessitatibus, torta sceleribus, lentius segniusque assurgat 25 necesse est ad contemplanda sublimia, nec omnino liberum habet *sequi* sponsum *quocumque ierit*[e]. Hinc lacrimosa vox illa gementis : *Infelix ego homo, quis me liberabit de corpore mortis huius*[f]? Hinc illa precatio : *Educ de carcere animam meam*[g]. Dicat proinde, dicat cum 30 gemitu etiam sponsa : *Trahe me post te,* quia *corpus quod corrumpitur aggravat animam, et deprimit terrena inhabitatio sensum multa cogitantem*[h]. An hoc dicat *cupiens dissolvi et cum Christo esse*[i], praesertim dum videat eas,

b. Col. 3, 4 c. Rom. 7, 24 d. Cf. Gal. 1, 4 e. Apoc. 14, 4 (Lit.) f. Rom. 7, 24 g. Ps. 141, 8 (Patr.) h. Sag. 9, 15 i. Phil. 1, 23 (Patr.)

1. * «Le suivre partout où il ira» : cette allusion, fréquente chez Bernard, peut se référer à *Lc* 9, 57 ou à *Apoc.* 14, 4. Ici – ainsi que dans *SCt* 32, 2, l. 24 –, il s'agit de l'Époux, et plutôt de l'*Apocalypse.* Deux pièces liturgiques (des antiennes de la fête des Saints Innocents et de la Toussaint) portent *ierit,* et non *abierit,* texte de l'édition critique de *Vg.*

2. * Bernard cite 3 fois ce verset, 3 fois en suivant le Psautier Romain. Quoiqu'il n'ait pas eu sa place parmi les pièces chantées, ce texte a été très souvent cité ainsi par les Pères (115 fois environ dans *PL*), d'Hilaire à Innocent III. BERNON DE REICHENAU, *De varia modulatione Psalmorum,* dit : *Ubi (Romani) canunt : «Educ de carcere animam meam», nos : «Educ de custodia»,* «Là où (les Romains) chantent : 'Délivre-moi de la prison', nous chantons : 'Délivre-moi de la détention'» (*PL* 142, 1141 B).

semblait assez forte et assez avancée dans la perfection pour pouvoir entraîner aussi les autres. Qui ne trouvera étrange qu'elle-même ait besoin d'être entraînée, comme si elle était infirme ou impotente? Quelle âme pourrons-nous considérer comme valide et saine, si nous consentons à déclarer infirme celle qui mérite le nom d'épouse du Seigneur, par sa perfection singulière et sa vertu éminente? Ou alors, l'Église aurait-elle dit cela en voyant son bien-aimé monter au ciel, impatiente de le suivre et d'être élevée «avec lui dans la gloire[b]»? Quelle que soit la perfection d'une âme, tant qu'elle gémit dans «ce corps de mort[c]» et qu'elle est retenue dans la prison de ce monde mauvais[d], esclave de la nécessité, tourmentée par les crimes, il faudra bien qu'elle s'élève très lentement et péniblement à la contemplation des mystères sublimes. Elle ne sera certes pas libre de «suivre l'Époux partout où il ira[e 1]». De là ce gémissement éploré : «Malheureux homme que je suis, qui me délivrera de ce corps de mort[f]?» De là cette prière : «Fais sortir de prison mon âme[g 2].» L'épouse donc dira, elle aussi, en gémissant : «Entraîne-moi sur tes pas, car le corps qui se corrompt appesantit l'âme, et cette demeure terrestre accable l'intelligence par une multiplicité de pensées[h].» Ou bien dit-elle cela «dans son désir de mourir et d'être avec le Christ[i 3]»? D'autant plus qu'elle voit les âmes, pour qui

3. * *Cupio dissolvi et cum Christo esse* est la forme *Vl* très fréquente (environ 350 fois dans *PL*), tandis que *desiderium hab(ens) etc.*, texte *Vg*, est beaucoup moins fréquent. Bernard, comme ses prédécesseurs, n'utilise d'ordinaire que ces quelques mots, tout en conjuguant *cupio* sous bien des formes. Dans les 5 emplois insérés dans *SCt* (cf. *SCt* 26, 2, l. 7-8, p. 280 et *SCt* 32, 2, l. 4, p. 450), Bernard a davantage en vue tantôt l'union mystique, ou encore le désir de celle-ci (*SCt* 32, 2), tantôt la lourdeur du poids du corps (ici même et *SCt* 26, 2), tantôt la vie en Dieu dans «la patrie» (*SCt* 56, 4, *SBO* II, 117, 5). Bernard, à l'inverse de plusieurs auteurs du XIIe s., n'envisage jamais la mort comme une simple délivrance, *cupio dissolvi,* sans référence à la vie en Dieu. Il y a toujours chez lui, d'une façon ou de l'autre, *esse cum Christo.*

propter quas manere ipsam in carne necessarium[j] vide-
35 batur, bene proficientes amare iam sponsum et stare in tuto caritatis? Siquidem hoc praemiserat : *Propterea,* inquiens, *adolescentulae dilexerunt te nimis*[k]. Nunc ergo quasi dicat : « Ecce adolescentulae amant te, et amando firmiter inhaerent tibi, meque minime iam opus habent,
40 nulla mihi causa in hac vita ulterius commorandi », idcirco ait : *Trahe me post te.*

2. Hoc sentirem, si dixisset : « Trahe me ad te. »

II. Quid sit trahi post Christum, et qui hoc petant vel non.

Nunc vero quia dicit *post te,* magis illud mihi postulare videtur, ut conversationis eius valeat vestigia sequi, ut possit aemulari virtutem, ut normam tenere vitae et morum
5 queat apprehendere disciplinam. In his quippe maxime opus est adiutorio quo valeat *abnegare semetipsam, et tollere crucem suam, et* sic *sequi* Christum[a]. Hic prorsus
123 trahi necesse habet sponsa, nec sane trahi ab alio quam ab eo ipso qui ait : *Sine meipso nihil potestis facere*[b].
10 « Scio, inquit, me nequaquam posse pervenire ad te, nisi gradiendo post te ; sed neque hoc quidem, nisi adiutam abs te : ideoque precor ut trahas me post te. *Beatus* siquidem *cuius est auxilium abs te ! Ascensiones in corde suo disposuit in valle lacrimarum*[c], perventurus quan-
15 doque ad te in montibus gaudiorum. Quam pauci post te, o Domine, ire volunt, cum tamen ad te pervenire nemo qui nolit, hoc scientibus cunctis, quia *delectationes in dextera tua usque in finem*[d]. Et propterea volunt omnes

j. Cf. Phil. 1, 24 k. Cant. 1, 2 (Lit.)

2. a. Matth. 16, 24 ≠ b. Jn 15, 5 ≠ c. Ps. 83, 6-7 ≠ d. Ps. 15, 11 ≠

1. * Cf. p. 106, n. 1 sur *Cant.* 1, 2 (Lit.) cité en *SCt* 19, 1.

2. Ce passage (l. 14-29 du latin) est la source du célèbre chapitre II, XI de THOMAS A KEMPIS, *Imitatio Christi* : *De paucitate amatorum crucis Christi.*

elle pensait devoir demeurer dans la chair[j], déjà bien avancées dans l'amour de l'Époux et bien assurées dans la charité. Car elle avait dit auparavant : « C'est pourquoi les jeunes filles t'ont aimé avec excès[k 1]. » Maintenant donc elle dit : « Entraîne-moi sur tes pas », comme si elle disait : « Voilà que les jeunes filles t'aiment, et qu'elles s'attachent fermement à toi dans l'amour. Désormais elles n'ont plus besoin de moi, et je n'ai plus aucune raison de m'attarder davantage en cette vie. »

2. C'est ainsi que je comprendrais ce passage, si l'épouse avait dit : « Entraîne-moi vers toi. »

II. Sens de l'expression : être entraîné sur les pas du Christ. Quelles personnes le demandent ou ne le demandent pas.

Puisqu'elle dit « sur tes pas », il me semble qu'elle demande plutôt la grâce de suivre ses traces, d'imiter sa vertu, d'adopter sa règle de vie et d'assimiler son comportement. En tout cela elle a le plus grand besoin d'aide, pour pouvoir « se renier elle-même, prendre sa croix et suivre » ainsi le Christ[a]. Ici il faut absolument que l'épouse soit entraînée, et entraînée par celui-là seul qui dit : « Sans moi vous ne pouvez rien faire[b]. » « Je sais, dit l'épouse, que je ne puis d'aucune façon parvenir jusqu'à toi, sinon en marchant sur tes pas. Mais cela même m'est impossible sans ton aide. Voilà pourquoi je te prie de m'entraîner sur tes pas. » Oui, « heureux l'homme dont tu es le secours ! Il a disposé en son cœur des montées à gravir dans cette vallée de larmes[c] », pour parvenir un jour jusqu'à toi sur les montagnes de la joie. Combien rares, Seigneur, sont ceux qui veulent marcher sur tes pas[2] ! Et pourtant, il n'est personne qui ne veuille parvenir jusqu'à toi, puisque tout le monde sait qu'« à ta droite sont les délices éternelles[d] ». C'est pourquoi, tous

te frui, at non ita et imitari : *conregnare* cupiunt, sed non
20 *compati*[e]. Ex his erat ille, qui dicebat : *Moriatur anima mea morte iustorum, et fiant novissima mea horum similia*[f]. Optabat sibi extrema iustorum, sed non ita et principia. Mortem spiritualium optant sibi etiam carnales, quorum tamen vitam abhorrent, scientes *pretiosam* esse
25 *mortem sanctorum*[g] : quoniam *cum dederit dilectis suis somnum, ecce hereditas Domini*[h], et quia *beati mortui qui in Domino moriuntur*[i], cum e contrario, iuxta Prophetae sententiam, *mors peccatorum pessima*[j] sit. Non curant quaerere, quem tamen desiderant invenire,
30 cupientes consequi, sed non sequi. Non sic illi, quibus aiebat : *Vos estis qui permansistis mecum in tentationibus meis*[k]. Beati qui digni habiti sunt tuo testimonio, benigne Iesu! Ipsi revera ibant post te, et pedibus, et affectibus. *Notas* eis *fecisti vias vitae*[l], vocans eos post te[m], qui *via*
35 *et vita* es[n], dicens : *Venite post me, faciam vos fieri piscatores hominum*[o]; item : *Qui mihi ministrat, me sequatur; et ubi sum ego, illic et minister meus erit*[p]. Dicebant ergo gloriantes : *Ecce nos reliquimus omnia, et secuti sumus te*[q].

3. «Sic itaque et dilecta tua, relictis omnibus propter te, concupiscit semper ire post te, semper tuis inhaerere vestigiis, ac *sequi te quocumque ieris*[a] : sciens quoniam

e. Rom. 8, 17; II Tim. 2, 12 (Patr.) f. Nombr. 23, 10 g. Ps. 115, 15 ≠ h. Ps. 126, 2-3 i. Apoc. 14, 13 j. Ps. 33, 22 k. Lc 22, 28 l. Ps. 15, 10 ≠ m. Cf. Matth. 4, 19. 21 n. Jn 14, 6 ≠ o. Matth. 4, 19 ≠ p. Jn 12, 26 ≠ q. Matth. 19, 27
3. a. Lc 9, 57 ≠

1. * Bernard a réuni 12 fois les verbes *compati* et *conregnare*, sans s'en tenir à la forme reçue : *Si compatimur, et conregnabimus*, «Si nous souffrons avec (le Christ), nous régnerons aussi avec (lui).» Tout en conservant le plus souvent le *si* et le *et* de cette formule, il a varié à l'envi cette phrase; l'introduction, ici, de *cupiunt* en est un exemple. Elle semble bien être une phrase latine bien frappée, formée à partir de ces deux versets de Paul, peut-être par S. Léon, qui l'emploie 5 fois

veulent jouir de toi, mais non pas t'imiter; ils désirent «partager ton règne, mais non ta Passion[e1]». Il était de ce nombre, celui qui disait: «Puissé-je mourir de la mort des justes, et que ma fin ressemble à la leur[f].» Il souhaitait pour soi la fin des justes, mais non pas leurs débuts. Les hommes charnels eux-mêmes souhaitent mourir comme les spirituels, dont ils ont cependant la vie en horreur. Car ils savent que «la mort des saints est précieuse[g]» aux yeux de Dieu. En effet, «lorsque le Seigneur aura donné le sommeil à ses bien-aimés, voilà son héritage[h]», et «heureux les morts qui meurent dans le Seigneur[i]», tandis qu'au contraire, selon la parole du Prophète, «la pire mort est celle des pécheurs[j]». Ils ne se soucient pas de chercher celui que pourtant ils désirent trouver; ils aspirent à l'atteindre, mais non à le suivre. Tels n'étaient pas ceux à qui il disait: «Vous êtes, vous, ceux qui êtes demeurés avec moi dans mes épreuves[k].» Heureux ceux qui ont été jugés dignes de recevoir ton témoignage, Jésus miséricordieux! Eux vraiment marchaient sur tes pas, corps et âme. «Tu leur as fait connaître les chemins de la vie[l]», toi qui es «le chemin et la vie[n]», les appelant à ta suite[m] par ces paroles: «Venez à ma suite, je ferai de vous des pêcheurs d'hommes[o].» Et encore: «Celui qui me sert, qu'il me suive; et là où je suis, là aussi sera mon serviteur[p].» Ainsi disaient-ils avec fierté: «Voici que nous avons tout quitté, et nous t'avons suivi[q].»

3. C'est ainsi que ta bien-aimée, ayant tout quitté pour toi, désire toujours aller à ta suite, toujours marcher sur tes traces, et «te suivre partout où tu iras[a]». Car elle

et qui serait la source de Bernard. Elle se rencontre très souvent, à tous les siècles patristiques, en particulier chez Raban Maur, Paschase Radbert et Pierre Damien. Cf. THOMAS A KEMPIS, *op. cit.* III, 56, 38: *Si vis regnare mecum, porta crucem mecum,* «Si tu veux régner avec moi, porte la croix avec moi.»

viae tuae, viae pulchrae, et omnes semitae tuae pacificae[b], 5 et quia *qui sequitur te non ambulat in tenebris*[c]. Precatur 124 autem se trahi, quoniam *iustitia tua sicut montes Dei*[d], nec sufficit ad illam suis viribus. Precatur se trahi, ut assolet, quia *nemo venit ad te, nisi Pater tuus traxerit eum*[e]. Porro quos Pater trahit, trahis et tu. *Opera* quippe 10 *quae Pater facit, haec et Filius similiter facit*[f]. Sed familiarius a Filio postulat trahi, tamquam a sponso proprio, quem Pater misit obviam ei *ducem ac praeceptorem*[g], qui sibi praeiret in via morum, et praepararet iter virtutum, et *erudiret* eam *sicut semetipsum*[h], et *viam prudentiae* 15 *doceret*[i], et traderet ei *legem vitae et disciplinae*[j], et sic ipse merito *concupisceret decorem ipsius*[k].

4. « *Trahe me post te, in odore unguentorum tuorum curremus*[a]. Propterea opus habeo trahi, quoniam refriguit paulisper ignis in nobis amoris tui, nec valemus *a facie frigoris huius*[b] currere modo, *sicut heri et nudius tertius*[c]. 5 Curremus autem postea, cum *reddideris laetitiam salutis tuae*[d], cum redierit melior temperies gratiae, cum *sol iustitiae*[e] iterum incaluerit, et pertransierit tentationis nubes, quae hunc operire ad horam cernitur, atque ad lenem flatum aurae blandioris solito coeperint unguenta 10 liquescere, et aromata fluere, et dare odorem suum. Tunc curremus, in odore illo curremus, spirantibus, inquam, unguentis curremus, quoniam abscedet torpor qui nunc est, et revertetur devotio, et iam non erit opus nobis ut trahamur, quippe odore excitatis, ut sponte curramus. 15 Nunc vero interim *trahe me post te.* »

b. Prov. 3, 17 ≠ c. Jn 8, 12 ≠ d. Ps. 35, 7 e. Jn 6, 44 ≠ f. Jn 5, 19-20 ≠ g. Is. 55, 4 h. Ps. 104, 22 ≠ i. Is. 40, 14 (Lit.) j. Sir. 45, 6 k. Ps. 44, 12 ≠

4. a. Cant. 1, 3 ≠ b. Ps. 147, 17 ≠ c. I Macc. 9, 44 d. Ps. 50, 14 ≠ e. Mal. 4, 2

1. Antienne *O Sapientia* des vêpres du 17 décembre; cf. *SCt* 77, 5 (*SBO* II, 264, l. 18).

sait que « tes chemins sont des chemins de beauté, tous tes sentiers des sentiers de paix[b] », et que « celui qui te suit ne marche pas dans les ténèbres[c] ». Elle prie donc d'être entraînée, parce que « ta justice est comme les montagnes de Dieu[d] », et que par ses propres forces elle est impuissante à y parvenir. Selon son habitude elle prie d'être entraînée, car « personne ne vient à toi, si ton Père ne l'attire[e] ». Et ceux que le Père attire, tu les attires toi aussi. Car « les œuvres que fait le Père, le Fils les fait pareillement[f] ». Mais c'est au Fils qu'elle demande sur un ton plus familier d'être entraînée, puisqu'il est son Époux. Le Père l'a envoyé au-devant d'elle « comme guide et comme maître[g] », pour la précéder sur la voie droite et lui frayer le chemin des vertus, pour lui « communiquer sa propre science[h] » et lui « apprendre la voie de la prudence[i1] », pour lui transmettre « la loi de la vie et de la discipline[j] ». Ainsi pourrait-il à bon droit « désirer en elle la beauté dont lui-même la pare[k] ».

4. « Entraîne-moi sur tes pas, nous courrons à l'odeur de tes parfums[a]. » J'ai besoin d'être entraînée, parce que le feu de ton amour s'est un peu refroidi en nous, et « par ce froid[b] » nous ne pouvons plus courir « comme hier et avant-hier[c] ». Mais nous courrons par la suite, quand « tu nous auras rendu la joie de ton salut[d] », quand sera revenu l'air plus doux de la grâce, quand « le soleil de justice[e] » répandra à nouveau sa chaleur et balayera les nuages de la tentation qui le voilent pour le moment. Alors, au souffle caressant d'une brise légère, les parfums commenceront à se liquéfier, les aromates à ruisseler et à exhaler leur odeur. Alors nous courrons, nous courrons à cette odeur, nous courrons, dis-je, aux effluves des parfums, car la torpeur présente disparaîtra, et la ferveur reviendra. Nous n'aurons plus besoin qu'on nous entraîne : l'odeur nous incitera à courir de nous-mêmes. Mais, en attendant, « entraîne-moi sur tes pas. »

III. Quod etiam spiritualis status crebra sit mutatio, et in quo imitemur aeternitatis statum.

Vides ne illum qui *in Spiritu ambulat*[f], nequaquam *permanere in uno statu*[g], nec eadem semper facilitate proficere, et quod non sit in *homine via eius*[h], sed quemadmodum ei Spiritus moderator, prout vult, dispensat[i], 20 nunc segnius, nunc alacrius, *quae retro sunt oblivisci, et ad anteriora sese extendere*[j]? Puto quod hoc ipsum, si attenditis, vestra vobis experientia intus respondet quod ego foris loquor.

5. Ergo cum te torpore, acedia vel taedio affici sentis, noli propterea diffidere, aut desistere a studio spirituali ; sed iuvantis require manum, trahi te obsecrans sponsae exemplo, donec denuo, suscitante gratia, factus promptior 125 5 alacriorque curras et dicas : *Viam mandatorum tuorum cucurri, cum dilatasti cor meum*[a]. Sic autem, quamdiu adest gratia, delectare in ea, ut non te existimes donum Dei iure hereditario possidere, ita videlicet securus de eo, quasi numquam perdere possis : ne subito, cum forte 10 retraxerit manum et subtraxerit donum, tu animo concidas et tristior quam oportet fias. Denique ne *dixeris in abundantia tua : Non movebor in aeternum*[b], ne etiam illud quod sequitur dicere cum gemitu quidem cogaris : *Avertisti faciem tuam a me, et factus sum conturbatus*[c]. Curabis 15 potius, si sapis, pro consilio Sapientis, *in die malorum non immemor esse bonorum, atque in die bonorum non immemor esse malorum*[d].

f. Gal. 5, 25 ≠ g. Job 14, 2 ≠ h. Jér. 10, 23 ≠ i. Cf. I Cor. 12, 11 j. Phil. 3, 13 ≠

5. a. Ps. 118, 32 b. Ps. 29, 7 ≠ c. Ps. 29, 8 ≠ d. Sir. 11, 27 ≠

---

1. « Votre expérience intérieure correspond à ce que je viens d'exprimer. » Nouvel appel à l'expérience des auditeurs et des lecteurs. Cf. *SC* 414, 77, n. 1 sur *SCt* 1, 11 ; *SC* 414, 211, n. 1 sur *SCt* 9, 7.

III. Même chez les spirituels, les bouleversements sont fréquents. Comment imiter la stabilité de l'éternité.

Ne le vois-tu pas? Celui qui «marche sous l'impulsion de l'Esprit»[f] ne peut nullement «demeurer dans le même état[g]», ni avancer toujours avec la même aisance. Car «l'homme n'est pas le maître de son cheminement[h]». Mais, selon les forces que lui donne, à son gré, l'Esprit[i] qui le dirige, «il oublie ce qui est en arrière et il va de l'avant[j]», tantôt avec plus de lenteur, tantôt avec plus d'élan. Je pense que, si vous y êtes attentifs, votre expérience intérieure correspond à ce que je viens d'exprimer[1].

5. Lors donc que tu te sens atteint de torpeur, de dégoût[2], d'ennui, ne perds pas confiance pour autant, et ne renonce pas à l'effort spirituel. Au contraire, cherche la main de Celui qui te porte secours. A l'exemple de l'épouse, implore-le pour qu'il t'entraîne jusqu'à ce que tu retrouves, sous l'impulsion de la grâce, une course plus agile et plus allègre. Alors tu pourras dire: «J'ai couru sur la voie de tes commandements, car tu as mis mon cœur au large[a].» Ainsi, tant que la grâce est là, réjouis-toi en elle, mais ne va pas croire que tu possèdes le don de Dieu par droit héréditaire, comme si tu étais assuré de ne jamais pouvoir le perdre. Sinon, pour peu que Dieu retire sa main et te prive de son don, tu perdrais cœur aussitôt et tu sombrerais dans une tristesse excessive. Bref, «au temps de la prospérité, ne dis pas: Au grand jamais je ne serai ébranlé[b]», de peur qu'il ne te faille ajouter en gémissant ce qui suit: «Tu as détourné de moi ta face, et me voici bouleversé[c].» Si tu veux agir avec sagesse, suis plutôt le conseil du Sage, en ayant soin «au jour du malheur de ne pas oublier le bonheur, et au jour du bonheur de ne pas oublier le malheur[d]».

2. *Acedia*, «dégoût»? Cf. G. Bardy, art. «Acedia», *DSp 1* (1937), col. 166-169.

6. Ergo in die virtutis tuae noli esse securus, sed clama ad Deum cum Propheta, et dic : *Cum defecerit virtus mea, ne derelinquas me*[a]. Porro in tempore tentationis consolare, et dic cum sponsa : *Trahe me post te, in odore* 5 *unguentorum tuorum curremus.* Sic te non deseret spes in tempore malo, nec in bono providentia deerit, erisque inter prospera et adversa mutabilium temporum tenens quamdam aeternitatis imaginem, utique hanc inviolabilem et inconcussam constantis animi aequalitatem, *benedicens* 10 *Dominum in omni tempore*[b], perindeque vindicans tibi, etiam in huius nutabundi saeculi dubiis eventibus certisque defectibus, perennis quodammodo incommutabilitatis statum, dum te coeperis renovare et reformare in insigne illud antiquum similitudinis aeterni Dei, *apud quem* 15 *non est transmutatio nec vicissitudinis obumbratio*[c]. Quippe *sicut ipse est, ita et tu eris in hoc mundo*[d] : nec in adversis timidus, nec in prosperis dissolutus. In hoc, inquam, nobilis creatura *facta ad imaginem et similitudinem eius*[e] qui se fecit, antiqui honoris dignitatem 20 receptare, iamiamque et recuperare se indicat, cum sibi indignum ducit *huic* labenti *saeculo conformari, reformari*[f] magis satagens, iuxta Pauli doctrinam, *in novitate sensus sui*[f], in eam similitudinem in qua se conditam novit ; ac per hoc etiam cogens, ut dignum est, saeculum ipsum, 25 quod propter se factum fuit, versa vice mirum in modum 126 conformari sibi, dum *omnia* ei *cooperari in bonum*[g] incipiunt, tamquam in propria et naturali forma, abiecta

6. a. Ps. 70, 9 ≠ b. Ps. 33, 2 ≠ c. Jac. 1, 17 d. I Jn 4, 17 ≠ e. Gen. 1, 26 ≠ f. Rom. 12, 2 ≠ g. Rom. 8, 28 ≠

1. *Nobilis creatura,* « La noble créature ». Cf. O. SCHAFFNER, « Die *nobilis creatura* des H. Bernhard von Clairvaux », *Geist und Leben* 23 (1950), p. 43-57. Voir *SC* 414, 247, n. 2 sur *SCt* 11, 5.

2. *Eius qui SE fecit,* « de Dieu qui l'a créée ». On ne peut pas com-

6. Quand tu te sens plein de courage, ne sois pas sûr de toi-même, mais crie vers Dieu avec le Prophète, et dis-lui : « Lorsque le courage me manquera, ne m'abandonne pas[a]. » Au temps de la tentation, console-toi, et dis avec l'épouse : « Entraîne-moi sur tes pas, nous courrons à l'odeur de tes parfums. » Ainsi l'espérance ne te quittera pas aux mauvais jours, ni la prudence aux jours favorables. Parmi les succès et les échecs de ce temps changeant, tu garderas une certaine image de l'éternité, je veux dire cette inviolable et inébranlable égalité d'un esprit ferme. « Tu béniras le Seigneur en tout temps[b]. » Même parmi les réussites incertaines et les défaillances certaines de ce monde instable, tu te procureras une sorte d'immutabilité perpétuelle. Tu commenceras de te renouveler et de te réformer à l'antique image et à la ressemblance du Dieu éternel, « chez qui il n'existe aucun changement ni l'ombre d'une variation[c] ». Car « tel il est en lui-même, tel tu seras, toi aussi, dans ce monde[d] » : sans crainte dans les échecs, sans faiblesse dans les succès. Je vous le dis, la noble créature[1], « faite à l'image et à la ressemblance[e] » de Celui qui l'a créée[2], montre qu'elle est en train de reprendre et de recouvrer la dignité de son antique gloire, lorsqu'elle refuse de « se conformer à ce monde[f] » contingent. Bien plus, selon l'enseignement de Paul, elle s'efforce, « par le renouvellement de son esprit, de se réformer[f] » à la ressemblance dans laquelle elle a été créée. Par là aussi, d'une manière étonnante, elle contraint le monde lui-même, créé pour elle, à se conformer à elle-même, comme il se doit, et non l'inverse. Alors « toutes choses commencent à coopérer avec elle pour le bien[g] » et, rejetant leur apparence dégénérée pour retrouver leur forme propre et natu-

prendre que Dieu SE crée lui-même. *SE* vise donc la noble créature. Cf. A. Blaise, *Manuel du latin chrétien*, 17, Strasbourg 1955, p. 114-115.

degeneri specie, recognoscentia Dominum suum, cui ad serviendum creata fuere.

IV. Quomodo imitantes Christum omnia trahunt ad se.

7. Unde arbitror illum sermonem quem dixit de se Unigenitus, videlicet si *exaltaretur a terra, omnia traheret ad seipsum*[a], cunctis quoque eius fratribus posse esse communem : his utique *quos Pater praescivit et praedestinavit conformes fieri imaginis Filii sui, ut sit ipse primogenitus in multis fratribus*[b]. Et ego igitur si exaltatus fuero a terra, audacter dico, omnia traham ad meipsum. Non enim temerarie usurpo mihi fratris mei vocem, cuius me induo similitudinem[c]. Quod si ita est, non putent *divites saeculi*[d], fratres Christi sola possidere caelestia, quia audiunt dicentem : *Beati pauperes spiritu, quoniam ipsorum est regnum caelorum*[e]. Non eos, inquam, aestiment sola caelestia possidere, quia ea sola audiunt in promissione. Possident et terrena, et quidem *tamquam nihil habentes; sed omnia possident*[f], non mendicantes ut miseri, sed ut domini possidentes, eo pro certo magis domini, quo minus cupidi. Denique fideli homini totus mundus divitiarum est. Totus plane, quia tam adversa quam prospera ipsius, aeque *omnia serviunt ei et cooperantur in bonum*[g].

8. Ergo avarus terrena esurit ut mendicus, fidelis contemnit ut dominus. Ille possidendo mendicat, iste contemnendo servat. Quaere a quovis eorum qui *insa-*

7. a. Jn 12, 32 ≠ b. Rom. 8, 29 ≠ c. Cf. Gen. 27, 1-40 d. I Tim. 6, 17 ≠ e. Matth. 5, 3 f. II Cor. 6, 10 ≠ g. Ps. 118, 91 ≠; Rom. 8, 28 ≠

---

1. « Élevé de terre, le Fils attirerait toutes choses à lui. » Parole que Bernard applique hardiment à tous ceux qui suivent le chemin de croix de Jésus. De disciples ils deviennent seigneurs.

relle, elles reconnaissent enfin leur Seigneur, pour le service de qui elles ont été créées.

IV. Ceux qui imitent le Christ attirent à eux toutes choses.

7. J'estime donc que cette parole du Fils Unique, disant qu'« une fois élevé de terre, il attirerait toutes choses à lui[a 1] », peut s'appliquer aussi à tous ses frères. C'est-à-dire à ceux « que le Père a connus d'avance et qu'il a prédestinés à devenir conformes à l'image de son Fils, pour que celui-ci soit le premier-né d'une multitude de frères[b] ». Moi aussi, je le dis hardiment, lorsque j'aurai été élevé de terre, j'attirerai toutes choses à moi. Ce n'est pas avec témérité que je m'approprie cette parole de mon frère, lui dont j'ai revêtu la ressemblance[c]. S'il en est ainsi, « les riches de ce monde[d] » ne doivent pas croire que les frères du Christ possèdent seulement les biens célestes, sous prétexte qu'il a dit : « Heureux les pauvres en esprit, car le Royaume des cieux est à eux[e]. » Non, il ne faut pas s'imaginer qu'ils ne possèdent que les biens célestes, parce que seuls ceux-ci sont mentionnés dans la promesse. Ils possèdent aussi les biens de la terre, et justement « à la manière de gens qui n'ont rien, eux qui possèdent tout[f] », non pas comme des miséreux qui mendient, mais comme des seigneurs propriétaires. Certes d'autant plus seigneurs, qu'ils sont moins avides. En définitive, c'est à l'homme de foi qu'appartient le monde entier avec ses richesses. Oui, le monde entier, puisque les échecs comme les succès, « tout est au service de cet homme et coopère à son bien[g] ».

8. L'avare convoite les biens de la terre comme un mendiant, l'homme de foi les dédaigne comme un seigneur. Celui-là, tout en les possédant, les mendie ; celui-ci, tout en les dédaignant, les garde. Demande à l'un de

tiabili corde[a] lucris temporalibus inhiant, quidnam de his
5 sentiat, qui sua vendentes et dantes pauperibus, regna caelorum pro terrena mercantur substantia[b], sapienter agant necne? Procul dubio respondebit : « Sapienter. » Quaere item cur, quod approbat, ipse non facit? « Non possum », inquiet. Quare? Profecto quia domina avaritia
10 non permittit, quia liber non est, quia non sunt sua quae possidere videtur, sed nec ipse sui iuris. « Si vere tua sunt, expende ad lucra, et pro terrenis caelestia commutato. Si non vales, fatere te pecuniae tuae non dominum esse, sed servum, custodem, non possessorem. Denique
15 et conformaris crumenae tuae, tamquam servus dominae suae, dum quomodo ille illi necessario et congaudet gau-
127 denti, et dolenti condolet[c], tu quoque cum crescente tuo marsupio crescis pariter animo, et cum decrescente decrescis. Nam et contraheris tristitia, cum illud exina-
20 nitur, et laetitia solveris, aut certe inflaris superbia, cum impletur. » Hoc ille.

V. Cur dictum est *Trahe* singulariter et *curremus* pluraliter.

Nos vero sponsae curemus aemulari libertatem atque constantiam, quae, sicut bene instructa in omnibus, *et erudita corde in sapientia*[d], *scit abundare, et scit penuriam*
25 *pati*[e]. Cum se rogat trahi, ostendit quid desit sibi, non pecuniae, sed virtutis. Rursum cum se nihilominus de spe gratiae rediturae consolatur, etsi deficere, non tamen diffidere se probat.

9. Dicit ergo : *Trahe me post te, in odore unguentorum*

8. a. Ps. 100, 5 b. Cf. Matth. 19, 21 c. Cf. Rom. 12, 15
d. Ps. 89, 12 ≠ e. Phil. 4, 12 ≠

ceux qui poursuivent «insatiablement[a]» les profits temporels, ce qu'il pense des hommes qui vendent leurs biens, les donnent aux pauvres et achètent le Royaume des cieux au prix de leur fortune terrestre[b] : agissent-ils sagement ou non? Sans aucun doute il répondra : «Sagement.» Demande-lui alors pourquoi il ne fait pas ce qu'il approuve. «Je ne le puis», dira-t-il. Pourquoi? Parce que l'avarice qui le domine ne le lui permet pas, parce qu'il n'est pas libre, parce que même ce qu'il semble posséder n'est pas à lui, et qu'il n'est même pas son propre maître. «Si vraiment ces biens sont à toi, dépense-les à ton profit : échange les biens de la terre contre ceux du ciel. Si tu en es incapable, avoue que tu n'es pas le maître de ton argent, mais son esclave; son gardien, non pas son propriétaire. Pour tout dire, tu te modèles sur ta bourse, comme un esclave sur sa maîtresse. Comme l'esclave est contraint de se réjouir et de s'affliger avec sa maîtresse[c], de même toi aussi, tu te gonfles avec ta sacoche et tu te dégonfles avec elle. En effet, tu as le cœur serré de chagrin lorsque ta bourse se vide, et tu te dilates de joie, ou plutôt tu t'enfles d'orgueil, lorsqu'elle est pleine.» Tel est l'avare.

V. Pourquoi le texte dit «Entraîne» au singulier et «Nous courrons» au pluriel.

Mais nous, tâchons d'imiter la liberté et la constance de l'épouse qui, bien instruite de toutes choses «et le cœur formé à la sagesse[d]», «sait aussi bien vivre dans l'abondance que supporter le dénuement[e]». Lorsqu'elle demande à être entraînée, elle montre son manque, non pas d'argent, mais de force. Par contre, lorsqu'elle se console dans l'espoir que la grâce reviendra, elle fait état de sa défaillance, non de sa défiance.

9. L'épouse dit : «Entraîne-moi sur tes pas, nous

tuorum curremus. Et quid mirum, si indiget trahi quae post gigantem currit, quae comprehendere nititur[a] eum qui *salit in montibus, transilit colles*[b]? *Velociter currit* 5 *sermo eius*[c]. Non valet ex aequo currere, non potest pari cum illo celeritate contendere, qui *exsultat ut gigas ad currendam viam*[d] : non potest suis viribus, et propterea rogat se trahi. « Fessa sum, inquit, deficio ; noli me deserere, sed trahe me post te, *ne incipiam vagari post* 10 *amatores* alienos[e], ne *curram quasi in incertum*[f]. *Trahe me post te,* quia satius mihi est ut me trahas, ut scilicet vim qualemcumque mihi, aut terrendo minis, aut exercendo flagellis inferas, quam parcens in meo tepore me male securam derelinquas. Trahe quodammodo invitam, 15 ut facias voluntariam ; trahe torpentem, ut reddas currentem. Erit quando non indigebo tractore, quoniam voluntarie et cum omni alacritate curremus. Non curram ego sola, etsi solam me trahi petierim : current et adolescentulae mecum. *Curremus* pariter, curremus simul, ego *odore* 20 *unguentorum tuorum,* illae excitatae meo exemplo atque hortatu, ac per hoc omnes *in odore unguentorum tuorum curremus.* » Habet sponsa imitatores sui, sicut et ipsa est Christi[g], et ideo non ait singulariter : « Curram », sed : *Curremus.*

10. Sed oritur quaestio, cur similiter, cum se petiit trahi, etiam adolescentulas non adiunxit, ut non *Trahe me,* sed : « Trahe nos » diceret. Forte ne sponsa indiget trahi, et adolescentulae non indigent? « O pulchra, o felix, o beata,

9. a. Cf. Ps. 18, 6; Phil. 3, 13 b. Cant. 2, 8 ≠ c. Ps. 147, 15 d. Ps. 18, 6 ≠ e. Cant. 1, 6 ≠; Os. 2, 13 ≠ f. I Cor. 9, 26 ≠ g. Cf. I Cor. 11, 1

1. Bernard joue dans les §§ 9 et 10 sur deux registres : il exhorte l'épouse (l'âme individuelle) à une imitation plus fidèle de l'Époux et il la propose comme modèle aux jeunes filles (tous les frères de la communauté).

courrons à l'odeur de tes parfums.» Faut-il s'étonner qu'elle ait besoin d'être entraînée, elle qui court après un géant, elle qui s'efforce de saisir[a] celui qui «bondit sur les montagnes et franchit les collines[b]»? «Rapide court sa parole[c].» Elle est incapable de courir du même pas, elle ne peut rivaliser de vitesse avec celui qui «s'élance comme un géant pour courir son chemin[d]». Elle en est incapable par ses seules forces, c'est pourquoi elle demande à être entraînée. «Je suis lasse, dit-elle, je défaille; ne m'abandonne pas, mais entraîne-moi sur tes pas, 'de peur que je ne commence à suivre en vagabonde d'autres amants[e]' et à 'courir à l'aventure[f]'. 'Entraîne-moi sur tes pas', car il vaut mieux pour moi que tu m'entraînes, c'est-à-dire que tu me fasses violence, soit par la terreur des menaces, soit par les coups de fouet, plutôt que de me ménager et de me laisser mal assurée dans ma tiédeur. Entraîne-moi contre mon gré, pour que je te suive de mon plein gré; entraîne-moi engourdie, pour me rendre agile à la course. Viendra le moment où je n'aurai plus besoin d'être entraînée, puisque nous courrons de notre plein gré et de tout notre élan. Même si j'ai demandé à être entraînée seule, je ne courrai pas seule : les jeunes filles aussi courront avec moi. Nous 'courrons' du même pas, nous courrons ensemble, moi 'à l'odeur de tes parfums', elles stimulées par mon exemple et mes encouragements. Ainsi, 'nous courrons tous à l'odeur de tes parfums'.» L'épouse a ses imitateurs, comme elle-même est l'imitatrice du Christ[g]. C'est pourquoi elle ne dit pas au singulier : «Je courrai», mais : «Nous courrons[1].»

10. Pourtant, une question se pose : lorsqu'elle demande à être entraînée, pourquoi ne s'est-elle pas adjoint également les jeunes filles, disant non pas : «Entraîne-moi», mais : «Entraîne-nous»? L'épouse aurait-elle besoin d'être entraînée, et non les jeunes filles? Ô toi qui es belle,

5 edissere nobis huius distinctionis rationem. » – « *Trahe*
128 *me*», ait. – Quare « me », et non « nos »? An hoc bonum invides nobis? Absit. Neque enim protinus dixisses adolescentulas tecum cursituras, si sola post sponsum ire voluisses. Cur ergo pluraliter mox subiunctura curremus,
10 trahi te singulariter postulasti? – « Caritas, inquit, ita postulabat. »

VI. De duplici auxilio correptionis et consolationis.

« Disce per hoc verbum a me in spirituali exercitio duplex auxilium desuper sperare, correptionem et consolationem. Altera foris exercet, altera visitat intus : illa
15 reprimit insolentiam, ista in fiduciam erigit ; illa operatur humilitatem, ista pusillanimitatem consolatur ; illa cautos, ista devotos facit. *Timorem Domini docet* illa[a], ista ipsum timorem infuso temperat gaudio salutari, sicut scriptum est : *Laetetur cor meum ut timeat nomen tuum*[b] ; item :
20 *Servite Domino in timore, et exsultate ei cum tremore*[c].

11. « Trahimur cum tentationibus et tribulationibus exercemur ; currimus cum internis consolationibus et inspirationibus visitati, tamquam in suaveolentibus unguentis inspiramus. Ergo quod austerum et durum videtur, retineo
5 mihi, tamquam forti, tamquam sanae, tamquam perfectae, et dico singulariter : *Trahe me*. Quod suave et dulce, tibi tamquam infirmo communico, et dico : *Curremus*. Novi ego adolescentulas delicatas et teneras esse, et minus idoneas sufferre tentationes ; et propterea mecum volo ut
10 currant, sed non ut mecum trahantur ; volo habere *socias consolationis*[a], non autem et laboris. Quare? Quoniam

10. a. Ps. 33, 12 ≠ b. Ps. 85, 11 c. Ps. 2, 11 ≠
11. a. II Cor. 1, 7 ≠

heureuse, bénie, explique-nous la raison de cette distinction. « Entraîne-moi », dit-elle. Pourquoi « moi », et non pas « nous » ? Serais-tu jalouse de ce bonheur ? Sûrement pas. Car, si tu avais voulu aller seule sur les pas de l'Époux, tu n'aurais pas ajouté aussitôt que les jeunes filles courraient avec toi. Pourquoi donc, juste avant de dire au pluriel : « Nous courrons », as-tu demandé au singulier d'être entraînée ? « La charité, dit-elle, le voulait ainsi. »

VI. Le double secours de la correction et de la consolation.

« Que cette parole t'apprenne, lors de l'épreuve spirituelle, à espérer un double secours d'en haut : la correction et la consolation. L'une éprouve du dehors, l'autre visite au dedans. La première réprime l'insolence et engendre l'humilité, la seconde inspire la confiance et réconforte la faiblesse ; l'une rend prudent, l'autre fervent. La première 'enseigne la crainte du Seigneur[a]', la seconde tempère cette crainte par la joie du salut, ainsi qu'il est écrit : 'Que mon cœur se réjouisse, pour qu'il craigne ton nom[b]'. Et encore : 'Servez le Seigneur avec crainte, et exultez pour lui en tremblant[c].'

11. Nous sommes entraînés lorsque nous sommes éprouvés par les tentations et les tribulations ; nous courons lorsque, visités par les consolations et les inspirations intérieures, nous respirons des parfums exquis. C'est pourquoi ce qui paraît austère et dur, je le réserve pour moi, qui suis forte, saine et parfaite, et je dis au singulier : 'Entraîne-moi'. Ce qui est doux et agréable, je le communique à toi, qui es faible, et je dis : 'Nous courrons.' Je sais que les jeunes filles sont délicates et tendres, et moins aptes à endurer les tentations. Je veux donc qu'elles courent avec moi, non pas qu'elles soient entraînées avec moi ; je veux 'partager avec elles la consolation[a]', non le labeur. Pourquoi ? Parce qu'elles sont

infirmae sunt, et vereor ne deficiant nec succumbant. Me, inquit, o Sponse, corripe, me exerce, me tenta, me trahe post te, *quoniam ego in flagella parata sum*[b], et potens 15 ad sustinendum. Ceterum simul curremus : sola trahar, sed simul curremus. Curremus, curremus, sed in odore unguentorum tuorum, non in nostrorum fiducia meritorum; nec in magnitudine virium nostrarum currere nos confidimus, sed *in multitudine miserationum tuarum*[c]. 20 Nam et si quando cucurrimus ac voluntariae fuimus, *non* fuit *volentis, neque currentis, sed miserentis Dei*[d]. Revertatur miseratio, et curremus. Tu quidem in virtute tua, tamquam gigas et potens, curris[e]; nos, nisi unguenta tua spiraverint, non curremus. Tu, quem Pater *unxit oleo lae-* 25 *titiae prae consortibus tuis*[f], curris in ipsa unctione; nos 129 in illius odore curremus : tu in plenitudine, nos in odore. » Tempus esset ut persolverem quod de unguentis sponsi longe supra promisisse me memini, si non huius sermonis longitudo vetaret. Differo ergo : nam et materiae 30 dignitas arctari molesta brevitate non patitur. Rogate Dominum unctionis, ut *voluntaria oris mei beneplacita facere*[g] dignetur, ad insinuandam vestris desideriis *memoriam abundantiae suavitatis suae*[h], quae est in sponso Ecclesiae, Iesu Christo Domino nostro.

b. Ps. 37, 18 ≠ c. Ps. 68, 17 ≠ d. Rom. 9, 16 ≠ e. Cf. Ps. 18, 6 f. Ps. 44, 8 ≠ g. Ps. 118, 108 ≠ h. Ps. 144, 7 ≠

faibles, et je crains qu'elles ne défaillent et ne succombent. Quant à moi, dit-elle, ô mon Époux, corrige-moi, exerce-moi, éprouve-moi, entraîne-moi sur tes pas, 'car je suis prête à recevoir les coups[b]', et capable de les supporter. Par ailleurs, nous courrons ensemble : je serai seule entraînée, mais nous courrons ensemble. Nous courrons, oui, nous courrons, mais à l'odeur de tes parfums, non pas en nous fiant à nos mérites. Nous ne mettons pas notre confiance dans la grandeur de nos forces, mais 'dans l'abondance de tes miséricordes[c]'. Même si parfois nous nous sommes engagées volontairement dans cette course, 'cela n'a pas été le fait de celui qui veut, ni de celui qui court, mais de Dieu qui fait miséricorde[d]'. Que revienne la miséricorde, et nous courrons. Toi, tu cours par ta force[1], comme un géant[e], un vaillant ; nous, nous ne courrons que si tes parfums exhalent leurs effluves. Toi, que le Père 'a oint d'une huile d'allégresse de préférence à tes compagnons[f]', tu cours grâce à cette onction même. Nous, nous courrons à son parfum : toi dans la plénitude, nous au parfum. » Ce serait le moment de tenir la promesse que je me souviens vous avoir faite il y a longtemps, à propos des parfums de l'Époux. Mais la longueur de ce sermon s'y oppose. Je remets donc à plus tard, car la noblesse du sujet ne permet pas qu'on le resserre dans des limites gênantes. Priez le Seigneur de l'onction pour qu'il daigne « agréer les offrandes de ma bouche[g] ». Ainsi je pourrai éveiller vos désirs « par la mémoire de cette abondante douceur[h] », qui est dans l'Époux de l'Église, notre Seigneur Jésus-Christ.

1. Le § 11 se présente comme un monologue de l'épouse. Elle se distingue d'abord des jeunes filles et s'adresse ensuite à l'Époux *(Tu quidem in virtute tua).*

SERMO XXII

I. Quod diversa Sponsus habeat unguenta et quod fons sapientiae diversos habeat usus. – II. De quatuor Sponsi unguentis. – III. Quomodo haec quatuor unguenta nobis Christus exhibuit. – IV. Qua diversitate in his unguentis curratur. – V. Quod non sint quaerendae horum unguentorum species, et quod ignorantes Christum minime virtutes habeant.

I. Quod diversa Sponsus habeat unguenta et quod fons sapientiae diversos habeat usus.

1. Si ita pretiosa, ita magnifica sponsae unguenta inventa sunt, quemadmodum cum tractarentur audistis, Sponsi qualia sunt? Et si digne ea nos prout sunt non sufficimus explicare, haud dubium tamen quin excellentior horum
5 virtus et gratia efficacior sit, quorum solus non solum adolescentulas, sed ipsam quoque sponsam odor excitat ad currendum. Si enim advertis, nil tale de propriis unguentis ausa est polliceri. Et quidem illa optima esse gloriatur; sed non dicit tamen, quia in eis cucurrisset aut
10 curreret, quod in istorum solo odore promittit. Quid, si ipsam unctionem in se effusam sentiret, cuius ita tenui exhilarata fragrantia permovetur ut currat? Mirum, si non et volaret. Sed dicit aliquis : « Desine iam commendare; satis, cum ea coeperis assignare, apparebit quid sint. »
15 Non. Minime ego istud polliceor. Sane an vel ipsa sint

SERMON 22

I. L'Époux possède des parfums de toutes sortes. La fontaine de la sagesse se prête à toute sorte d'usages. – II. Les quatre parfums de l'Époux. – III. De quelle manière le Christ nous a fait sentir ces quatre parfums. – IV. On court après ces parfums de diverses façons. – V. Il ne faut pas chercher à connaître les essences de ces parfums. Ceux qui ignorent le Christ ne possèdent nullement les vertus.

I. L'Époux possède des parfums de toutes sortes. La fontaine de la sagesse se prête à toute sorte d'usages.

1. Si les parfums de l'épouse sont si précieux et si somptueux, comme vous l'avez entendu dans le sermon précédent, quels ne doivent pas être ceux de l'Époux? Même si nous ne sommes pas de taille à expliquer dignement leur nature, il n'est pas douteux cependant que leur pouvoir soit bien supérieur et leur grâce plus efficace. Leur simple odeur incite à courir non seulement les jeunes filles, mais l'épouse elle-même. Si en effet vous y prêtez attention, elle n'a osé promettre rien de tel à propos de ses propres parfums. Bien sûr, elle dit fièrement qu'ils sont les plus exquis, mais non qu'elle ait couru ou doive courir à leur suite, ainsi qu'elle promet de le faire à la seule odeur des parfums de l'Époux. Que ferait-elle, si elle sentait se répandre en elle cette onction, dont un léger effluve la réjouit tellement qu'il la fait courir? Il serait étonnant qu'elle ne s'envole pas. Mais quelqu'un dira : « Cesse de louer ces parfums; on verra bien ce qu'ils sont, quand tu commenceras à les expliquer. » Non. Je ne vous promets point cela. Crois-

quae animo suggeruntur dicenda, crede mihi, adhuc nescire me fateor. Existimo enim sponsum varias aromatum atque unguentorum habere species, et non paucas;
130 et alias quidem esse in quibus singulariter oblectatur
20 sponsa, tamquam propinquior ac familiarior; alias vero quae usque ad adolescentulas perveniunt; alias quae pertingunt etiam ad longe positos extraneos, ut *non sit qui se abscondat a calore eius*[a]. Sed licet *suavis Dominus universis*[b], maxime tamen domesticis : et quanto quis ei fami-
25 liarius pro vitae meritis ac mentis puritate appropiat, tanto eum arbitror recentiorum aromatum et unctionis suavioris sentire fragrantiam.

2. Porro in huiusmodi non capit intelligentia, nisi quantum experientia attingit. Ego vero haud temere mihi arrogaverim sponsae praerogativam. Novit Sponsus quibus deliciis Spiritus foveat dilectam, quibus singulariter refo-
5 cillet sensus eius inspirationibus et mulceat odoramentis. *Sit sibi fons proprius, in quo ei non communicet alienus, nec* indignus *bibat ex eo*[a] : est quippe *hortus conclusus,*

1. a. Ps. 18, 7 ≠ b. Ps. 144, 9
2. a. Cf. Prov. 5, 16-18 (Patr.)

---

1. *Maxime tamen domesticis,* «Tout spécialement pour ses familiers». *RB* 53, 2 (*SC* 182, 612-613).

2. «En ces matières, l'intelligence ne saisit que ce que l'expérience éprouve.» Il n'est pas facile de comprendre *(capere)* les parfums de l'Époux. L'expérience elle-même reste inexprimable. Ailleurs Bernard oppose connaissance et goût de Dieu : *SCt* 9, 3 (*SC* 414, 201).

3. «Que l'épouse soit pour lui une source réservée : que nul étranger n'y ait part avec lui.» Paroles de Bernard qui ont trouvé un grand retentissement auprès des béguines de la première génération. Pour ce qui concerne Hadewijch d'Anvers, voir *SC* 414, 101, n. 4 sur *SCt* 3, 1. Pour Mechtilde de Magdebourg, voir *Das fliessende Licht der Gottheit* II, 19 (éd. M. Schmidt, Stuttgart 1995, p. 55, n. 68).

moi, j'avoue ne pas savoir encore s'ils sont en eux-mêmes tels qu'ils se présentent à mon esprit. Je pense en effet que l'Époux possède des aromates et des parfums de toutes sortes, et en grand nombre. Il y en a dont seule l'épouse peut jouir, car elle est plus proche et plus intime de l'Époux. D'autres par contre parviennent jusqu'aux jeunes filles. D'autres enfin atteignent même les étrangers fort éloignés, afin que «personne n'échappe à sa chaleur[a]». Mais, bien que «le Seigneur soit doux pour toutes les créatures[b]», il l'est tout spécialement pour ses familiers[1]. Plus on entre dans son intimité par les mérites de la vie et la pureté de l'esprit, mieux on sent, je crois, la fraîcheur des aromates et la douceur de l'onction.

2. Mais, en ces matières, l'intelligence ne saisit que ce que l'expérience éprouve[2]. Pour ma part, je n'irai pas m'arroger présomptueusement la prérogative de l'épouse. L'Époux sait de quelles délices l'Esprit gratifie sa bien-aimée, de quelles inspirations particulières il ranime ses sens et de quels parfums il la caresse. Que l'épouse «soit pour lui une source réservée; que nul étranger n'y ait part avec lui[3], que l'homme indigne n'y boive point[a4]».

4. * Dans ce paragraphe, une série de mots renvoient à ces 3 versets des *Proverbes*, soit *Vg*, soit *Vl*; cf. *SC* 414, 101, n. 4 sur *SCt* 3, 1. Ces allusions sont précédées d'un centon biblique. La phrase *Novit... odoramentis* pourrait de fait être commentée ainsi : *Novit* = *II Tim*. 2, 19 *(Vl)*; *deliciis* = *Cant*. 8, 5; *foveat dilectam* = *Éphés*. 5, 25 et *Cant.*, *passim*; *singulariter* = *Ps*. 146, 10; *refocillet* = *Lam*. 1, 11. 19. Au § 4, on retrouvera, discrètement évoqué, *Proverbes* 5, 16 *(Vg)*. Les divers fils *Vl* des *Proverbes* insérés dans ce texte se trouvent chez de nombreux Pères : *communicet (-at)* se référant à *Prov*. 5 est 23 fois dans *PL* avant Bernard; *forte... hauriant*, lui, s'y trouve 11 fois. La source essentielle est Augustin, en plusieurs passages de ces 3 œuvres : *Comm. in Iam Iohannis, De unitate Ecclesiae, Contra Cresconium*.

fons signatus[b]. Ceterum *derivantur aquae* inde *in plateas*[c]. Eas me habere ad manum fateor, dum tamen *nemo mihi*
10 *molestus sit*[d] aut ingratus, si de publico haurio et propino. Nam ut paulisper ministerium meum in hac parte commendem, nonnullius profecto fatigationis est atque laboris, quotidie exire scilicet, et haurire etiam de manifestis rivulis Scripturarum, et ex eis singulorum necessitatibus inservire,
15 ut absque suo labore quisque vestrum praesto habeat aquas spirituales ad omne opus, verbi gratia, ad lavandum, ad potandum, ad cibos coquendos. Est nimirum *aqua sapientiae salutaris*[e] sermo divinus, non modo potans, sed et lavans, dicente Domino : *Et vos mundi estis propter*
20 *sermonem quem locutus sum vobis*[f]. Sed et crudos carnis cogitatus, igne Sancti Spiritus accedente, coquit divinum eloquium ac vertit in sensus spirituales et cibos mentis, ita ut dicas : *Concaluit cor meum intra me, et in meditatione mea exardescet ignis*[g].

3. Qui mente sane puriori per seipsos apprehendere sublimiora sufficiunt, quam per nos proferantur, non solum non prohibeo, sed et multum congratulor, dum et ipsi

b. Cant. 4, 12 c. Prov. 5, 16 (Patr.) d. Gal. 6, 17 e. Sir. 15, 13 f. Jn 15, 3 ≠ g. Ps. 38, 4

1. Verset 4, 12 du *Cantique*, que Bernard a commenté plusieurs fois, même si ses sermons s'arrêtent au *Cant.* 3, 4. Voir surtout 47, 4 (*SBO* II, 64, 3) où le « jardin clos » est un symbole de la virginité. Marguerite Porete cite le verset dans le même contexte (*Speculum animarum simplicium* 120, 11, *CCM* 69, 336-337). Plus tard le verset biblique amènera les béguines à construire des « jardins clos » qui étaient parfois de vraies œuvres d'art.

2. Bernard se compare ici aux semainiers de cuisine, qui, le matin avant prime, vont puiser de l'eau dans le puits du préau du cloître. Voir P. VERNET, « *In campis silvae... Pusillus grex* », *ACist* 52 (1996), p. 270-271.

3. * L'expression *rivuli Scripturarum* ne se trouve guère, dans *PL*, qu'ici et dans JUSTE D'URGEL, *Explicatio in Cantica canticorum* (*PL* 67,

Car elle est « un jardin fermé, une source scellée[b][1] ». Mais « les eaux en ruissellent sur les places[c] ». Ces eaux-là, je peux l'affirmer, sont à portée de ma main. Pourvu toutefois que « personne ne se montre hostile[d] » ou ingrat « à mon égard », si je puise à la fontaine publique pour donner à boire[2]. Si je puis attirer votre attention sur cet aspect de mon ministère, j'avoue qu'il est assez fatigant et pénible de sortir chaque jour pour puiser même aux ruisseaux publics des Écritures[3]. Il faut ensuite en distribuer à chacun selon ses besoins, afin que chacun de vous ait sans peine à sa disposition les eaux spirituelles pour toute sorte d'usages : par exemple pour laver, pour boire, pour cuire les aliments. Oui, la parole divine est « une eau de sagesse salutaire[e] ». Non seulement elle désaltère, mais encore elle lave, suivant ce que dit le Seigneur : « Et vous, vous êtes purs, grâce à la parole que je vous ai fait entendre[f]. » La parole divine, attisée au feu de l'Esprit-Saint, cuit même les pensées crues de la chair. Elle les change en sens spirituels et aliments pour l'esprit[4]. Ainsi tu peux dire : « Mon cœur s'est échauffé en moi-même, et dans ma méditation le feu va s'allumer[g]. »

3. Il y a des gens qui, grâce à la pureté de leur esprit, sont capables de saisir par eux-mêmes des sens plus profonds que ceux que nous exposons. Loin de les en

982 B) : *Spiritu Sancto repleti, electi eius (...) Scripturarum rivulis populum imbuunt,* « Remplis de l'Esprit-Saint, les amis (de l'Époux) abreuvent le peuple de Dieu aux petits ruisseaux de l'Écriture. » Bernard aurait-il connu ce bref commentaire, proche de lui par l'exégèse et même par le style ?

4. « La parole divine... cuit même les pensées crues de la chair. Elle les change en sens spirituels et aliments pour l'esprit. » Description assez précise du travail exégétique de Bernard : il change les images et symboles charnels du *Cantique* en aliments pour l'esprit. Les hommes du Moyen Age raffolaient de cette manière d'allégoriser (disciples tardifs de l'école alexandrine).

nos patiantur simpliciora simplicioribus ministrare. *Quis*
5 *dabit* mihi *ut omnes prophetent*[a]? Utinam mihi necesse
non esset in his occupari! Utinam aut alteri cura incumberet ista, aut certe, quod mallem, nemo in vobis esset
qui ea indigeret, essentque *omnes docibiles Dei*[b], et ego
131 possem *vacare et videre quoniam* speciosus *est Deus*[c]!
10 Nunc vero quoniam minime interim, non dico intueri, sed
nec inquirere quidem licet, quod sine lacrimis non loquor,
Regem in decore suo[d] sedentem super Cherubim[e],
sedentem super solium excelsum et elevatum[f], in ea forma,
qua aequalis Patri *in splendoribus sanctorum ante luci-*
15 *ferum genitus est*[g], *in qua* et *semper desiderant angeli*
eum *prospicere*[h], Deum apud Deum[i] : ipsum saltem
hominem homo hominibus loquor secundum eam formam
in qua, ut se manifestum nimia sua dignatione et dilectione praeberet, *minoratus ab angelis*[j] *in sole posuit taber-*
20 *naculum suum, tamquam sponsus procedens de thalamo*
suo[k]. Suavem magis quam sublimem, et unctum, non
altum loquor, qualem denique *Spiritus Domini unxit et*
misit evangelizare pauperibus, mederi contritis corde, prae-

3. a. Nombr. 11, 29 ≠ b. Jn 6, 45 c. Ps. 45, 11 ≠ d. Is. 33, 17 e. Cf. Ps. 98, 1 etc. f. Is. 6, 1 g. Ps. 109, 3 ≠ h. I Pierre 1, 12 (Patr.) i. Cf. Jn 1, 1 j. Hébr. 2, 9 (Lit.) k. Ps. 18, 6 ≠

---

1. Bernard se plaint du fait qu'il doit parler souvent à sa communauté et lui expliquer la parole de Dieu. Cf. *SCt* 22, 4 : « Quant à moi, je mets en commun ce que j'ai puisé à la tradition commune. »

2. * Ici, Bernard ajoute au texte biblique *et semper,* « même sans cesse ». L'ajout *etiam* (4 fois) ou *et* (3 fois), « même », se rencontre souvent chez les Pères. *Semper,* qui est 2 autres fois dans Bernard, n'a été trouvé que dans GRÉGOIRE LE GRAND, *Moralia* XVIII, 54 (*CCL* 143 A, 954-955) ; encore Grégoire dit-il bien que c'est là un texte composite (*Matth.* 18, 10) ; mais le ton de ce passage était fait pour plaire à Bernard. On retrouvera ce verset dans *SCt* 25, 9, l. 9-10, avec la variante,

empêcher, je les félicite vivement, pourvu qu'ils me laissent proposer des interprétations plus simples aux esprits plus simples. «Qui me fera cette grâce, que tous aient le don de prophétie[a]?» Si seulement je n'avais plus à m'occuper de cela[1]! Si seulement cette tâche incombait à un autre, ou, mieux encore, si personne d'entre vous n'en avait besoin, et si vous étiez «tous enseignés par Dieu[b]»! Je pourrais alors «avoir du loisir pour contempler la beauté de Dieu[c]». Mais, pour le moment, il m'est interdit, je ne dis pas de voir, mais même – je l'avoue en pleurant – de chercher à connaître «le Roi assis dans son éclat[d]» sur les Chérubins[e], «sur un trône magnifique et élevé[f]», dans la forme où «il a été engendré égal au Père parmi les splendeurs des saints, avant l'astre de l'aurore[g]». C'est ainsi que «les anges aussi désirent le contempler sans cesse[h2]»: Dieu auprès de Dieu[i]. Pour moi, homme parlant à des hommes, je vous le montre homme, selon la forme en laquelle il s'est manifesté par un excès de complaisance et d'amour. «Abaissé au-dessous des anges[j3]», «il a planté sa tente en plein soleil, comme un époux qui sort de la chambre nuptiale[k].» Je le montre doux plutôt que majestueux, oint et non pas sublime. Bref, tel que «l'Esprit du Seigneur l'a oint et l'a envoyé porter la bonne nouvelle aux pauvres, panser les cœurs meurtris, proclamer aux captifs le pardon et aux prison-

elle-même patristique, *concupiscant,* ainsi que dans *SCt* 27, 7, l. 35-36, avec le même *concupiscunt.* Bernard, qui ne s'appuie jamais que sur ces quelques mots, ne traite pas de l'Esprit comme le fait la *Vl,* mais du Christ, et du Christ de la théologie paulinienne (*Éphés., Hébr.,* avec le mot *forma*); cf. *Adv* 2, 4 (*SBO* IV, 173, l. 12).

3. * Allusion à *Hébr.* 2, 9 (voir aussi le verset 7), et par là à *Ps.* 18, 6. Elle fait partie d'une longue série dans les *SBO*; cf. *Nat* 2, 4 (*SBO* IV, 254, l. 12). Le mot *minoratus,* ici, fait penser à une antienne des matines de la Transfiguration.

dicare captivis indulgentiam et clausis apertionem, prae-
25 *dicare annum placabilem Domino*[1].

II. De quatuor Sponsi unguentis.

4. Salvo igitur cuique quod forte sublimius subtiliusque de Sponsi unguentis speciali munere sentire sibi et experiri donatum est, ego quod de communi accepi, profero in commune. Ipse siquidem *fons vitae*[a], ipse *fons signatus,*
5 de intra *hortum conclusum*[b] erumpens, per os Pauli fistulam suam, tamquam vere illa sapientia quae, iuxta beati Iob sententiam, *trahitur de occultis*[c], in quatuor se rivos diffudit[d] et *derivavit in plateas*[e], ubi videlicet et assignat *nobis* eum *factum a Deo sapientiam, et iustitiam, et sanc-*
10 *tificationem, et redemptionem*[f]. Ex his utique quatuor rivis, tamquam pretiosissimis unguentis – nil enim obstat utrumque intelligi, et aquam, et unctionem : aquam quia mundant, unctionem quia fragrant – ex his, inquam, quatuor praemissis, tamquam unguentis pretiosissimis,
15 *super montes aromatum*[g] de caelestibus speciebus confectis, tanta Ecclesiae nares odoris suavitas replevit, ut mox a quatuor mundi partibus excitata illa dulcedine, supernum properet ad Sponsum, tamquam vere illa *regina Austri* festinans *a finibus terrae audire sapientiam Salo-*
20 *monis*[h], opinionis siquidem odore provocata.

132 **5.** Sane et Ecclesia non ante currere valuit in odore sui Salomonis, quousque is, qui ab aeterno ex Patre

1. Is. 61, 1-2 ≠
4. a. Ps. 35, 10 b. Cant. 4, 12 ≠ c. Job 28, 18 ≠ d. Cf. Gen. 2, 10 e. Prov. 5, 16 ≠ f. I Cor. 1, 30 ≠ g. Cant. 8, 14 h. Matth. 12, 42 ≠

1. * Texte composite, où Bernard se souvient également de *Luc* 4, 18-19, voire de certains textes de la liturgie de l'Avent. Un texte presque identique à la *Vg* d'*Isaïe* se trouve dans *SCt* 16, 13, l. 13-17, et un texte où seul *evangelizandum* rappelle *Luc* se trouve dans *SCt* 32, 3, l. 25-28.

niers la délivrance, proclamer une année de grâce pendant laquelle le Seigneur se laisse apaiser[l1]».

II. Les quatre parfums de l'Époux.

4. Au sujet des parfums de l'Époux, laissant à chacun les sens plus élevés et plus pénétrants que Dieu, par une faveur spéciale, lui a donné de percevoir et de connaître par expérience, je mets en commun ce que j'ai puisé à la tradition commune. Car «la source de vie elle-même[a2]», la «source scellée», a jailli du «jardin fermé[b]» par la bouche de Paul, qui lui sert de canal, toute semblable à cette sagesse qui, selon le dire du bienheureux Job, «sort des lieux cachés[c]». Cette source s'est répandue en quatre ruisseaux[d] et «s'est écoulée sur les places[e]», où elle nous montre que «Dieu l'a faite pour nous sagesse, justice, sanctification et rédemption[f3]». Ces quatre ruisseaux sont comme autant de parfums très précieux, car rien n'empêche d'y voir deux sens : l'eau et l'onction. L'eau parce qu'ils purifient, l'onction parce qu'ils embaument. De ces quatre ruisseaux, dis-je, semblables à autant de parfums très précieux composés d'essences célestes «sur les montagnes des aromates[g]», une odeur suave est montée aux narines de l'Église. Éveillée par une telle douceur, elle accourt aussitôt des quatre parties du monde vers l'Époux divin, pareille à cette «reine du Midi qui se hâta des extrémités de la terre pour écouter la sagesse de Salomon[h]», attirée par la bonne odeur de sa renommée.

5. Certes, l'Église elle-même n'a pu courir au parfum de son Salomon jusqu'à l'heure où celui qui, de toute

2. *Fons vitae,* «La source de la vie». Voir GUILL. DE S.-TH., *Exposé sur le Cantique* 155 (*SC* 82, 330-331).

3. Les quatre parfums de l'Époux (sagesse, justice, sanctification et rédemption) vont être décrits plus nettement aux paragraphes 5 à 9.

sapientia erat, factus est ei in tempore a Patre *sapientia,* quo ipsius odorem percipere posset. Sic *iustitia,* sic *sanc-*
5 *tificatio,* sic *et redemptio* nihilominus ei *factus est*[a], ut horum quoque in odore currere posset, cum haec aeque omnia in se ante omnia esset. Nam *in principio* quidem *erat Verbum*[b]; sed tunc demum ad videndum ipsum pastores *venerunt festinantes*[c], cum nuntiatum est factum.
10 Denique et *loquuntur ad invicem : Transeamus usque Bethleem, et videamus hoc verbum quod factum est, quod fecit Dominus et ostendit nobis*[d]. Et sequitur, quia *venerunt festinantes.* Prius non se movebant, dum *Verbum erat* tantum *apud Deum*[e]. At ubi Verbum, quod erat, factum
15 est, ubi hoc Dominus fecit et ostendit, tunc *venerunt festinantes,* tunc cucurrerunt. Quomodo ergo *in principio erat Verbum,* sed *Verbum erat apud Deum*[f], factum est autem quatenus esse inciperet apud homines, sic nihilominus in principio sapientia erat, erat iustitia, erat sanc-
20 tificatio, et redemptio, sed angelis ; ut esset et hominibus, fecit eum Pater haec omnia, et fecit quod Pater. Denique *qui factus est,* inquit, *nobis sapientia a Deo*[g]. Et non ait simpliciter : « qui factus est sapientia », sed : *Qui factus est nobis sapientia,* quoniam quod erat angelis, factus est
25 et nobis.

6. « At angelis, inquis, quonam modo redemptio fuerit non video. Nec enim auctoritas Scripturarum uspiam assentire videtur eos aliquando aut peccato exstitisse captivos, aut morti obnoxios[a], ut necessariam haberent
5 redemptionem, exceptis dumtaxat illis qui, superbiae lapsu irremediabili corruentes, redimi deinceps non merentur.

5. a. I Cor. 1, 30 ≠ b. Jn 1, 1 c. Lc 2, 16 d. Lc 2, 15 ≠ e. Jn 1, 1 ≠ f. Jn 1, 1 ≠ g. I Cor. 1, 30 ≠
6. a. Cf. II Sam. 19, 28

éternité, était la sagesse engendrée du Père, a été fait pour elle par le Père « sagesse » dans le temps, pour qu'elle puisse percevoir son parfum. De même, « il a été fait pour elle justice, sanctification et rédemption[a] », pour qu'elle puisse courir également à leurs parfums. Mais il était tout cela en lui-même avant toutes choses. Car « au commencement était le Verbe[b] ». Cependant, les bergers ne « vinrent en hâte[c] » pour le voir qu'au moment où on leur annonça qu'il était fait homme. Aussi « se disent-ils l'un à l'autre : Allons jusqu'à Bethléem, et voyons ce Verbe qui a été fait homme, que le Seigneur a fait et qu'il nous a montré[d] ». Il est écrit ensuite qu'ils « vinrent en hâte ». Jusque-là, tant que « le Verbe n'était que près de Dieu[e] », ils n'avaient pas bougé. Mais lorsque le Verbe, qui était près de Dieu, fut fait homme, lorsque le Seigneur le fit et le montra, alors « ils vinrent en hâte », alors ils se mirent à courir. Ainsi donc, « au commencement était le Verbe, mais le Verbe était près de Dieu[f] » ; cependant il a été fait homme, pour qu'il commence à être aussi près des hommes. De la même manière, au commencement il était sagesse, justice, sanctification et rédemption, mais pour les anges. Afin qu'il le soit également pour les hommes, le Père l'a fait tout cela. Lui-même a fait ce qu'a fait le Père. Aussi est-il écrit : « Lui qui a été fait par Dieu sagesse pour nous[g]. » Et le texte ne dit pas simplement : « Lui qui a été fait sagesse », mais « lui qui a été fait sagesse pour nous ». Car il a été fait aussi pour nous ce qu'il était pour les anges.

6. « Mais, diras-tu, je ne vois pas comment il a été rédemption pour les anges. En effet, nulle part l'autorité des Écritures ne semble affirmer qu'ils aient jamais été prisonniers du péché ou sujets à la mort[a], pour avoir besoin de rédemption – hormis ceux qui, tombés dans la faute irréparable de l'orgueil, ne méritent plus d'être

Si itaque angeli numquam redempti sunt, alii utique non egentes, alii non promerentes, illi quidem quia nec lapsi sunt, hi autem quia irrevocabiles sunt, quo pacto tu
10 Dominum Christum eis fuisse redemptionem dicis ? » Audi breviter. Qui erexit hominem lapsum, dedit stanti angelo ne laberetur, sic illum de captivitate eruens, sicut hunc a captivitate defendens. Et hac ratione fuit aeque utrique redemptio, solvens illum et servans istum. Liquet ergo
15 sanctis angelis Dominum Christum fuisse redemptionem, sicut iustitiam, sicut sapientiam, sicut sanctificationem ; et nihilominus tamen haec ipsa quatuor esse factum propter
133 homines, qui *invisibilia Dei,* nonnisi *per ea quae facta sunt intellecta, conspicere*[b] possunt. Sic ergo omne quod
20 erat angelis, factus est nobis. Quid ? Sapientia, iustitia, sanctificatio, redemptio : sapientia in praedicatione, iustitia in absolutione peccatorum, sanctificatio in conversatione quam habuit cum peccatoribus, redemptio in passione quam sustinuit pro peccatoribus. Ubi ergo haec a Deo
25 factus est, tunc Ecclesia odorem sensit, tunc cucurrit.

III. Quomodo haec quatuor unguenta nobis Christus exhibuit.

7. Vide iam quadrifariam unctionem, vide affluentissimam atque inaestimabilem suavitatem eius, quem *unxit* Pater *oleo laetitiae prae consortibus suis*[a]. *Sedebas,* o homo,

b. Rom. 1, 20 ≠
7. a. Ps. 44, 8 ≠

---

1. « Les anges tombés ne méritent plus d'être rachetés. » Bernard semble avoir connu les canons du Synode de Constantinople promulgués en 543 : « Le Christ ne se fera pas crucifier pour le salut des anges déchus » (*Denz. Schönmetzer* 409 et 411). Cf. FRANÇOIS DE SALES, *Sermon pour le 2e dimanche du carême* : « Entretien qui causera (aux hommes sauvés) une consolation telle que les Anges, au dire de saint Bernard, n'en sont pas capables. Car si bien Nostre Seigneur est leur Sauveur, et qu'ils ayent esté sauvés par sa mort, il n'est pourtant pas leur

rachetés[1]. Les anges donc n'ont jamais été rachetés, les uns parce qu'ils n'en ont pas besoin, n'étant pas tombés, les autres parce qu'ils ne le méritent pas, étant impardonnables. Comment peux-tu dire alors que le Seigneur Christ a été rédemption pour eux? » Écoute un instant. Celui qui a relevé l'homme tombé a maintenu l'ange debout, pour qu'il ne tombe pas ; il a arraché l'un à la captivité, il en a préservé l'autre[2]. Voilà pourquoi il a été également rédemption pour tous deux, déliant l'un et gardant l'autre. Il est donc clair que le Seigneur Christ a été, pour les saints anges, rédemption autant que justice, sagesse et sanctification. Et néanmoins le Christ a été fait ces quatre mêmes qualités pour les hommes, qui ne peuvent « percevoir les perfections invisibles de Dieu sinon à travers ce qui a été fait[b] ». Ainsi, le Christ a été fait pour nous tout ce qu'il était pour les anges. Quoi donc? Sagesse, justice, sanctification, rédemption : sagesse par la prédication, justice par la rémission des péchés, sanctification par sa fréquentation des pécheurs, rédemption par la Passion qu'il a endurée pour eux. Lors donc qu'il a été fait tout cela par la volonté de Dieu, l'Église a senti son parfum et s'est mise à courir.

III. De quelle manière le Christ nous a fait sentir ces quatre parfums.

7. Considère maintenant la quadruple onction, considère la douceur débordante et inestimable de celui que le Père « a oint d'une huile d'allégresse de préférence à ses compagnons[a] ». « Tu gisais, ô homme, dans les ténèbres

Rédempteur, d'autant qu'il ne les a pas rachetés, ains seulement les hommes » (*Œuvres,* Annecy 1894, X, p. 246).

2. FULGENCE, *Ad Trasimundum* II, 3 (*PL* 65, 246 D) : « La vertu du Christ était nécessaire à la rédemption de l'homme. C'est la même vertu qui a su préserver l'ange de la chute et qui a su réparer l'homme tombé après sa faute. »

in tenebris et umbra mortis[b] per ignorantiam veritatis,
5 sedebas vinctus catenis delictorum. Descendit ad te in carcerem, non ut torqueret, sed ut *erueret de potestate tenebrarum*[c]. Et primo quidem veritatis doctor depulit umbram ignorantiae tuae luce sapientiae suae. Per *iustitiam* deinde, *quae ex fide est*[d], solvit *funes peccatorum*[e],
10 *gratis iustificans*[f] peccatorem. Quo gemino beneficio implevit sermonem illum sancti David : *Dominus solvit compeditos, Dominus illuminat caecos*[g]. Addidit quoque sancte inter peccatores vivere, et sic tradere formam vitae, tamquam viae qua redires ad patriam. Ad cumulum
15 postremo pietatis *tradidit in mortem animam suam*[h], et de proprio latere protulit pretium satisfactionis[i] quo placares Patrem; per quod illum plane ad se versiculum traxit : *Apud Dominum misericordia, et copiosa apud eum redemptio*[j]. Prorsus copiosa, quia non gutta, sed unda
20 sanguinis largiter per quinque partes corporis emanavit.

8. *Quid tibi debuit facere, et non fecit*[a]? Illuminavit caecum[b], solvit vinctum, reduxit erroneum, reconciliavit reum. Quis non post illum libenter et alacriter currat, qui et ab errore liberat, et errata dissimulat[c], qui deinde merita
5 vivendo tradit, praemia moriendo conquirit? Quam excusationem habet qui in odore unguentorum horum non currit, nisi ad quem forte minime odor pervenit? Sed enim *in omnem terram exivit*[d] *odor vitae*[e], quoniam *misericordia Domini plena est terra*[f], *et miserationes eius super*
10 *omnia opera eius*[g]. Ergo qui vitalem hanc sparsam ubique

b. Lc 1, 79 ≠ c. Col. 1, 13 ≠ d. Rom. 9, 30 ≠ e. Ps. 118, 61 f. Rom. 3, 24 ≠ g. Ps. 145, 7-8 h. Is. 53, 12 ≠ i. Cf. Jn 19, 34 j. Ps. 129, 7

8. a. Is. 5, 4 (Lit.) b. Cf. Ps. 145, 8 c. Cf. Sag. 11, 24 d. Ps. 18, 5 e. II Cor. 2, 16 f. Ps. 32, 5 g. Ps. 144, 9

1. * Ces quelques mots, que l'on retrouve 11 fois dans les *SBO,* apparaissent marqués, par le fait de l'emploi de la 2[e] personne, par

et l'ombre de la mort[b] » par l'ignorance de la vérité ; tu gisais retenu par les chaînes des péchés. Il est descendu vers toi dans la prison, non pour te torturer, mais pour « t'arracher au pouvoir des ténèbres[c] ». Avant tout, docteur de vérité, il a chassé l'obscurité de ton ignorance par la lumière de sa sagesse. Ensuite, par « la justice qui vient de la foi[d] », il a brisé « les liens des péchés[e] », « en justifiant gratuitement[f] » le pécheur. Par ce double bienfait, il a accompli la parole de David : « Le Seigneur délie les enchaînés ; le Seigneur donne la lumière aux aveugles[g]. » Par surcroît, il a vécu saintement parmi les pécheurs : il a ainsi donné un modèle de vie, une voie par où tu peux revenir dans la patrie. Enfin, pour comble de bonté, « il a livré son âme à la mort[h] », et de son flanc transpercé il a tiré le prix de la satisfaction[i] qui te permet d'apaiser le Père. Par là, il s'est pleinement approprié ce verset : « Auprès du Seigneur la miséricorde, auprès de lui une rédemption abondante[j]. » Oui, abondante, car ce n'est pas une goutte, mais un flot de sang qui a coulé à profusion des cinq plaies de son corps.

8. « Que devait-il faire pour toi qu'il n'ait pas fait[a 1] ? » Il a donné la lumière à l'aveugle[b], délié le captif, ramené l'égaré, réconcilié le coupable. Qui ne courrait avec joie et empressement sur les pas de celui qui délivre de l'erreur et ne tient pas compte des fautes[c], qui par sa vie nous confère les mérites et par sa mort nous acquiert les récompenses ? Quelle excuse peut avoir l'homme qui ne court pas à l'odeur de ces parfums, à moins que cette odeur ne lui soit pas parvenue ? Mais en fait « l'odeur de la vie[e] » « s'est répandue par toute la terre[d] », car « la terre a été remplie de la miséricorde du Seigneur[f] », et « ses bontés s'étendent sur toutes ses œuvres[g] ». Celui

les Impropères du Vendredi saint ; cf. *Csi* IV, 8 (*SBO* III, 455, l. 7), où l'on a, au vocatif, *populi meus*. Ici délibérément Bernard passe du peuple de Dieu à l'épouse du *Cantique*.

fragrantiam non sentit, et ob hoc non currit, aut mortuus
134 est, aut putidus. Fragrantia fama est. Praevenit opinionis
odor, excitat ad currendum, perducit ad unctionis experimentum, ad bravium visionis. Vox una laetantium
15 omnium pervenientium : *Sicut audivimus, sic vidimus in civitate Domini virtutum*[h]. Omnino *propter mansuetudinem*[i], quae in te praedicatur, currimus post te, Domine Iesu, audientes quod non spernas pauperem, peccatorem non horreas. Non horruisti latronem confitentem[j], non
20 lacrimantem peccatricem[k], non Chananaeam supplicantem[l], non deprehensam in adulterio[m], non sedentem in teloneo[n], non supplicantem publicanum[o], non negantem discipulum[p], non persecutorem discipulorum[q], non ipsos crucifixores tuos[r]. In odore horum currimus.
25 Porro sapientiae tuae odorem ex eo percipimus quod audivimus, quia *si quis indiget sapientia, postulet eam a te, et dabis ei*[s]. Aiunt siquidem quod *des omnibus affluenter et non improperes*[s]. At vero iustitiae tuae tanta ubique fragrantia spargitur, ut non solum iustus, sed etiam
30 ipsa dicaris iustitia, et iustitia iustificans. Tam validus denique es ad iustificandum, quam *multus ad ignoscendum*[t]. Quamobrem quisquis pro peccatis compunctus *esurit et sitit iustitiam*[u], *credat in te qui iustificas impium*[v], et solam *iustificatus per fidem, pacem habebit ad Deum*[w].
35 Sanctitate quoque suavissime et copiosissime tua redolet non solum conversatio, sed et conceptio. Peccatum siquidem non commisisti, nec contraxisti. Qui igitur iustificati a peccatis sectari desiderant *sanctimoniam, sine qua nemo videbit Deum*[x], audiant te clamantem : *Sancti*

h. Ps. 47, 9 i. Ps. 44, 5 ≠ j. Cf. Lc 23, 40-43 k. Cf. Lc 7, 44
l. Cf. Matth. 15, 27-28 m. Cf. Jn 8, 3. 11 n. Cf. Matth. 9, 11-13
o. Cf. Lc 18, 10-14 p. Cf. Matth. 26, 69-75 q. Cf. Act. 9, 1. 15
r. Cf. Lc 23, 34 s. Jac. 1, 5 ≠ t. Is. 55, 7 ≠ u. Matth. 5, 6 ≠
v. Rom. 4, 5 ≠ w. Rom. 5, 1 ≠; cf. Rom. 3, 28 x. Hébr. 12, 14 ≠

donc qui ne sent pas cet effluve vivifiant partout répandu, et dès lors ne court pas, est mort ou en putréfaction. L'effluve, c'est la renommée du Christ. L'odeur de sa réputation le précède, elle incite à courir, conduit à l'expérience de l'onction et à la récompense de la vision. Tous ceux qui y parviennent se réjouissent d'une voix unanime : « Comme nous l'avions entendu, nous l'avons vu, en la cité du Seigneur des vertus[h]. » Nous courons sur tes pas, Seigneur Jésus, « à cause de cette mansuétude[i] » qu'on célèbre en toi. Car nous entendons dire que tu ne méprises pas le pauvre, que tu ne repousses pas le pécheur. Tu n'as pas repoussé le larron avouant sa faute[j], ni la pécheresse en larmes[k], ni la Cananéenne suppliante[l], ni la femme surprise en adultère[m], ni l'homme assis au bureau des taxes[n], ni le publicain suppliant[o], ni le disciple qui te reniait[p], ni le persécuteur de tes disciples[q], ni même ceux qui te crucifiaient[r]. C'est à l'odeur de ces parfums que nous courons. Quant à l'odeur de ta sagesse, nous la percevons dès lors que nous avons entendu ces paroles : « Si quelqu'un est dépourvu de sagesse, qu'il t'en fasse la demande, et tu la lui donneras[s]. » On dit en effet que « tu donnes à tous avec magnificence et sans faire de reproche[s] ». L'effluve de ta justice, lui, se répand partout avec une telle intensité qu'on ne t'appelle pas simplement le juste, mais la justice même, et la justice justifiante. Car tu es aussi puissant pour justifier qu'« indulgent pour tout pardonner[t] ». Tout homme qui, touché par le regret de ses péchés, « a faim et soif de justice[u] » « peut croire en toi qui justifies l'impie[v] ». « Justifié par la foi seule, il sera en paix avec Dieu[w]. » Le très doux parfum de la sainteté s'exhale lui aussi en surabondance, non seulement de ta vie, mais déjà de ta conception. Car tu n'as ni commis ni contracté le péché. Ainsi les hommes qui, justifiés de leurs péchés, désirent rechercher « la sainteté, sans laquelle nul ne verra Dieu[x] », t'entendront

40 *estote, quoniam ego sanctus sum*[y]. *Considerent vias tuas*[z], et discant quia *iustus* sis *in omnibus viis tuis, et sanctus in omnibus operibus tuis*[a]. Iam redemptionis odor quantos currere facit! *Cum exaltaris a terra,* tunc prorsus *omnia trahis ad teipsum*[b]. Passio tua ultimum refugium, singulare 45 remedium. Deficiente sapientia, iustitia non sufficiente, sanctitatis succumbentibus meritis, illa succurrit. Quis enim de sua vel sapientia, vel iustitia, vel sanctitate praesumat sufficientiam ad salutem? *Non quod sufficientes,* inquit, 135 *simus cogitare aliquid a nobis tamquam ex nobis, sed suf-* 50 *ficientia nostra ex Deo est*[c]. Itaque *cum defecerit virtus mea*[d], non conturbor, non diffido. *Scio quid faciam*[e] : *Calicem salutaris accipiam, et nomen Domini invocabo*[f]. *Illumina oculos meos*[g], Domine, *ut sciam quid acceptum sit coram te*[h] omni tempore, et sapiens sum. *Delicta iuven-* 55 *tutis meae et ignorantias meas ne memineris*[i], et iustus sum. *Deduc me in via tua*[j], et sanctus sum. Verumtamen nisi interpellet sanguis tuus pro me[k], salvus non sum. Pro his omnibus currimus post te : *dimitte nos, quia clamamus post te*[l].

IV. Qua diversitate in his unguentis curratur.

9. Nec currimus aequaliter omnes in odore omnium unguentorum; sed videas alios vehementius studiis flagrare sapientiae, alios magis ad paenitentiam spe indulgentiae animari, alios amplius ad virtutum exercitium vitae 5 et conversationis eius provocari exemplo, alios ad pietatem passionis memoria plus accendi. Putamus nos de singulis posse reperire exempla? Currebant in odore

y. Lév. 19, 2 ≠ z. Ps. 118, 15 ≠ a. Ps. 144, 17 ≠ b. Jn 12, 32 ≠ c. II Cor. 3, 5 ≠ d. Ps. 70, 9 ≠ e. Lc 16, 4 f. Ps. 115, 13 g. Ps. 12, 4 h. Sag. 9, 10 ≠ i. Ps. 24, 7 j. Ps. 85, 11 ≠ k. Cf. Hébr. 7, 25; Hébr. 12, 24 l. Matth. 15, 23 ≠

clamer : « Soyez saints, parce que moi je suis saint[y]. » « Qu'ils considèrent tes voies[z] » et apprennent que « tu es juste en toutes tes voies, saint en toutes tes œuvres[a] ». L'odeur de la rédemption, combien n'en fait-elle pas courir! « Lorsque tu es élevé de terre, tu attires tout à toi[b]. » Ta Passion est l'ultime refuge, le remède unique. Si la sagesse fait défaut, si la justice ne suffit pas, si les mérites de la sainteté nous manquent, ta Passion vient à notre secours. Car qui pourrait prétendre que sa sagesse, sa justice ou sa sainteté lui suffisent pour son salut? « Ce n'est pas, dit l'Apôtre, que nous soyons capables par nous-mêmes de concevoir quelque chose comme venant de nous, mais notre capacité vient de Dieu[c]. » Lorsque « la force m'aura fait défaut[d] », je ne me troublerai pas, je ne perdrai pas confiance. « Je sais ce que je vais faire[e] » : « Je prendrai la coupe du salut, et j'invoquerai le nom du Seigneur[f]. » « Illumine mes yeux[g] », Seigneur, « pour que je sache ce qui t'est agréable[h] » en tout temps, et me voici sage. « Ne te souviens pas des égarements de ma jeunesse ni de mes erreurs[i] », et me voici juste. « Conduis-moi sur ton chemin[j] », et me voici saint. Mais si ton sang n'intercède pour moi[k], je ne suis pas sauvé. Pour tout cela nous courons sur tes pas. « Fais-nous grâce, car nous crions vers toi[l]. »

IV. On court après ces parfums de diverses façons.

9. Néanmoins, nous ne courons pas tous du même pas à l'odeur de tous ces parfums. Les uns sont surtout embrasés du désir de la sagesse; d'autres sont plutôt poussés au repentir par l'espérance du pardon; certains sont davantage engagés à la pratique des vertus par l'exemple de la vie du Christ et de sa conduite; d'autres enfin sont entraînés à la piété surtout par le souvenir de sa Passion. Voyons, est-ce que nous allons trouver des exemples de chacune de ces attitudes? Ils couraient à

sapientiae qui missi fuerant a pharisaeis, cum reversi dicerent : *Numquam homo sic locutus est*[a], utique admi-
10 rantes doctrinam, et confitentes sapientiam. Currebat in hoc ipso odore *Nicodemus,* qui *veniens ad Iesum nocte*[b], in splendore multo sapientiae, de multis quippe instructus edoctusque recessit. Verum in odore iustitiae cucurrit Maria Magdalene, *cui dimissa sunt peccata multa, quoniam*
15 *dilexit multum*[c]. Iusta profecto et sancta, et iam non peccatrix, quemadmodum Pharisaeus exprobrabat[d], nesciens iustitiam seu sanctitatem Dei esse munus, non opus hominis, et quia non modo iustus, sed et *beatus cui non imputabit Dominus peccatum*[e]. An oblitus erat quomodo
20 vel suam ipsius[f], vel alterius corporalem tangendo lepram fugarat, non contraxerat? Sic tactus a peccatrice iustus iustitiam impertit, non perdit, nec sorde peccati, qua illam mundat, se inquinat. Cucurrit et Publicanus, qui cum propitiationem peccatis suis humiliter imploraret, *descendit*
25 *iustificatus*[g], teste ipsa Iustitia. Cucurrit Petrus, qui lapsus *flevit amare*[h], quatenus culpam dilueret, recuperaret ius-
136 titiam. Cucurrit David, qui reatum agnoscens et confitens, audire meruit : *Et Dominus transtulit a te peccatum*[i]. Porro in sanctificationis odore Paulus currere sese testatur, cum
30 Christi se imitatorem esse gloriatur, dicens ad discipulos : *Estote imitatores mei, sicut et ego Christi*[j]. Currebant et omnes qui aiebant : *Ecce nos reliquimus omnia, et secuti*

9. a. Jn 7, 46 ≠ b. Jn 3, 1-2 ≠ c. Lc 7, 47 ≠ d. Cf. Lc 7, 39 e. Ps. 31, 2 ≠ f. Cf. Matth. 26, 6 g. Lc 18, 14 h. Lc 22, 62 i. II Sam. 12, 13 (Patr.) ≠ j. I Cor. 11, 1 ≠

---

1. Dans ce paragraphe Bernard décrit comment les parfums du Christ ont été perçus d'une façon différente et subjective par différentes personnes de l'Ancien et du Nouveau Testament.

2. Marie Madeleine. Cf. *SC* 414, 171, n. 2 sur *SCt* 7, 8.

3. * Bernard n'a cité que 3 fois ce texte, chaque fois avec l'ajout *a te* par rapport à la *Vg*. Les Pères, au cours des siècles, ont toujours

l'odeur de la sagesse, ces envoyés des pharisiens qui disaient au retour : «Jamais homme n'a parlé ainsi[a].» Car ils admiraient son enseignement, et reconnaissaient sa sagesse. A cette même odeur courait «Nicodème[1], qui vint à Jésus de nuit[b]», attiré par la vive splendeur de la sagesse, et qui s'en retourna éclairé et instruit de bien des choses. Mais c'est à l'odeur de la justice que courut Marie-Madeleine, «à qui beaucoup de péchés furent remis, parce qu'elle aima beaucoup[c 2]». Oui, elle était juste et sainte, non plus pécheresse, comme le lui reprochait le pharisien[d]. Car celui-ci ignorait que justice et sainteté sont des dons de Dieu, non pas l'œuvre de l'homme. Il n'est pas seulement juste, mais aussi «bienheureux, celui à qui le Seigneur n'imputera pas son péché[e]». Avait-il oublié comment le Seigneur, en touchant sa propre lèpre corporelle[f] ou celle d'autrui, l'avait expulsée sans la contracter? Ainsi le Juste, touché par la pécheresse, lui communique la justice, sans perdre la sienne; il n'est pas souillé par la fange du péché dont il la purifie. Le publicain courut lui aussi : après avoir humblement imploré le pardon de ses péchés, «il descendit justifié[g]», au témoignage de la Justice elle-même. Pierre courut, lui qui «pleura amèrement[h]» après sa chute, pour laver sa faute et recouvrer la justice. David courut; en reconnaissant et en confessant son crime, il mérita d'entendre ces paroles : «Le Seigneur a mis ton péché loin de toi[i 3].» Par contre, Paul témoigne qu'il court à l'odeur de la sanctification, lorsqu'il se glorifie d'être l'imitateur du Christ, disant aux disciples : «Soyez mes imitateurs, comme je le suis moi-même du Christ[j].» Ils couraient aussi tous ceux qui disaient : «Voilà que nous avons tout quitté et

utilisé alternativement les 2 textes. Les citations *Vl* deviennent plus nombreuses avec Pierre Damien, Anselme de Cantorbéry et HUGUES DE SAINT-VICTOR *(Summa Sententiarum)*; ce texte est aussi dans Raoul Ardent.

sumus te[k]. Desiderio quippe sequendi Christum reliquerant omnia. Hortatur generaliter universos ad eumdem odorem 35 ista sententia : *Qui se dicit in Christo manere, debet sicut ille ambulavit et ipse ambulare*[l]. Iam qui in odore cucurrerint passionis, si audire vis, universos martyres accipe. En quatuor unguenta assignata habetis : primum sapientiae, secundum iustitiae, tertium sanctificationis, quartum 40 redemptionis.

V. Quod non sint quaerendae horum unguentorum species, et quod ignorantes Christum minime virtutes habeant.

Tenete nomina, percipite fructum, et compositionis modum, vel numerum specierum quibus confecta sunt, nolite requirere. Non enim facile in sponsi unguentis haec praesto esse nobis possunt, quemadmodum in superio- 45 ribus illis sponsae fuerunt. In Christo nempe rerum plenitudo est sine numero, et sine modo. Nam *et sapientiae eius non est numerus*[m], et *iustitia* ipsius *sicut montes Dei*[n], sicut montes aeterni[o], et sanctitas singularis, et redemptio inexplicabilis.

10. Dicendum et hoc quia frustra huius saeculi sapientes[a] de quatuor virtutibus tam multa disputaverunt, quas tamen apprehendere omnino nequiverunt, cum illum nescierint, *qui factus est nobis a Deo sapientia* docens 5 prudentiam, *et iustitia* delicta donans, *et sanctificatio* in exemplum temperantiae continenter vivens, *et redemptio*[b]

k. Matth. 19, 27 l. I Jn 2, 6 ≠ m. Ps. 146, 5 n. Ps. 35, 7 ≠ o. Cf. Ps. 75, 5

10. a. Cf. I Cor. 1, 20 b. I Cor. 1, 30 ≠

---

1. « dont il a été question plus haut » : Cf. *SCt* 10, 4 (*SC* 414, 222-223) et 12, 1 (*SC* 414, 254-257).

2. Dans les paragraphes 10 et 11 Bernard va comparer les quatre

t'avons suivi[k].» Car c'est dans le désir de suivre le Christ qu'ils avaient tout quitté. D'une façon générale, tout le monde est exhorté à suivre la même odeur par cette parole : «Celui qui prétend demeurer dans le Christ, doit marcher lui aussi dans la voie où celui-là a marché[l].» Quant à ceux qui ont couru à l'odeur de la Passion, si tu veux les connaître, considère tous les martyrs. Les voilà donc désignés, les quatre parfums : le premier, la sagesse ; le second, la justice ; le troisième, la sanctification ; le quatrième, la rédemption.

V. Il ne faut pas chercher à connaître les essences de ces parfums. Ceux qui ignorent le Christ ne possèdent nullement les vertus.

Retenez bien ces noms, recueillez-en les fruits. Mais ne cherchez pas à savoir la mesure de leur dosage ou le nombre des essences qui entrent en chacun d'eux. Nous ne pouvons connaître les recettes pour les parfums de l'Époux aussi aisément que celles pour les parfums de l'épouse, dont il a été question plus haut[1]. Dans le Christ, en effet, la plénitude des choses est sans nombre et sans mesure. Non, «sa sagesse n'est pas mesurable[m]», «sa justice est comme les montagnes de Dieu[n]», les montagnes éternelles[o], sa sainteté est unique et sa rédemption inexplicable.

10. Il faut ajouter ceci : c'est en vain que les sages de ce monde[a] ont tant disputé des quatre vertus[2]. Ils étaient tout à fait incapables de les comprendre, puisqu'ils ignoraient «celui que Dieu a fait pour nous sagesse[b]» qui enseigne la prudence ; «justice» qui pardonne les péchés ; «sanctification» qui donne l'exemple de la tempérance par

parfums du Christ avec les quatre vertus cardinales (prudence, justice, tempérance et courage ou force). Bernard remplace le courage par la patience.

in exemplum patientiae fortiter moriens. Forsitan dicit aliquis : « Cetera bene conveniunt, sed sanctificatio ad temperantiam minus proprie referri videtur. » Ad quod respon-
10 detur primum, id esse continentiam, quod temperantiam. Deinde usitatum in Scripturis sanctificationem pro continentia seu munditia poni. Denique quid illae apud Moysen tam crebrae sanctificationes[c] aliud erant, quam quaedam
137 purificationes hominum temperantium se a cibo, a potu,
15 a concubitu hisque similibus ? Sed audi ipsum praecipue Apostolum, quam familiare habebat vel uti, vel usurpare sanctificationem in hoc sensu : *Haec est,* inquit, *voluntas Dei, sanctificatio vestra, ut sciat unusquisque vestrum suum vas possidere in sanctificatione, et non in passione*
20 *desiderii*[d] ; item : *Non enim vocavit nos Deus in immunditiam, sed in sanctificationem*[e]. Liquet quod sanctificationem pro temperantia ponit.

11. Educto itaque in lucem quod subobscurum videbatur, redeo ad id unde digressus eram. Quid vobis cum virtutibus, qui *Dei virtutem Christum*[a] ignoratis ? Ubinam, quaeso, vera prudentia, nisi in Christi doctrina ? Unde vera
5 iustitia, nisi de Christi misericordia ? Ubi vera temperantia, nisi in Christi vita ? Ubi vera fortitudo, nisi in Christi passione ? Soli igitur qui eius doctrina imbuti sunt, prudentes dicendi sunt ; soli iusti, qui de eius misericordia veniam peccatorum consecuti sunt ; soli temperantes, qui eius
10 vitam imitari student ; soli fortes, qui eius patientiae documenta fortiter in adversis tenent. Incassum proinde quis

c. Cf. Lév. chap. 22 d. I Thess. 4, 3-5 ≠ e. I Thess. 4, 7 ≠
11. a. I Cor. 1, 24 ≠

sa vie continente ; rédemption qui donne l'exemple de la patience par sa mort endurée avec force. Peut-être quelqu'un dira-t-il : « Les autres vertus s'accordent bien entre elles, mais entre la sanctification et la tempérance le rapport semble moins évident. » A cela je réponds d'abord que continence et tempérance sont une seule et même chose. Ensuite, les Écritures ont l'habitude d'employer sanctification à la place de continence ou de pureté. Enfin, ces sanctifications, si fréquentes dans les livres de Moïse[c], étaient-elles autre chose que certaines purifications des hommes, qui pratiquaient la tempérance à l'égard du manger, du boire, des relations sexuelles et d'autres choses semblables ? Mais surtout, écoute l'Apôtre lui-même : avec quelle facilité il se sert, ou il abuse, du mot sanctification en ce sens. « La volonté de Dieu, dit-il, c'est votre sanctification, et que chacun d'entre vous sache posséder son corps dans la sanctification, non dans la passion du désir[d]. » Et encore : « Car Dieu ne nous a pas appelés à l'impureté, mais à la sanctification[e]. » Il est évident qu'il emploie sanctification à la place de tempérance.

11. Ayant ainsi tiré au clair ce qui paraissait un peu obscur, je reviens à mon point de départ. Qu'avez-vous de commun avec les vertus, vous qui ignorez « la vertu de Dieu, le Christ[a] » ? Où est donc, je vous le demande, la vraie prudence, sinon dans l'enseignement du Christ ? D'où vient la vraie justice, sinon de la miséricorde du Christ ? Où se trouve la vraie tempérance, sinon dans la vie du Christ ? Et la vraie force, sinon dans la Passion du Christ ? Aussi, seuls doivent être appelés prudents ceux qui sont pénétrés de son enseignement, et justes ceux qui ont obtenu de sa miséricorde le pardon de leurs péchés. Seuls sont tempérants ceux qui s'efforcent d'imiter sa vie, et forts ceux-là seuls qui, dans le malheur, retiennent avec force la leçon de sa patience. C'est donc

laborat in acquisitione virtutum, si aliunde eas sperandas putat quam a Domino virtutum, cuius doctrina seminarium prudentiae, cuius misericordia *opus iustitiae*[b], cuius vita
15 speculum temperantiae, cuius mors insigne est fortitudinis. *Ipsi honor et gloria in saecula saeculorum. Amen*[c].

b. Is. 32, 17 c. I Tim. 1, 17; Rom. 11, 36

en vain qu'on peine à acquérir les vertus, si on espère les recevoir d'ailleurs que du Seigneur des vertus. Car son enseignement est source de prudence, sa miséricorde « œuvre de justice[b] », sa vie miroir de tempérance, sa mort modèle de force. « A lui honneur et gloire dans les siècles des siècles. Amen[c]. »

SERMO XXIII

I. De consequentia litterae huius : *Introduxit me rex in cellaria sua,* et admonitio ad praelatos ut patres se meminerint. – II. De horto, cellario, cubiculo divinae Scripturae ; et primum de horto. – III. De tribus cellis moralis doctrinae, quae sunt disciplinae, naturae, gratiae. – IV. De diversitate cubiculorum, et primum de cubiculo cognitionis. – V. De cubiculo timoris, ubi de clericis terribiliter loquitur. – VI. De cubiculo remissionis vel praedestinationis.

I. De consequentia litterae huius : *Introduxit me rex in cellaria sua,* et admonitio ad praelatos ut patres se meminerint.

1. *Introduxit me rex in cellaria sua*[a]. Ecce unde odor, ecce quo curritur. Dixerat quia currendum, et in quo currendum ; sed quo currendum esset non dixerat. Ergo ad cellaria curritur, et curritur in odore qui ex ipsis procedit, 5 sponsa illum solita sua sagacitate praesentiente, et cupiente in ipsius plenitudinem introduci. Verum de cellariis his quid sentiendum putamus ? Cogitemus ea interim loca quaedam redolentia penes sponsum, *plena odoramentis*[b], referta deliciis. In istiusmodi nempe officina potiora 10 quaeque ex horto sive ex agro servanda reponuntur. Illuc ergo pariter currunt. Qui ? *Spiritu ferventes*[c] animae. Currit sponsa, currunt adolescentulae ; sed quae amat ardentius

1. a. Cant. 1, 3 b. Apoc. 5, 8 ≠ c. Rom. 12, 11

SERMON 23

I. Cohérence du sens littéral : « Le Roi m'a fait entrer dans ses celliers. » Admonition aux supérieurs pour qu'ils se souviennent d'être pères. – II. Le jardin, le cellier, la chambre dans la sainte Écriture. En premier lieu le jardin. – III. Les trois celliers selon l'exégèse morale, à savoir la discipline, la nature, la grâce. – IV. Trois chambres distinctes. Tout d'abord, la chambre de la connaissance. – V. La chambre de la crainte. Terrible avertissement aux clercs. – VI. La chambre du pardon ou de la prédestination.

I. Cohérence du sens littéral : « Le Roi m'a fait entrer dans ses celliers. » Admonition aux supérieurs pour qu'ils se souviennent d'être pères.

1. « Le Roi m'a fait entrer dans ses celliers[a]. » Voilà d'où sort l'odeur, voilà où l'on court. L'épouse avait bien dit qu'il fallait courir, et à quelle odeur ; mais elle n'avait pas dit où il fallait courir. C'est donc vers les celliers que l'on court, et à l'odeur qui en provient. L'épouse la pressent par la finesse accoutumée de son odorat, et désire la sentir pleinement. Mais comment faut-il entendre ces celliers ? Représentons-nous en attendant des lieux parfumés dans la maison de l'Époux, des lieux « pleins d'aromates[b] », remplis de délices. Dans une telle officine on dépose, pour les conserver, tous les meilleurs produits du jardin ou des champs. C'est donc là-bas que tous ensemble ils courent. Qui ? Les âmes « ferventes dans l'Esprit[c] ». L'épouse court, les jeunes filles courent. Pourtant, celle qui aime avec plus d'ardeur court plus

currit velocius et citius pervenit[d]. Perveniens, non dico repulsionem, sed nec cunctationem patitur. Sine mora ape-
15 ritur ei, tamquam domesticae, tamquam carissimae, tamquam specialiter dilectae et singulariter gratae. Adolescentulae autem quid? *Sequuntur a longe*[e]; neque enim, cum adhuc infirmae sint, pari possunt devotione cum sponsa currere, nec ipsius omnino imitari desiderium et
20 fervorem : ideoque tardius pervenientes, foris remanent[f]. At caritas sponsae non quiescit, neque insolescit, ut assolet, successibus suis, ut eas obliviscatur, consolans magis et
139 hortans ad patientiam, quatenus aequanimiter et sui ferant repulsam, et illius absentiam. Denique et nuntiat eis
25 gaudium quod percepit, non ob aliud sane, nisi ut sibi congaudeant, dum confidant minime alienum fore a se quidquid gratiae matri accesserit. Nam nec illa ita proficere curat, quo ipsarum negligat curam, nec iuvandos suos profectus putat illarum damno. Quocumque proinde
30 meritorum praerogativa tollatur ab illis, caritate absque dubio et pia sollicitudine necesse est eam semper esse cum illis. Oportet denique eam sponsum suum imitari, et petentem nimirum caelos, et nihilominus in terris cum suis se fore usque ad consummationem saeculi polli-
35 centem[g]. Sic et ista, quantumvis proficiat, quamlibet promoveatur, cura, providentia atque affectu ab his, quas *in Evangelio genuit*[h], numquam amovetur, numquam sua viscera obliviscitur[i].

2. Dicat itaque eis : « Gaudete, confidite : *Introduxit me*

d. Cf. Jn 20, 4 e. Matth. 26, 58 ≠ f. Cf. Matth. 25, 11 g. Cf. Matth. 28, 20 h. I Cor. 4, 15 ≠ i. Cf. Is. 49, 15

1. « L'épouse qui aime avec plus d'ardeur, court plus vite et arrive plus tôt. » Cf. GRÉGOIRE, *Hom. in Ev.* 22, 2 (*PL* 76, 1175 A) : *Sed illi prae caeteris cucurrerunt, qui prae caeteris amaverunt, videlicet Petrus*

vite et arrive plus tôt[d 1]. A son arrivée elle ne souffre certes aucun refus, je dis même aucun retard. Sans délai on lui ouvre, comme à une personne de la maison, très chère, objet d'une dilection spéciale et d'une faveur particulière. Et les jeunes filles? «Elles suivent de loin[e]»; car, encore faibles, elles ne peuvent ni courir avec la même ardeur que l'épouse, ni imiter entièrement son désir et sa ferveur. Arrivées plus tard, elles restent dehors[f]. Mais la charité de l'épouse ne prend pas de repos, elle ne s'enorgueillit pas de ses succès, comme il arrive d'ordinaire. Elle n'oublie pas les jeunes filles; au contraire, elle les console et les exhorte à la patience, pour qu'elles supportent sans se troubler leur exclusion et l'absence de sa personne. Enfin, elle leur fait connaître la joie ressentie, tout simplement pour qu'elles partagent cette joie, dans l'assurance qu'elles ne seront privées d'aucune grâce accordée à leur mère. Car l'épouse n'a pas tant souci d'avancer qu'elle en vienne à négliger les jeunes filles, et elle ne pense nullement que son propre progrès puisse tirer parti de leur perte. Si haut que la prérogative de ses mérites l'élève au-dessus des jeunes filles, sa charité et sa tendre sollicitude la font nécessairement demeurer toujours avec elles. Il faut bien qu'elle imite son Époux qui, remontant au ciel, n'en promet pas moins de rester sur la terre avec les siens jusqu'à la fin des temps[g]. De même l'épouse, quelque progrès qu'elle fasse, à quelque perfection qu'elle atteigne, ne détourne jamais ses soins, sa prévoyance et son affection de celles qu'elle «a enfantées à l'Évangile[h]». Jamais elle n'oublie ses propres entrailles[i].

2. Elle leur dira : «Réjouissez-vous, ayez confiance : 'Le

et Johannes, «Mais ceux-là coururent plus vite que les autres, qui aimaient plus que les autres, c'est-à-dire Pierre et Jean.»

rex in cubiculum suum[a]; putate et vos pariter introductas. Sola introducta videor, sed soli non proderit. Vester omnium est meus omnis provectus : vobis proficio,
5 vobiscum partibor quidquid plus forte vobis meruero. » Vis indubitanter scire quia in hoc sensu et affectu locuta sit? Audi quid illae respondeant : « *Exsultabimus et laetabimur in te*[b]. » « In te, inquiunt, exsultabimus et laetabimur, nam in nobis necdum meremur. » Et addunt :
10 « *Memores uberum tuorum*[b] », hoc est : « Aequanimiter sustinemus dum venias, scientes te plenis ad nos reversuram uberibus. Tunc nos confidimus exsultare et laetari, *memores* interim *uberum tuorum.* » Quod adiungunt : « *super vinum*[c] », significant se adhuc quidem pro sui
15 imperfectione carnalium desideriorum, quae vino designantur, recordatione pulsari, vinci tamen eadem desideria *memoria abundantiae suavitatis*[d], quam iam ex uberibus fluentem expertae sunt. Dicerem de uberibus, si non me satis dixisse superius meminissem. Nunc vero
20 vides quomodo de matre praesumunt, quomodo eius lucra et gaudia sua reputant, propriae repulsae iniuriam illius introductione consolantes. Minime ita confiderent, nisi matrem agnoscerent. Audiant hoc praelati, qui sibi com-
140 missis volunt semper esse formidini, utilitati raro. *Eru-*
25 *dimini qui iudicatis terram*[e]. Discite subditorum matres

2. a. Cant. 1, 3 (Lit., Patr.) b. Cant. 1, 3 c. Cant. 1, 3 d. Ps. 144, 7 ≠ e. Ps. 2, 10

---

1. *Cubiculum,* « Chambre ». Leçon *Vl* de *Cant.* 1, 3. Voir ORIGÈNE, *Homilia I in Cant.* 6 (*SC* 37 bis, 90) : *sponsam cubiculum videtis intrantem,* « Vous voyez l'épouse entrer dans la chambre ». Voir aussi AMBROISE, *In Ps. 118,* 1, 5 (*CSEL* 62, 8, 15). * Dans le lemme introductif à ce sermon, Bernard vient de suivre *Vg.* Ici, il reprend son texte habituel, avec *cubiculum*; cf. *SCt* 23, 16, l. 20. Les Pères (Grégoire le Grand...) et la liturgie (antienne des fêtes de la Vierge et du commun des vierges et des nonvierges) ont ce texte; mais il faut penser aussi aux lieux parallèles : *Cant.* 2, 4, voire 3, 4, qui se sont facilement enchevêtrés.

Roi m'a fait entrer dans sa chambre[a][1]; considérez que vous y êtes entrées, vous aussi. Il semble que j'y sois entrée seule, mais je ne serai pas seule à en profiter. Chacun de mes progrès appartient à vous toutes : c'est pour vous que j'avance, avec vous je partagerai tout ce que j'aurai pu mériter de plus que vous. » Veux-tu avoir la certitude qu'elle a parlé dans ce sens et avec cette affection ? Écoute la réponse des jeunes filles : « Nous exulterons et nous nous réjouirons en toi[b]. » « C'est en toi, disent-elles, que nous exulterons et nous nous réjouirons, car en nous-mêmes, nous ne le méritons pas encore. » Et elles ajoutent : « En nous souvenant de tes seins[b] », c'est-à-dire : « Nous attendons avec patience ton retour, sachant que tu reviendras à nous les seins bien remplis. Nous espérons qu'alors nous pourrons exulter et nous réjouir ; entre-temps, nous nous souvenons de tes seins. » Elles ajoutent aussi : « meilleurs que le vin[c] ». Elles veulent dire ceci : à cause de leur imperfection, elles sont encore troublées au souvenir des désirs charnels, désignés par le vin. Mais ces mêmes désirs sont domptés par « le souvenir » des seins, d'où elles savent déjà par expérience que « la douceur coule à profusion[d] ». J'aurais parlé des seins, si je ne me rappelais que j'en ai assez dit plus haut[2]. Maintenant tu peux voir comment les jeunes filles comptent sur leur mère, comment elles tiennent pour leurs ses avantages et ses joies, se consolant de leur exclusion puisque leur mère a pu entrer. Elles n'auraient pas une telle confiance, si elles ne reconnaissaient l'épouse comme leur mère. C'est là une leçon pour les supérieurs, toujours soucieux de se faire craindre plutôt que d'être utiles à ceux qui leur sont confiés. « Instruisez-vous, juges de la terre[e]. » Apprenez que vous devez être mères, et

2. Plus haut : *SCt* 10 (*SC* 414, 216-223).

vos esse debere, non dominos; studete magis amari, quam metui : et si interdum severitate opus est, paterna sit, non tyrannica. Matres fovendo, patres vos corripiendo exhibeatis. Mansuescite, feritatem ponite, suspendite verbera,
30 producite ubera : pectora lacte pinguescant, non typho turgeant. Quid iugum vestrum super eos aggravatis[f], quorum potius onera portare debetis[g]? Cur, morsus a serpente, parvulus fugit conscientiam sacerdotis, ad quem eum magis oportuerat tamquam ad sinum recurrere matris?
35 Si *spirituales estis, instruite huiusmodi in spiritu lenitatis, considerans* quisque *seipsum, ne et ipse tentetur*[h]. Alioquin ille *in peccato suo morietur : sanguinem autem eius,* ait, *de manu tua requiram*[i]. Sed haec alias.

II. De horto, cellario, cubiculo divinae Scripturae; et primum de horto.

3. Nunc quoniam litterae consequentia, ex his quae praetaxavimus, manifesta est, videamus iam de cellariis quid spiritualiter sentire debeamus. In consequentibus mentio fit etiam de horto et de cubiculo[a], quae ambo
5 nunc adiungo istis cellariis et in praesentem disputationem assumo; nam simul tractata melius ex invicem innotescent. Et quaeramus, si placet, tria ista in Scripturis sanctis,

f. Cf. Is. 47, 6; Matth. 23, 4 g. Cf. Gal. 6, 2 h. Gal. 6, 1 ≠ i. Éz. 3, 18 ≠; cf. IV Rois 14, 6
3. a. Cf. Cant. 4, 12; Cant. 1, 3 (Lit.)

1. « Apprenez que vous devez être mères... » Bernard promet aux parents d'un jeune novice qu'il sera père et mère, sœur et frère pour leur fils (*Ep* 110, 2, *SBO* VII, 283, 3). Il emploie le mot de « mère » pour Jésus, Moïse, Pierre, Paul, les prélats, les abbés et surtout pour lui-même. Voir V. W. Bynum, *Jesus as Mother,* Los Angeles 1982, p. 115-119. A. Louf, « Bernard abbé », *BdC p.* 361-363.

2. *RB* 64, 15 (*SC* 182, 650-651).

3. Le jeu de mots du latin est intraduisible en raison du rappro-

non seigneurs de vos sujets[1]. Cherchez à vous faire aimer plutôt que redouter[2]; et si parfois la sévérité est nécessaire, qu'elle soit paternelle, et non tyrannique. Montrez-vous mères en consolant, pères en corrigeant. Devenez doux, renoncez à la dureté, faites cesser les coups, présentez les seins[3] : que vos seins soient gonflés de lait, et non enflés d'orgueil. Pourquoi appesantir votre joug[f] sur ceux dont vous devez plutôt porter les fardeaux[g]? Pourquoi l'enfant mordu par le serpent fuit-il le regard du prêtre, au lieu de courir à lui comme au sein maternel? Si « vous êtes des spirituels, enseignez dans un esprit de douceur, chacun s'examinant soi-même, pour ne pas être tenté lui aussi[h] ». Autrement, ton frère « mourra dans son péché[4], mais c'est à toi que je demanderai compte de son sang[i] », dit le Seigneur. Mais je parlerai de cela une autre fois[5].

II. Le jardin, le cellier, la chambre dans la sainte Écriture. En premier lieu le jardin.

3. Maintenant, puisque la cohérence du sens littéral est évidente, grâce aux commentaires que nous venons de faire, voyons comment il faut entendre les celliers selon le sens spirituel. Dans la suite du texte, on fait mention aussi d'un jardin et d'une chambre[a] : je les joins maintenant l'un et l'autre à ces celliers et je les intègre dans le présent entretien. Pris ensemble, ils vont mieux s'éclairer mutuellement. Si vous le voulez, cherchons donc dans

chement des sons et du réalisme du langage. *Suspendite verbera, producite ubera.* Voir D. SABERSKY-BASCHO, *Studien zur Paronomasie bei Bernhard von Clairvaux*, Fribourg (CH) 1979, p. 190.

4. * Pour *in peccato suo* la leçon *Vg* est *in iniquitate sua.* Cf. LUCIFER DE CAGLIARI, *De non parcendo* (*CCL* 8, 213, 8).

5. Bernard avait déjà parlé du rôle maternel des supérieurs : *SCt* 9, 5-6 (*SC* 414, 205-209) et *SCt* 10, 3 (*SC* 414, 221-222). Il le fera encore plus loin : *SCt* 41, 5-6 (*SBO* II, 31-32).

hortum, cellarium, cubiculum. In ipsis nempe libenter Deum sitiens anima versatur et moratur, sciens se ibi
10 absque dubio inventuram quem sitit. Sit itaque hortus plana ac simplex historia, sit cellarium moralis sensus, sit cubiculum arcanum theoricae contemplationis.

4. Et primum quidem historiam ad hortum puto non immerito deputavi, quod in ea inveniantur viri virtutum, tamquam *ligna fructifera* in horto sponsi et *in paradiso Dei*[a], de quorum bonis actibus ac moribus quot sumis
5 exempla, tot carpis poma. An forte quis ambigat Dei esse plantationem bonum hominem? Audi sanctum David de viro bono quid canat : *Erit,* ait, *tamquam lignum quod plantatum est secus decursus aquarum, quod fructum suum dabit in tempore suo, et folium eius non defluet*[b].
10 Audi Ieremiam eodem spiritu concinentem, et hisdem pene verbis : *Erit tamquam lignum,* inquit, *quod plantatum est secus decursus aquarum, quod ad humorem*
141 *mittit radices suas, et non timebit cum venerit aestus*[c]. Item Propheta : *Iustus ut palma florebit, et sicut cedrus*
15 *Libani multiplicabitur*[d]. Et de seipso : *Ego autem sicut oliva fructifera in domo Dei*[e]. Est ergo historia hortus, et ipsa tripertita. Continetur namque in ea caeli et terrae creatio, reconciliatio, reparatio : creatio quidem, tamquam horti satio sive plantatio, reconciliatio autem, quasi ger-
20 minatio satorum vel plantatorum. Tempore nempe suo, *rorantibus caelis desuper et nubibus pluentibus iustum, aperta est terra et germinavit Salvatorem*[f], per quem facta est caeli et terrae reconciliatio. *Ipse est enim pax nostra,*

4. a. Éz. 31, 9 ≠; Ps. 148, 9 b. Ps. 1, 3 c. Ps. 1, 3 ≠; Jér. 17, 8 ≠ d. Ps. 91, 13 ≠ e. Ps. 51, 10 f. Is. 45, 8 ≠

---

1. Bernard ne mentionne que trois sens de l'Écriture au lieu des quatre qui sont traditionnels. Texte le plus clair : *SBO* VI-1, 346, l. 13. La contemplation indique aussi bien le sens anagogique que le sens

les saintes Écritures ces trois mots : jardin, cellier, chambre. Car c'est en eux que l'âme assoiffée de Dieu demeure et s'attarde avec plaisir, sachant qu'elle y trouvera sans aucun doute celui dont elle a soif. Disons donc que le jardin exprime l'histoire pure et simple ; le cellier, le sens moral ; la chambre, le mystère de la vision contemplative[1].

4. Premièrement pour l'histoire, je pense que je l'ai assez bien désignée par le jardin. On y trouve des hommes vertueux, semblables à « des arbres fruitiers » dans le jardin de l'Époux et « dans le paradis de Dieu[a] ». Les exemples de leurs bonnes actions et de leur sainte vie sont autant de fruits que tu peux cueillir. Qui pourrait douter que l'homme de bien est une plante de Dieu ? Écoute ce qu'en dit le bienheureux David : « Il sera comme un arbre planté au bord des eaux courantes, qui donnera son fruit en son temps, et son feuillage ne tombera pas[b]. » Écoute Jérémie proclamer dans le même esprit, et presque dans les mêmes termes : « Il sera comme un arbre planté au bord des eaux courantes, qui pousse ses racines vers la fraîcheur, et n'aura rien à craindre lorsque viendra la chaleur[c]. » De même le Prophète : « Le juste fleurira comme le palmier, et se multipliera comme le cèdre du Liban[d]. » Parlant de lui-même : « Pour moi, je suis comme l'olivier fécond dans la maison de Dieu[e]. » L'histoire est donc le jardin, et elle se divise en trois parties. En effet, elle comprend la création du ciel et de la terre, leur réconciliation, et leur renouvellement. La création correspond à l'action de semer et de planter le jardin, tandis que la réconciliation est comme la germination de ce qui a été semé et planté. Car, au temps fixé, « les cieux répandirent leur rosée et les nuées firent pleuvoir le juste, la terre s'ouvrit et d'elle germa le Sauveur[f] », par qui s'accomplit la réconciliation du ciel et de la terre. « C'est lui

allégorique. Pour l'adjectif *theorica,* voir *SC* 414, 64, n. 1 sur *SCt* 1, 3.

qui fecit utraque unum[g], *pacificans in sanguine* suo *quae*
25 *in terris sunt et quae in caelo*[h]. Porro reparatio futura est
in fine saeculi. Erit enim *caelum novum et terra nova*[i],
et colligentur boni de medio malorum[j], tamquam fructus
de horto, in Dei promptuaria reponendi. *In die illa erit,*
ut scriptum est, *germen Domini in magnificentia et gloria,*
30 *et fructus terrae sublimis*[k]. Habes igitur tria tempora in
horto historici sensus.

III. De tribus cellis moralis doctrinae, quae sunt disciplinae, naturae, gratiae.

5. In morali quoque disciplina tria aeque advertere est,
cellas quasi tres in cellario uno. Et idcirco forsan pluraliter
dixit *cellaria,* et non « cellarium », cellarum videlicet
hunc numerum cogitans. Infra denique se *introductam*
5 gloriatur *in cellam vinariam*[a]. Nos ergo, quia legimus :
Da occasionem sapienti et sapientior erit[b], habentes occasionem
ex vocabulo quod Spiritus Sanctus cellae huic
censuit imponendum, reliquis quoque duabus nomina
imponamus, Aromaticam uni et Unguentariam alteri.
10 Causas horum vocabulorum videbimus postea. Nunc autem
adverte cuncta apud sponsum salubria, cuncta suavia
reperiri : vinum, unguenta, aromata. *Vinum,* Scriptura teste,
laetificat cor hominis[c]. Exhilarari nihilominus faciem in

g. Éphés. 2, 14 h. Col. 1, 20 ≠ i. Apoc. 21, 1 ≠ j. Cf. Matth. 13, 49 k. Is. 4, 2 ≠

5. a. Cant. 2, 4 ≠ b. Prov. 9, 9 (Patr.) c. Ps. 103, 15

---

1. Les trois temps du salut (création, réconciliation, renouvellement) n'appartiennent pas au sens historique, mais au sens allégorique de l'exégèse. Mais il est vrai que cette première exégèse est destinée aux novices dans la vie spirituelle.

2. * Bernard passe de *cubiculum* ou *cellaria* à *cella(m) vinaria(m),* qu'il va répéter aux §§ 7, l. 16 et 8, l. 28. Il est à noter que les 30 occurrences de *vinaria(m)* dans les *SBO* sont toutes liées à *cella(m)*; que 20 d'entre elles sont dans *SCt* et que toutes les 30 concernent le

notre paix, lui qui des deux n'en a fait qu'un[g] », et qui « par son sang a rétabli la paix entre les êtres terrestres et les êtres célestes[h] ». Quant au renouvellement, il n'aura lieu qu'à la fin des temps. Il y aura en effet « un ciel nouveau et une terre nouvelle[i] », et les bons seront rassemblés d'entre les méchants[j], comme les fruits du jardin, pour être engrangés dans les greniers de Dieu. « En ce jour-là, est-il écrit, le germe du Seigneur deviendra parure et gloire, et le fruit de la terre sera en honneur[k]. » Voilà donc les trois saisons du jardin, correspondant au sens historique[1].

III. Les trois celliers selon l'exégèse morale, à savoir la discipline, la nature, la grâce.

5. Selon l'interprétation morale, il y a aussi trois choses à remarquer, comme trois celliers en un seul. C'est pourquoi, peut-être, l'épouse a dit « celliers » au pluriel, et non « cellier », car elle pensait à leur nombre. Ainsi, plus loin, elle se vante d'avoir été « introduite dans le cellier du vin[a 2] ». Pour nous, puisque nous lisons : « Donne occasion au sage, et il sera plus sage encore[b 3] », prenons occasion de ce nom que l'Esprit-Saint a cru devoir donner à ce cellier, et donnons des noms aussi aux deux autres. Appelons l'un le cellier des aromates, et l'autre le cellier des parfums. Nous verrons ensuite pourquoi. Pour le moment, note que chez l'Époux toutes choses sont à la fois salutaires et douces : vin, parfums, aromates. « Le vin, au dire de l'Écriture, réjouit le cœur de l'homme[c]. » On

« cellier mystique » dont il est spécialement question dans ce Sermon. JUSTE D'URGEL avait cité 2 fois l'expression dans son *Comm. du Cantique*. Les Pères l'ont souvent citée ensuite, et Guillaume de Saint-Thierry plus que tous.

3. * Bernard, qui emploie 5 fois cette partie de verset, a toujours ce texte nettement *Vl,* à la suite de l'Origène latin, d'Augustin et d'Alcuin.

oleo legis[d], quo utique pulvis pigmentorum[e] infunditur, 15 ut unguenta fiant. Aromata non modo grata suavitate odoris, sed vi quoque medendi utilia sunt. Merito se introductam illuc exsultat sponsa, ubi tanta redundat ubertas gratiae.

6. Sed habeo et alia nomina, puto evidentiorem sui 142 gerentia rationem. Et ut suo ordine nominentur, primam nuncupaverim Disciplinae, secundam Naturae, postremam Gratiae. In priori discis, iuxta ethicae partis rationem, 5 inferior esse, in sequenti par, in posteriore superior; hoc est : sub alio, cum alio, super alium; vel sic : subesse, coesse, praeesse. Primo igitur discis esse discipulus, secundo socius, tertio magister. Equidem omnes homines natura aequales genuit. At quoniam, bono naturae in 10 moribus superbia depravato, facti sunt homines aequalitatis impatientes, contendentes invicem superiores constitui, atque alterutrum supergredi cupientes, et *inanis gloriae cupidi, invicem invidentes, invicem provocantes*[a], primo omnium in cella priori, iugo disciplinae insolentia 15 morum domanda est, quousque duris ac diutinis seniorum attrita legibus humilietur et sanetur cervicosa voluntas, bonumque in se naturae, quod superbiendo amiserat, oboediendo recipiat, dum solo iam naturali affectu, non metu disciplinae, cum universis naturae suae sociis, id est 20 cum omnibus hominibus, socialiter, quantum in se est, quieteque sese habere didicerit, in cellam tandem naturae transiens, experiensque quod scriptum est : *Ecce quam*

d. Cf. Ps. 103, 15 e. Cf. Cant. 3, 6
6. a. Gal. 5, 26 ≠

1. On retrouve les mêmes idées dans *Sent* III, 123 (*SBO* VI-2, 233, l. 21-26).

y lit aussi que l'huile déride le visage[d], et c'est avec elle qu'on mélange les poudres odoriférantes[e], pour obtenir les parfums. Quant aux aromates, ils ne sont pas seulement agréables par leur suave odeur, ils sont aussi utiles par leur vertu médicinale. A juste titre donc l'épouse se réjouit d'avoir été introduite en un lieu, où foisonne une telle profusion de grâce.

6. Mais j'ai pour les celliers d'autres noms encore qui, me semble-t-il, se comprennent de façon plus évidente. Et pour les nommer dans l'ordre, je donnerai au premier cellier le nom de Discipline, au deuxième celui de Nature, au dernier celui de Grâce[1]. Suivant l'ordonnance de la morale, tu apprends dans le premier à être inférieur, dans le deuxième à être égal, dans le dernier à être supérieur. C'est-à-dire sous autrui, avec autrui, au-dessus d'autrui. Ou encore : à être subordonné, à être sur le même plan, à gouverner. En premier lieu donc tu apprends à être disciple, puis compagnon, et enfin maître. Il est vrai que la nature a fait tous les hommes égaux. Mais, dans les comportements, l'orgueil a perverti la bonté de la nature. Aussi, les hommes se sont mis à mal supporter leur égalité ; ils se sont battus pour avoir chacun la prééminence, désireux de s'élever les uns au-dessus des autres. « Avides de vaine gloire, ils sont pleins d'envie et de rivalité réciproques[a]. » C'est pourquoi, il faut avant tout que l'insolence du comportement soit domptée dans le premier cellier par le joug de la discipline. Cela, jusqu'à ce que la volonté entêtée, brisée par les préceptes sévères et répétés des anciens, soit humiliée et guérie, et recouvre, par l'obéissance, la bonté naturelle qu'elle avait perdue par l'orgueil. Alors la volonté aura appris, par le seul mouvement naturel, et non par la crainte de la discipline, à se montrer aimable, autant qu'il dépend d'elle, et paisible avec tous ceux qui partagent sa nature, c'est-à-dire avec tous les hommes. Ainsi pourra-t-elle enfin

bonum et quam iucundum habitare fratres in unum! Sicut unguentum in capite[b]. Accedit nimirum disciplinatis
25 moribus, tamquam tritis speciebus, *oleum laetitiae*[c], bonum naturae; et fit unguentum bonum atque iucundum. Quo quasi unctus redditur homo *suavis et mitis*[d], *homo sine querela*[e], *neminem circumveniens*[f], *neminem concutiens*[g], *neminem laedens*[h], nemini se superextollens aut prae-
30 ferens, insuper et libenter *communicans in ratione dati et accepti*[i].

7. Puto, si bene intellexisti utriusque cellae proprietates, non incongrue me hanc Unguentariam, illam Aromaticam appellasse testaberis. In illa denique sicut pigmentorum vires atque fragrantiam pistilli extorquet et exigit
5 violenta contusio, sic rectorum morum elicit quodammodo et exprimit naturalem vim vis magisterii et districtio disciplinae. In hac autem voluntariae et tamquam innatae affectionis grata mansuetudo sponte officiosa currit, instar plane *unguenti quod est in capite*, ad levem caloris tactum
10 *descendentis*[a] ac diffluentis per totum. Itaque in cella Dis-
143 ciplinae, tamquam siccae ac simplices aromatum species continentur, et inde Aromaticam eam denominandam putavi. In ea vero quae Naturae dicta est, quoniam iam quasi confecta reponuntur et servantur unguenta, nihilo-
15 minus ex re nomen et ipsa accepit ut Unguentaria nuncuparetur. Nam Vinariam quoque cellam, non aliam sane sui nominis arbitror ferre rationem, nisi quod in ea vinum zeli in caritate ferventis reconditur. Nec debet omnino praeesse aliis qui in eam necdum meruit introduci. Oportet
20 prorsus hoc vino aestuet qui aliis praesidet, quemadmodum Doctor gentium aestuabat, quando dicebat : *Quis*

b. Ps. 132, 1-2 c. Ps. 44, 8 d. Ps. 85, 5 e. Sag. 18, 21
f. II Cor. 7, 2 ≠ g. Lc 3, 14 ≠ h. II Cor. 7, 2 ≠ i. Phil. 4, 15 ≠
7. a. Ps. 132, 2 ≠

passer dans le cellier de la nature et faire l'expérience de ce qui est écrit : « Comme il est bon et agréable d'habiter en frères tous ensemble ! C'est comme un parfum sur la tête[b]. » En effet, la bonté de la nature se joint au comportement réglé par la discipline comme « une huile d'allégresse[c] » à des essences triturées ; et il s'en fait un parfum bon et agréable. L'homme qui, pour ainsi dire, s'est oint de ce parfum, devient « doux et pacifique[d] », « sans reproche[e] », « ne trompant personne[f] », « ne faisant ni violence[g] » « ni tort à personne[h] », évitant de se croire supérieur ou meilleur qu'un autre. De plus, il est aussi généreux « à donner que prêt à recevoir[i] ».

7. Si tu as bien compris les propriétés de ces deux celliers, tu reconnaîtras, je pense, que je n'ai pas eu tort d'appeler l'un le cellier des parfums, et l'autre le cellier des aromates. Comme le choc violent du pilon dégage et distille les vertus et les senteurs des essences, de même, dans le cellier des aromates, la vertu de l'enseignement et la rigueur de la discipline expriment et font jaillir, en quelque sorte, la vertu naturelle d'un comportement droit. Dans le cellier des parfums, par contre, l'agréable douceur d'une affection spontanée et comme innée s'empresse de rendre service, telle « un parfum sur la tête qui, à la moindre chaleur, descend[a] » et se répand sur tout le corps. Ainsi, le cellier de la discipline contient les essences des aromates pour ainsi dire simples et sèches : c'est pourquoi j'ai cru devoir le nommer cellier des aromates. Mais dans le cellier de la nature on dépose et on garde les parfums déjà préparés. De ce fait il a tiré son nom de cellier des parfums. Quant au cellier du vin, je pense qu'il porte ce nom pour la simple raison qu'on y entrepose le vin du zèle, qui fermente dans la charité. L'homme qui n'a pas encore mérité d'y être introduit, ne doit exercer aucune autorité sur les autres. Pour gouverner les autres, il faut être échauffé de ce vin,

infirmatur, et ego non infirmor? Quis scandalizatur, et ego non uror[b]? Alioquin improbe satis praeesse affectas, quibus prodesse non curas, et quorum non zelas salutem, 25 subiectionem nimis ambitiose vindicas tibi. Hanc ego cellam quoque Gratiae nominavi : non quod absque gratia vel reliquas duas obtinere quis possit, sed ob plenitudinem quae singulariter in ista percipitur. Denique *plenitudo legis est caritas*[c]; et *qui diligit fratrem, legem* 30 *implevit*[d].

8. Vidisti rationem vocabulorum; vide et differentiam cellarum. Nec enim paris facilitatis seu facultatis eiusdem est, petulantes vagosque sensus atque intemperantem carnis appetitum magistri comprimere metu ac rigida dis- 5 ciplinae cohibere censura, et spontaneo affectu bene cum sociis convenire; castigatis sub ferula vivere moribus, et sola magistra voluntate gratum paribus gerere morem. Nam neque unius rursum quis dicat esse meriti uniusve virtutis, socialiter vivere et utiliter praeesse. Quam multi 10 denique sub praeceptore quieti vivunt, quos si iugo absolvas, videas non posse quiescere, nec se ullo modo aequalibus servare innoxios! Item innumeros cernes simpliciter ac sine querela inter fratres conversari, super fratres non solum inutiliter, sed et insipienter et nequiter. Quadam 15 siquidem bona mediocritate contenti sunt qui huiusmodi sunt, sicut eis mensuram gratiae partitus est Deus : minime quidem egentes magistro, nec tamen idonei magisterio. Prioribus ergo sequentes quidem in moribus antecellunt;

b. II Cor. 11, 29 ≠ c. Rom. 13, 10 (Patr.) d. Rom. 13, 8 ≠

1. * Cf. p. 102, n. 1 sur *Rom.* 13, 10 (Patr.) cité en *SCt* 18, 6.

comme l'était le Docteur des gentils lorsqu'il disait : « Qui est faible, que je ne sois faible? Qui vient à tomber, qu'un feu ne me brûle[b]? » Sans cela, tu aspires bien abusivement à gouverner ceux que tu ne te soucies pas de servir. Et tu fais montre d'une ambition immodérée, en réclamant la soumission de ceux dont tu ne recherches pas le salut avec ardeur. Ce cellier, je l'ai nommé aussi cellier de la grâce. Non pas qu'on puisse être admis aux deux autres sans la grâce, mais en celui-ci seulement on en reçoit la plénitude. Car enfin, « la plénitude de la loi, c'est la charité[c 1] » ; et « celui qui aime son frère, a accompli la loi[d] ».

8. Tu as vu le pourquoi des noms; vois encore la différence des celliers. En effet, on ne peut pas considérer comme également faciles ou possibles ces deux comportements : d'une part, réprimer par la crainte du maître et astreindre à la rigueur d'une sévère discipline les sens insolents et volages et l'appétit désordonné de la chair; d'autre part, vivre en bonne intelligence avec ses frères par une affection spontanée. De fait, il n'est pas pareil de mener une vie austère sous la férule, ou de se montrer aimable avec ses égaux par sa propre volonté. Par ailleurs, personne ne dira qu'il y ait autant de mérite et de vertu à pratiquer la vie commune qu'à exercer efficacement l'autorité. Combien de gens voyons-nous vivre paisibles sous un supérieur et qui, aussitôt affranchis de ce joug, ne peuvent plus rester tranquilles, ni s'empêcher de chercher querelle à leurs égaux! D'autres, en très grand nombre, se conduisent simplement sans susciter aucune querelle avec leurs frères. Établis au-dessus d'eux, ils se montrent non seulement inefficaces, mais encore insensés et méchants. Les hommes de cette sorte se contentent d'une honnête médiocrité, selon la mesure de la grâce que Dieu leur a départie. S'ils n'ont aucun besoin de maîtres, ils ne sont pas non plus capables de l'être eux-

sed utrisque superiores exsistunt, qui superiores esse
20 sciunt. Denique et accipiunt in promissione qui bene
144 praesunt, *constitui super omnia bona* Domini sui[a]. At
pauci profecto qui utiliter, pauciores qui et humiliter
praesint. Facile tamen utrumque adimplet qui matrem virtutum discretionem perfecte adeptus, vino nihilominus
25 caritatis usque ad contemptum propriae gloriae, usque ad
sui ipsius oblivionem, et ad *non quaerenda quae sua sunt*[b] debriatur, quod solo ac miro Spiritus Sancti magisterio intra cellam vinariam obtinetur. Virtus quidem discretionis absque caritatis fervore iacet, et fervor vehemens
30 absque discretionis temperamento praecipitat. Ideoque laudabilis cui neutrum deest, quatenus et fervor discretionem erigat, et discretio fervorem regat. Ergo taliter oportet esse moratum eum qui praeest. Optimum autem in moribus dixerim, et summam disciplinae huius perfecte appre-
35 hendisse, cui totas has cellas absque offendiculo percurrere et circuire donatum est : qui in nullo prorsus aut resistat prioribus, aut invideat paribus, aut subiectis vel desit in cura, vel in superbia praesit ; praelatis oboediens, sociis congruens, utiliter subditis condescendens : quod
40 quidem perfectionis insigne haud dubius sponsae annuerim. Innuit hoc etiam *sermo quem dixit*[c], quia *introduxit me rex in cellaria sua*[d] : dum non in unam aliquam cellam, sed in cellaria pluraliter se introductam ostendit.

8. a. Matth. 24, 47 ≠ b. I Cor. 13, 5 ≠ c. Jn 18, 9
d. Cant. 1, 3

---

1. *Matrem virtutum discretionem,* « La discrétion mère des vertus » : *RB* 64, 19 (*SC* 182, 652-653) ; CASSIEN, *Conl.* II, 4, 4 (*CSEL* 13, 44).

mêmes. Ils sont préférables aux premiers dans leur comportement ; mais ceux qui savent être supérieurs surpassent les uns comme les autres. Enfin, ceux qui gouvernent sagement reçoivent la promesse d'être « préposés à tous les biens de leur Seigneur[a] ». Peu nombreux, certes, sont ceux qui gouvernent avec efficacité, encore moins ceux qui gouvernent aussi avec humilité. Il est pourtant facile de faire l'un et l'autre, quand on est parvenu à la discrétion parfaite, mère des vertus[1], et qu'on s'enivre aussi du vin de la charité jusqu'à mépriser sa propre gloire, jusqu'à s'oublier soi-même et « ne pas chercher son avantage personnel[b] ». Cette grâce ne s'obtient que par l'admirable enseignement de l'Esprit-Saint dans le cellier du vin. Car la vertu de discrétion est stérile sans la ferveur de la charité ; et la ferveur ardente court à sa perte sans le frein de la discrétion. C'est pourquoi il faut louer l'homme qui possède les deux, si bien que la ferveur anime la discrétion et que la discrétion dirige la ferveur. Celui qui gouverne doit être ainsi disposé. Je déclarerai parfait dans sa conduite, et pourvu d'une formation complète, l'homme à qui il est donné de parcourir sans obstacle ces celliers tout entiers, et d'en faire le tour. Un tel homme ne résiste en rien à ses supérieurs, n'envie pas ses pairs, ne ménage pas ses soins à ses inférieurs, ne gouverne pas avec arrogance. Il est obéissant envers les préposés, il s'entend bien avec ses compagnons, il s'abaisse dans l'intérêt de ceux qui lui sont soumis. Je n'hésite pas à attribuer ce haut degré de perfection à l'épouse. « Les paroles mêmes qu'elle a prononcées[c] » me donnent raison : « Le Roi m'a fait entrer dans ses celliers[d]. » Elle montre ainsi qu'elle a été introduite non pas dans un cellier seulement, mais dans les celliers, au pluriel.

IV. De diversitate cubiculorum, et primum de cubiculo cognitionis.

9. Iam ad cubiculum veniamus. Quid et istud? Et id me praesumo scire quid sit? Minime mihi tantae rei arrogo experientiam, nec glorior in praerogativa quae soli servatur beatae sponsae, cautus, iuxta illud Graecorum, scire 5 meipsum, *ut sciam* etiam cum Propheta *quid desit mihi*[a]. Tamen si nihil omnino scirem, nihil dicerem. Quod scio, non invideo vobis, nec subtraho; quod nescio, doceat vos *qui docet hominem scientiam*[b]. Dixi, et meministis, in theoricae contemplationis arcano Regis esse quae- 10 rendum cubiculum. Sed quomodo de unguentis dixisse me scio, multa videlicet et diversa penes sponsum ea esse, nec omnia praesto omnibus, sed sua quibusque pro diversitate indulta meritorum, sic quoque non unum puto cubiculum Regi esse, sed plura. Nam nec una est *regina* 15 profecto, sed plures; *et concubinae* sunt multae, *et adolescentularum non est numerus*[c]. Et unaquaeque invenit secretum sibi cum sponso, et dicit : *Secretum meum mihi,* 145 *secretum meum mihi*[d]. Non omnibus uno in loco frui datur grata et secreta sponsi praesentia, sed ut *cuique* 20 *paratum est a Patre* ipsius[e]. *Non* enim *nos eum elegimus, sed ipse elegit nos, et posuit nos*[f]; et ubi ab eo quisque positus est, ibi est[g]. Denique mulier una compuncta secus pedes Domini Iesu sortita est locum[h], cum altera suae

9. a. Ps. 38, 5 b. Ps. 93, 10 c. Cant. 6, 7 ≠ d. Is. 24, 16 e. Matth. 20, 23 ≠ f. Jn 15, 16 ≠ g. Cf. Jn 17, 24 h. Cf. Lc 10, 39

1. «Le célèbre dicton des Grecs.» Il s'agit de la célèbre devise de Delphes : *Scito teipsum,* «Connais-toi toi-même.» Voir P. COURCELLE, «*Connais-toi toi-même*» *de Socrate à saint Bernard*», p. 258-274.

2. «Mon secret est à moi, mon secret est à moi.» Voir GUILL. DE S.-TH., *Lettre aux Frères du Mont-Dieu* 300 (*SC* 223, 385).

IV. Trois chambres distinctes. Tout d'abord, la chambre de la connaissance.

9. Venons-en maintenant à la chambre. De quoi s'agit-il? Ai-je donc la présomption de le savoir? Je me garde de m'attribuer l'expérience d'une chose si grande, ni ne me targue d'une prérogative réservée exclusivement à la bienheureuse épouse. Selon le célèbre dicton des Grecs[1], j'ai soin de me connaître moi-même, « pour connaître », avec le Prophète, « ce qui me manque[a] ». Cependant, si je n'en savais rien du tout, je ne pourrais rien dire. Ce que je sais, je n'en suis pas jaloux, et je ne le dissimule pas ; ce que j'ignore, puissiez-vous l'apprendre de « celui qui apprend à l'homme la science[b] ». J'ai dit, et vous vous en souvenez, qu'il faut chercher la signification de la chambre du Roi dans le mystère de la vision contemplative. Mais je me rappelle avoir dit, à propos des parfums, qu'il y en a beaucoup et de diverses sortes chez l'Époux. Ils ne sont pas tous à la portée de tout le monde, mais ils sont accordés à chacun selon la diversité de ses mérites. De même, je pense que le Roi n'a pas seulement une chambre, mais plusieurs. En effet, il n'y a pas une seule reine, il y en a plusieurs ; « les concubines sont nombreuses et les jeunes filles sans nombre[c] ». Chacune trouve son propre lieu secret pour rencontrer l'Époux, et elle dit : « Mon secret est à moi, mon secret est à moi[d2]. » Il n'est pas donné à toutes de jouir en un même lieu de la présence aimée et secrète de l'Époux, mais chacune en est « gratifiée comme le Père en a disposé[e] ». Car « ce n'est pas nous qui l'avons choisi, c'est lui qui nous a choisis, et nous a établis à notre place[f] » ; et chacun demeure à la place où il a été établi par lui[g]. Une femme repentante a reçu une place aux pieds du Seigneur Jésus[h], tandis qu'une autre, si toutefois ce n'est pas la même, a trouvé à la tête du Seigneur la récom-

devotionis fructum ad caput invenerit[i], si tamen altera.
25 Porro Thomas in latere[j], Ioannes in pectore[k], Petrus in sinu Patris[l], Paulus in tertio caelo[m], secreti huius sunt gratiam assecuti.

10. Quis nostrum digne distinguere sufficiat has varietates meritorum, vel potius praemiorum? Ne omnino tamen praeteriisse quod ipsi novimus videamur, prior mulier stravit sibi in tuto humilitatis, posterior in solio spei,
5 Thomas in solido fidei, Ioannes in lato caritatis, Paulus in intimo sapientiae, Petrus in luce veritatis. Sic ergo apud sponsum *mansiones multae sunt*[a]; et sive *regina,* sive *concubina,* sive etiam sit *de numero adolescentularum*[b], congruum quaeque pro meritis accipit locum terminumque
10 quousque liceat sibi contemplando procedere, et *introire in gaudium Domini sui*[c], et rimari dulcia secreta sponsi. Quod suo loco distinctius, quantum dignabitur ipse suggerere, demonstrare conabor. Nunc vero id nosse sufficiat, nulli adolescentularum, nulli concubinarum, nulli
15 vel reginarum patere omnino accessum ad secretum illud cubiculi, quod suae illi *columbae,* formosae, *perfectae, uni*[d], unicum sponsus servat. Unde nec ego sane indignor, si non ad illud admittor, praesertim cum constet mihi ne ipsam quidem sponsam interim adhuc ad omne quod vult
20 pervenire secretum. Denique et flagitat *indicari sibi ubi pascat, ubi cubet in meridie*[e].

11. Sed audite quousque pervenerim, aut me perve-

i. Cf. Matth. 26, 7 j. Cf. Jn 20, 27 k. Cf. Jn 13, 25 l. Cf. Matth. 16, 17 m. Cf. II Cor. 12, 2

10. a. Jn 14, 2 b. Cant. 6, 7 ≠ c. Matth. 25, 21 ≠ d. Cant. 6, 8 ≠ e. Cant. 1, 6 ≠

---

1. AMBROISE, *In Lucam* VI, 16 (*SC* 45, 234) : *Peccator ad pedes, iustus ad caput,* « Le pécheur se met aux pieds (du Christ), le juste à sa tête. » Cf. *SC* 414, 147, n. 1 sur *SCt* 6, 6.

2. « Je ne suis pas fâché de ne pas y avoir accès. » Il serait bien

pense de sa ferveur[i] [1]. En revanche, Thomas a reçu la grâce de ce lieu secret dans le côté de Jésus[j], Jean sur sa poitrine[k], Pierre dans le sein du Père[l], Paul au troisième ciel[m].

10. Qui d'entre nous pourrait distinguer comme il convient cette diversité de mérites, ou plutôt de récompenses? Cependant, pour ne pas avoir l'air de passer sous silence ce que nous en savons, nous dirons ceci. La première femme s'est installée à l'abri de l'humilité, la seconde sur le trône de l'espérance, Thomas dans la fermeté de la foi, Jean dans les vastes espaces de la charité, Paul dans la profondeur de la sagesse, Pierre dans la lumière de la vérité. Ainsi donc, « il y a beaucoup de demeures[a] » chez l'Époux. « La reine, la concubine, ou même n'importe laquelle des jeunes filles[b] », reçoivent chacune la place correspondant à ses mérites. Elle y reste jusqu'à ce qu'il lui soit permis d'avancer par la contemplation, d'« entrer dans la joie de son Seigneur[c] » et de pénétrer les doux secrets de l'Époux. J'essaierai de vous montrer plus clairement cela en son lieu, pour autant que le Seigneur daignera m'inspirer. Mais pour l'instant, il suffira de savoir ceci : aucune des jeunes filles, des concubines et même des reines, n'est admise à ce secret de la chambre, que l'Époux réserve uniquement pour « sa colombe, sa toute belle, sa parfaite, son unique[d] ». Dès lors, moi non plus je ne suis pas fâché de ne pas y avoir accès[2]. D'autant qu'à ma connaissance l'épouse elle-même ne pénètre pas ici-bas le secret comme elle le voudrait. Aussi demande-t-elle avec instance « qu'on lui montre où l'Époux mène paître son troupeau, où il se repose à midi[e] ».

11. Écoutez donc jusqu'où j'ai pu pénétrer, ou du

présomptueux de conclure de cette phrase que Bernard n'a jamais atteint le sommet de la vie mystique.

nisse putaverim. Neque enim iactantiae deputandum est, quod in vestros pando profectus. Est locus apud sponsum, de quo sua iura decernit et disponit consilia ipse uni-
5 versitatis gubernator, leges constituens *omni* creaturae, *pondus, et mensuram, et numerum*[a]. Est locus iste altus
146 et secretus, sed minime quietus. Nam etsi ipse, quantum in se est, *disponit omnia suaviter*[b], disponit tamen; et contemplantem, qui forte eo loci pervenerit, quiescere
10 non permittit; sed mirabiliter, quamvis delectabiliter, rimantem et admirantem fatigat, redditque inquietum. Pulchre utrumque in consequentibus sponsa exprimit, et delectationem videlicet istiusmodi contemplationis, et inquietudinem, ubi et se *dormire, et cor suum vigilare*[c]
15 fatetur. Nam in somno quidem suavissimi stuporis placidaeque admirationis sentire quietem, in vigiliis vero inquietae nihilominus curiositatis ac laboriosae exercitationis pati se fatigationem significat. Hinc beatus Iob : *Si dormiero,* ait, *dico : Quando consurgam? Et rursum ex-*
20 *spectabo vesperam*[d]. Sentisne in his verbis sanctam animam velle interdum molestam quodammodo declinare suavitatem, eamdemque rursum suavem molestiam affectare? Non enim dixisset : *Quando consurgam?* si ex toto ei quies illa suae contemplationis placuisset; sed et si ex
25 toto displicuisset, non denuo exspectasset horam quietis,

11. a. Sag. 11, 21 ≠ b. Sag. 8, 1 c. Cant. 5, 2 ≠ d. Job 7, 4

---

1. * Ce texte, souvent cité et assez diversement, comporte ici l'expression plutôt rare chez Bernard : *universitatis gubernator*; pour l'unique autre occurrence bernardine, cf. *SC* 393, 151, n. 3 sur *Dil* 35. Les Pères, s'ils donnent volontiers à Dieu le titre de *gubernator*, n'ont pas associé ce nom à *Sag.* 11, 21, sauf l'auteur d'une *Homélie* (*PL* 177, 1113 D). Dans ce contexte mystique, Bernard tient à bien marquer la régulation divine par 3 paires de synonymes : *iura decernit – disponit consilia – leges constituens.*

moins je crois avoir pénétré. Car il ne faut pas imputer à la présomption ce que je vous dévoile pour votre progrès. Il est un lieu chez l'Époux, d'où il promulgue ses décrets et arrête ses desseins, lui qui régit l'univers. C'est de là qu'il fixe « à toute créature ses lois, le poids, la mesure et le nombre[a][1] ». Ce lieu est élevé et secret, mais nullement tranquille. Bien que l'Époux, quant à lui, « dispose toutes choses avec douceur[b] », c'est lui cependant qui les dispose. Il ne permet pas à celui qui a pu pénétrer jusque-là par la contemplation, de demeurer tranquille. De façon saisissante, bien qu'agréable, il le pousse sans cesse à scruter et à admirer, il ne le laisse pas en repos. Dans la suite du texte, l'épouse exprime avec finesse l'un et l'autre : le plaisir et l'inquiétude de cette contemplation. C'est lorsqu'elle avoue « qu'elle dort et que son cœur veille[c] ». Par le sommeil, elle désigne la tranquillité de cet émerveillement si doux et de cette admiration paisible. Par la veille, elle signifie la fatigue de la recherche inquiète et de l'exercice laborieux[2]. D'où cette parole du bienheureux Job : « Si je m'endors, je dis : Quand me lèverai-je ? Mais, aussitôt après, j'attends le soir avec impatience[d]. » Ne perçois-tu pas, à travers ces paroles, que l'âme sainte veut parfois fuir une douceur en quelque sorte pénible, mais, aussitôt après, rechercher à nouveau cette douce peine ? Car elle n'aurait pas dit : « Quand me lèverai-je ? », si elle avait trouvé tout son plaisir dans le repos de la contemplation. Mais si cela lui avait tout à fait déplu, elle n'aurait pas de nouveau attendu avec impatience l'heure du repos, c'est-à-dire le

2. Bernard décrit avec beaucoup de finesse les deux moments de la rencontre humano-divine : le repos contemplatif et la fatigue de la recherche. Même conception dans les œuvres de Ruusbroec : « Dieu vient sans cesse en nous, ... réclamant de nous à la fois la fruition et les œuvres » (*Les Noces spirituelles*, trad. A. Louf, Bellefontaine 1993, p. 187).

id est vesperam. Non igitur locus iste cubiculi, ubi nequaquam per omnem modum quiescitur.

V. De cubiculo timoris, ubi de clericis terribiliter loquitur.

12. Est item locus, de quo super rationalem, reprobam quidem, creaturam immobilis vigilat secretissima et severissima animadversio *iusti iudicis Dei*[a], *terribilis in consiliis super filios hominum*[b]. Cernitur, inquam, a timorato
5 contemplatore hoc loco Deus, iusto sed occulto iudicio suo, reproborum nec diluens mala, nec acceptans bona, insuper et *corda indurans, ne* forte doleant et *resipiscant, et convertantur et sanet eos*[c]. Et hoc non absque certa et aeterna ratione : quod tanto formidolosius constat esse,
10 quanto immobilius fixum exstat in aeternitate. Pavendum valde quod in Propheta de huiusmodi legimus, ubi loquens ad angelos suos Deus sic ait : *Misereamur impio.* Quibus paventibus atque quaerentibus : *Non ergo discet facere iustitiam? Non,* inquit; subdensque causam : *In terra,* ait,
15 *sanctorum iniqua gessit, et non videbit gloriam Domini*[d]. Timeant clerici, timeant ministri Ecclesiae, qui in terris sanctorum quas possident, tam iniqua gerunt ut *stipendiis,* quae sufficere debeant, minime *contenti*[e], superflua, quibus egeni sustentandi forent, impie sacrilegeque sibi
147 20 retineant, et in usus suae superbiae atque luxuriae victum pauperum consumere non vereantur : duplici profecto iniquitate peccantes, quod et aliena diripiunt, et sacris in suis turpitudinibus et vanitatibus abutuntur.

12. a. Ps. 7, 12 ≠ b. Ps. 65, 5 c. Jn 12, 40 ≠; II Tim. 2, 26 ≠ d. Is. 26, 10 ≠ e. Lc 3, 14 ≠

1. Bernard reprend ici la conception augustinienne de la prédestination dure et pure. Voir GUILL. DE S.-TH., *Méditations* I, 9 (*SC* 324, 47) et IX, 1 (*SC* 324, 146, 7-8). Comment peut-on concilier cette doctrine avec le désir divin que tous soient sauvés?

soir. Ce lieu n'est pas la chambre de l'Époux, puisqu'on n'y goûte pas un parfait repos.

V. La chambre de la crainte. Terrible avertissement aux clercs.

12. Il est un autre lieu, d'où la vigilance très secrète et très sévère de Dieu, «juste juge[a]» et «terrible dans ses desseins sur les enfants des hommes[b]», s'exerce, immuable, sur la créature douée de raison et réprouvée. En ce lieu, dis-je, le contemplatif pénétré de crainte aperçoit Dieu qui, par un juste mais mystérieux jugement, n'efface pas les fautes des réprouvés, ni n'agrée leurs bonnes actions. Au contraire, «il endurcit leurs cœurs, pour qu'ils ne se repentent pas dans l'affliction, qu'ils ne se convertissent pas et que lui-même ne les guérisse pas[c]». Et cela, non sans une raison certaine et éternelle : chose d'autant plus effrayante qu'elle est immuablement arrêtée de toute éternité. Il nous faut craindre fort ce que nous lisons à ce sujet chez le Prophète, lorsque Dieu, s'adressant à ses anges, dit : «Ayons pitié de l'impie.» Et eux de demander avec effroi : «N'apprendra-t-il donc pas à faire la justice?» «Non», dit Dieu; et il en donne la raison : «Sur la terre des saints il a commis l'iniquité, il ne verra point la gloire du Seigneur[d1].» Que les clercs tremblent, que tremblent les ministres de l'Église, eux qui commettent tant d'iniquités sur les terres des saints qu'ils possèdent. Nullement «contents des revenus[e]» qui devraient leur suffire, ils poussent l'impiété et le sacrilège jusqu'à retenir pour eux les richesses superflues qui auraient dû servir à secourir les indigents. Ils ne craignent pas de gaspiller la nourriture des pauvres pour assouvir leur orgueil et leur luxure. Oui, ils se rendent coupables d'une double iniquité, puisqu'ils pillent les biens d'autrui, et qu'ils abusent des choses sacrées pour satisfaire leurs vanités et leurs débauches.

13. Talibus ergo cum in praesenti parcere et misereri, ne in aeternum parcat, cuius *iudicia abyssus multa*[a] advertitur, quis hoc loco requiem quaerat? Habet haec visio tremorem iudicii, non securitatem cubiculi. *Terribilis est*
5 *locus iste*[b], et totius expers quietis. Totus inhorrui, si quando in eum raptus sum, illam apud me replicans cum tremore sententiam : *Quis scit si est dignus amore an odio*[c]? Nec mirum, si titubo ego ibi, folium utique quod vento rapitur et stipula sicca[d], ubi et maximus contem-
10 plator suos quoque fatetur *pene motos fuisse pedes, pene fusos gressus*[e]; et dicebat : *Zelavi super iniquos, pacem peccatorum videns*[f]. Quare? *In labore,* inquit, *hominum non sunt, et cum hominibus non flagellabuntur; ideoque tenuit eos superbia*[g], ne humilientur ad paenitentiam, sed
15 damnentur propter superbiam cum superbo diabolo et angelis eius[h]. Nam qui *in labore hominum non sunt,* in labore daemonum profecto erunt, dicente Iudice : *Ite, maledicti, in ignem aeternum, qui praeparatus est diabolo et angelis eius*[i]. Est tamen Dei *locus* et *iste*, plane *non*
20 *aliud* quam *domus Dei et porta caeli*[j]. Hic nempe timeri dicitur Deus; hic *sanctum et terribile nomen eius*[k], et tamquam ingressus gloriae : *Initium* plane *sapientiae timor Domini*[l].

13. a. Ps. 35, 7 ≠ b. Gen. 28, 17 c. Eccl. 9, 1 ≠ d. Cf. Job 13, 25 e. Ps. 72, 2 ≠ f. Ps. 72, 3 ≠ g. Ps. 72, 5-6 h. Cf. Matth. 25, 41 i. Matth. 25, 41 (Patr.) j. Gen. 28, 17 ≠ k. Ps. 110, 9 l. Ps. 110, 10 ≠

1. « en ce lieu », c'est-à-dire dans la chambre de la crainte (début du § 12).

2. * Bernard, sur 8 citations de ce verset, introduit 5 fois l'interrogation *Quis (hominum)* qu'aucun Père n'a employée avant lui. La *Vg, Nescit homo,* largement majoritaire chez les Pères, avait parfois été remplacée par *Nemo scit* ou quelques autres formulations. Ce peut être, de la part de Bernard, un souci littéraire et d'expressivité forte.

3. *Maximus contemplator,* « le plus grand des contemplatifs ». Il s'agit de David, auteur des Psaumes.

13. On voit Celui dont «les jugements sont un profond abîme[a]» traiter de telles gens avec ménagement et pitié dans la vie présente, pour ne pas avoir à les ménager dans l'éternité. Dès lors, comment pourrait-on chercher le repos en ce lieu[1]? Cette vue évoque la frayeur du jugement, et non la sécurité de la chambre. «Ce lieu est redoutable[b]», et dépourvu de toute tranquillité. S'il m'arrive parfois d'y être transporté en esprit, je frissonne de tous mes membres et me répète, en tremblant, cette parole : «Qui peut savoir s'il est digne d'amour ou de haine[c][2]?» Rien d'étonnant si je chancelle en ce lieu, moi qui ne suis que feuille emportée par le vent et paille sèche[d]. En ce lieu, même le plus grand des contemplatifs[3] avoue que «ses pieds avaient failli trébucher et ses pas glisser[e]». Aussi disait-il : «J'ai envié les méchants, en voyant la paix des pécheurs[f].» Pourquoi? «Ils échappent à la peine des hommes, dit-il, et ne sont pas tourmentés avec eux; c'est pourquoi l'orgueil les tient[g].» Ils ne s'humilieront pas dans le repentir, mais seront damnés pour leur orgueil avec le diable orgueilleux et avec ses anges[h]. Car «ceux qui échappent à la peine des hommes», n'échapperont certes pas à la peine des démons, selon la sentence du Juge : «Allez, maudits, au feu éternel, qui fut préparé pour le diable et ses anges[i][4].» Pourtant, ce lieu aussi appartient à Dieu : «il n'est autre que la maison de Dieu et la porte du ciel[j]». Oui, c'est ici que Dieu est craint; c'est ici que «son nom est saint et redoutable[k]». Il est comme le porche de la gloire : car «le commencement de la sagesse, c'est la crainte du Seigneur[l].»

4. * Bernard cite toujours (11 fois) ce verset avec *Ite,* «Allez», et non le *Discedite,* «Partez d'ici», de *Vg*. Cet *Ite,* extrêmement fréquent chez Augustin, n'est cependant chez ce dernier presque jamais associé à *maledicti.* A vrai dire, *Ite,* avec ou sans *maledicti,* a été très répandu avant Bernard. *Paratus* ou *praeparatus* paraissent interchangeables.

14. Nec te moveat, quod initium sapientiae huic demum loco dederim, et non priori. Ibi quippe in quodam quasi auditorio suo *docentem de omnibus*[a] magistram audimus Sapientiam, hic et suscipimus; ibi instruimur quidem, sed 5 hic afficimur. Instructio doctos reddit, affectio sapientes. Sol non omnes, quibus lucet, etiam calefacit : sic Sapientia multos, quos docet quid sit faciendum, non continuo etiam accendit ad faciendum. Aliud est multas divitias scire, aliud et possidere : nec notitia divitem facit, sed 10 possessio. Sic prorsus, sic aliud est nosse Deum, et aliud 148 timere; nec cognitio sapientem, sed timor facit, qui afficit. Tune sapientem dixeris, quem sua *scientia inflat*[b]? Quis illos sapientes, nisi insipientissimus, dicat, qui, *cum cognovissent Deum, non tamquam Deum glorificaverunt aut* 15 *gratias egerunt*[c]? Ego magis cum Apostolo sentio, qui *insipiens cor eorum*[c] manifeste pronuntiat. Et bene *initium sapientiae timor Domini*[d], quia tunc primum animae Deus sapit, cum eam afficit ad timendum, non cum instruit ad sciendum. Times Dei iustitiam, times potentiam; et sapit 20 tibi iustus et potens Deus, quia timor sapor est. Porro sapor sapientem facit, sicut scientia scientem, sicut divitiae divitem. Quid ergo prior locus? Tantum praeparat ad

14. a. I Jn 2, 27 ≠ b. I Cor. 8, 1 c. Rom. 1, 21 ≠ d. Ps. 110, 10

1. Bernard trouve le commencement de la sagesse dans la chambre de la crainte, et non dans celle de la connaissance.

2. « Là nous sommes instruits, mais ici nous sommes touchés intérieurement. » Aux yeux de Bernard les *affectus* révèlent davantage le mystère divin que la raison. Voir O. LANGER, « Affekt und Ratio », dans : *Zisterziensische Spiritualität. Theologische Grundlagen*..., St. Ottiliën 1994, p. 46.

3. *Timor sapor est,* « La crainte est saveur. » Dans la chambre de la crainte, l'âme humaine se trouve devant le mystère de Dieu qui fait trembler et qui fascine à la fois *(Mysterium tremendum et fascinans).*

14. Ne t'étonne pas si j'attribue le commencement de la sagesse à ce lieu, et non au précédent[1]. En effet, dans le premier nous entendons la Sagesse nous « enseigner toutes choses[a] » en maître, comme dans une salle de conférences. Dans le deuxième lieu, par contre, nous recevons en nous la Sagesse elle-même. Là nous sommes instruits, mais ici nous sommes touchés intérieurement[2]. L'instruction rend les hommes savants, ce toucher intérieur les rend sages. Le soleil ne réchauffe pas tous ceux qu'il éclaire ; de même, la Sagesse enseigne à beaucoup ce qu'il faut faire, sans toutefois enflammer toujours en eux l'ardeur nécessaire pour passer à l'acte. Autre chose est de connaître beaucoup de richesses, autre chose de les posséder : ce n'est pas le savoir qui fait le riche, mais la possession. De même, autre chose est de connaître Dieu, autre chose de le craindre ; ce n'est pas la connaissance qui fait le sage, mais la crainte, car celle-ci touche le cœur. Appellerais-tu sage celui que « sa science enfle d'orgueil[b] » ? Quel homme, à moins d'être complètement insensé, appellerait sages « ceux qui, tout en connaissant Dieu, ne l'ont pas glorifié comme Dieu et ne lui ont pas rendu grâces[c] » ? Pour moi, je partage plutôt le sentiment de l'Apôtre, qui déclare ouvertement « leur cœur insensé[c] ». Et il est bien vrai que « le commencement de la sagesse, c'est la crainte du Seigneur[d]. » L'âme ne commence à goûter la saveur de Dieu que lorsqu'il la touche par la crainte, et non lorsqu'il l'instruit pour lui donner le savoir. Tu crains la justice de Dieu, tu crains sa puissance ; le Dieu juste et puissant te donne de le savourer, car la crainte est saveur[3]. Or, la saveur fait le sage, comme le savoir fait le savant, et la richesse le riche. A quoi sert alors le premier lieu dont j'ai parlé ? Il ne fait

Aussi la première réaction humaine doit être pleine de respect et de crainte révérentielle.

sapientiam. Illic praepararis, ut hic initieris. Praeparatio, rerum cognitio est. Verum hanc facillime sequitur ela-
25 tionis tumor, si non reprimat timor, ut merito dicatur initium sapientiae, qui se pesti insipientiae primus opponit. Ibi itaque quidam accessus est ad sapientiam, hic et ingressus. Porro nec hic, nec ibi speculanti perfecta est quies, quia illic Deus apparet tamquam sollicitus, hic
30 tamquam turbatus. Non ergo cubiculum quaesieris in his locis, quorum alter auditorium quasi docentis, alter praetorium iudicis magis apparet.

VI. De cubiculo remissionis vel praedestinationis.

15. Sed est locus ubi vere quiescens et quietus cernitur Deus : locus omnino, non iudicis, non magistri, sed sponsi, et qui mihi quidem – nam de aliis nescio –, plane cubiculum sit, si quando in illum contigerit introduci. Sed,
5 heu! rara hora et parva mora! Clare ibi agnoscitur *misericordia Domini ab aeterno et usque in aeternum super timentes eum*[a]. Et felix qui dicere potest : *Particeps ego sum omnium timentium te, et custodientium mandata tua*[b]. Stat *propositum Dei*[c], stat sententia pacis *super*
10 *timentes eum*, ipsorum et dissimulans mala[d], et remunerans bona, ut miro modo eis non modo bona, sed et mala *cooperentur in bonum*[e]. O solus vere *beatus, cui non imputabit Dominus peccatum*[f]! Nam qui non habebit

15. a. Ps. 102, 17 b. Ps. 118, 63 c. Rom. 9, 11 d. Cf. Sag. 11, 24 e. Rom. 8, 28 ≠ f. Ps. 31, 2 ≠

---

1. *Rara hora et parva mora,* « Rare est l'heure et peu on y demeure. » Les grâces contemplatives (ou mystiques) ne sont accordées que rarement et elles sont passagères. Pourtant Bernard les distingue nettement des autres expériences de Dieu. Cf. JEAN DE FÉCAMP, *Lettre à une moniale,* dans : *Un maître de la vie spirituelle au XI*[e] *siècle* (éd. J. Leclercq et J.P. Bonnes) p. 208, 76 : *Rara est hora et parva mora.*

que préparer à la sagesse. C'est là que tu es préparé, pour être initié ici. La préparation, c'est la connaissance des choses. Mais celle-ci peut aisément engendrer l'enflure de l'orgueil, à moins que la crainte ne réprime ce mouvement. Voilà pourquoi la crainte est appelée à juste titre le commencement de la sagesse, puisqu'elle s'oppose la première à la peste de la folie. Ainsi, la connaissance donne un certain accès à la sagesse, mais la crainte en est l'entrée. Cependant, le contemplatif ne jouit d'une tranquillité parfaite ni dans la connaissance, ni dans la crainte, parce que dans la première Dieu sollicite notre intelligence, dans la seconde il nous montre son courroux. Tu ne chercheras donc pas la chambre de l'Époux en ces lieux, dont l'un ressemble à la salle d'un maître qui enseigne, l'autre au tribunal d'un juge.

VI. La chambre du pardon ou de la prédestination.

15. Mais il est un lieu où Dieu se montre vraiment apaisé et apaisant : non pas le lieu du juge, ni du maître, mais de l'Époux. Pour moi du moins – car pour les autres je n'en sais rien – c'est là sa chambre, si parfois il m'est arrivé d'y être introduit. Mais, hélas ! rare est l'heure et peu on y demeure[1] ! Là on voit clairement que « la miséricorde du Seigneur sur ceux qui le craignent est de toujours à toujours[a] ». Heureux celui qui peut dire : « Je fais partie de tous ceux qui te craignent, et qui gardent tes commandements[b]. » « Le dessein de Dieu[c] » est fixe à jamais, sa sentence de paix irrévocable « pour ceux qui le craignent ». Elle ne tient pas compte de leurs fautes[d] et récompense leurs bonnes actions, en sorte que les bonnes actions comme les mauvaises « contribuent merveilleusement à leur bien[e] ». Ô seul vraiment « heureux, celui à qui le Seigneur n'imputera pas son péché[f] ! » Car nul ne sera exempt de péché. « Tous en

peccatum, nemo. *Omnes enim peccaverunt, et* omnes *egent*
15 *gloria Dei*[g]. *Quis accusabit* tamen *adversus electos Dei*[h]?
Sufficit mihi ad omnem iustitiam solum habere propitium[i]
cui soli peccavi[j]. Omne quod mihi ipse non imputare
149 decreverit, sic est quasi non fuerit. Non peccare, Dei iustitia est : hominis iustitia, indulgentia Dei. Vidi haec, et
20 intellexi illius sententiae veritatem : *Omnis qui natus est ex Deo, non peccat, quia generatio caelestis servat eum*[k].
Generatio caelestis aeterna *praedestinatio* est, qua *electos* suos Deus dilexit et *gratificavit in dilecto* Filio suo *ante mundi constitutionem*[l], *sic in sancto apparentes sibi, ut*
25 *viderent virtutem suam et gloriam suam*[m], quo eius forent consortes hereditatis[n], cuius et apparerent *conformes imaginis*[o]. Hos ergo adverti quasi numquam peccasse : quoniam etsi qua deliquisse videntur in tempore, non apparent in aeternitate, *quia caritas* Patris ipsorum *cooperit*
30 *multitudinem peccatorum*[p]. Et dixi *beatos, quorum remissae sunt iniquitates et quorum tecta sunt peccata*[q], cum subito tanta mihi quoque de me suborta fiducia et infusa laetitia est, quantus certe *in loco horroris*[r], id est in loco secundae visionis, non praecesserat timor, ita ut
35 mihi visus sim tamquam unus ex illis beatis esse. O si durasset! Iterum, iterumque *visita me, Domine, in salutari tuo, ad videndum in bonitate electorum tuorum, ad laetandum in laetitia gentis tuae*[s].

g. Rom. 3, 23 ≠ h. Rom. 8, 33 i. Cf. II Cor. 12, 9 j. Ps. 50, 6 ≠ k. I Jn 5, 18 (Patr.) l. Éphés. 1, 4-6 ≠ m. Ps. 62, 3 ≠ n. Cf. II Pierre 1, 4; Éphés. 1, 18 o. Rom. 8, 29 ≠ p. I Pierre 4, 8 (Patr.) q. Ps. 31, 1 ≠ r. Deut. 32, 10 s. Ps. 105, 4-5 ≠

---

1. * *Generatio caelestis* est un texte *Vl* typique ; Bernard l'emploie 6 fois sur 6, et non *generatio Dei (Vg)*. Les deux seules parallèles trouvés sont Pseudo-GRÉGOIRE, *Comm. sur I Rois,* 5, 183 (*CCL* 144, 533, l. 4475 ; cf. p. 42, n. 3) et GODEFROID D'ADMONT, *Homélies, PL* 174, 528 C (allusivement).

effet ont péché, et tous sont privés de la gloire de Dieu[g].» Mais «qui se fera l'accusateur des élus de Dieu[h]?» Il me suffit, pour être entièrement justifié, d'avoir la faveur[i] de «celui-là seul que j'ai offensé[j]». Tout ce qu'il a résolu de ne pas m'imputer est comme non avenu. Ne point pécher, voilà la justice de Dieu; le pardon de Dieu, voilà la justice de l'homme. J'ai vu cela, et j'ai compris la vérité de cette parole: «Quiconque est né de Dieu ne pèche pas, parce que la filiation céleste le préserve[k 1].» «La filiation céleste, c'est l'éternelle prédestination, par laquelle Dieu a aimé ses élus et les a comblés en son Fils bien-aimé avant la fondation du monde[l].» «Ils apparaissent devant lui en son sanctuaire, si bien qu'ils voient sa puissance et sa gloire[m]», pour être associés à l'héritage[n] de ce Fils «à l'image duquel ils ont été rendus conformes[o]». Je les ai donc regardés comme s'ils n'avaient jamais péché. Car, même s'ils semblent avoir commis quelques fautes dans le temps, celles-ci n'apparaissent pas dans l'éternité, «parce que la charité de leur Père couvre une multitude de péchés[p 2]». Et je les ai appelés bienheureux, «eux dont les iniquités ont été pardonnées et les péchés couverts[q]». Alors j'ai senti tout d'un coup naître en moi une telle confiance et éclater une telle joie qu'elles surpassaient certainement la crainte éprouvée «dans le lieu de l'épouvante[r]», je veux dire dans le lieu de la seconde vision. Il m'a semblé que j'étais du nombre de ces bienheureux. Oh! si ce sentiment avait pu durer! Encore et toujours «visite-moi, Seigneur, par ton salut, pour que je voie ta bonté envers tes élus, et que je me réjouisse de la joie de ton peuple[s]».

2. * Dans ce verset de *I Pierre* 4, 8 (ou *Jac.* 5, 20), Bernard emploie à peu près aussi souvent *cooperit, Vl,* que *operit, Vg.* La tradition patristique était très abondante et partagée. Bernard a maintenu, seul en son siècle, une tradition patristique qui était allée s'amenuisant.

16. O vere quietus locus, et quem non immerito cubiculi appellatione censuerim, in quo Deus, non quasi turbatus ira, nec velut distentus cura prospicitur, sed *probatur voluntas eius* in eo *bona, et beneplacens, et perfecta*[a].
5 Visio ista non terret, sed mulcet ; inquietam curiositatem non excitat, sed sedat ; nec fatigat sensus, sed tranquillat. Hic vere quiescitur. Tranquillus Deus tranquillat omnia[b], et quietum aspicere, quiescere est ; cernere est Regem post diurnas forensium quasi lites causarum, *dimissis a*
10 *se turbis,* curarum molestias *declinantem*[c], petentem de nocte diversorium, cubiculum introeuntem cum paucis, quos hoc secreto et hac familiaritate dignatur, eo certe securius quo secretius quiescentem, eo serenius se habentem quo placidius solos intuentem quos diligit[d]. In
15 hoc arcanum et in hoc sanctuarium Dei, si quem vestrum aliqua hora sic rapi et sic abscondi contigerit, ut minime avocet aut perturbet vel sensus egens, vel cura pungens, vel culpa mordens, vel certe ea, quae difficilius amo-
150 ventur, irruentia imaginum corporearum phantasmata,
20 poterit quidem hic, cum ad nos redierit, gloriari et dicere : *Introduxit me Rex in cubiculum suum*[e]. Quod tamen an ipsum sit de quo exsultat sponsa, non temere affirmaverim. Est tamen cubiculum, et cubiculum Regis, quia nimirum de tribus, quos triplici assignavimus visioni, solus
25 *factus est in pace locus*[f] iste. Ut enim aperte monstratum est, et in priori exigua, et in secundo nulla percipitur quies, cum et illic apparens admirabilis ad indagandi studium exerceat curiositatem, et hic innotescens terribilis

16. a. Rom. 12, 2 ≠ b. Cf. Sag. 12, 18 c. Matth. 13, 36 ≠; Jn 5, 13 ≠ d. Cf. Mc 10, 21 e. Cant. 1, 3 (Lit., Patr.) f. Ps. 75, 3

1. * Cf. p. 112, n. 2 sur *Sag.* 12, 18 (Patr.) cité en *SCt* 19, 3.
2. * Cf. p. 202, n. 1 sur *Cant.* 1, 3 (Lit., Patr.) cité en *SCt* 23, 2.

16. Ô lieu vraiment paisible que je puis sans erreur appeler chambre ! On n'y voit plus Dieu comme troublé de colère ou retenu par ses occupations, mais « on y éprouve sa volonté bienveillante et sa bonté parfaite[a] ». Cette vision n'effraie pas, elle enchante ; elle n'éveille pas une curiosité inquiète, au contraire, elle la calme ; elle ne fatigue pas les sens, mais les rassérène. Ici on trouve le vrai repos. Le Dieu de la sérénité rend toutes choses sereines[b][1]. Le contempler dans son repos, c'est se reposer soi-même. C'est voir le Roi qui regagne de nuit son palais, après avoir passé la journée à trancher les différends publics ; « il a renvoyé loin de lui les foules, déposé[c] » les pénibles soucis. Il pénètre dans la chambre avec quelques intimes qu'il juge dignes de ce secret et de cette familiarité ; il s'y repose avec d'autant plus de confiance que le lieu est plus secret ; il est d'autant plus serein qu'il se voit entouré dans la paix par ceux-là seuls qu'il aime[d]. Peut-être est-il arrivé à l'un d'entre vous d'avoir été parfois ravi et caché dans ce mystérieux sanctuaire de Dieu. Là, ne peuvent plus le distraire ni le troubler les besoins du corps, la hantise des soucis, le remords des fautes, et même les fantasmes des images sensibles qui font irruption et qu'il est plus difficile de rejeter. Cet homme, quand il sera revenu parmi nous, pourra bien se glorifier et dire : « Le Roi m'a fait entrer dans sa chambre[e][2]. » Pourtant, je n'oserais pas affirmer à la légère que cette chambre soit celle dont l'épouse se réjouit. N'empêche que c'est bien une chambre, et une chambre du Roi, puisque des trois lieux, que j'ai assignés aux trois différentes visions, seul « celui-ci est établi dans la paix[f] ». Comme je l'ai montré clairement, on ne trouve que très peu de repos dans le premier lieu, et pas du tout dans le second. Car dans l'un Dieu nous apparaît admirable, et éveille notre curiosité à le scruter avec ardeur ; dans l'autre il se révèle terrible, et ébranle notre

infirmitatem concutiat. At vero tertio isto in loco non
30 plane terribilis, nec tam admirabilis quam amabilis apparere dignatur, serenus et placidus, *suavis et mitis, et multae misericordiae omnibus* intuentibus *se*[g].

17. Iam ut horum quae de cellario, horto, cubiculo, longiori sunt disputata sermone, memoria vestra compendium teneat, mementote trium temporum, trium meritorum, trium quasi praemiorum : in horto advertite
5 tempora, merita in cellario, praemia in triplici illa contemplatione cubiculum inquirentis. Et de cellario quidem ista sufficiant. Porro de horto vel cubiculo, si qua addenda, aut alia forte quam dicta sint modo advertenda occurrerint, loco suo non praetereamus. Sin autem, sufficiant
10 quae dicta sunt, et minime iterentur, ne umquam in fastidium, quod absit, veniant ea quae proferuntur ad laudem et gloriam sponsi Ecclesiae, Domini nostri Iesu Christi, *qui est super omnia Deus benedictus in saecula* saeculorum. *Amen*[a].

g. Ps. 85, 5 ≠
17. a. Rom. 9, 5 ≠

faiblesse. Mais, dans ce troisième lieu, il n'apparaît point terrible, et il daigne se montrer moins admirable qu'aimable, serein et paisible, « bon et doux, et plein de miséricorde pour tous ceux » qui le contemplent[g] [1].

17. Maintenant, pour que votre mémoire garde en résumé tout ce que je vous ai exposé du cellier, du jardin et de la chambre, dans ce sermon un peu long, souvenez-vous des trois temps, des trois mérites et des trois récompenses. Dans le jardin, considérez les temps ; dans le cellier, les mérites ; et les récompenses dans les trois sortes de contemplation par où passe celui qui cherche la chambre. Pour le cellier, j'en ai assez dit. Mais, quant au jardin et à la chambre, si des compléments se présentaient, ou peut-être des explications autres que celles données ci-dessus, nous ne les omettrons pas en leur lieu. Sinon, contentez-vous de ce que j'ai dit, et ne le répétons plus. En effet – Dieu nous en garde ! –, vous pourriez prendre en dégoût mes paroles, proférées à la louange et à la gloire de l'Époux de l'Église, notre Seigneur Jésus-Christ, « qui est au-dessus de tout, Dieu béni dans les siècles des siècles. Amen[a] ».

1. Pour résumer le sermon, Bernard fait apparaître Dieu successivement comme maître, juge et époux.

151

SERMO XXIV

I. De pace reddita, et de consequentia capituli quo dicitur : *Recti diligunt te*; et de vitio detractionis. – II. De rectitudine vel curvitate animae. – III. De sensu vel consensu, de fide et actu.

I. De pace reddita, et de consequentia capituli quo dicitur : *Recti diligunt te* ; et de vitio detractionis.

1. Hoc demum tertio, fratres, reditum ab Urbe nostrum clementior oculus e caelo respexit, et vultus tandem serenior desuper arrisit nobis. Quievit Leonina rabies, finem accepit malitia, Ecclesia pacem recepit. *Ad nihilum* 5 *deductus est in conspectu eius malignus*[a], qui eam per hoc ferme octennium diro schismate conturbarat. Num vero ego gratis de tantis periculis ero redditus vobis? Vestris desideriis donatus sum; vestris me profectibus paro : quorum vivo meritis, volo vivere studiis et saluti. 10 Quodque dudum in Canticis coepta me exsequi vultis, libenter quidem accipio, et dignum arbitror interruptum potius resarcire sermonem, quam novi ordiri quippiam.

1. a. Ps. 14, 4

---

1. La tradition manuscrite de Morimond a conservé une rédaction primitive de ce sermon, sans doute écrite avant le troisième voyage en Italie. Notre édition ne reprend pas ce texte primitif. Cf. Introduction, p. 23.

2. « Pour la troisième fois me voici de retour de la Ville. » Après son troisième voyage en Italie, Bernard est rentré à Clairvaux fin juin 1138.

3. L'antipape Anaclet II (Pierre de Léon) est mort le 25 janvier 1138.

SERMON 24[1]

I. Le rétablissement de la paix. Cohérence interne de ce passage : « Les âmes droites t'aiment. » Le vice de la médisance. – II. La droiture et la courbure de l'âme. – III. Les sentiments et le consentement, la foi et les actes.

I. Le rétablissement de la paix. Cohérence interne de ce passage : « Les âmes droites t'aiment. » Le vice de la médisance.

1. Enfin, mes frères, pour la troisième fois me voici de retour de la Ville[2] ! Du ciel, l'œil de Dieu m'a regardé plus favorablement, et son visage plus serein a daigné me sourire d'en haut. La rage léonine s'est apaisée, sa malice a pris fin, l'Église a recouvré la paix[3]. Le méchant, qui l'avait troublée pendant plus de huit ans par un schisme funeste, « a été anéanti devant sa face[a] ». Serait-ce en vain que je vous suis rendu, après tant de périls ? J'ai été rendu à vos désirs ; je me mets au service de votre progrès. Je suis toujours vivant grâce à vos mérites ; je veux donc vivre pour seconder vos efforts et votre salut. Et puisque vous souhaitez que je continue le commentaire du Cantique, entrepris il y a quelque temps, je m'exécute très volontiers. J'estime préférable de compléter l'entretien interrompu, plutôt que d'entamer quelque chose

Ses cardinaux lui donnent comme successeur Victor IV. Ce nouvel antipape voit ses partisans, gagnés par Bernard, le quitter les uns après les autres. Lui-même se rend auprès de l'abbé de Clairvaux et le 28 mai 1138 il fait, à Saint-Pierre, sa soumission publique. C'était la fin du schisme.

Vereor autem ne dissuetum per id tempus animum et distentum diu habitum, non solum ad tam diversa, sed
15 etiam ad tam indigna, dignitas materiae, prout oportet, non admittat. Sed si *quod habeo, hoc vobis do*[b] : poterit et fideli obsequio meo Deus, etiam quod non habeo, dare ut dem. Si non est, culpetur sane ingenium, non voluntas.

152 **2.** Locus autem unde incipere debemus, ni fallor, is est : *Recti diligunt te*[a]. Quod antequam explanare incipiamus quid sit, videamus cuius sit, quisnam hoc videlicet dicat. A nobis namque exigitur quod auctor non
5 loquitur. Et fortassis melius adolescentulis id damus, ut suis verbis et hoc addant. Siquidem cum dixissent : *Exsultabimus et laetabimur in te, memores uberum tuorum super vinum*[b], nec dubium quin matri loquerentur, continuato sermone hoc quoque inferunt : *Recti diligunt te.*
10 Puto propter aliquas de numero ipsarum quae non idem saperent, licet pariter currere viderentur, *quae sua sunt quaerentes*[c], et non ambulantes simpliciter[d] neque sincere, sed speciali gloriae matris invidentes, et captantes occasionem murmurandi adversus eam, ex eo nimirum quod
15 sola in cellaria introisset; *quod non est aliud, nisi*[e] quod Apostolus ait : *Periculum in falsis fratribus*[f]. Ipsae sunt denique quibus exprobrantibus subinde pro se satisfacere cogitur, ubi eis ita respondet : *Nigra sum, sed formosa, filiae Ierusalem*[g]. Itaque propter murmurantes et blasphe-
20 mantes dicitur ab his quae bonae sunt, quae simplices,

b. Act. 3, 6 ≠

2. a. Cant. 1, 3 b. Cant. 1, 3 c. Phil. 2, 21 ≠ d. Cf. Prov. 11, 20 e. Gal. 1, 7 f. II Cor. 11, 26 ≠ g. Cant. 1, 4

---

1. « Des occupations très inférieures. » Bernard considère les *Sermons sur le Cantique* comme un fruit de sa vocation monastique et contemplative. Il a dû les interrompre pour répondre à l'appel du pape Innocent II. Pendant des mois, il s'est occupé des problèmes politiques de l'Église et de la papauté. Cette activité allait à l'encontre de sa pre-

de nouveau. Je crains toutefois que la noblesse du sujet ne dépasse mon esprit, si longtemps désaccoutumé de ces matières et distrait par des occupations non seulement fort différentes, mais aussi très inférieures[1]. Pourtant, « tout ce que j'ai, je vous le donne[b] ». Puisse Dieu accorder à ma fidèle obéissance ce qui me manque, pour que je le donne à mon tour ! Sinon, accusez la carence de mes moyens, non pas ma volonté.

2. Si je ne me trompe, voici le passage par où nous devons commencer : « Les âmes droites t'aiment[a]. » Avant d'expliquer ces paroles, voyons de qui elles sont, c'est-à-dire qui les prononce. Il nous revient en effet d'expliciter ce que l'auteur ne dit pas. Peut-être que le mieux est de les attribuer aux jeunes filles, et de les joindre à leurs paroles précédentes. Elles viennent de dire : « Nous exulterons et nous nous réjouirons en toi, nous souvenant de tes seins, meilleurs que le vin[b]. » Elles s'adressent évidemment à leur mère. Elles continuent donc leur discours et concluent ainsi : « Les âmes droites t'aiment. » A mon sens, ces mots visent certaines d'entre elles qui n'ont pas la même sagesse que les autres, bien qu'elles semblent courir de la même manière. Ces jeunes filles « cherchent leur propre avantage[c] », et ne marchent pas dans la simplicité[d] ni dans la sincérité. Au contraire, envieuses de la gloire spéciale de leur mère, elles saisissent toute occasion de murmurer contre celle-ci, parce qu'elle est entrée seule dans les celliers. « C'est exactement[e] » ce que dit l'Apôtre : « Le danger des faux frères[f]. » Ce sont elles enfin qui blâment l'épouse et qui l'obligent à se justifier, dans la suite, lorsqu'elle leur répond en ces termes : « Je suis noire, et pourtant belle, filles de Jérusalem[g]. » Ainsi, à cause de celles qui murmurent et qui calomnient, les

mière vocation. Pour cette raison, il s'est qualifié de « chimère de son siècle » (*Ep* 250, 4, *SBO* VIII, 147, l. 2).

quae humiles et mansuetae sunt, ab his, inquam, dicitur sponsae, consolandi gratia : *Recti diligunt te.* « *Non sit tibi*, inquiunt, *cura de*[h] iniqua responsione blasphemarum harum, cum constet quia *recti diligunt te.* » Bona profecto
25 consolatio, cum blasphemamur a malis benefacientes, si
153 recti diligant nos. Omnino sufficit, adversus *os loquentium iniqua*[i], opinio bonorum cum testimonio conscientiae[j]. *In Domino laudabitur anima mea; audiant mansueti, et laetentur*[k]. Mansueti, inquit, laetentur : mansuetis placeam,
30 et aequanimiter audio quidquid in me iactare livor voluerit perditarum.

3. Ergo in hoc sensu puto appositum : *Recti diligunt te.* Nec absurde, ut aestimo, cum ubique paene in choro adolescentularum tales inveniam, quae acta sponsae curiose observent, derogandi, non imitandi causa. Tor-
5 quentur in bonis seniorum suorum, malis pascuntur. Videas ambulare seorsum, convenire sibi, sedere pariter, moxque laxare procaces linguas in detestandum susurrium. *Una uni coniungitur, nec spiraculum incedit*[a] in eis, tanta est libido detrahendi audiendive detrahentem. Ineunt familia-
10 ritatem ad maledicendum, concordes ad discordiam. Conciliant inter se inimicissimas amicitias, et pari consentaneae malignitatis affectu celebratur odiosa collatio. Haud secus egere quondam Herodes et Pilatus, de quibus narrat Evangelium quia *facti sunt amici in illa die*[b], hoc est in die
15 dominicae passionis. *Convenientibus* sic *in unum, non est*
154 *dominicam cenam manducare*[c], sed magis propinare *et bibere calicem daemoniorum*[d], dum importantibus linguis

h. Matth. 22, 16 ≠ i. Ps. 62, 12 j. Cf. II Cor. 1, 12 k. Ps. 33, 3

3. a. Job 41, 7 ≠ b. Lc 23, 12 ≠ c. I Cor. 11, 20 ≠ d. I Cor. 10, 20 ≠

autres, qui sont bonnes, simples, humbles et douces, disent à l'épouse, pour la consoler : « Les âmes droites t'aiment. » « Ne t'inquiète pas[h], disent-elles, de l'injuste réplique de ces calomniatrices, car il est évident que les âmes droites t'aiment. » Oui, lorsque nous faisons le bien et que nous sommes calomniés par les méchants, c'est une grande consolation que l'amour des âmes droites. L'estime des bons, avec le témoignage de notre conscience[j], nous suffit contre « les langues médisantes[i] ». « Mon âme se glorifiera dans le Seigneur ; que les hommes doux entendent et se réjouissent[k]. » Que les doux se réjouissent, est-il écrit ; si j'ai l'approbation des hommes doux, j'entendrai sans me troubler tout ce que l'envie des âmes égarées voudra vomir contre moi.

3. C'est donc en ce sens, je pense, qu'on a ajouté : « Les âmes droites t'aiment. » Non sans raison, à mon avis. Car presque partout dans le chœur des jeunes filles, j'en trouve qui guettent les actions de l'épouse non pas pour les imiter, mais pour les critiquer. Elles souffrent de voir quelque bien dans leurs anciens, et se régalent de leurs défauts. Regarde-les se promener à l'écart, se réunir et s'asseoir ensemble, et aussitôt donner libre cours à leurs mauvaises langues dans des chuchotements détestables. « Elles se serrent l'une contre l'autre, sans la moindre distance entre elles[a] », si grande est leur démangeaison de médire ou d'entendre des médisances. Elles s'acoquinent pour dire du mal, toujours d'accord pour semer la discorde. Elles lient entre elles des amitiés nourries d'inimitiés, et l'odieuse cabale se trame dans un même sentiment de méchanceté complice. C'est bien ainsi que se conduisirent jadis Hérode et Pilate, dont l'Évangile rapporte qu'« ils devinrent amis ce jour-là[b] », c'est-à-dire le jour de la Passion du Seigneur. « Se réunir ainsi en commun, ce n'est pas prendre le repas du Seigneur[c] », mais plutôt offrir « et boire la coupe des démons[d] ». Les

aliorum perditionis virus, aliorum aures intrantem mortem libenter excipiunt. Sic quippe, iuxta Prophetam, *intrat* 20 *mors per fenestras nostras*[e], cum *prurientes auribus*[f] et oribus, letale poculum detractionis invicem nobis ministrare contendimus. Non veniat anima mea in consilio detrahentium[g], quoniam Deus odit eos, dicente Apostolo : *Detractores Deo odibiles*[h]. Quam sententiam Deus ipse in 25 Psalmo loquens, audi quomodo confirmat : *Detrahentem,* inquit, *proximo suo, hunc persequebar*[i].

4. Nec mirum, cum id praecipue vitium caritatem, quae Deus est[a], et quidem ceteris acrius, impugnare et persequi cognoscatur, quemadmodum vos quoque potestis advertere. Omnis qui detrahit, primum quidem seipsum 5 prodit vacuum caritate. Deinde quid aliud detrahendo intendit, nisi ut is, cui detrahitur, veniat in odium, vel contemptum ipsis apud quos detrahit? Ferit ergo caritatem in omnibus, qui se audiunt, lingua maledica et, quantum in se est, necat funditus et exstinguit; non solum autem, 155 10 sed in absentibus universis, ad quos volans verbum forte per eos, qui praesentes sunt, pervenire contigerit. Vides quam facile et in brevi ingentem multitudinem animarum *velociter currens sermo*[b] tabe malitiae huius inficere possit! Propterea dicit propheticus spiritus de talibus : *Quorum* 15 *os maledictione et amaritudine plenum est, veloces pedes eorum ad effundendum sanguinem*[c]. Utique tam veloces, quam *velociter currit sermo*[d]. Unus est qui loquitur, et

e. Jér. 9, 21 (Patr.) f. II Tim. 4, 3 g. Cf. Ps. 1, 1 h. Rom. 1, 30 i. Ps. 100, 5 ≠
4. a. Cf. I Jn 4, 8 b. Ps. 147, 15 ≠ c. Ps. 13, 3 d. Ps. 147, 15

1. Cf. François de Sales, *Introduction à la vie dévote* III, 29 : « Car, comme disait saint Bernard, et celuy qui mesdit et celuy qui escoute le médisant, tous deux ont le diable sur eux, mais l'un l'a en la langue et l'autre en l'oreille » (*Œuvres,* III, Annecy 1894, 239).

langues des uns apportent le poison de la perdition ; les oreilles des autres reçoivent avec plaisir la mort qui entre en elles[1]. C'est ainsi que, selon le Prophète, « la mort entre par nos fenêtres[e 2] ». Tandis que « les oreilles et la bouche nous démangent[f] », nous nous administrons mutuellement à l'envi le breuvage mortel de la médisance. Que mon âme ne se joigne pas à l'assemblée des médisants[g], car Dieu les déteste, comme dit l'Apôtre : « Les médisants sont détestés de Dieu[h]. » Écoute comment Dieu lui-même confirme cette sentence par les paroles du Psalmiste : « Je poursuivais celui qui médisait de son prochain[i]. »

4. Rien d'étonnant à cela, puisque ce vice surtout attaque et pourchasse, bien plus âprement que tous les autres, la charité qui est Dieu[a]. Vous pouvez vous en rendre compte vous-mêmes. Quiconque médit fait voir d'abord que la charité lui manque. Ensuite, en médisant, quel autre but poursuit-on, sinon de rendre odieux ou méprisable aux auditeurs celui dont on médit ? La mauvaise langue blesse la charité en tous ceux qui l'écoutent. Elle la tue et l'éteint complètement dans la mesure où elle le peut, même chez les absents, auxquels ses paroles colportées ont pu parvenir peut-être par l'intermédiaire des présents. Vois comment « un propos qui court vite de bouche en bouche[b] » peut aisément et prestement infecter une immense multitude d'âmes par le virus de sa méchanceté ! C'est pourquoi l'esprit prophétique dit de ces gens-là : « Leur bouche est remplie de malédiction et d'aigreur ; agiles sont leurs pieds à verser le sang[c]. » Oui, leurs pieds sont aussi agiles « à courir vite que leurs paroles[d] ». Un

2. * Citation *Vl* selon laquelle Bernard a fait de nombreuses allusions ; cf. *SC* 367, 334, n. 1. Césaire d'Arles, Ambroise, Jérôme (souvent ; cf. *Comm. Joël*, II, *CCL* 76, 181 et 197-201 : les « fenêtres » sont nos sens), Maxime de Turin, Rathier de Vérone ont employé de même *intra(vi)t* au lieu de *ascendit (Vg)*.

unum tantum verbum profert ; et tamen illud unum verbum, uno in momento, multitudinis audientium, dum
20 aures inficit, animas interficit. Cor siquidem felle livoris amarum per linguae instrumentum spargere nisi amara non potest, dicente Domino : *Ex abundantia cordis os loquitur*[e]. Et sunt species pestis huius, dum alii quidem nude atque irreverenter, uti in buccam venerit, virus
25 evomant detractionis, alii autem quodam simulatae verecundiae fuco conceptam malitiam, quam retinere non possunt, adumbrare conentur. Videas alta praemitti suspiria, sicque quadam cum gravitate et tarditate, vultu maesto, demissis superciliis et voce plangenti, egredi male-
30 dictionem, et quidem tanto persuasibiliorem, quanto creditur, ab his qui audiunt, corde invito et magis etiam condolenti affectu quam malitiose proferri. « Doleo »,
156 inquit, « vehementer, pro eo quod diligo eum satis, et numquam potui eum de hac re corrigere. » Et alius : « Mihi
35 quidem, ait, bene compertum fuerat de illo istud ; sed per me numquam innotuisset. At quoniam per alterum patefacta est res, veritatem negare non possum : dolens dico, revera ita est. » Et addit : « Grande damnum : nam alias quidem in pluribus valet ; ceterum in hac parte, ut
40 verum fateamur, excusari minime potest. »

II. De rectitudine vel curvitate animae.

5. His paucis adversus malignissimum vitium commemoratis, revertamur ad explanandi ordinem, et demonstremus qui sint hoc loco intelligendi recti. Non enim arbitror sentire quempiam rectae intelligentiae, secundum
5 corpus rectos dici eos qui sponsam diligunt. Propterea demonstranda a nobis est spiritualis, id est animi, rec-

e. Lc 6, 45

seul homme parle, et il ne profère qu'un seul mot ; pourtant, ce mot unique, en un seul et même instant, atteint les oreilles et tue les âmes d'innombrables auditeurs. Car un cœur aigri par le fiel de l'envie ne peut plus répandre, au moyen de la langue, que des mots aigres, suivant la parole du Seigneur : « La bouche parle de l'abondance du cœur[e]. » Il existe plusieurs sortes de cette peste. Les uns vomissent le venin de la médisance tel qu'il leur vient aux lèvres, avec une insolente franchise. Les autres par contre cherchent à voiler, par le fard d'une réserve simulée, la méchanceté qu'ils ont conçue et qu'ils ne peuvent retenir. Regarde-les : après un préambule de profonds soupirs, ils lâchent leur calomnie avec une sorte de gravité hésitante, le visage affligé, les yeux baissés et la voix plaintive. Et ils sont d'autant plus persuasifs que leurs auditeurs croient les entendre parler à contrecœur, et même plutôt par compassion que par malice. « J'en suis navré, dit l'un, parce que je l'aime beaucoup, et jamais je n'ai pu le corriger de ce défaut. » Et tel autre : « J'avais bien découvert cela chez lui ; mais jamais je ne l'aurais ébruité. Cependant, puisque la chose a été divulguée par un autre, je ne peux nier la vérité : je le dis avec douleur, il en est vraiment ainsi. » Et il ajoute : « Quel dommage ! Il a tant de qualités par ailleurs ! Mais en cela, pour parler vrai, il est tout à fait inexcusable. »

II. La droiture et la courbure de l'âme.

5. Après cette brève mise en garde contre un vice si détestable, revenons à la suite de notre explication, et montrons comment il faut comprendre les âmes droites dont il est question dans ce passage. A mon sens, en effet, aucun homme au jugement droit n'estimera qu'il s'agisse ici de la station droite du corps chez ceux qui aiment l'épouse. C'est pourquoi il nous faut montrer en

titudo. Spiritus est qui loquitur, *spiritualibus spiritualia comparans*[a]. Ergo secundum animum, non secundum terrenam et faeculentam materiam, *Deus hominem rectum*
157 10 *fecit*[b]. *Ad imaginem* quippe *et similitudinem suam creavit illum*[c]. Ipse vero, quemadmodum psallis, *rectus Dominus Deus noster, et non est iniquitas in eo*[d]. Rectus itaque Deus rectum fecit hominem similem sibi, id est sine iniquitate, sicut *non est iniquitas in eo.* Porro iniquitas, cordis
15 est, non carnis vitium, ut per hoc noveris in spirituali portione tui, et non in crassa luteaque substantia, Dei similitudinem conservandam sive reparandam. *Spiritus* enim *est Deus*[e], et eos qui volunt similes ei vel perseverare vel fieri, oportet intrare ad cor[f], atque in spiritu
20 id negotii actitare, ubi *revelata facie speculantes gloriam Dei, in eamdem imaginem transformentur* de *claritate in claritatem, tamquam a Domini Spiritu*[g].

6. Quamquam et corporis staturam dedit homini Deus rectam, forsan ut ista corporea exterioris viliorisque rectitudo figmenti hominem interiorem illum, qui ad imaginem Dei factus est, spiritualis suae rectitudinis servandae
5 admoneret, et decor limi deformitatem argueret animi. Quid enim indecentius, quam curvum recto corpore gerere animum? Perversa res est et foeda, luteum vas, quod est
158 corpus de terra, oculos habere sursum, caelos libere suspicere caelorumque luminaribus oblectare aspectus, spiri-
10 tualem vero caelestem creaturam suos e contrario oculos,

5. a. I Cor. 2, 13 ≠ b. Eccl. 7, 30 ≠ c. Gen. 1, 26-27 ≠ d. Ps. 91, 16 e. Jn 4, 24 f. Cf. Is. 46, 8 g. II Cor. 3, 18 ≠

1. « L'injustice est un défaut du cœur, non de la chair. » Affirmation hardie qui exclut toute conception dualiste de l'être humain.

2. Sources patristiques de « l'âme courbée » : ORIGÈNE, *Hom. I in Ps. 37* (*PG* 12, 1378 A) ; *Peccatis suis unusquisque incurvatur,* « Tout homme

quoi consiste cette droiture spirituelle, à savoir celle de l'âme. C'est l'Esprit qui parle ici, « administrant aux spirituels ce qui est spirituel[a] ». « Dieu a fait l'homme droit[b] » non pas selon cette matière de terre et de boue, mais selon l'âme. Car « il l'a créé à son image et à sa ressemblance[c] ». Or, comme tu le chantes dans le psaume, « il est droit le Seigneur notre Dieu, et en lui il n'y a pas d'injustice[d]. » Dieu qui est droit a fait l'homme droit, semblable à lui ; c'est-à-dire sans injustice, comme « il n'y a pas d'injustice en lui ». Or, l'injustice est un défaut du cœur, non de la chair[1]. Tu peux voir par là que la ressemblance de Dieu doit être gardée ou restaurée dans la partie spirituelle de ta personne, et non dans ta substance fangeuse et grossière. Car « Dieu est esprit[e] », et ceux qui veulent demeurer ou devenir semblables à lui, doivent rentrer dans leur cœur[f] et s'adonner à ce travail en leur esprit. Là, « contemplant à visage découvert la gloire de Dieu, ils seront transformés en cette même image, de clarté en clarté, comme par l'Esprit du Seigneur[g] ».

6. Pourtant, Dieu a donné aussi à l'homme la station droite du corps. C'est peut-être pour que cette droiture corporelle de sa figure extérieure et de sa partie moins noble engage l'homme intérieur, fait à l'image de Dieu, à garder sa droiture spirituelle. Ainsi, la belle apparence du limon accuserait la difformité de l'âme. En effet, quoi de plus malséant que de montrer une âme courbée dans un corps droit[2] ? Voilà un désordre, une honte ! Le vase de boue, le corps tiré de la terre, lève les yeux en haut, regarde librement les cieux et prend plaisir au spectacle des astres, tandis qu'au contraire la créature spirituelle et céleste baisse les yeux vers la terre : je veux dire ses

est courbé par ses péchés » (AUGUSTIN, *Enarr. in Ps.* 50, 15, *CCL* 38, 611, l. 9).

id est internos sensus atque affectus, trahere in terram deorsum, et quae debuit *nutriri in croceis,* haerere luto, tamquam unam de suibus, *amplexarique stercora*[a]. « Erubesce, anima mea », ait corpus, « in mei consideratione.
15 Erubesce, anima mea, divina pecorinam commutasse similitudinem ; erubesce volutari in caeno, quae de caelo es. Creata Creanti similis recta, me quoque accepisti *adiutorium simile tibi*[b], utique secundum lineamenta corporeae rectitudinis. Quocumque te vertas[c], sive ad Deum sursum,
20 sive ad me deorsum – *nemo* siquidem *carnem suam odio habuit*[d] –, ubique occurrit tibi species decoris tui[e], ubique pro statu tuae dignitatis habes de magisterio sapientiae familiarem admonitionem. Me ergo meam, quam tui gratia accepi, retinente et servante praerogativam, tu quomodo
25 non confunderis amisisse tuam ? Cur suam in te Conditor
159 intuetur abolitam similitudinem, cum tuam tibi in me conservet assidueque repraesentet ? Iam omne adiutorium, quod tibi ex me debebatur, vertisti tibi in confusionem : abuteris obsequio meo, indigne humanum corpus inha-
30 bitas, brutus et bestialis spiritus. »

7. Istiusmodi ergo curvae animae non possunt diligere sponsum, quoniam non sunt amicae sponsi, cum sint mundi. *Qui vult,* inquit, *amicus esse huius mundi, inimicus Dei constituitur*[a]. Ergo *quaerere et sapere quae sunt super*

6. a. Lam. 4, 5 ≠ b. Gen. 2, 18 ≠ c. Cf. III Rois 2, 3
d. Éphés. 5, 29 (Patr.) e. Cf. Ps. 49, 2
7. a. Jac. 4, 4 ≠

1. D'une manière inattendue, Bernard crée un rôle positif pour le corps. La stature droite du corps montre à l'âme qu'elle doit lever les yeux vers le haut. Voir B. Stoeckle, « *Amor carnis – abusus amoris.* Das Verständnis von der Konkupiszenz bei Bernhard von Clairvaux und Aelred von Rieval », *Analecta monastica 5* (Rome 1965), p. 147-174.

2. L'assonance *caelum-caenum* se trouve chez beaucoup de Pères latins. Tertullien, *De spectaculis* 25 (*CSEL* 20-1, 25, l. 14-16) ; Jérôme,

sens intérieurs et ses attachements[1]. Ainsi l'âme, qui aurait dû « être élevée dans la pourpre, brasse le fumier et se vautre dans la boue[a] », comme une truie. « Rougis, ô mon âme, dit le corps, en me considérant. Rougis, mon âme, d'avoir échangé la ressemblance divine contre celle des bêtes ; rougis de te rouler dans le bourbier, toi qui viens du ciel[2]. Créée droite, semblable au Créateur, tu m'as reçu, moi aussi, comme 'une aide semblable à toi[b]', du moins par la droiture physique de ma silhouette. Où que tu te tournes[c], soit vers Dieu en haut, soit vers moi en bas – car 'personne n'a pris en haine sa propre chair[d3]' –, partout l'image de ta beauté vient à ta rencontre[e]. Partout, la sagesse que tu as pour guide te donne un amical avertissement pour défendre la dignité de ton état. Si donc moi, je garde et conserve le privilège, que j'ai reçu à cause de toi, comment toi, ne rougis-tu pas d'avoir perdu le tien ? Pourquoi faut-il que le Créateur voie sa ressemblance détruite en toi, tandis qu'il préserve la tienne en moi et te la met constamment sous les yeux ? Déjà tu as fait tourner à ta confusion tout le secours que tu devais recevoir de moi. Tu abuses de ma soumission, tu es indigne d'habiter un corps humain, esprit grossier et bestial. »

7. Les âmes ainsi courbées ne peuvent guère aimer l'Époux, car, étant amies du monde, elles ne le sont pas de l'Époux. « Qui veut être l'ami de ce monde[4], est-il écrit, se fait l'ennemi de Dieu[a]. » La courbure de l'âme

Adversus Rufinum 3, 12 (*SC* 303, 244-246) : *Eloquentiam meam fers in caelum ut fidem in caenum deprimas,* « Tu es aux anges devant mon éloquence, mais c'est pour traîner ma foi dans la fange. »

3. * Sur 9 emplois de ce texte, Bernard omet 7 fois le *umquam,* « jamais ». Certains Pères (Augustin) omettent *umquam,* de plus en plus nombreux au cours des siècles.

4. * *Mundi.* Leçon *Vl* pour *saeculi.* Voir Pseudo-AMBROISE, *Ad virginem devotam 1* (*PL* 17, 599 B).

5 *terram*[b], curvitas animae est et, e regione, meditari aut desiderare quae sursum sunt, rectitudo.

III. De sensu vel consensu, de fide et actu.

Et ipsa ut perfecta sit, in sensu diffiniatur et consensu. Rectum revera te dixerim, si recte in omnibus sentias et factis non dissentias. Invisibilis animi statum nuntiet fides 10 et actio. Rectum iudica, si fide catholicum et iustum opere probaris. Si quominus, curvum censeri non dubites. Sic 160 nempe habes : *Si recte offers et recte non dividis, peccasti*[c]. Recte quidem quodcumque horum offers, recte autem ab alterutro ea non dividis. Noli esse rectus oblator 15 et pravus divisor. Quid dividis actum a fide? Inique dividis, fidem perimens tuam : nam *fides sine operibus mortua est*[d]. Munus mortuum offers Deo. Si enim quaedam fidei anima ipsa devotio est, quid *fides quae* non *operatur ex dilectione*[e], nisi cadaver exanime? Bene honoras Deum 20 munere foetido? Bene placas, tuae fidei interfector? Quomodo hostia pacifica, ubi tam saeva discordia est? Non mirum si Cain insurrexit in fratrem[f], qui suam prius

b. Col. 3, 2 ≠ c. Gen. 4, 7 (Patr.) d. Jac. 2, 26 ≠ e. Gal. 5, 6 (Patr.) f. Cf. Gen. 4, 8

---

1. On trouvera un petit exposé sur l'*Anima curva* dans P. DELFGAAUW, *Saint Bernard maître de l'amour divin,* Paris 1994, p. 105-107. Voir aussi *SCt* 80, 3 (*SBO* II, 279, 2-6).

2. * Ce texte de la *Genèse,* avec *recte* qui est répété, est dans le sens de l'argument de Bernard dans ce sermon 24 : la rectitude de l'amour. C'est là une traduction *Vl* littérale du grec de la *Septante*; cf. *Conv* 21 (*SBO* IV, 93, l. 14). Bernard cite ce texte 8 fois. Il débute toujours par *Si,* sauf une fois par *Nonne si*; il termine toujours par *peccasti.* Il fait, d'autre part, de *Peccasti, quiesce,* «Tu as péché? Garde ton calme», un texte différent, qu'il citera dans de tout autres contextes. En tout cela, il suit en grande partie une tradition patristique abondante, en particulier Ambroise (11 citations).

consiste donc « à chercher et à savourer ce qui est sur terre[b] » ; sa droiture, au contraire, à méditer ou à désirer ce qui est d'en haut[1].

III. Les sentiments et le consentement, la foi et les actes.

Pour que cette droiture soit parfaite, il faut la faire consister dans les sentiments et dans le consentement. Je t'appellerai vraiment droit, si tu as des sentiments droits en toutes circonstances et si tu ne les démens pas dans les faits. La foi et les actes doivent manifester l'état de l'âme invisible. Considère-toi comme droit, si tu es reconnu catholique dans la foi et juste dans les œuvres. Sinon, n'hésite pas à t'estimer courbé. En effet, tu lis cette parole dans l'Écriture : « Si tu offres avec droiture et que tu ne sépares pas avec droiture, tu as péché[c2]. » Quoi que tu offres, la foi ou les œuvres, tu l'offres avec droiture ; mais ce n'est pas avec droiture que tu les sépares mutuellement. Ne sois pas de ceux qui font une offrande droite et une mauvaise séparation. Pourquoi sépares-tu l'action de la foi ? C'est bien à tort que tu les sépares, détruisant ainsi ta foi. Car « la foi sans les œuvres est morte[d] ». Tu fais à Dieu une offrande morte. Si la ferveur est, pour ainsi dire, l'âme de la foi, qu'est-ce que « la foi qui n'agit pas par amour[e3] », sinon un cadavre inanimé ? Crois-tu honorer convenablement Dieu par un présent infect ? Crois-tu l'apaiser vraiment en tuant ta foi ? Comment y aurait-il une offrande de paix, là où règne une si cruelle discorde ? Il n'est pas étonnant que Caïn se soit dressé contre son frère[f], puisqu'il avait déjà tué sa foi. Pourquoi

3. * Constamment, Bernard emploie *dilectione(m),* dont se sert toujours Augustin, la *Vg* ayant *caritatem.* Mais Bernard hésite entre les prépositions *ex* et *per*; cf. *SCt* 24, 8, l. 16.

occiderat fidem. Quid miraris, o Cain, si ad tua non respicit munera[g], qui te despicit? Nec hoc mirum si non 25 respicit ad te, qui ita es divisus in te. Si manum devotioni, quid animum livori das? Non concilias tibi Deum, discors tecum non placas, sed peccas : nondum quidem impie feriendo, sed tamen dividendo non recte. Etsi necdum fratricida, iam tamen fideicida teneris. Numquid 30 rectus, vel quando manum porrigis Deo, cuius cor in terram trahit livor et fraternum odium? Quomodo rectus, 161 cuius fides mortua, cuius opus mors, cuius nulla devotio, amaritudo multa? Erat quidem in offerente fides, sed non in fide dilectio : recta oblatio, sed crudelis divisio.

8. Mors fidei est separatio caritatis. Credis in Christum? Fac Christi opera, ut vivat fides tua : fidem tuam dilectio animet, probet actio. Non incurvet terrenum opus quem fides caelestium erigit. *Qui te dicis in* Christo *manere,* 5 *debes sicut ipse ambulavit et tu ambulare*[a]. Quod si *propriam gloriam quaeris*[b], florenti invides, absenti detrahis, reponis laedenti te, hoc Christus non fecit. *Confiteris te nosse Deum, factis autem negas*[c]. Non recte plane, sed impie linguam Christo, animam dedisti diabolo. Audi ergo 10 quid dicat : Homo iste *labiis me honorat, cor autem* eius *longe est a me*[d]. Non es profecto rectus, qui non recte dividis. Non potes attollere caput pressum diaboli iugo. Non te subrigere praevales, cui dominatur iniquitas. *Iniquitates tuae supergressae sunt caput tuum, et sicut onus*

g. Cf. Gen. 4, 5

8. a. I Jn 2, 6 ≠ b. Jn 7, 18 ≠ c. Tite 1, 16 ≠ d. Matth. 15, 8 ≠

1. * Cf. l'« oraison sur le peuple » du vendredi qui suit le Mercredi des cendres, citée 2 autres fois par Bernard.

t'étonner, Caïn, si celui qui te méprise détourne son regard de tes présents[g]? Et il n'est pas étonnant qu'il détourne également de toi son regard, puisque tu es si divisé en toi-même. Si tu ouvres ta main pour offrir, pourquoi ouvres-tu ton âme à l'envie? Tu ne saurais te concilier la faveur de Dieu, tant que tu es en désaccord avec toi-même. Au lieu de l'apaiser, tu pèches : pas encore par ton meurtre impie, mais déjà par cette séparation mauvaise. Pas encore fratricide, tu es déjà fidéicide. Penses-tu être droit, lors même que tu tends les mains vers Dieu, si l'envie et la haine de ton frère entraînent ton cœur vers la terre? Comment peux-tu être droit, toi dont la foi est morte, dont l'œuvre est la mort, dont la ferveur est nulle et l'amertume immense? C'est vrai, il y avait de la foi en celui qui offrait, mais aucun amour dans cette foi : l'offrande était droite, mais néfaste la séparation.

8. Séparée de la charité, la foi est morte. Crois-tu en Jésus-Christ? Accomplis les œuvres du Christ, pour que ta foi soit vivante : que l'amour anime ta foi, et que l'action en témoigne. Les œuvres terrestres ne doivent pas courber l'homme que relève la foi aux réalités célestes. «Tu prétends demeurer dans le Christ; tu dois marcher, toi aussi, dans la voie où lui-même a marché[a].» Si «tu cherches ta propre gloire[b]», si tu envies l'homme heureux, si tu médis des absents, si tu rends offense pour offense : tout cela, le Christ ne l'a pas fait. «Tu fais profession de connaître Dieu, mais tu le nies dans les faits[c].» Non, ce n'est pas être droit, mais impie, que de donner ta parole au Christ, ton âme au diable. Écoute donc ce que dit l'Écriture : «Cet homme m'honore des lèvres, mais son cœur est loin de moi[d].» Tu n'es certes pas droit, toi qui ne sépares pas avec droiture. Tu ne peux pas lever la tête, accablée sous le joug du diable. Tu n'es pas en mesure de te redresser, dominé que tu es par l'iniquité[1]. «Tes iniquités se sont élevées jusque par-dessus ta tête,

162 15 *grave gravatae sunt super te*[e]. *Iniquitas* denique *sedet super talentum plumbi*[f]. Vides quod non faciat hominem rectum *fides* etiam recta, *quae* non *operatur ex dilectione*[g]. At qui sine dilectione est, non habet unde diligat sponsam. Sed nec opera, quamvis recta, rectum cor efficere suffi-
20 ciunt sine fide. Quis enim rectum dicat hominem non placentem Deo? *Sine fide autem impossibile est placere Deo*[h]. Qui non placet Deo, non potest illi placere Deus. Nam cui placet Deus, displicere Deo non potest. Porro cui non placet Deus, nec sponsa eius. Quomodo ergo
25 rectus, qui nec Deum diligit, nec Ecclesiam Dei, cui dicitur : *Recti diligunt te?* Si igitur nec fides sine operibus, nec opera sine fide sufficiunt[i] ad animi rectitudinem, nos, qui in Christum credimus, fratres, *rectas* studeamus *facere vias nostras et studia nostra*[j]. *Levemus corda*
30 *nostra cum manibus ad Deum*[k], ut toti recti inveniamur, fidei nostrae rectitudinem rectis actibus comprobantes, dilectores sponsae, dilecti a sponso, Iesu Christo Domino nostro, *qui est benedictus Deus in saecula. Amen*[1].

e. Ps. 37, 5 ≠ f. Zach. 5, 7-8 (Patr.) g. Gal. 5, 6 (Patr.)
h. Hébr. 11, 6 ≠ i. Cf. Jac. 2, 26 j. Jér. 7, 3 ≠ k. Lam. 3, 41 ≠
l. Rom. 1, 25 ≠; 9, 5 ≠

---

1. * En 3 autres lieux, Bernard se réfère à ce passage de *Zacharie* dans les mêmes termes qu'ici. Bernard fait voir l'Iniquité assise sur une sorte de couvercle-« talent » de plomb, dans une attitude, semble-t-il, arrogante. Dans son commentaire, JÉRÔME (cf. *Comm. sur Zacharie, in h. l., CCL* 76 A, 788-789) présente la scène différemment, en conformité

et ont pesé sur toi comme un pesant fardeau[e].» Car «l'iniquité s'assied sur une masse de plomb[f1].» Tu vois que la foi, même droite, ne fait pas un homme droit, si «elle n'agit pas par amour[g2]». Or, celui qui est sans amour, n'a pas de quoi aimer l'épouse. Mais les œuvres non plus, si droites soient-elles, ne suffisent pas, sans la foi, à rendre le cœur droit. En effet, qui pourrait déclarer droit un homme qui ne plaît pas à Dieu? «Or, sans la foi, il est impossible de plaire à Dieu[h].» Celui qui ne plaît pas à Dieu, Dieu ne saurait lui plaire. Car celui à qui Dieu plaît, ne saurait déplaire à Dieu. Mais celui à qui Dieu ne plaît pas, son épouse non plus ne saurait lui plaire. Comment donc serait-il droit, celui qui n'aime ni Dieu, ni l'Église de Dieu, à laquelle il est dit : «Les âmes droites t'aiment»? Si donc ni la foi sans les œuvres, ni les œuvres sans la foi ne suffisent[i] pour la droiture de l'âme, nous qui croyons en Jésus-Christ, frères, efforçons-nous de «rendre droits nos voies et nos efforts[j]». «Élevons nos cœurs et nos mains vers Dieu[k]», pour être trouvés entièrement droits. Prouvons la droiture de notre foi par des actions droites, aimant l'épouse et aimés de l'Époux, Jésus-Christ notre Seigneur, «qui est Dieu béni dans les siècles. Amen[l]».

avec le texte de *Vg*. Quant au bref texte de Bernard, il provient soit de divers autres passages des œuvres de Jérôme citant de la sorte ce même verset de *Zacharie,* soit d'un intermédiaire, Raban Maur, Paschase Radbert...

2. Foi et charité doivent aller ensemble. Cf. AUGUSTIN, *De Trinitate* XV, 18, 32 (*CCL* 40 A, 507, l. 20-22) : «Seule la charité peut faire en sorte que la foi soit utile. Sans la charité la foi peut être, mais non pas être utile.»

SERMO XXV

I. Quas sponsa dicat filias Ierusalem et quare. – II. Unde fuerit nigra sponsa et unde sit formosa. – III. Quomodo intelligitur sponsa nigra simul et formosa. – IV. Quomodo sanctorum omnis cura formae interiori intendat.

I. Quas sponsa dicat filias Ierusalem et quare.

1. Ecce quod dixeram in sermone, quia aemulis lacessentibus sponsa respondere cogatur, quae corpore quidem de numero adolescentularum[a] esse videntur, animo autem longe sunt. Ait nempe : *Nigra sum, sed formosa, filiae*
5 *Ierusalem*[b]. Patet quod detraherent ei, nigredinem improperantes. Sed adverte sponsae patientiam ac benignitatem. Non modo enim *non reddidit maledictum pro maledicto*, sed insuper *benedixit*[c], filias Ierusalem vocans, quae magis pro sua nequitia *filiae Babylonis*[d] vel filiae Baal, aut si
10 quod aliud nomen improperii occurrisset, appellari meruerant. Sane didicerat a Propheta, immo ab ipsa Unctione quae docet[e] suavitatem, *calamum quassatum non conterendum, et linum fumigans non exstinguendum*[f]. Propterea non putavit amplius irritandas satis commotas
15 per se, nec quidquam addendum stimulis invidiae, qua torquebantur. Magis autem *cum his qui oderunt pacem* studuit *esse pacifica*[g], sciens se etiam *insipientibus debi-*

1. a. Cf. Cant. 6, 7 b. Cant. 1, 4 ≠ c. I Pierre 3, 9 ≠ d. Ps. 136, 8 ≠ e. Cf. I Jn 2, 27 f. Is. 42, 3 ≠ g. Ps. 119, 7 ≠

1. Voir *SCt* 24, 2.

SERMON 25

I. Quelles sont celles que l'épouse nomme filles de Jérusalem, et pour quelle raison. – II. Pourquoi l'épouse a-t-elle été noire et pourquoi est-elle belle. – III. Comment comprendre que l'épouse est à la fois noire et belle. – IV. Comment les saints consacrent-ils tout leur soin à la beauté intérieure.

I. Quelles sont celles que l'épouse nomme filles de Jérusalem, et pour quelle raison.

1. Comme je l'avais dit dans mon sermon[1], l'épouse est obligée de répondre aux provocations de ses rivales, que leur apparence corporelle ferait mettre au nombre des jeunes filles[a], mais que leur esprit place tout ailleurs. Elle dit donc : « Je suis noire, et pourtant belle, filles de Jérusalem[b]. » Il est clair que celles-ci médisaient d'elle, lui reprochant sa noirceur. Mais remarque la patience et la bonté de l'épouse. Non seulement « elle ne leur rend pas injure pour injure, mais elle les honore même[c] », en les appelant filles de Jérusalem. Elles auraient plutôt mérité, pour leur malice, le titre de « filles de Babylone[d] » ou de Baal, ou quelque autre nom injurieux. Sans aucun doute, l'épouse avait-elle appris du Prophète – bien plus, de l'Onction qui enseigne[e] la douceur – « qu'il ne faut pas briser le roseau froissé, ni éteindre la mèche qui fume encore[f] ». C'est pourquoi, elle n'a pas jugé bon d'irriter davantage ces âmes, déjà assez troublées par elles-mêmes, ou d'ajouter encore aux aiguillons de l'envie qui les harcelait. Au contraire, elle s'est efforcée « d'être pacifique avec celles qui haïssent la paix[g] », se sachant « rede-

tricem[h]. Maluit ergo ipsas favorabili demulcere vocabulo, quia curae fuit ei infirmarum potius operam dare saluti
20 quam propriae ultioni.

2. Omnibus quidem optanda ista perfectio, proprie autem optimorum forma est praelatorum. Sciunt quippe boni fidelesque praepositi, languentium sibi creditam animarum curam, non pompam. Cumque internum murmur
5 cuiuspiam illarum querulae vocis indicio deprehendunt, etsi in ipsos usque ad convicia et contumelias prorumpentis, medicos se, et non dominos agnoscentes, parant
164 confestim adversus phrenesim animae, non vindictam, sed medicinam. Haec igitur ratio, cur sponsa filias Ierusalem
10 dicat eas ipsas, quas malevolas sustinet atque maledicas : videlicet ut in blando sermone deliniat murmurantes, commotionem sedet, sanet livorem. Scriptum est enim : *Lingua pacifica compescit lites*[a]. Alias vero filiae revera Ierusalem quodammodo sunt quae huiusmodi sunt, nec falso ita eas
15 nominat sponsa. Sive enim propter sacramenta Ecclesiae, quae indifferenter quidem cum bonis suscipiunt, sive propter fidei aeque communem confessionem, sive ob fidelium corporalem saltem societatem, seu etiam propter spem futurae salutis, a qua omnino non sunt, quamdiu
20 hic vivunt, vel tales desperandae, quantumlibet vivant desperate, non incongrue filiae Ierusalem nominantur.

h. Rom. 1, 14 ≠
2. a. Prov. 25, 15 ≠

---

1. Le soin des âmes malades : *RB* 27, 6 (*SC* 182, 550-551).
2. * Ce texte, unique dans les *SBO,* est fort différent de *Vg,* tout en proposant une signification finale semblable. Aucune source patristique n'a pu être trouvée.

vable même aux insensées[h] ». Elle a donc préféré les amadouer par un nom flatteur. Car elle a pris soin de travailler au salut des infirmes, plutôt qu'à sa propre vengeance.

2. Il faut souhaiter à tous cette perfection, mais elle est l'apanage particulier des supérieurs les meilleurs. Si ceux-ci sont bons et fidèles, ils savent qu'on leur a confié le soin d'âmes malades[1], et non une dignité pompeuse. Lorsqu'ils découvrent par des plaintes exprimées les murmures intérieurs d'une de ces âmes, qui s'emporte contre eux jusqu'aux sarcasmes et aux insultes, ils se souviennent qu'ils sont des médecins, et non des maîtres. Aussitôt, contre le délire de cette âme, ils préparent non pas la vengeance, mais le remède. C'est donc pour cette raison que l'épouse nomme filles de Jérusalem celles dont elle supporte la malveillance et la médisance : pour apaiser les murmures, calmer le trouble et guérir l'envie par de douces paroles. Il est écrit en effet : « La langue pacifique éteint les querelles[a2]. » D'autre part, de telles personnes sont, en quelque sorte, de vraies filles de Jérusalem, et l'épouse n'a pas tort de les nommer ainsi. Ce n'est pas sans à-propos qu'on les nomme filles de Jérusalem. Soit pour les sacrements de l'Église, qu'elles reçoivent avec les justes sans discrimination, soit pour la commune confession de la même foi, soit pour leur appartenance, du moins physique, à la communauté des fidèles, soit encore pour l'espérance du salut à venir. Car elles ne sauraient pas en être exclues absolument, tant qu'elles vivent ici-bas, même si leur vie semble s'opposer à toute espérance[3].

3. Dans les deux premiers paragraphes, Bernard a repris le thème de la mansuétude de l'épouse.

II. Unde fuerit nigra sponsa et unde sit formosa.

3. Videamus iam quid illud fuit dicere : *Nigra sum, sed formosa.* Nullane in his verbis repugnantia est? Absit. Propter simplices dico, qui inter colorem et formam discernere non noverunt, cum forma ad compositionem per-
5 tineat, nigredo color sit. Non omne denique quod nigrum est, continuo et deforme est. Nigredo, verbi causa, in pupilla non dedecet; et nigri quidam lapilli in ornamentis placent, et nigri capilli candidis vultibus etiam decorem augent et gratiam. Sic tibi quoque facile advertere est in
10 rebus innumeris. Quamquam sine numero sunt, quae in superficie quidem reperies decoloria, in compositione vero decora. Tali fortassis modo potest sponsa, cum pulchritudine utique compositionis, naevo non carere nigredinis : sed sane *in loco peregrinationis suae*[a]. Alioquin erit cum
15 eam sibi in patria *exhibebit* Sponsus gloriae *gloriosam, non habentem maculam, aut rugam, aut aliquid huiusmodi*[b]. At vero *si diceret* nunc *quia* nigredinem *non haberet, seipsam seduceret et veritas in ea non esset*[c]. Quamobrem ne mireris quia dixit : *Nigra sum,* et rursum nihi-
20 lominus quia formosa sit gloriatur. Quomodo enim non formosa, cui dicitur : *Veni, formosa mea*[d]? Cui dicitur : *Veni,* nondum pervenerat; ne forte quis putet hoc dictum,
165 non quidem huic nigrae quae adhuc laborabat veniendo in via, sed beatae illi quae iam prorsus absque nigredine
25 regnat in patria.

4. Sed audi unde nigram et unde se formosam dixerit. An nigram quidem ob tetram conversationem, quam prius habuit sub *principe huius mundi*[a], *imaginem terrestris*

3. a. Ps. 118, 54 ≠ b. Éphés. 5, 27 ≠ c. I Jn 1, 8 ≠ d. Cant. 2, 10 ≠

4. a. Jn 12, 31 ≠

II. Pourquoi l'épouse a-t-elle été noire et pourquoi est-elle belle.

3. Voyons maintenant le sens de ces paroles : « Je suis noire, et pourtant belle. » Y a-t-il là quelque contradiction? Pas du tout. Je le dis pour les simples, qui ne savent pas distinguer entre la couleur et la forme. La forme relève de la structure, tandis que la noirceur n'est qu'une couleur. Or, tout ce qui est noir, n'est pas toujours difforme. La noirceur, par exemple, n'est pas désagréable dans une pupille. Les pierreries noires plaisent dans une parure, et les cheveux noirs rehaussent aussi la beauté et la grâce d'un teint clair. Toi aussi, tu peux le remarquer aisément en une infinité de domaines. Bien qu'il existe des objets innombrables qui ont un extérieur terne, ils sont beaux pourtant dans leur structure. Ainsi l'épouse, tout en gardant la beauté de sa structure, peut-elle présenter le défaut de la noirceur, mais seulement « sur cette terre de son exil[a] ». Car un jour viendra où l'Époux de gloire, dans la patrie, « fera paraître devant lui son épouse glorieuse, sans tache ni ride ni rien de tel[b] ». En revanche, « si elle disait maintenant qu'elle n'a aucune trace de noirceur, elle se tromperait elle-même et la vérité ne serait pas en elle[c] ». C'est pourquoi, ne t'étonne pas si elle a dit : « Je suis noire », et si elle se vante néanmoins d'être belle. Comment en effet ne serait-elle pas belle, celle à qui l'on dit : « Viens, ma belle[d] »? On lui dit : « Viens », parce qu'elle n'est pas encore arrivée. Que personne n'aille s'imaginer que cette parole a été dite à la bienheureuse régnant dans la patrie, pure désormais de toute noirceur. Cette parole s'adresse à la femme noire qui peine encore en cheminant sur la route.

4. Mais écoute pourquoi elle se dit noire, et pourquoi belle. Serait-elle noire à cause de la sombre vie qu'elle a d'abord menée sous « le prince de ce monde[a] », lors-

hominis adhuc *portans*[b], formosam vero de caelesti simi-
5 litudine quam postea commutavit, *ambulans* iam *in novitate vitae*[c]? Sed si hoc ita est, cur non magis de praeterito : « Nigra fui », et non : *Nigra sum,* dicit? Si cui tamen placet hic sensus, id quod sequitur, *sicut tabernacula Cedar, sicut pelles Salomonis*[d], sic oportet intelligi,
10 ut de veteri quidem conversatione Cedar, de nova vero Salomonis se dixerit tabernaculum. Hoc enim esse pelles quod tabernaculum, Propheta ostendit dicens : *Repente vastata sunt tabernacula mea, subito pelles meae*[e]. Prius igitur nigra, sicut vilissima tabernacula Cedar, postea
15 formosa, sicut pelles gloriosi Regis.

III. Quomodo intelligitur sponsa nigra simul et formosa.

5. Sed videamus quomodo ad statum potius vitae potioris utrumque respiciat. Si consideremus habitum exteriorem sanctorum, eum qui in facie est, quam sit humilis utique et abiectus, et quadam neglectus incuria, cum
5 tamen identidem intus *revelata facie gloriam Dei speculantes, in eamdem imaginem transformentur* de *claritate in claritatem, tamquam a Domini Spiritu*[a], nonne una quaelibet talis anima merito nobis videbitur posse respondere exprobrantibus sibi[b] nigredinem : *Nigra sum,*
10 *sed formosa?* Vis tibi denique demonstrem animam et nigram, pariter et formosam? *Epistolae, inquiunt, graves sunt, sed praesentia corporis infirma et sermo contemptibilis*[c]. Paulus hic erat. Itane Paulum, o filiae Ierusalem,

b. I Cor. 15, 49 ≠ c. Rom. 6, 4 ≠ d. Cant. 1, 4 e. Jér. 4, 20
5. a. II Cor. 3, 18 ≠ b. Cf. Ps. 118, 42 c. II Cor. 10, 10 ≠

1. L'opposition de l'homme terrestre et de l'homme céleste se lit dans *I Cor.* 15, 47-49. Voir W. VON DEN STEINEN, *Homo caelestis. Das Wort der Kunst im Mittelalter,* p. 105-137.

qu'elle «portait encore l'image de l'homme terrestre[b1]»? Et serait-elle belle en vertu de la ressemblance céleste qu'elle a obtenue ensuite en échange, lorsqu'elle «marchait dans une nouvelle vie[c]»? Mais s'il en est ainsi, pourquoi n'emploie-t-elle pas le passé, disant : «J'ai été noire», au lieu de : «Je suis noire»? Il se peut que malgré cela quelqu'un préfère cette interprétation. Il faut alors qu'il comprenne la suite, «comme les tentes de Cédar, comme les pavillons de Salomon[d]», de cette manière : l'épouse s'est comparée aux tentes de Cédar à cause de son ancienne vie, et aux pavillons de Salomon à cause de la nouvelle. En effet, le Prophète nous montre que les mots *pavillons* et *tentes* signifient la même chose, lorsqu'il dit : «Soudain mes tentes ont été dévastées, en un instant mes pavillons[e].» L'épouse a donc été d'abord noire, comme les tentes fort grossières de Cédar, puis belle, comme les pavillons du Roi magnifique.

III. Comment comprendre que l'épouse est à la fois noire et belle.

5. Voyons comment les deux adjectifs conviennent mieux à l'état plus parfait de sa vie. Si nous considérons l'apparence extérieure des saints, celle de leur visage, nous n'y voyons qu'humilité et abaissement, que négligence et manque de soin. En même temps toutefois, à l'intérieur, ces hommes «contemplent à visage découvert la gloire de Dieu, et sont transformés en cette même image, de clarté en clarté, comme par l'Esprit du Seigneur[a]». N'est-il pas vrai que toute âme de cette sorte pourra répondre avec raison à ceux qui lui reprochent[b] sa noirceur : «Je suis noire, et pourtant belle»? Veux-tu que je te montre une âme à la fois noire et belle? «Ses lettres, dit-on, sont graves, mais, une fois présent, c'est un corps chétif, et sa parole est méprisable[c].» Il s'agissait

de praesentia corporis aestimatis, et tamquam decolorem
15 deformemque contemnitis, quia cernitis homunculum
afflictari *in fame et siti, in frigore et nuditate, in laboribus plurimis, in plagis supra modum, in mortibus frequenter*[d]? Haec sunt quae denigrant Paulum : pro
huiusmodi Doctor gentium reputatus inglorius, ignobilis,
20 niger, obscurus, tamquam denique peripsema huius
166 mundi[e]. Enimvero nonne ipse est qui *rapitur in paradisum*[f], qui unum alterumque perambulans, usque ad
tertium sui caelum[g] penetrat puritate? O vere pulcherrima
anima quam, etsi infirmum inhabitantem corpusculum,
25 pulchritudo caelestis admittere non despexit, angelica
sublimitas non reiecit, claritas divina non repulit! Hanc
vos dicitis nigram? Nigra est, sed formosa, filiae Ierusalem. Nigra vestro, formosa divino angelicoque iudicio.
Et si nigra est, forinsecus[h] est. *Sibi autem pro minimo*
30 *est ut a vobis iudicetur*[i], aut ab his qui *secundum faciem iudicant*[j]. *Homo siquidem videt in facie, Deus autem intuetur cor*[k]. Propterea etsi nigra foris, sed intus formosa,
ut ei placeat cui se probavit[l] : non enim vobis, quibus *si adhuc placeret, Christi servus non esset*[m]. Felix nigredo,
35 quae mentis candorem parit, lumen scientiae, conscientiae
puritatem.

6. Audi denique quid per Prophetam Deus promittat
istiusmodi nigris, quos aut humilitas paenitentiae, aut caritatis zelus, tamquam solis aestus, decolorasse videtur. *Si fuerint,* ait, *peccata vestra ut coccinum, quasi nix deal-*
5 *babuntur; et si fuerint rubra quasi vermiculus, velut lana*

d. II Cor. 11, 27. 23 ≠ e. Cf. I Cor. 4, 13 f. II Cor. 12, 4 ≠ g. Cf. II Cor. 12, 2 h. Cf. Cant. 4, 1 i. I Cor. 4, 3 ≠ j. Jn 7, 24 ≠ k. I Sam. 16, 7 (Lit., Patr.) l. II Tim. 2, 4 m. Gal. 1, 10 ≠

1. * Bernard, dans ses 17 emplois de ce verset, ne suit jamais *Vg*, mais pour partie les Pères, pour partie la liturgie ; cf. *SCt* 29, 4, l. 18-19 ; cf. *SC* 425, 240, n. 3 sur *Ep* 11, 10.

de Paul. Filles de Jérusalem, est-ce ainsi que vous jugez Paul sur son aspect corporel? Vous le méprisez comme terne et difforme, parce que vous voyez un petit homme marqué « par la faim et la soif, par le froid et le dénuement, par bien des fatigues, par les coups reçus sans mesure, par les fréquents dangers de mort[d] ». Voilà ce qui noircit Paul. C'est pour cela que le Docteur des nations est regardé comme un homme sans gloire et sans noblesse, noir, obscur, enfin comme le rebut de ce monde[e]. Pourtant, n'est-ce pas lui qui est « ravi au paradis[f] » et qui, traversant le premier et le deuxième ciel, parvient, grâce à sa pureté, jusqu'au troisième[g]? Ame vraiment toute belle! Même si elle habitait un corps petit et chétif, la beauté du ciel n'a pas dédaigné de l'accueillir, la haute gloire des anges ne l'a pas rejetée, la splendeur de Dieu ne l'a pas repoussée. Et vous dites qu'elle est noire? Oui, elle est noire, mais belle, filles de Jérusalem. Noire à vos yeux, belle aux yeux de Dieu et des anges. Si elle est noire, c'est à l'extérieur[h]. « Mais elle se soucie fort peu d'être jugée par vous[i] », ou par ceux qui « jugent selon l'apparence[j] ». « Car l'homme voit l'apparence, mais Dieu regarde le cœur[k1]. » Voilà pourquoi, même si elle est noire au-dehors, elle est pourtant belle au-dedans : « pour plaire à celui devant qui elle a trouvé grâce[l] ». Non pas à vous, car « si l'Apôtre cherchait encore à vous plaire, il ne serait plus serviteur du Christ[m] ». Heureuse noirceur, qui engendre la candeur de l'esprit, la lumière de la science, la pureté de la conscience.

6. Écoute ce que Dieu promet par son Prophète à ces âmes noires, qui semblent ternies par l'humilité du repentir ou la ferveur de la charité, comme par les feux du soleil. « Quand vos péchés, dit-il, seraient comme l'écarlate, ils blanchiront comme neige; quand ils seraient rouges comme le vermillon, ils deviendront blancs comme

alba erunt[a]. Non plane contemnenda in sanctis extera ista nigredo quae candorem operatur internum, et sedem perinde praeparat sapientiae. *Candor est enim* vitae *aeternae*[b] sapientia, ut Sapiens diffinit; et candidam
10 oportet esse animam, in qua ipsa sedem elegerit. Quod si *anima iusti sedes est sapientiae,* haud dubie dixerim animam iusti esse candidam. Et fortassis iustitia ipsa est candor. Iustus autem erat Paulus, *cui reposita fuerat corona iustitiae*[c]. Candida proinde Pauli anima erat, et
15 sapientia sedebat in ea, ita ut *sapientiam loqueretur inter perfectos, sapientiam in mysterio absconditam, quam nemo principum mundi huius agnovit*[d]. Porro in eo hunc sapientiae iustitiaeque candorem nigredo illa exterior de *praesentia corporis infirma*[e], de *laboribus plurimis*[f], de
20 *ieiuniis multis ac vigiliis*[g], aut operabatur, aut promere-
167 batur. Ideoque et quod nigrum est Pauli, speciosius est omni ornamento extrinseco, omni regio cultu. Non comparabitur ei quantalibet pulchritudo carnis, non cutis utique nitida et arsura, non facies colorata vicina putredini, non
25 vestis pretiosa obnoxia vetustati, non auri species splendorve gemmarum, seu quaeque alia, quae omnia sunt ad corruptionem.

6. a. Is. 1, 18 ≠ b. Sag. 7, 26 (Patr.) c. II Tim. 4, 8 ≠
d. I Cor. 2, 6-8 ≠ e. II Cor. 10, 10 f. II Cor. 11, 23
g. II Cor. 11, 27 ≠

1. *Vitae aeternae.* Tous les manuscrits bibliques donnent *Lucis aeternae.* Cf. p. 76, n. 1 sur *SCt* 17, 3.

2. * « L'âme... sagesse » : ce dicton patristique se trouve 7 fois comme citations et 12 comme allusions dans les *SBO*; cf. *SCt* 27, 8, l. 21. Les Pères (en particulier AUGUSTIN, *Sermo* 200, 1, *PL* 38, 1028 et Ambroise Autpert) l'ont souvent présenté comme biblique alors qu'il soude plu-

laine[a]. » Il ne faut certes pas mépriser chez les saints cette noirceur extérieure qui produit la candeur intérieure, et prépare ainsi une demeure à la sagesse. Car la sagesse « est la blancheur éclatante de la vie éternelle[b1] », selon la définition du Sage. L'âme qu'elle a choisie pour demeure doit être candide. Or, si « l'âme du juste est la demeure de la sagesse[2] », je dirai sans hésiter que l'âme du juste est candide. Et peut-être que la justice elle-même est une sorte de candeur. Paul était juste, « lui à qui était réservée la couronne de justice[c] ». L'âme de Paul était donc candide, et la sagesse demeurait en elle. Ainsi « parlait-il sagesse parmi les parfaits, la sagesse cachée dans le mystère, qu'aucun des princes de ce monde n'a connue[d] ». C'était pourtant sa noirceur extérieure, due à « l'aspect chétif de son corps[e] », à ses « fatigues sans nombre[f] », à ses « jeûnes fréquents et à ses veilles[g] », qui produisait en lui cette candeur de la sagesse et de la justice, ou qui la lui méritait. Aussi, même ce qui chez Paul est noir est plus splendide que tout ornement extérieur, que toute parure royale. On ne lui comparera ni la beauté du corps, si éblouissante soit-elle, ni le teint délicat d'une peau destinée à se flétrir, ni le visage frais et vermeil qui bientôt pourrira, ni le vêtement précieux sujet à l'usure, ni l'éclat de l'or ou la splendeur des gemmes, ou toute autre chose vouée à la corruption.

sieurs textes, en particulier *Act.* 7, 49 ; cf. *SCt* 27, 8. Ici, Bernard « prépare » sa citation par *sedem... sapientiae* (ici, l. 10) et la prolonge à propos de « l'âme de Paul ». Ce dicton, qui pourrait être devenu banal, évoque pour Bernard la présence de Dieu dans l'âme et son action ; dans le sermon 27, les §§ 3-11 en sont un commentaire ; cf. *SC* 390, 210, n. 2 sur *Miss* IV, 3 ; *Pre* 61, *SBO* III, 293, l. 25.

IV. Quomodo sanctorum omnis cura formae interiori intendat.

7. Merito proinde omnis cura sanctorum, spreto ornatu cultuque superfluo exterioris sui hominis, qui certe corrumpitur[a], omni se diligentia praebet et occupat excolendo ac decorando *interiori* illi, qui *ad imaginem Dei* est et *renovatur de die in diem*[b]. Certi enim sunt Deo non posse esse quidquam acceptius imagine sua, si proprio fuerit restituta decori. Propterea et *omnis gloria* eorum *intus*[c], non foris est : hoc est, non in flore feni[d] aut in ore vulgi, sed in Domino. Unde et dicunt : *Gloria nostra haec est, testimonium conscientiae nostrae*[e] : quod conscientiae solus sit arbiter Deus, cui soli placere desiderant, et cui placere, sola, vera et summa gloria est. Non mediocris plane gloria illa quae intus est, in qua gloriari dignatur et *Dominus gloriae*[f], dicente David : *Omnis gloria eius filiae Regis ab intus*[g]. Et tutior sua *cuique gloria,* dum eam *habet in semetipso, et non in altero*[h]. At non in solo fortassis candore interno, sed exteriori quoque nigredine gloriandum, ne quid omnino sanctis depereat, sed *omnia cooperentur in bonum*[i]. *Non solum* igitur *in spe, sed et gloriari in tribulationibus*[j]. *Libenter,* ait, *gloriabor in infirmitatibus meis, ut inhabitet in me virtus Christi*[k]. Optanda infirmitas, quae Christi virtute compensatur ! Quis dabit mihi non solum infirmari, sed et destitui ac deficere penitus a memetipso, ut Domini virtutum virtute stabiliar ? *Nam virtus in infirmitate perfi-*

7. a. Cf. II Cor. 4, 16 b. II Cor. 4, 16 ≠; Gen 1, 27 c. Ps. 44, 14 ≠ d. Cf. I Pierre 1, 24 e. II Cor. 1, 12 f. I Cor. 2, 8 ≠ g. Ps. 44, 14 h. Gal. 6, 4 ≠ i. Rom. 8, 28 ≠ j. Rom. 5, 2-3 ≠ k. II Cor. 12, 9 ≠

1. Ces mots, fort simples, sont faits pour rappeler un thème cher à Grégoire le Grand, et on en retrouve la veine çà et là dans les *SBO* ; cf. *SC* 367, 416, n. 1 sur *MalS* 3 ; *SC* 414, 168, n. 2 sur *SCt* 7, 7.

IV. Comment les saints consacrent-ils tout leur soin à la beauté intérieure.

7. A juste titre, donc, les saints méprisent la parure et l'élégance superflue de cet homme extérieur qui se corrompt[a]. Ils consacrent tout leur soin et tout leur empressement à embellir et à orner « l'homme intérieur, qui est à l'image de Dieu et se renouvelle de jour en jour[b] ». Car ils sont sûrs que rien ne peut être plus agréable à Dieu que son image restituée à sa beauté originelle. C'est pourquoi « toute leur gloire est au-dedans[c] », et non au-dehors : c'est-à-dire, non pas dans la fleur de l'herbe[d] ou dans la bouche du peuple, mais dans le Seigneur. Aussi disent-ils : « Notre gloire, la voici : le témoignage de notre conscience[e]. » Car le seul juge de la conscience, c'est Dieu, et c'est à lui seul qu'ils désirent plaire[1] ; en cela consiste la seule, vraie et suprême gloire. Ce n'est pas une mince gloire que la gloire intérieure, puisque « le Seigneur de gloire[f] » daigne se glorifier en elle, selon la parole de David : « Toute la gloire de la fille du Roi est intérieure[g]. » « La gloire la plus sûre pour chacun, c'est celle qu'il trouve en lui-même, et ne reçoit pas d'un autre[h]. » Mais peut-être faut-il se glorifier non seulement de la candeur intérieure, mais aussi de la noirceur extérieure, pour qu'absolument rien ne soit perdu pour les saints, et que « tout contribue à leur bien[i] ». « Ne nous glorifions donc pas seulement dans l'espérance, mais aussi dans les tribulations[j] ». « De grand cœur, dit l'Apôtre, je me glorifierai de mes faiblesses, afin qu'habite en moi la puissance du Christ[k]. » Désirable faiblesse, compensée par la puissance du Christ ! Qui me donnera non seulement d'être faible, mais encore de perdre toute force et de défaillir entièrement, pour être soutenu par la puissance du Seigneur des puissances ? « Car la puissance s'accomplit

citur[1]. Denique ait : *Quando infirmor, tunc fortior sum et potens*[m].

8. Quod cum ita sit, pulchre sponsa convertit sibi ad gloriam quod ei pro opprobrio ab aemulis intorquetur, 168 non modo formosam, sed et nigram esse glorians. Non erubescit nigredinem, quam novit praecessisse et in 5 sponso : cui similari quantae etiam gloriae est ? Nil sibi proinde gloriosius putat quam Christi portare opprobrium[a]. Unde *vox* illa prorsus *exsultationis et salutis*[b] : *Absit mihi gloriari, nisi in cruce Domini* mei *Iesu Christi*[c] : grata ignominia crucis ei qui Crucifixo ingratus non est. Nigredo 10 est, sed forma et similitudo Domini. Vade ad sanctum Isaiam, et describet tibi qualem in spiritu illum viderit[d]. Quemnam alium dicit *virum doloris, et scientem infirmitatem,* et quia *non erat ei species neque decor*[e] ? Et addidit : *Nos putavimus eum tamquam leprosum, et percussum a* 15 *Deo, et humiliatum. Ipse autem vulneratus est propter iniquitates nostras, et attritus propter scelera nostra, et livore eius sanati sumus*[f]. Ecce unde niger. Iunge et illud sancti David : *Speciosus forma prae filiis hominum*[g], et habes totum in Sponso, quod sponsa de se hoc in loco testata 20 est.

9. Non tibi recte et ipse videtur, secundum ea quae dicta sunt, aemulis posse respondere Iudaeis : « Niger sum, sed formosus, filii Ierusalem ? » Niger plane, cui non erat

l. II Cor. 12, 9 m. II Cor. 12, 10 ≠
8. a. Cf. Hébr. 13, 13 b. Ps. 117, 15 ≠ c. Gal. 6, 14 ≠ d. Cf. Jn 12, 41 e. Is. 53, 3. 2 ≠ f. Is. 53, 4-5 ≠ g. Ps. 44, 3

1. * Bernard, qui emploie 5 fois ce texte (cf. *SCt* I, 29, 7, l. 11), écrit 3 fois *fortior*, et non *fortis*, et ajoute 3 fois *et potens*. Ce sont deux variantes purement patristiques : la première est bien attestée, la seconde est même une addition presque constante.

2. A petits pas Bernard mène le lecteur à cette noirceur initiale dans la foi : l'opprobre de la croix.

dans la faiblesse[l].» Aussi dit-il : «Lorsque je suis faible, c'est alors que je suis plus fort et efficace[m1].»

8. Puisqu'il en est ainsi, l'épouse a raison de tourner à sa propre gloire ce que ses rivales lui reprochent comme une ignominie. En effet, elle se glorifie non seulement d'être belle, mais encore d'être noire. Elle ne rougit pas de cette noirceur dont elle sait que l'Époux, lui aussi, l'a d'abord assumée. Qui pourra jamais dire combien est grande la gloire de ressembler à l'Époux? L'épouse n'estime donc rien de plus glorieux pour elle que de porter l'ignominie du Christ[a]. D'où «cette parole de joie et de salut[b]» : «Loin de moi la pensée de me glorifier, sinon dans la croix de mon Seigneur Jésus-Christ[c].» L'opprobre de la croix est agréable à l'homme qui n'est pas ingrat envers le Crucifié[2]. C'est une noirceur, mais c'est la figure et la ressemblance du Seigneur. Consulte le bienheureux Isaïe, et il te décrira comment il l'a vu en esprit[d]. «L'homme de douleur, connaissant la souffrance» et qui «n'avait ni éclat ni beauté[e]», dont parle le prophète, qui pourrait-il être sinon le Seigneur? Et il ajoute : «Nous l'avons considéré comme un lépreux, frappé par Dieu et humilié. Mais il a été transpercé pour nos fautes, broyé pour nos crimes; et nous avons été guéris par ses meurtrissures[f].» Voilà pourquoi il est noir. Ajoute à cela les paroles du bienheureux David : «Le plus beau parmi les enfants des hommes[g]», et tu trouveras dans l'Époux tout ce que l'épouse a affirmé ici à propos d'elle-même[3].

9. D'après ce qui vient d'être dit, ne crois-tu pas que l'Époux peut à bon droit répondre aux juifs, ses rivaux : «Je suis noir, et pourtant beau, fils de Jérusalem»? Oui,

3. Le Christ est noir par sa passion, mais il reste aussi le plus beau des enfants des hommes. Voir ORIGÈNE, *Comm. sur le Cantique* III, 2, 2 (*SC* 376, 502-506). AUGUSTIN, *Comm. de la 1re Épître de Jean* IX, 9 (*SC* 75, 399).

species, neque decor[a]; niger, quia *vermis et non homo,*
5 *opprobrium hominum et abiectio plebis*[b]. Denique *seipsum fecit peccatum*[c] : et nigrum dicere verear? Intuere sane pannis sordidum, plagis lividum, illitum sputis, pallidum morte : nigrum vel tunc profecto fatebere. Percunctare etiam Apostolos eumdem ipsum qualem in monte pers-
10 pexerint[d], aut certe *angelos in qualem prospicere concupiscant*[e], et nihilominus formosum mirabere. Ergo formosus in se, niger propter te. Quam formosum et in mea forma te agnosco, Domine Iesu! Non ob divina tantum quibus effulges miracula, sed et *propter veritatem, et man-*
15 *suetudinem, et iustitiam*[f]. Beatus qui te in his hominem *inter homines conversantem*[g] diligenter observans, seipsum praebet pro viribus imitatorem tui! Hoc iam beatitudinis munus formosa tua primitias suae dotis accepit, nec quod
169 formosum est tui imitari pigra, nec quod nigrum sustinere
20 confusa. Unde et dicebat : *Nigra sum, sed formosa, filiae Ierusalem.* Et addidit similitudinem : *sicut tabernacula Cedar, sicut pelles Salomonis.* At istud obscurum est, nec attingendum omnino fatigatis. Habetis tempus ad pulsandum. Si non dissimulatis, aderit qui revelat mysteria;
30 nec cunctabitur aperire, qui ad pulsandum invitat[h]. Ipse est enim *qui aperit, et nemo claudit*[i], sponsus Ecclesiae, Iesus Christus Dominus noster, *qui est benedictus in saecula. Amen*[j].

9. a. Is. 53, 2 ≠ b. Ps. 21, 7 c. II Cor. 5, 21 ≠ d. Cf. Matth. 17, 2 e. I Pierre 1, 12 (Patr.) f. Ps. 44, 5 g. Bar. 3, 38 ≠ h. Cf. Lc 11, 9 i. Apoc. 3, 7 j. Rom. 1, 25

noir, lui qui n'avait ni éclat ni beauté[a]; noir, parce que «ver et non pas homme, honte des hommes et rebut du peuple[b]». Bref, «il s'est fait lui-même péché[c]» : et moi, j'hésiterais à l'appeler noir? Regarde-le donc sous des haillons sales, meurtri de coups, couvert de crachats, mortellement pâle. Tu reconnaîtras alors sans aucun doute qu'il est noir. Renseigne-toi aussi auprès des Apôtres : comment était celui qui s'est présenté à leurs regards sur la montagne[d]? ou renseigne-toi «auprès des anges : quel est celui en qui ils désirent plonger leurs regards[e 1]?» Alors tu seras émerveillé de sa beauté. Il est donc beau en lui-même, noir à cause de toi. Que tu es beau à mes yeux dans cette forme humaine qui est aussi mienne, Seigneur Jésus! Non seulement pour l'éclat de tes miracles divins, mais aussi «pour ta vérité, ta mansuétude et ta justice[f]». Bienheureux celui qui te contemple «dans ta vie d'homme parmi les hommes[g]», et qui se montre ton imitateur autant qu'il peut! Ta belle épouse a déjà reçu le don de ce bonheur comme prémices de sa dot. Elle n'est ni paresseuse pour imiter ce qui en toi est beau, ni honteuse de porter ce qui en toi est noir. C'est pourquoi elle disait : «Je suis noire, et pourtant belle, filles de Jérusalem.» Et elle a ajouté cette comparaison : «comme les tentes de Cédar, comme les pavillons de Salomon.» Mais cela est obscur, et ne doit pas être abordé par des esprits déjà bien fatigués. Vous avez du temps pour frapper à la porte. Si vous insistez, celui qui révèle les mystères sera bientôt là; il ne tardera pas à ouvrir, lui qui invite à frapper[h]. Car c'est lui-même «qui ouvre, et personne ne ferme[i]» : l'Époux de l'Église, Jésus-Christ notre Seigneur, «qui est béni dans les siècles. Amen[j]».

1. * Cf. p. 176, n. 2 sur *I Pierre* 1, 12 (Patr.) cité en *SCt* 22, 3.

SERMO XXVI

I. Quid sit sponsam nigram esse sicut tabernacula Cedar. – II. Lamentatio super obitum fratris sui Girardi. – III. Quod ipse caros non amiserit sed mutaverit, et quod sibi compassibilis licet impassibilis. – IV. Quomodo se Girardus pro abbatis quiete omni necessitati opponebat. – V. Quam fervens spiritu et quam industrius in exterioribus fuerit. – VI. Qualiter pensanda sit haec super fratre suo lamentatio. – VII. De modo transitus Girardi. – VIII. Hic exemplo David, Samuel et Domini suum excusat affectum.

I. Quid sit sponsam nigram esse sicut tabernacula Cedar.

1. *Sicut tabernacula Cedar, sicut pelles Salomonis*[a]. Hinc incipiendum, quia hic desiit sermo superior. Hoc exspectatis audire quid sit, et qualiter ei quod proxime tractatum est capitulo coaptetur, quia similitudo est. Potest 5 enim hoc ita subiunctum fuisse, ut utraque pars similitudinis ad id solum respondeat, quod ibi praecesserat : *Nigra sum.* Potest et ita ut duobus illis duo ista, id est singulis singula referantur. Ille sensus simplicior, iste obscurior est. Sed tentemus utrumque, et prius quidem hunc, 10 qui difficilior apparet. Non autem in duobus primis, sed in duobus dumtaxat extremis difficultas est. Nam Cedar quidem, quod interpretatur tenebrae, aperte satis cum

1. a. Cant. 1, 4

1. *Cedar,* «Ténèbres». Voir Jérôme, *Nom. Hebr.* (*CCL* 72, 63, l. 6-7).

SERMON 26

I. Signification de ces paroles : « L'épouse est noire comme les tentes de Cédar. » – II. Complainte de Bernard sur la mort de son frère Gérard. – III. Gérard n'a pas perdu ses amis, mais il en a trouvé d'autres. Il ne peut plus souffrir, mais il peut se montrer compatissant pour son frère. – IV. Comment Gérard faisait face à toutes les nécessités pour préserver la tranquillité de l'abbé. – V. Combien Gérard fut fervent d'esprit et efficace dans les activités extérieures. – VI. Comment doit être jugée la complainte de Bernard sur son frère. – VII. Comment Gérard trépassa. – VIII. Bernard justifie son affection par l'exemple de David, de Samuel et du Seigneur.

I. Signification de ces paroles : « L'épouse est noire comme les tentes de Cédar. »

1. « Comme les tentes de Cédar, comme les pavillons de Salomon[a]. » Il nous faut reprendre ici, puisqu'ici s'est arrêté le sermon précédent. Vous souhaitez entendre ce que signifient ces paroles, et comment elles se rattachent au passage que nous venons d'expliquer, car il s'agit d'une comparaison. Ces paroles peuvent avoir été ajoutées de telle sorte que les deux termes de la comparaison se rapportent à ce seul mot antérieur : « Je suis noire. » Mais aussi, les deux termes peuvent se rapporter aux deux membres de la phrase précédente, c'est-à-dire que chaque terme peut correspondre à un membre. Le premier sens est plus simple, le second plus subtil. Mais examinons les deux, et d'abord celui qui paraît le plus difficile. Or la difficulté réside non pas dans le premier terme de la comparaison, mais seulement dans le second. En effet, le mot « Cédar », qui se traduit par ténèbres[1], semble

nigredine convenire videtur; sed pelles Salomonis cum formositate non ita. Porro tabernacula in eamdem nihi-
170 15 lominus concurrere convenientiam quis non videat? Quid enim tabernacula, nisi nostra sunt corpora in quibus peregrinamur[b]? *Nec enim habemus hic manentem civitatem, sed futuram inquirimus*[c]. Sed et militamus in eis, tamquam in tabernaculis, prorsus violenti ad regnum[d]. Denique
20 *militia est vita hominis super terram*[e], et quamdiu militamus *in* hoc *corpore, peregrinamur a Domino*[f], id est a luce. Nam *Dominus lux est*[g], et in quantum quisque cum eo non est, in tantum in tenebris est[h], hoc est in Cedar. Flebilem proinde vocem illam agnoscat suam : *Heu mihi,*
25 *quia incolatus meus prolongatus est! Habitavi cum habitantibus Cedar, multum incola fuit anima mea*[i]. Est ergo hoc habitaculum nostri corporis, non civis mansio aut indigenae domus, sed aut tabernaculum militantis aut stabulum viatoris. Est, inquam, hoc corpus tabernaculum, et
30 tabernaculum Cedar, quod nimirum animam, quasi obiectu sui, incircumscripti luminis interim nunc fraudat aspectu, nec sinit omnino videre illud, nisi *per speculum* quidem *in aenigmate,* non *autem facie ad faciem*[j].

2. Videsne unde Ecclesiae nigredo, unde pulcherrimis quoque animabus nonnulla rubigo inhaeserit? De tabernaculo profecto Cedar, de exercitio laboriosae militiae, de diuturnitate miseri incolatus, de angustiis aerumnosi exsilii,
5 de corpore denique fragili et gravi : quia *corpus quod corrumpitur aggravat animam, et deprimit terrena inhabitatio sensum multa cogitantem*[a]. Propterea et cupiunt

b. Cf. II Cor. 5, 6 c. Hébr. 13, 14 ≠ d. Cf. Matth. 11, 12
e. Job 7, 1 f. II Cor. 5, 6 ≠ g. I Jn 1, 5 ≠ h. Cf. I Jn 2, 9
i. Ps. 119, 5-6 ≠ j. I Cor. 13, 12 ≠
2. a. Sag. 9, 15

avoir un rapport assez évident avec la noirceur; mais les pavillons de Salomon n'ont pas de rapport évident avec la beauté. D'autre part, qui ne verrait que le mot *tentes* s'insère lui aussi fort bien dans la même comparaison? Que sont en effet les tentes, sinon nos corps, qui nous servent de demeure dans notre exil[b]? «Car nous n'avons pas ici-bas de cité permanente, mais nous sommes à la recherche de la cité future[c].» C'est aussi dans nos corps, comme sous des tentes, que nous combattons, violents pour gagner le royaume[d]. Bref, «la vie de l'homme sur terre est un combat[e]», et tant que nous combattons «dans ce corps, nous sommes en exil loin du Seigneur[f]», c'est-à-dire loin de la lumière. Car «le Seigneur est lumière[g]», et tout homme, dans la mesure où il n'est pas avec lui, est dans les ténèbres[h], à savoir en Cédar. Aussi doit-il faire sienne cette plainte : «Malheur à moi, car mon exil s'est prolongé! J'ai habité avec les habitants de Cédar; il y a si longtemps que mon âme y séjourne, étrangère[i].» La demeure de notre corps n'est donc pas la maison du citoyen ou le logis de l'indigène, mais la tente du soldat ou l'auberge du voyageur. Oui, ce corps est une tente, et une tente de Cédar, qui, comme un écran, frustre l'âme ici-bas de la vision de la lumière illimitée, et ne lui permet point de la voir, sinon «dans un miroir, en énigme, et non face à face[j]».

2. Vois-tu d'où vient la noirceur de l'Église, et pourquoi un peu de rouille reste attaché même aux âmes les plus belles? Cela vient assurément de la tente de Cédar, du pénible combat qu'il nous faut soutenir, du long et morne séjour en terre étrangère, des détresses de ce douloureux exil, bref, de notre corps fragile et pesant. Car «le corps qui se corrompt appesantit l'âme, et cette demeure terrestre accable l'intelligence par une multiplicité de pensées[a]». C'est pourquoi les âmes désirent être déliées

dissolvi, ut, corpore levatae, Christi avolent in amplexus[b]. Unde et gemens una de miseris aiebat : *Infelix ego homo,* 10 *quis me liberabit de corpore mortis huius*[c]? Scit nimirum quae huiusmodi est, quod non possit in tabernaculo Cedar carere ad purum macula, aut ruga[d], non quantulacumque nigredine, et cupit exire, ut se possit exuere. Et haec ratio, cur sponsa nigram se dixerit *sicut tabernacula Cedar.* 15 Sed enim quomodo *formosa sicut pelles Salomonis?* At nescio quid sublime ac sacrum sentio in his pellibus involutum, quod minime ausim omnino contingere, nisi ad nutum sane ipsius qui reposuit et signavit. Legi nimirum : *Qui scrutator est maiestatis, opprimetur a gloria*[e]. Super- 171 20 sedeo igitur et differo. Vobis interim curae erit solito impetrare favorem vestris precibus, ut eo alacriores, quo fidentiores, redeamus ad id quod attentioribus eget animis. Et fortassis inveniet pius pulsator quod temerarius scrutator non posset. Quamquam et maeror finem imperat, 25 *et calamitas quam patior*[f].

II. Lamentatio super obitum fratris sui Girardi.

3. Quousque enim dissimulo, et ignis, quem intra meipsum abscondo, triste pectus adurit, interiora depascitur? Clausus latius serpit, saevit acrius. Quid mihi et cantico huic, qui in amaritudine sum? Vis doloris abducit 5 intentionem, et *indignatio* Domini *ebibit spiritum meum*[a].

b. Cf. Phil. 1, 23 (Patr.) c. Rom. 7, 24 d. Cf. Éphés. 5, 27 e. Prov. 25, 27 ≠ f. Job 6, 2
3. a. Job 6, 4 ≠

---

1. * Cf. p. 149, n. 3 sur *Phil.* 1, 23 (Patr.) cité en *SCt* 21, 1.
2. Les §§ 1 et 2 ne sont qu'une préparation objective et pleine de réserve à l'oraison funèbre que Bernard va consacrer à son frère Gérard, mort en 1138. Bernard y donnera une vue chrétienne de la mort. Il apprend à surmonter la douleur par la joie de l'amitié spirituelle.

et, délestées du corps, s'envoler vers les embrassements du Christ[b1]. Aussi, l'une de ces misérables gémissait : « Malheureux homme que je suis ! Qui me délivrera de ce corps de mort[c] ? » Une telle âme sait bien que, sous la tente de Cédar, elle ne peut être entièrement pure des taches, des rides[d] ou de quelque noirceur, si petite soit-elle. Elle désire alors en sortir, pour pouvoir se purifier. Voilà pourquoi l'épouse s'est déclarée noire « comme les tentes de Cédar ». Mais, dira-t-on, comment peut-elle être « belle comme les pavillons de Salomon » ? Je sens que dans ces pavillons se cache je ne sais quel mystère sublime et sacré. Je n'oserais point y toucher sans l'assentiment de celui-là même qui l'a ici déposé et scellé. J'ai lu en effet : « L'homme qui cherche à scruter la majesté de Dieu, sera accablé par sa gloire[e]. » Je m'abstiens donc et je remets à plus tard. Entre-temps, vous aurez soin, comme de coutume, de m'obtenir la faveur divine par vos prières. Ainsi pourrons-nous revenir à ce sujet, qui exige de nos esprits beaucoup d'attention, avec une ardeur d'autant plus grande que notre confiance le sera aussi. Celui qui frappe à la porte avec piété trouvera peut-être ce que le curieux, dans sa témérité, ne saurait découvrir. D'ailleurs, le chagrin aussi m'impose d'arrêter, « et le malheur que j'endure[f2] ».

II. Complainte de Bernard sur la mort de son frère Gérard.

3. En effet, pourquoi le dissimuler plus longtemps ? Ce feu que je cache en moi-même me brûle le cœur de tristesse, et me dévore les entrailles. Restant enfermé, il serpente toujours plus loin, il fait rage avec plus de violence. Qu'ai-je à faire de ce Cantique, moi qui suis dans l'amertume ? La douleur cuisante détourne mon attention, et « la colère du Seigneur épuise mon esprit[a] ». Car il

Subtracto siquidem illo, per quem mea in Domino studia utcumque libera esse solebant, simul *et cor meum dereliquit me*[b]. Sed feci vim animo meo ac dissimulavi usque huc, ne affectus fidem vincere videretur. Denique plo-
10 rantibus aliis, ego, ut advertere potuistis, siccis oculis secutus sum invisum funus, siccis oculis steti ad tumulum, quousque cuncta peracta sunt exsequiarum solemnia. Indutus sacerdotalibus, solitas in eum orationes proprio ore complevi, terram propriis manibus ex more ieci super
15 dilecti corpus, terram mox futurum. Qui me intuebantur flebant, et mirabantur quod non flerem ipse, cum non illum quidem, sed me potius, qui illum amisissem, omnes miserarentur. Cuius enim vel ferreum pectus super me ibi non moveretur, quem videret Girardo superstitem?
20 Commune damnum ; sed prae meo non reputabatur infortunio. At ego quibus poteram viribus fidei, reluctabar affectui, nitens vel invitus non moveri frustra addictione naturae, universitatis debito, conditionis usu, potentis iussu, iudicio iusti, flagello terribilis, Domini voluntate. Pro
25 huiusmodi semper ex tunc et deinceps exegi a memetipso non indulgere multo fletui, multum tamen turbatus et maestus. Nec potui imperare tristitiae, qui potui lacrimae, sed, ut scriptum est : *Turbatus sum et non sum locutus*[c]. At suppressus dolor altius introrsum radicavit,
30 eo, ut sentio, acerbior factus, quo non est exire permissus. Fateor, victus sum. Exeat, necesse est, foras quod

b. Ps. 39, 13 c. Ps. 76, 5

1. Ce texte rappelle les sentiments de saint Augustin lors des funérailles de sa mère Monique. Voir AUGUSTIN, *Conf.* IX, 12, 32 (*CCL* 27, 151).

m'a été enlevé, celui qui me donnait la possibilité de vaquer librement au Seigneur, «et mon cœur m'a été arraché en même temps[b]». Mais je me suis fait violence et j'ai dissimulé jusqu'à présent ma détresse, de peur que les sentiments ne paraissent l'emporter sur la foi. Ainsi, tandis que les autres pleuraient, moi, comme vous avez pu le remarquer, j'ai suivi le morne convoi sans une larme. Je me suis tenu, les yeux secs, près de la tombe, jusqu'à ce que toutes les cérémonies de l'enterrement fussent achevées[1]. Revêtu des habits sacerdotaux, j'ai récité de ma propre bouche sur lui les prières rituelles, et selon la coutume j'ai jeté de mes propres mains la terre sur le corps bien-aimé, qui bientôt ne sera plus que terre. Ceux qui me regardaient pleuraient et s'étonnaient de ce que je ne pleure pas moi aussi; car tous avaient pitié, non pas de lui, mais plutôt de moi, qui l'avais perdu. Quel cœur en effet, fût-il dur comme le fer, ne serait pas touché de me voir survivre à Gérard? C'était une perte pour toute la communauté; mais on la tenait pour rien en comparaison de mon malheur. Moi cependant, rassemblant toutes les forces de ma foi, je luttais contre mes sentiments. Je m'efforçais, même malgré moi, de ne pas me laisser ébranler en vain par la loi de la nature, par la dette universelle, par la nécessité inhérente à notre condition, par l'ordre du Puissant, par le jugement du Juste, par le fléau du Redoutable, par la volonté de Dieu. C'est pourquoi, depuis lors, je me suis toujours imposé de ne pas donner libre cours au flot des larmes, malgré la violence de mon trouble et de mon chagrin. J'ai pu maîtriser les pleurs, non pas la tristesse. Comme il est écrit : «J'étais troublé et je n'ai pas parlé[c].» Néanmoins, la douleur refoulée a poussé des racines plus profondes à l'intérieur, et je sens qu'elle est devenue d'autant plus âpre qu'on ne lui a pas permis de sortir. Je l'avoue, je suis vaincu. Que sorte, il le faut, ce que je souffre au-

intus patior. Exeat sane ad oculos filiorum, qui scientes incommodum, planctum humanius aestiment, dulcius consolentur.

172 **4.** Scitis, o filii, quam intus sit dolor meus, quam dolenda plaga mea. Cernitis nempe quam fidus comes deseruit me *in via hac qua ambulabam*[a], quam vigil ad curam, quam non segnis ad opus, quam suavis ad mores. Quis 5 ita mihi pernecessarius? Cui ego aeque dilectus? Frater erat genere, sed religione germanior. Dolete, quaeso, vicem meam vos, quibus haec nota sunt. Infirmus corpore eram, et ille portabat me; pusillus corde eram, et confortabat me; piger et negligens, et excitabat me; improvidus 10 et obliviosus, et commonebat me. Quo mihi avulsus est? Quo mihi raptus e manibus, *homo unanimis*[b], *homo secundum cor meum*[c]? Amavimus nos in vita : quomodo in morte sumus separati[d]? Amarissima separatio, et quam non posset omnino efficere, nisi mors! Quando enim me 15 vivus vivum[e] desereres? Omnino opus mortis, horrendum divortium. Quis enim tam suavi vinculo mutui nostri non pepercit amoris, nisi totius suavitatis inimica mors[f]? Bene mors, quae unum rapiendo, duos furiosa peremit. Annon mors etiam mihi? Immo plus mihi, cui utique omni morte 20 infelicior vita servata est. Vivo, ut vivens moriar : et hoc

4. a. Ps. 141, 4 b. Ps. 54, 14 c. Act. 13, 22 ≠ d. Cf. II Sam. 1, 23 (Lit.) e. Cf. Is. 38, 17. 19 f. Cf. I Cor. 15, 26

---

1. * Bernard fait 5 allusions à la mort de Saül et Jonathan. On perçoit l'influence de la liturgie par le verbe *separ(are), Vg* ayant *non sunt divisi*. Il s'agit de l'antienne du Benedictus pendant l'octave des Saints Pierre et Paul.

2. * Bernard fait une allusion discrète au «cantique d'*Isaïe*» qui se chantait à laudes, une fois par semaine : par le mot *amarissima* et par le redoublement *vivus vivum (Vg : vivens vivens)*. On retrouvera ces mêmes procédés au § 8. D'autres allusions ténues ornent la complainte

dedans. Oui, que cela sorte aux yeux de mes fils; connaissant mon malheur, ils jugeront mes plaintes avec plus d'indulgence, et me consoleront avec plus de tendresse.

4. Vous savez, mes fils, combien ma douleur est intense, et ma blessure digne de compassion. Vous voyez en effet quel fidèle compagnon m'a abandonné «sur la route où je marchais[a]» : combien il était attentif à tout, prompt à l'ouvrage, doux dans ses manières! Qui m'était aussi indispensable que lui? Qui m'aimait autant? Il était mon frère par le sang, mais plus encore par la vocation religieuse. Plaignez mon sort, je vous en prie, vous qui savez tout cela. Mon corps était malade, lui me soutenait; mon cœur était craintif, lui me réconfortait; j'étais paresseux et négligent, lui me stimulait; imprévoyant et oublieux, lui me réveillait. Pourquoi m'a-t-il été arraché? Pourquoi a-t-il été ravi d'entre mes mains, «cet homme avec qui je ne faisais qu'une âme[b]», «cet homme selon mon cœur[c]»? Nous nous sommes aimés dans la vie : comment se fait-il que nous ayons été séparés dans la mort[d1]? Ô séparation très amère, que seule la mort pouvait effectuer! Vivant, m'aurais-tu délaissé ma vie durant[e2]? Cet horrible divorce ne pouvait être que l'œuvre de la mort. Qui donc n'aurait épargné le lien si doux de notre amour mutuel, sinon la mort, ennemie de toute tendresse[f]? Oui vraiment, c'est la mort qui, en enlevant l'un de nous, dans sa fureur a fait périr les deux. N'est-ce pas la mort pour moi aussi? Et même, bien davantage pour moi; car la vie qui m'est laissée est plus triste que toute mort[3]. Je ne vis que pour

sur Gérard; ce travail littéraire était compatible avec la sincérité de la douleur de Bernard.

3. «Même bien davantage pour moi, car la vie qui m'est laissée est plus triste que toute mort.» Cf. *Csi* V, 25 (*SBO* III, 488, 19) : *Horreo incidere in manus mortis viventis et vitae morientis,* «Je frémis de me voir livré à cette mort vivante, à cette vie de mourant.»

dixerim vitam? Quam mitius me privares, o austera mors, vitae usu quam fructu! Nam vita sine fructu gravior mors. Denique duplex malum ligno paratur infructuoso : securis et ignis[g]. Ergo meis laboribus invidens, *elongasti a me*
25 *amicum et proximum*[h], per cuius maxime studium erant, si quando erant, fructuosi. Mihi satius proinde fuisset periclitari vita, quam tua, Girarde, praesentia, qui meorum in Domino studiorum eras sollicitus incitator, fidelis adiutor, cautus examinator. Cur, quaeso, aut amavimus,
30 aut amisimus nos? Dura conditio, sed mea miseranda fortuna, non et illius!

III. Quod ipse caros non amiserit sed mutaverit, et quod sibi compassibilis licet impassibilis.

Nam tu, care frater, si caros amisisti, cariores utique recepisti. Me vero quaenam iam miserum consolatio manet post te unicum solatium meum? Placita fuit pariter utrique
35 societas corporum pro morum concordia; sed solum me divisio vulneravit. Commune, quod libuit; quod triste et lugubre, meum : *in me transierunt irae*[i], *in me confirmatus est furor*[j]. Erat ambobus alterutrum grata praesentia,
173 dulce consortium, suave colloquium; sed tantas utriusque
40 delicias ego perdidi, tu mutasti. Et quidem immutatis *illis retributio multa*[k].

5. Quanto fenore gaudiorum ac benedictionum cumulo habes pro me tantillo repositam tibi Christi praesentiam,

g. Cf. Matth. 3, 10 h. Ps. 87, 19 i. Ps. 87, 17 j. Ps. 87, 8 ≠
k. Ps. 18, 12

mourir vivant : et cela, l'appellerais-je une vie? O mort inexorable, tu aurais été plus clémente en me prenant l'usage de la vie plutôt qu'en m'ôtant son fruit! Car la vie sans ce fruit est une pire mort. En effet, un double châtiment attend l'arbre stérile : la hache et le feu[g]. Envieuse de mes travaux, «tu as éloigné de moi mon ami et mon parent[h]» : car c'est surtout grâce à ses soins que mes travaux étaient fructueux, si tant est qu'ils l'étaient. Il aurait mieux valu pour moi risquer de perdre la vie plutôt que ta présence, Gérard; car tu étais l'instigateur empressé de mes travaux dans le Seigneur, mon fidèle assistant, mon juge avisé. Pourquoi donc nous sommes-nous aimés? Ou alors, pourquoi nous sommes-nous perdus? Dure condition, mais c'est mon sort qui est à plaindre, et non le sien!

III. Gérard n'a pas perdu ses amis, mais il en a trouvé d'autres. Il ne peut plus souffrir, mais il peut se montrer compatissant pour son frère.

En effet, cher frère, si tu as perdu des amis, tu en as reçu d'autres, plus chers encore. Mais moi, malheureux, quelle consolation me reste-t-il après toi, mon unique réconfort? La présence physique fut également agréable à l'un et à l'autre, grâce à l'accord de nos caractères; mais la séparation n'a blessé que moi seul. Le plaisir nous fut commun; la tristesse et le deuil sont pour moi. «Sur moi ont passé les colères de Dieu[i]», «sur moi s'est appesantie sa fureur[j].» Pour tous deux la présence de l'autre était agréable, sa compagnie charmante, sa conversation douce; mais ces joies mutuelles si grandes, moi je les ai perdues, toi tu les a échangées. Et certes, cet échange «te vaut une surabondante récompense[k]».

5. En échange de moi, pauvre petit rien, tu as à ta disposition la présence du Christ : quel capital de joies

nec dispendium sentis absentiae a nobis tuae, angelorum admixtus choris. Non est igitur quod causeris tu de nostra
5 quasi subtracta tibi praesentia, cui affatim sui suorumque copiam Dominus maiestatis indulsit. At ego pro te quid? Quam vellem scire quidnam sentias nunc de me illo unico tuo, mediis nutante curis et poenis, destituto te baculo imbecillitatis meae! Si tamen licet adhuc cogitare de miseris
10 ingresso abyssum luminis, atque illo pelago aeternae felicitatis absorpto. Forte enim, *etsi nosti nos secundum carnem, sed nunc iam non nosti*[a], et quoniam *introisti in potentias Domini, memoraris eius iustitiae solius*[b], immemor nostri. Ceterum *qui adhaeret Deo unus spiritus*
15 *est*[c], et in divinum quemdam totus mutatur affectum; nec potest iam sentire aut sapere nisi Deum, et quod sentit et sapit Deus, plenus Deo. *Deus* autem *caritas est*[d], et quanto quis coniunctior Deo, tanto plenior caritate. Porro impassibilis est Deus, sed non incompassibilis, cui pro-
20 prium misereri semper et parcere. Ergo et te necesse est esse misericordem, qui inhaeres misericordi, quamvis iam minime miser sis, et qui non pateris, compateris tamen. Affectus proinde tuus non est imminutus, sed immutatus; nec, quando Deum induisti, nostri cura te
25 exuisti : et *ipsi enim cura est de nobis*[e]. Quod infirmum

5. a. II Cor. 5, 16 ≠ b. Ps. 70, 16 ≠ c. I Cor. 6, 17 (Patr.) d. I Jn 4, 8 e. I Pierre 5, 7 ≠

---

1. * Cf. p. 117, n. 2 sur *I Cor.* 6, 17 (Patr.) cité en *SCt* 19, 5. Ici, Bernard ajoute quelques mots dans le sens de Guillaume de Saint-Thierry : *In divinum quemdam totus mutatur affectum,* « Il passe tout entier, pour ainsi dire, dans les sentiments de Dieu. » Assez souvent, il a substitué à *(unus spiritus) est* un verbe marquant effort, tendance vers Dieu, *facere, fieri, effici*... Notre texte est même 5 fois suivi de : *et totus pergit in Deum,* « et tout entier, il marche vers Dieu. »

2. « Certes, Dieu est incapable de pâtir, mais non de compatir. »

et quel surcroît de bénédictions tu y gagnes! Tu ne ressens pas le dommage de ton absence à nos côtés, toi qui es maintenant admis aux chœurs des anges. Tu n'as donc pas de quoi te plaindre si notre présence t'a été retirée : car le Seigneur de majesté t'a accordé à profusion la sienne et celle de ses amis. Mais moi, qu'ai-je reçu en échange de toi? Je voudrais tant savoir quels sont maintenant tes sentiments envers moi, ton unique, qui chancelle au milieu des soucis et des peines, privé de toi, le bâton de ma faiblesse. Si toutefois il t'est encore permis de songer à nous, misérables, maintenant que tu es entré dans l'abîme de lumière et que tu es plongé dans cet océan d'éternelle félicité. « Même si tu nous as connus selon la chair, peut-être ne nous connais-tu plus désormais[a]. » « Entré dans le royaume du Dieu puissant, tu ne te souviens que de sa justice[b] », tu nous oublies. « Celui qui s'attache à Dieu est avec lui un seul esprit[c 1] »; il passe tout entier, pour ainsi dire, dans les sentiments de Dieu. Rempli de Dieu, il ne peut plus sentir ou goûter que Dieu seul, et ce que Dieu sent et goûte. Mais « Dieu est charité[d] », et plus on est uni à Dieu, plus on est rempli de charité. Certes, Dieu est incapable de pâtir, mais non de compatir[2], lui dont le propre est d'avoir toujours pitié et de pardonner. Il faut donc que toi aussi, tu sois miséricordieux, toi qui es uni au Miséricordieux, et désormais délivré de la misère. Toi qui ne peux plus pâtir, tu peux cependant compatir. Ton affection n'est pas diminuée, elle est transformée. Lorsque tu t'es revêtu de Dieu, tu ne t'es pas dépouillé de ta sollicitude pour nous : car « Dieu lui-même prend soin de nous[e] ». Tu as laissé là ta faiblesse, mais non ta tendresse. Enfin, « la

Réflexion profonde sur la souffrance de Dieu. Voir F. VARILLON, *La Souffrance de Dieu*; Y. DE ANDIA, *Mystiques d'Orient et d'Occident*, p. 206-207; D. GONNET, *Dieu aussi connaît la souffrance*, Cerf 1990, p. 37.

est abiecisti, sed non quod pium. *Caritas* denique *numquam excidit*[f] : non *oblivisceris me in finem*[g].

6. Videor mihi fratrem meum quasi audire dicentem : *Numquid mater poterit oblivisci filii uteri sui? Et si illa oblita fuerit, ego tamen non obliviscar tui*[a]. Non expedit prorsus[b]. Scis ubi verser, ubi iaceam, ubi reliqueris me :
5 non est qui porrigat manum.

IV. Quomodo se Girardus pro abbatis quiete omni necessitati opponebat.

Ad omne quod emerserit, respicio ad Girardum, ut consueveram, et non est. Heu! tunc ingemisco miser, *sicut*
174 *homo sine adiutorio*[c]. Quem consulam in ambiguis? Cui in adversis fidam? Quis portabit onera[d]? Quis pericula
10 propulsabit? Nonne ubique gressus meos Girardi oculi anteibant? Nonne tuum, Girarde, pectus curae meae notius quam meum ipsius habebant, familiarius incursabant, acrius urgebant? Nonne in lingua illa tua placabili et potenti, meam a sermonibus saeculi frequentissime vin-
15 dicabas, amico reddebas silentio? *Dominus dederat illi linguam eruditam*[e], ut sciret quando deberet proferre sermonem. Ita denique in prudentia responsorum suorum et in gratia data sibi desuper, et domesticis satisfaciebat et exteris, ut paene me nemo requireret, cui prior forte
20 Girardus occurrisset. Occurrebat autem adventantibus, opponens se, ne subito meum otium incursarent. Si quibus sane satisfacere per se non quibat, hos perducebat ad

f. I Cor. 13, 8 g. Ps. 12, 1
6. a. Is. 49, 15 ≠ b. Cf. II Cor. 12, 1 c. Ps. 87, 5 d. Cf. Gal. 6, 2 e. Is. 50, 4 ≠

1. * Dans ses 6 citations ou quasi-citations de ce verset, Bernard remplace « une femme » par « une mère » et il omet « son enfant ». Pas de source trouvée.

charité ne passe jamais[f] » : « tu ne m'oublieras pas pour toujours[g] ».

6. Il me semble presque entendre mon frère me dire : « Une mère pourra-t-elle oublier l'enfant de ses entrailles? Même si elle l'oubliait, moi, je ne t'oublierai pas[a 1]. » Ce serait bien dommageable en effet[b]. Tu connais la situation où je croupis, où tu m'as abandonné : personne qui me tende la main.

IV. Comment Gérard faisait face à toutes les nécessités pour préserver la tranquillité de l'abbé.

Quoi qu'il arrive, je me tourne vers Gérard, comme j'en avais l'habitude, et il n'est plus là. Hélas! alors je gémis, malheureux, « comme un homme sans secours[c] ». Qui consulter dans le doute? A qui me confier dans les adversités? Qui portera mes fardeaux[d]? Qui écartera les dangers? Les yeux de Gérard ne devançaient-ils pas partout mes pas? Mes propres soucis n'étaient-ils pas connus de ton cœur, Gérard, mieux que du mien? N'y faisaient-ils pas irruption plus aisément, ne le harcelaient-ils pas plus âprement? Par ta parole douce et forte, ne m'enlevais-tu pas très souvent aux vains propos du monde, pour me rendre à notre silence bien-aimé[2]? « Le Seigneur lui avait donné une parole expérimentée[e] », et il savait quand il fallait parler. Par la prudence de ses réponses et par la grâce reçue d'en haut, il donnait satisfaction aux étrangers comme aux gens de la maison. Dès lors, presque personne ne demandait à me voir, s'il avait d'abord rencontré Gérard. Car il allait à la rencontre des visiteurs, s'interposant pour qu'ils ne troublent pas brusquement mon loisir. S'il n'était pas en mesure de satisfaire certains, ceux-là il me les amenait, les autres il les

2. « Notre silence bien-aimé. » VIRGILE, *Énéide* II, 255 : *per amica silentia.*

me, ceteros emittebat. O virum industrium! O amicum fidelem! Et amico gerebat morem, et officiis caritatis non
25 deerat. Quis vacua recessit ab eo manu? Si dives consilium, si pauper subsidium reportabat. *Nec quaerebat quae sua sunt*[f], qui se mediis ingerebat curis, ut ego vacarem. Sperabat enim, sicut erat humillimus, maiorem de nostra quiete fructum, quam si vacaret ipse. Interdum tamen
30 postulabat absolvi, et alteri cedere, quasi qui melius provideret. Sed ubi ille inveniretur? Nec petulanti aliquo, ut assolet, in eo officii detinebatur affectu, sed solo intuitu caritatis. Siquidem plus omnibus laborabat, et minus omnibus accipiebat, ita ut saepe, cum aliis necessaria
35 ministraret, ipse egeret in pluribus, verbi causa, cibo aut veste. Denique cum se sentiret decessui propinquare : « Deus, inquit, tu scis, quod quantum in me fuit, semper optavi quietem mihi intendere, vacare tibi. Sed implicitum tenuit timor tuus, et voluntas fratrum, et studium oboe-
40 diendi, super omnia abbatis pariter et fratris germana dilectio. » Ita est. Gratias tibi, frater, de omni fructu meorum, si quis est, in Domino studiorum! Tibi debeo si profeci, si profui. Tu intricabaris, et ego tuo beneficio feriatus sedebam mihi, aut certe divinis sanctius obsequiis
45 occupabar, aut doctrinae filiorum utilius intendebam. Cur enim securus intus non essem, cum te scirem agentem foris, manum dexteram meam, *lumen oculorum meorum*[g],
175 pectus meum et linguam meam? Et quidem indefessa manus, *oculus simplex*[h], pectus consilii, lingua loquens

f. I Cor. 13, 5 ≠ g. Ps. 37, 11 ; Tob. 10, 4 ≠ h. Matth. 6, 22 ≠

renvoyait. Quel homme zélé! Quel ami fidèle! Il était plein d'égards pour son ami sans manquer aux devoirs de la charité. Qui le quitta les mains vides? S'il était riche, il emportait un conseil; s'il était pauvre, une aumône. Quant à lui, « il ne cherchait pas son avantage[f] » : il s'encombrait de soucis, pour que, moi, je puisse avoir des loisirs. Comme il était très humble, il espérait plus de fruit de ma tranquillité que de la sienne. Parfois cependant il demandait à être déchargé et remplacé par un autre, comme si cet autre eût été plus efficace. Mais où trouver ce remplaçant? Lui ne tenait pas à sa fonction par un attachement excessif, comme il arrive d'ordinaire, mais dans une pure intention de charité. Il travaillait en effet plus que tous et recevait moins qu'eux tous. Souvent, tandis qu'il procurait aux autres le nécessaire, il manquait lui-même de bien des choses, par exemple de nourriture ou de vêtement. Enfin, lorsqu'il se sentit près de la mort, il dit : « Mon Dieu, tu sais que, dans la mesure de mes possibilités, j'ai toujours désiré la paix, pour m'occuper de mon âme et pour vaquer à toi, Seigneur. Mais la crainte de toi, la volonté des frères, le désir d'obéir et surtout l'amour fraternel pour mon frère et abbé m'ont tenu engagé dans les affaires. » Il en est bien ainsi. Sois remercié, mon frère, pour tout le fruit, quel qu'il soit, de mes travaux dans le Seigneur! Si j'ai progressé, si j'ai profité à quelqu'un, c'est à toi que je le dois. Tu te surmenais, et moi, grâce à toi, je pouvais m'asseoir dans le calme; je m'employais saintement au service divin, ou bien je m'appliquais avec profit à l'instruction de mes fils. Pourquoi en effet ne me serais-je pas senti en sécurité à l'intérieur, sachant que tu agissais au-dehors comme ma main droite, « la lumière de mes yeux[g] », mon cœur et ma langue? C'était une main infatigable, « un œil clairvoyant[h] », un cœur avisé, une langue parlant juste, ainsi

50 iudicium, sicut scriptum est : *Os iusti meditabitur sapientiam, et lingua eius loquetur iudicium*[i].

V. Quam fervens spiritu et quam industrius in exterioribus fuerit.

7. Sed quid dixi foris agentem illum, quasi interna Girardus nesciret ac spiritualium expers esset donorum? Norunt, qui illum norunt spirituales, quam verba eius spiritum redolerent. Norunt contubernales, quam mores eius
5 et studia non carnem saperent[a], sed *ferverent spiritu*[b]. Quis illo rigidior in custodia disciplinae? Quis in *castigando corpus suum*[c] districtior, suspensior in contemplando, subtilior in disserendo? Quotiens cum eo disserens ea didici quae nesciebam, et qui docturus
10 adveneram, doctus magis abscessi! Nec mirum de me, cum magni ac sapientes viri idipsum nihilominus ex illo sibi accidisse testentur. *Non cognovit litteraturam*[d], sed habuit litterarum inventorem sensum, habuit et illuminantem Spiritum. Nec in maximis tantum, sed et in minimis maximus[e]
15 erat. Quid, verbi gratia, in aedificiis, in agris, in hortis, aquis, cunctis denique artibus seu operibus rusticorum, quid, inquam, vel in hoc rerum genere Girardi subterfugit peritiam? Caementariis, fabris, agricolis, hortulanis, sutoribus atque textoribus facile magister erat. Cumque
20 omnium iudicio omnibus esset sapientior, solius in sui oculis non erat sapiens[f]. Utinam multos, etsi minus

i. Ps. 36, 30
7. a. Cf. Rom. 8, 5 b. Rom. 12, 11 ≠ c. I Cor. 9, 27 ≠
d. Ps. 70, 15 ≠ e. Cf. Matth. 5, 19 f. Cf. Is. 5, 21

1. Bernard décrit avec netteté l'activité extérieure de Gérard dans sa fonction de cellérier. Il oppose cette vie active à la vie contemplative sans juger la première comme inférieure.

2. Gérard n'avait pas de culture littéraire, s'il n'était pas analphabète. Il fut d'abord un chevalier, un guerrier, peu enclin à suivre son frère Bernard au monastère. Mais un jour il fut gravement blessé et fait pri-

qu'il est écrit : « La bouche du juste méditera la sagesse, et sa langue énoncera la justice[i1]. »

V. Combien Gérard fut fervent d'esprit et efficace dans les activités extérieures.

7. Mais pourquoi ai-je dit qu'il agissait au-dehors, comme si Gérard ignorait la vie intérieure et qu'il fût dépourvu de dons spirituels? Les hommes spirituels qui l'ont connu savent combien ses paroles respiraient l'esprit. Ses intimes savent combien ses mœurs et ses inclinations ne cherchaient pas la saveur de la chair[a], mais étaient « ardentes du feu de l'esprit[b] ». Qui fut plus exigeant que lui dans l'observance de la règle? Qui fut plus rigoureux « dans l'ascèse corporelle[c] », plus absorbé dans la contemplation, plus perspicace dans la discussion? Que de fois, en discutant avec lui, j'ai appris ce que j'ignorais, et moi qui étais venu pour enseigner, je suis reparti plus instruit! Rien d'étonnant à cela, puisque des hommes éminents et sages attestent que la même chose leur est arrivée. « Il n'avait pas de culture littéraire[d2] », mais il la remplaçait par une connaissance intuitive, et en plus il était illuminé par l'Esprit. Il était très compétent, non seulement dans les matières les plus élevées, mais aussi dans les moindres[e]. Par exemple, en ce qui concerne les bâtiments, les champs, les jardins, les eaux, bref, tous les métiers et les travaux agricoles, y avait-il quelque chose qui échappât au savoir-faire de Gérard, même en ce domaine? Il pouvait aisément diriger les maçons, les serruriers, les laboureurs, les jardiniers, les cordonniers et les tisserands. Tandis que, de l'avis général, il était le plus intelligent de tous, à ses propres yeux seulement il était ignorant[f]. Plaise à Dieu que plusieurs, bien que

sonnier. Il put s'échapper de son cachot et entra avec Bernard à Cîteaux. (Cf. VACANDARD, *Vie,* I, p. 27.)

sapientes, non plus tangeret illa maledictio : *Vae qui sapientes estis in oculis vestris*[g]! *Scientibus* ista *loquor*[h], et adhuc plura his de illo maiora compertis. Parco tamen, 25 quia *caro mea et frater est*[i]. Hoc tamen securus addo : mihi utilis in omnibus et prae omnibus fuit : utilis in parvis et in magnis, in privatis et publicis, foris et intus. Merito ex eo pendebam totus, qui mihi totum erat. Solum mihi paene reliquerat provisoris honorem et nomen, nam 30 opus ipse faciebat. Ego vocitabar abbas, sed ille *praeerat* 176 *in sollicitudine*[j]. Merito *requievit in illo spiritus meus*[k], per quem licebat *delectari in Domino*[l], praedicare liberius, orare securius. Per te, inquam, mihi, mi frater, mens sobria et grata quies, sermo efficacior, oratio pinguior, frequentior 35 lectio et ferventior affectus.

8. Heu! sublatus es, et haec omnia simul. Tecum omnes pariter abiere deliciae et laetitiae meae. Iam curae irruunt, iam molestiae hinc inde pulsant, et *angustiae undique*[a] solum me repererunt, solae mihi, te abeunte, remanserunt : 5 solus sub sarcina gemo. Aut ponere aut opprimi necesse est, quia tu tuos humeros subduxisti. *Quis mihi tribuat* cito *mori post te*[b]? Nam pro te nolim, nec te tua fraudare gloria. Porro supervivere tibi, *labor et dolor*[c]. Vivam, quoad vivam, in amaritudine, vivam in maerore : et haec sit mihi 10 consolatio, ut maerendo affligar. Non parcam, et iuvabo

g. Is. 5, 21 h. Rom. 7, 1 ≠ i. Gen. 37, 27 ≠ j. Rom. 12, 8 ≠ k. Is. 66, 2 (Patr.) l. Ps. 36, 4 ≠
8. a. Dan. 13, 22 ≠ b. II Sam. 18, 33 ≠ c. Ps. 89, 10

1. * Cette très brève allusion à *Isaïe* fait partie de toute une série où Bernard cite, plus au long, la version patristique d'*Isaïe* 66, 2 avec *requievit... spiritus meus*; cf. *SC* 414, 319, n. 3 sur *SCt* 14, 6.

moins intelligents, ne soient pas davantage atteints par cette malédiction : « Malheur à vous, qui êtes intelligents à vos propres yeux[g] ! » « Je parle à des gens qui savent tout cela[h] », et qui pourraient en dire encore plus à ce propos. Je me retiens cependant, « parce qu'il est mon frère et ma chair[i] ». Néanmoins, je peux sans crainte ajouter ceci : il m'a été utile en toutes choses et plus que tous ; utile dans les petites choses comme dans les grandes, dans les affaires privées et publiques, à l'extérieur comme à l'intérieur. J'avais bien des raisons pour dépendre entièrement de lui, lui qui était tout pour moi. Il ne m'avait guère laissé que l'honneur et le nom de supérieur, car lui-même faisait le travail. C'est moi qu'on appelait abbé, mais c'est lui qui « veillait sur tout avec sollicitude[j] ». C'est à bon droit que « sur lui se reposait mon esprit[k 1] », lui qui me permettait de « jouir du Seigneur[l] », de prêcher libre de tout souci, de faire oraison en toute sécurité. Oui, c'est grâce à toi, mon frère, que mon esprit était calme et mon repos agréable, ma parole plus efficace, ma prière plus savoureuse, mes lectures plus fréquentes et ma ferveur plus intense.

8. Hélas ! tu m'as été enlevé, et tout cela en même temps. Oui, avec toi s'en sont allées toutes mes joies, toute mon allégresse. Déjà les soucis m'assaillent, déjà les ennuis frappent à ma porte de toute part, et « les inquiétudes venant de tous côtés[a] » m'ont trouvé seul. Elles seules me sont restées, après ton départ : seul je gémis sous le fardeau. Il faut que je le dépose ou que j'en sois écrasé, parce que tu as retiré tes épaules. « Qui me donnera de mourir aussitôt après toi[b] ? » Car je ne voudrais pas mourir à ta place, ni te frustrer de ta gloire. Mais te survivre n'est plus que « peine et douleur[c] ». Tant que je vivrai, je vivrai dans l'amertume et dans l'affliction. Voici ma consolation : m'affliger dans le chagrin. Je ne veux pas m'épargner et j'aiderai la main du Seigneur :

manum Domini : etenim *manus Domini tetigit me*[d]. Me, inquam, tetigit et percussit, non illum, quem vocavit ad requiem : me occidit, cum succidit illum. Numquid enim occisum quis dixerit, quem plantavit in vita ? Aut quod
15 illi vitae ianua fuit, mihi plane est mors ; meque illa morte mortuum dixerim, non hunc qui *obdormivit in Domino*[e]. Exite, exite lacrimae iampridem exire cupientes ; exite, quia is, qui vobis meatum obstruxerat, commeavit. *Aperiantur cataractae*[f] miseri capitis, et *erumpant fontes*
20 *aquarum*[g], si forte sufficiant sordes diluere culparum, *quibus iram merui*[h]. Cum consolatus fuerit super me Dominus, tunc fortassis et ego merear consolari, si tamen non pepercero a maerore : nam *qui lugent, ipsi consolabuntur*[i].

VI. Qualiter pensanda sit haec super fratre suo lamentatio.

25 Propterea condescendat mihi omnis sanctus, et *in spiritu lenitatis qui spiritualis est*[j] sustineat lamentantem. Luctus meus humano, quaeso, pensetur affectu, non usu. Videmus nempe *mortuos* quotidie *plangere mortuos suos*[k] : fletum multum, et fructum nullum. Non culpamus affectum, nisi
30 cum excedit modum, sed causam. Ille nimirum naturae est, et eius turbatio poena peccati, haec vanitas et peccatum. Etenim ibi sola, nisi fallor, plorantur damna gloriae carnis, vitae praesentis incommoda. Et plorandi qui ita

d. Job 19, 21 e. Act. 7, 59 ≠ f. Gen. 7, 11 ≠ g. Prov. 8, 24 ≠ h. Job 6, 2 i. Matth. 5, 5 ≠ j. Gal. 6, 1 ≠ k. Matth. 8, 22 ≠

car « la main du Seigneur m'a frappé[d] ». Oui, c'est moi qu'elle a frappé et meurtri, non pas lui, puisqu'elle l'a appelé au repos. En tranchant son existence, c'est moi qu'elle a tué. Car qui pourrait considérer comme mort celui qu'elle a transplanté dans la vie? Ce qui fut pour lui la porte de la vie est pour moi la mort. C'est moi qui suis terrassé par cette mort, et non pas lui qui « s'est endormi dans le Seigneur[e] ». Coulez, larmes depuis longtemps avides de couler; coulez, maintenant qu'il est parti, celui qui vous empêchait de couler. « Que s'ouvrent les écluses[f] » de ma pauvre tête, « que jaillissent les sources des eaux[g] ». Peut-être suffiront-elles à laver les souillures de mes fautes, « qui m'ont attiré la colère de Dieu[h] ». Lorsque le Seigneur se sera apaisé à mon sujet, alors je mériterai peut-être d'être consolé à mon tour, à condition toutefois de n'avoir pas ménagé mon chagrin. Car « ce sont ceux qui pleurent qui seront consolés[i] ».

VI. Comment doit être jugée la complainte de Bernard sur son frère.

C'est pourquoi, que tous les saints se montrent indulgents à mon égard, et « que les hommes spirituels supportent mes gémissements dans un esprit de douceur[j] ». Veuillez juger de mon deuil selon ma tendresse humaine et non selon ce qui se passe d'ordinaire. Nous voyons chaque jour « les morts pleurer leurs morts[k] » : beaucoup de larmes, et aucun fruit. Nous ne blâmons pas la tendresse, pourvu qu'elle ne dépasse pas la mesure; mais nous réprouvons la cause de ces larmes. Car la tendresse est naturelle, et le trouble qu'elle provoque est le châtiment du péché; mais la cause de ces larmes, c'est la vanité et le péché. En effet, si je ne me trompe, on ne pleure là que la perte de la gloire charnelle, et les malheurs de la vie présente. Il faut plaindre ceux qui pleurent

plorant. Numquid ego sic? Similis mihi affectus, sed altera
177 35 causa dissimilisque intentio. Nulla mihi sane querela de omnibus quae sunt mundi. In his profecto quae sunt Dei[1], ademptum doleo fidele auxilium, salutare consilium. Girardum lugeo : Girardus in causa est, frater carne, sed proximus spiritu, socius proposito.

9. Adhaesit anima mea animae illius; et unam fecit de duabus[a], non consanguinitas, sed unanimitas. Carnis quidem necessitudo non defuit; sed plus iunxit societas spiritus, consensus animorum, morum conformitas. Cum
5 ergo *essemus cor unum et anima una*[b], hanc *meam* pariter atque *ipsius animam pertransivit gladius*[c], et scindens mediam[d], partem locavit in caelo, partem in caeno deseruit. Ego, ego illa portio misera in luto iacens, truncata parte sui, et parte potiori, et dicitur mihi : « Ne fleveris? »
10 Avulsa sunt viscera mea a me, et dicitur mihi : « Ne senseris? » Sentio, sentio vel invitus, quia *nec fortitudo lapidum fortitudo mea, nec caro mea aenea est*[e]; sentio prorsus et doleo, *et dolor meus in conspectu meo semper*[f]. Non sane nos poterit duritiae et insensibilitatis arguere
15 ille qui verberat, quomodo illos de quibus ait : *Percussi eos et non doluerunt*[g]. Affectum *confessus sum, et non negavi*[h]. Carnalem quis dixerit? Ego humanum non nego, sicut nec me hominem. Si ne hoc sufficit, nec carnalem negaverim. Nam et *ego carnalis sum, venumdatus sub*
20 *peccato*[i], addictus morti, poenis et aerumnis obnoxius. Non sum, fateor, insensibilis ad poenas : mortem horreo

1. Cf. I Cor. 7, 32-34

9. a. Cf. I Sam. 18, 1; I Cor. 6, 16-17 b. Act. 4, 32 ≠ c. Lc 2, 35 ≠ d. Cf. Dan. 13, 55; Lc 23, 45 e. Job 6, 12 ≠ f. Ps. 37, 18 g. Jér. 5, 3 ≠ h. Jn 1, 20 ≠ i. Rom. 7, 14

de la sorte. Est-ce mon cas? Mon affection est la même, mais la cause de mes larmes est autre, et mon intention différente. En effet, ma plainte n'a rien à voir avec les affaires de ce monde. Mais, en ce qui concerne le service de Dieu[1], je regrette la perte d'un secours fidèle et d'un conseil salutaire. Je pleure Gérard : c'est Gérard qui est en cause, mon frère selon la chair, mais l'homme le plus proche de moi selon l'esprit, mon compagnon dans la poursuite du même but.

9. Mon âme s'était attachée à la sienne ; et elles n'en faisaient plus qu'une[a], non pas par le lien du sang, mais par l'accord des esprits. Certes, la parenté charnelle n'était pas absente ; mais c'étaient surtout l'affinité spirituelle, l'accord de nos âmes, la conformité des mœurs qui nous unissaient. Comme « nous n'étions qu'un seul cœur et une seule âme[b] », « le glaive a transpercé en même temps mon âme et la sienne[c] ». Il nous a coupés en deux[d], et il a placé une moitié au ciel, tandis qu'il abandonnait l'autre dans la boue. C'est moi, c'est moi qui suis cette moitié misérable gisant dans le bourbier, tronquée de sa partie la meilleure, et l'on me dit : « Tu pleures? » On m'a arraché les entrailles, et l'on me dit : « Souffres-tu? » Bien sûr que je souffre, je souffre malgré moi, car « ma dureté n'est pas celle des pierres, et ma chair n'est pas d'airain[e] ». Oui, je souffre et suis affligé. « Mon affliction est toujours devant moi[f]. » Celui qui frappe ne pourra certes pas nous accuser de dureté et d'insensibilité, comme ces hommes dont il dit : « Je les ai frappés et ils n'ont montré aucune affliction[g]. » « J'ai avoué mon affection, je ne l'ai pas niée[h]. » Quelqu'un dira qu'elle est charnelle? Je ne nie pas qu'elle est humaine, comme je ne nie pas que je suis homme. Si cela ne suffit pas encore, j'avouerai même qu'elle est charnelle. Car « moi aussi je suis charnel, vendu au péché[i] », voué à la mort, livré aux châtiments et aux épreuves. Je l'avoue, je ne suis pas insensible aux

meam et meorum. Meus Girardus erat, meus plane. An non meus, qui frater sanguine fuit, professione filius, sollicitudine pater, consors spiritu, intimus affectu? Is recessit
25 a me : sentio, laesus sum, et graviter.

10. Ignoscite, filii, immo, si filii, vicem dolete paternam. *Miseremini mei, saltem vos amici mei,* qui certe consideratis quam gravia pro peccatis recepi de *manu Domini*[a]. *In virga indignationis suae*[b] percussit me, digne pro
5 meritis, dure pro viribus[c]. An leve quis dixerit vivere me absque Girardo, nisi qui ignorat quid mihi cum Girardo? *Nec* tamen *contradico sermonibus Sancti*[d], nec reprehendo
178 iudicium, quo recepit quisque quo dignus est, ille coronam quam meruit, ego quam debui poenam. Numquid, quia
10 sentio poenam, reprehendo sententiam? Humanum est illud, hoc impium. Humanum, inquam, et necesse affici erga caros, sive delectabiliter, cum praesto sunt, sive, cum absunt, moleste. Non erit otiosa socialis conversatio, praesertim inter amicos; et quid effecerit mutuus amor in sibi
15 praesentibus, horror indicat separationis, et dolor de invicem in separatis.

VII. De modo transitus Girardi.

Doleo super te[e], Girarde carissime, non quia dolendus, sed quia ablatus. Et ideo fortassis dolendum mihi potius super me, qui bibo calicem amaritudinis. Et solus
20 dolendus, quia solus bibo : non enim et tu. Solus ego

10. a. Job 19, 21 ≠ b. Lam. 3, 1 ≠ c. Cf. Jér. 5, 3 d. Job 6, 10 ≠ e. II Sam. 1, 26

châtiments : j'ai horreur de la mort et pour moi et pour les miens. Gérard était à moi, oui, à moi. Comment n'aurait-il pas été mien, lui qui fut mon frère par le sang, mon fils par la profession religieuse, mon père par la sollicitude, mon compagnon par l'accord de nos esprits, mon intime par l'affection? Il m'a quitté : je le sens, je suis blessé, et ma blessure est grave.

10. Pardonnez-moi, mes fils, ou plutôt, si vous êtes vraiment mes fils, plaignez le sort de votre père. « Pitié pour moi, vous du moins, mes amis », qui voyez bien quels rudes coups j'ai reçus « de la main du Seigneur[a] » en punition de mes péchés. Il m'a frappé « par la verge de sa fureur[b] », avec justice eu égard à mes fautes, mais avec rigueur eu égard à mes forces[c]. Qui pourrait dire qu'il m'est facile de vivre sans Gérard, sinon celui qui ignore ce qu'il y avait entre nous? Cependant, « je ne m'oppose pas à la volonté du Saint[d] », et je ne conteste pas le jugement, qui a attribué à chacun ce qui lui revenait : à lui la couronne méritée, à moi la peine due. Est-ce que je conteste la sentence parce que je ressens la peine? Ceci est humain; cela serait impie. Oui, il est humain et nécessaire d'éprouver des sentiments envers ceux qu'on aime : de la joie en leur présence; de la tristesse en leur absence. La vie en communauté n'est pas chose indifférente, surtout entre amis. La peur de la séparation, et la douleur de ceux qui sont séparés, révèlent bien ce que l'amour réciproque avait réalisé en eux, quand ils vivaient ensemble.

VII. Comment Gérard trépassa.

« Je pleure sur toi[e] », Gérard bien-aimé, non parce que tu serais à plaindre, mais parce que tu m'as été ravi. C'est pourquoi, peut-être, je devrais plutôt pleurer sur moi-même qui bois le calice d'amertume. Moi seul je suis à plaindre, puisque je suis seul à le boire : toi, tu ne le

patior quod solent pariter pati qui se diligunt, cum se amittunt.

11. Utinam non te amiserim, sed praemiserim! Utinam vel tarde aliquando *sequar te quocumque ieris*[a]! Non enim dubium, quin ad illos ieris, quos circa medium extremae noctis tuae invitabas ad laudem, cum *in* vultu et *voce* 5 *exsultationis*[b] subito erupisti in illud Davidicum, stupentibus qui astabant : *Laudate Dominum de caelis, laudate eum in excelsis*[c]. Iam tibi, frater mi, nocte adhuc media diescebat, *et nox sicut dies illuminabatur*[d]. Prorsus illa *nox illuminatio tua in deliciis tuis*[e]. Accitus sum ego ad 10 id miraculi : videre hominem in morte exsultantem et insultantem morti. *Ubi est, mors, victoria tua? Ubi est, mors, stimulus tuus*[f]? Iam non stimulus, sed iubilus. Iam cantando moritur homo, et moriendo cantat. Usurparis ad laetitiam, mater maeroris; usurparis ad gloriam, gloriae 15 inimica; usurparis ad introitum regni, *porta inferi*[g], et fovea perditionis ad inventionem salutis, idque ab homine peccatore. Iuste nimirum, quia tu inique in hominem innocentem et iustum potestatem, temeraria, usurpasti. Mortua es, o mors, et perforata hamo[h] quem incauta glutiisti, 20 cuius illa vox est in Propheta : *O mors, ero mors tua; morsus tuus ero, inferne*[i]. Illo, inquam, hamo perforata, transeuntibus per medium tui fidelibus, latum laetumque exitum pandis ad vitam. Girardus te non formidat, larvalis effigies. Girardus per medias fauces tuas transit ad

11. a. Lc 9, 57 b. Ps. 41, 5 ≠ c. Ps. 148, 1 d. Ps. 138, 12 e. Ps. 138, 11 ≠ f. I Cor. 15, 55 g. Is. 38, 10 ≠ h. Cf. Job 40, 20-21 i. Os. 13, 14 (Lit.)

---

1. «L'hameçon que tu as avalé sans y prendre garde.» Satan a avalé (comme le monstre Léviathan de *Job* 40, 20) l'hameçon de la nature humaine du Christ et ainsi il a été vaincu par la divinité cachée. Voir AUGUSTIN, *Sermons Morin* 17, 5 (éd. 1930) p. 662. GRÉGOIRE, *Hom. in*

bois pas. Je suis seul à souffrir ce que normalement souffrent ensemble ceux qui s'aiment, quand ils se séparent.

11. Dieu veuille que je ne t'aie pas perdu, mais plutôt envoyé devant moi! Dieu veuille que «je te suive un jour, si éloigné qu'il soit, partout où tu iras[a]»! Il n'y a pas à en douter : tu es allé rejoindre ceux que tu invitais à la louange au cours de ta dernière nuit. Le visage et «la voix jubilants[b]», tu entonnas soudain, à la stupéfaction des présents, ce psaume de David: «Louez le Seigneur depuis les cieux, louez-le dans les hauteurs[c].» Au milieu de la nuit, mon frère, il faisait déjà jour pour toi, «et la nuit comme le jour s'illuminait[d]». Oui, «cette nuit était ta lumière et ta joie[e]». On vint m'appeler pour voir ce miracle: un homme exultant dans la mort et insultant la mort. «Ô mort, où est ta victoire? Ô mort, où est ton aiguillon[f]?» Plus d'aiguillon désormais, mais la jubilation. Un homme meurt en chantant et chante en mourant. Tu es au service de la joie, ô mère de la tristesse; au service de la gloire, toi, l'ennemie de la gloire; «porte de l'enfer[g]», tu sers d'entrée au Royaume; fosse de perdition, tu deviens la route du salut. Tout cela est accompli par un homme pécheur. C'est justice, oui, puisque tu avais eu la témérité d'usurper injustement le pouvoir sur l'homme innocent et juste. Tu es morte, ô mort, percée par l'hameçon[h] que tu as avalé sans y prendre garde[1] et dont parle la voix du Prophète : «Ô mort, je serai ta mort; je serai ta morsure, enfer[i2].» Oui, percée par cet hameçon, tu ouvres aux fidèles qui passent par toi une large et heureuse issue vers la vie. Gérard ne te craint pas, masque de fantôme. Gérard parvient à

Ev. 25, 8 (*PL* 76, 1194 CD); *Mor.* XXXIII, 7, 17 (*CCL* 143 B, 1687, l. 12); 15, 6 (*ibid.*, 1699, l. 6). Cf. *SCt* 20, 3, l. 24, où Bernard a déjà parlé d'un piège trompeur.

2. * Antienne *O mors...* des laudes du Samedi saint.

179 25 patriam, non modo securus, sed et *laetabundus et laudans*[j]. Cum ergo supervenissem, et extrema iam Psalmi me audiente clara voce complesset, *suspiciens in caelum, ait*[k] : « *Pater, in manus tuas commendo spiritum meum*[l]. » Et repetens eumdem sermonem, ac frequenter ingeminans :
30 « Pater, Pater », conversus ad me, exhilarata quidem facie : « Quanta, inquit, dignatio Dei, patrem hominum esse ! Quanta hominum gloria, Dei filios, Dei esse heredes ! Nam *si filii, et heredes*[m]. » Sic cantabat quem nos lugemus : in quo et meum, fateor, luctum paene in cantum convertit,
35 dum intentus gloriae eius[n], propriae fere miseriae obliviscor.

12. Sed revocat me ad me pungens dolor, facileque a sereno illo intuitu, tamquam a levi excitat somno perstringens anxietas. Plangam igitur, sed super me, quia super illum vetat ratio. Puto enim, si opportunitas daretur,
5 modo diceret nobis : *Nolite flere super me, sed super vosmetipsos flete*[a].

VIII. Hic exemplo David, Samuel et Domini suum excusat affectum.

Planxit merito David super parricida filio[b], cui perpetuo sciret obstructum exitum de ventre mortis mole criminis. Merito *super Saul et super Ionatham*[c], quibus aeque
10 absorptis semel, emersio iam non speratur. Et quidem resurgent, sed non ad vitam[d] : immo ad vitam, ut vivi in morte infelicius moriantur, quamquam de Ionatha possit

j. Is. 35, 2 ≠ k. Mc 7, 34 ≠; Act. 7, 55 ≠ l. Lc 23, 46 m. Rom. 8, 17 n. Cf. Act. 7, 55

12. a. Lc 23, 28 ≠ b. Cf. II Sam. 19, 1-2 c. II Sam. 1, 17 ≠ d. Cf. Jn 5, 29

---

1. « Sur son fils parricide ». Voir *SC* 414, 263, n. 3 sur *SCt* 12, 5.
2. « Ils ressusciteront à la vie. » Bernard pense ici à la résurrection générale à la fin des temps.

la patrie franchissant tes gorges, non seulement avec assurance, mais aussi «avec joie et chants de louange[j]». Comme j'arrivais près de lui, je l'entendis achever d'une voix claire les derniers versets du Psaume. «Levant alors les yeux au ciel, il dit[k]» : «Père, en tes mains je remets mon esprit[l].» Il répéta ces mêmes paroles, redisant plusieurs fois : «Père, Père.» Puis tourné vers moi, le visage rayonnant, il me dit : «Qu'elle est grande la bonté de Dieu, de vouloir être le Père des hommes! Qu'elle est grande la gloire des hommes, d'être fils de Dieu, héritiers de Dieu! Car 's'ils sont fils, ils sont aussi héritiers[m]'» Ainsi chantait celui que nous pleurons et, je l'avoue, il change presque mon deuil en chant. Saisi par sa gloire[n], je suis près d'oublier ma propre misère.

12. Mais une douleur poignante me rappelle à moi-même, et une lancinante angoisse me réveille aisément de cette contemplation sereine, comme d'un léger sommeil. Je pleurerai donc, mais sur moi, car sur lui la raison me l'interdit. En effet, je pense que, s'il en avait la possibilité, il nous dirait maintenant : «Ne pleurez pas sur moi, mais pleurez sur vous-mêmes[a].»

VIII. Bernard justifie son affection par l'exemple de David, de Samuel et du Seigneur.

David eut raison de pleurer sur son fils parricide[b 1], car il savait que l'énormité de son crime lui barrait pour toujours la sortie des entrailles de la mort. Il eut raison de pleurer «sur Saül et sur Jonathan[c]»; car, une fois engloutis tous les deux, il n'y a plus pour eux aucune espérance de remontée. Certes ils ressusciteront, mais non à la vie[d]. Ou mieux, ils ressusciteront à la vie pour mourir plus misérablement encore[2] : ils vivront, mais dans la mort[3] – bien qu'on puisse non sans raison suspendre

3. *Vivi in morte,* «Ils vivront dans la mort.» Les damnés aussi ressusciteront, mais pour trouver la mort éternelle de l'enfer.

non immerito haerere sententia. At mihi, etsi non ista suppetit plangendi ratio, non tamen nulla. Plango primum
15 super mea ipsius plaga atque huius iactura domus; plango deinde super *pauperum* necessitatibus, quorum Girardus *pater erat*[e]; plango certe et super universi statu nostri ordinis nostraeque professionis, qui de tuo, Girarde, zelo, consilio et exemplo, robur non mediocre capiebat; plango
20 postremo, etsi non super te, propter te tamen. Hinc prorsus, hinc afficior graviter, quia vehementer amo. Et *nemo mihi molestus sit*[f], dicens non debere sic affici, cum benignus Samuel super reprobo rege[g], et pius David super parricida filio satisfecerint affectioni, et non ad iniuriam
25 fidei, non in superni suggillatione iudicii. *Absalon, fili mi,* ait sanctus David, *fili mi, Absalon*[h]: *et ecce plus quam* Absalon *hic*[i]. Salvator quoque *videns civitatem* Ierusalem,
180 et praevidens ruituram, *flevit super eam*[j]. Et ego propriam, et quae in praesenti est, desolationem non sentiam?
30 Plagam meam recentem et gravem non doleam? Ille compatiendo flevit, et ego patiendo non audeo? Et certe ad tumulum Lazari nec flentes arguit, nec a fletu prohibuit, insuper et *flevit cum flentibus*[k]: *Et lacrimatus est,* inquit, *Iesus*[l]. Fuerunt lacrimae illae testes[m] profecto naturae, non
35 indices diffidentiae. Denique *et prodiit mox* ad vocem eius *qui erat mortuus*[n], ne continuo putes fidei praeiudicium dolentis affectum.

13. Sic nec fletus utique noster infidelitatis est signum, sed conditionis indicium; nec, quia percussus ploro, arguo ferientem, sed provoco pietatem, severitatem flectere

e. Job 29, 16 ≠ f. Gal. 6, 17 g. Cf. I Sam. 16, 1 h. II Sam. 18, 33 ≠ i. Matth. 12, 42 ≠ j. Lc 19, 41 ≠ k. Rom. 12, 15 ≠ l. Jn 11, 35 m. Cf. Ps. 41, 4 n. Jn 11, 44 ≠; cf. Jn 5, 28

1. «Le jugement à propos de Jonathan». Bernard ne sait pas ce qu'il faut penser du salut de Jonathan (bouc ou brebis). On trouve la même hésitation chez JÉRÔME, *Adv. Iovin.* 11, 33 (*PL* 23, 331 B).

le jugement à propos de Jonathan[1]. Pour moi, même si je n'ai pas ces motifs de pleurer, j'en ai d'autres cependant. Je pleure d'abord sur ma propre blessure et sur la perte subie par cette maison. Je pleure ensuite sur la misère « des pauvres », dont Gérard « était le père[e] ». Je pleure aussi, bien sûr, sur l'état de notre Ordre tout entier et de notre institut monastique, qui tirait une force non négligeable de ta ferveur, Gérard, de ta sagesse et de ton exemple. Je pleure enfin, sinon sur toi, du moins à cause de toi. Oui, c'est pour cela que je suis profondément affecté : parce que j'aime intensément. Et « que personne ne vienne m'importuner[f] », en disant qu'il ne faut pas être affecté de la sorte. Car le doux Samuel a épanché son affection sur le roi réprouvé[g], et le pieux David sur son fils parricide ; et cela, sans préjudice de la foi, ni contestation du jugement d'en haut. « Absalom, mon fils, dit le saint David, mon fils Absalom[h]. » Eh bien ! « il y a ici plus qu'Absalom[i] ». Le Sauveur lui aussi, « voyant la ville de Jérusalem et prévoyant sa ruine, pleura sur elle[j] ». Et moi, je ne devrais pas ressentir ma désolation présente ? Je ne devrais pas souffrir de ma blessure toute récente et si grave ? Lui pleura de compassion, et moi je n'oserais pas pleurer de douleur ? Près du tombeau de Lazare, le Seigneur ne blâma pas ceux qui pleuraient, et ne leur défendit pas les pleurs ; au contraire, « il pleura avec ceux qui pleuraient[k] ». « Et Jésus versa des larmes[l] », nous dit l'Évangile. Ces larmes, bien sûr, attestent[m] sa nature humaine : elles ne sont pas signes de désespoir. En effet, au son de sa voix, « celui qui était mort sortit aussitôt[n] », de peur que tu ne considères l'affection du cœur meurtri comme une atteinte à la foi.

13. Ainsi mes pleurs, eux non plus, ne sont pas signe d'incroyance, mais la marque de notre condition. Si, frappé, je pleure, ce n'est pas pour accuser celui qui me transperce ; au contraire, c'est pour éveiller sa compassion,

satago. *Unde et verba dolore sunt plena*[a], non tamen
5 murmure. Numquid non plenum iustitiae protuli, quod unius sententiae complemento et punitus est qui debuit, et coronatus qui meruit? Et adhuc dico : Bene utrumque fecit *dulcis et rectus Dominus*[b]. *Misericordiam et iudicium cantabo tibi, Domine*[c]. Cantet tibi *misericordia,* quam
10 *fecisti cum servo tuo*[d] Girardo, cantet et iudicium, quod nos portamus[e]. In altero bonus, in altero iustus laudaberis. An solius laus bonitatis? Est et iustitiae. *Iustus es, Domine, et rectum iudicium tuum*[f]. Tu dedisti Girardum, tu abstulisti[g] : et si dolemus ablatum, non tamen obli-
15 viscimur quod datus fuit, et gratias agimus quod habere illum meruimus, quo carere in tantum non volumus, in quantum non expedit.

14. *Recordabor,* Domine, *pacti mei*[a] et miserationis tuae, *ut* magis *iustificeris in sermonibus tuis, et vincas cum iudicaris*[b]. Cum pro causa Ecclesiae anno praeterito Viterbii essemus, aegrotavit ille, et invalescente languore, cum iam
5 proxima vocatio videretur, ego aegerrime ferens comitem peregrinationis, et illum comitem, in terra relinquere aliena, nec resignare his qui mihi eum commiserant, quoniam amabatur ab omnibus, sicut erat *amabilis valde*[c], conversus ad orationem cum fletu et gemitu : « Exspecta », inquam,
181 10 « Domine usque ad reditum. Restitutum amicis tolle iam eum, si vis, et non causabor. » *Exaudisti me, Deus*[d] :

13. a. Job 6, 3 ≠ b. Ps. 24, 8 c. Ps. 100, 1 d. Ps. 118, 124 ≠ e. Cf. Gal. 5, 10 f. Ps. 118, 137 g. Cf. Job 1, 21
14. a. Éz. 16, 60 ≠ b. Ps. 50, 6 ≠ c. II Sam. 1, 26 (Lit.) d. Ps. 16, 6

1. Le pacte est expliqué par le récit du § 14. Pour un jugement global de cette oraison funèbre, cf. L. BOURGAIN, *La chaire française au XIIe siècle,* p. 209-210.
2. * *Amabilis... valde,* deux mots de l'antienne du Magnificat du samedi avant le 5e dimanche après la Pentecôte.

pour chercher à fléchir sa rigueur. «Voilà pourquoi mes paroles sont pleines de douleur[a]», non de murmure. N'ai-je pas déclaré parfaitement juste le fait qu'une seule et même sentence a puni celui qui était coupable et a couronné celui qui le méritait? Je le répète encore : «le Seigneur bon et juste[b]» a bien agi envers les deux. «Je chanterai pour toi, Seigneur, la miséricorde et le jugement[c].» Que chante pour toi «la miséricorde, dont tu as comblé ton serviteur[d]» Gérard; que te chante aussi le jugement, dont je porte le poids[e]. Là tu seras loué pour ta bonté, ici pour ta justice. La louange ne s'adresse-t-elle qu'à la bonté? Elle s'adresse aussi à la justice. «Tu es juste, Seigneur, et ton jugement est droit[f].» Tu avais donné Gérard, tu l'as repris[g]. Si nous regrettons ce qui a été repris, nous n'oublions pas cependant ce qui avait été donné, et nous rendons grâces pour avoir mérité de le posséder. Nous nous plaignons d'en être privés dans la mesure seulement où ce n'est pas pour notre bien.

14. «Je rappellerai, Seigneur, notre pacte[a]» et ta bonté[1], «pour que tu sois mieux reconnu juste dans tes paroles et que tu triomphes lorsqu'on te juge[b]». L'an passé, quand nous étions à Viterbe pour défendre la cause de l'Église, Gérard tomba malade. Son mal s'aggrava et l'appel de Dieu semblait déjà tout proche. Pour moi, je ne pouvais pas supporter la pensée d'abandonner en terre étrangère le compagnon de mon voyage – et quel compagnon! –, ou de ne pas le restituer à ceux qui me l'avaient confié. Car il était aimé de tous, comme il était «grandement aimable[c2]». Je me mis alors en prière avec larmes et gémissements. «Seigneur, disais-je, attends jusqu'à notre retour. Quand je l'aurai rendu à ses amis, prends-le, si tu veux, et je ne ferai pas d'objections.» «Tu m'as exaucé, mon Dieu[d]» : il s'est rétabli, nous avons achevé l'œuvre

convaluit, opus perfecimus quod iniunxeras[e], redivimus cum exsultatione, *reportantes manipulos* pacis *nostros*[f]. Porro ego paene oblitus sum meae conventionis, sed non 15 tu. Pudet singultuum horum qui praevaricationis me arguunt. Quid plura? Repetisti commendatum, recepisti tuum. Finem verborum indicunt lacrimae; tu illis, Domine, finem modumque indixeris.

e. Cf. Jn 4, 34 f. Ps. 125, 6 ≠

que tu avais prescrite[e], nous sommes revenus dans la joie, « rapportant avec nous les gerbes[f] » de la paix. Moi, ensuite, j'ai presque oublié notre pacte, mais toi, tu n'as pas oublié. J'ai honte de ces sanglots qui prouvent que je manque à ma parole. A quoi bon continuer? Tu as réclamé ton dépôt, tu as repris ce qui était à toi. Mes larmes montrent qu'il faut mettre un terme à mes paroles ; toi, Seigneur, veuille mettre à mes larmes un terme, une limite.

SERMO XXVII

I. Cuius Salomonis pellibus formositas sponsae comparetur. – II. Quis sit sponsae decor, cui nec caeli pulchritudo sit comparanda. – III. De caelo caeli, quod ipsum sit pellis Salomonis et in eo sint pelles Salomonis. – IV. Quae sit sponsae gloria, qua se summo caelo comparat, et unde haec ei. – V. Quomodo sponsa caelum ornatissimum sit, in quo Deus habitat. – VI. Quibus oporteat carere animam, quibus abundare, uti caelum Dei fiat. – VII. Quod in hoc caelo sunt caeli et qui illi, et de sponsae deiectione vel celsitudine.

I. Cuius Salomonis pellibus formositas sponsae comparetur.

1. Quia debitis humanitatis officiis amicum revertentem in patriam prosecuti sumus, redeo, fratres, ad propositum aedificandi, quod intermiseram. Incongruum namque est diu flere laetantem, et sedenti ad epulas lacrimas multas ingerere importunum. Sed et si nostras defleamus aerumnas, ne id quidem oportet nimis, ne non tam amasse illum, quam nostra quaesisse de illo commoda videamur. Temperet sane dilecti gaudium maestitiam desolatorum, et tolerabilius fiat nobis quod nobiscum non est, quia cum Deo est. Fretus ergo orationibus vestris, volo in lucem, si possum, prodere quidquid illud est, quod opertum illis pellibus sentio, quae in exemplum decoris sponsae productae sunt. Hoc, sicut recolitis, tactum fuit,

1. Cf. *SCt* 26, 1-2.

SERMON 27

I. A quel Salomon appartiennent les pavillons comparés à la beauté de l'épouse. – II. Quelle est cette beauté de l'épouse, qui dépasse même la beauté du ciel. – III. Le pavillon de Salomon, c'est le ciel du ciel ; les pavillons de Salomon se trouvent en lui. – IV. Quelle est cette gloire de l'épouse, qui lui permet de se comparer au ciel le plus haut. D'où lui vient cette gloire. – V. L'épouse est un ciel éclatant, où Dieu habite. – VI. Ce dont l'âme doit s'abstenir, et ce qu'elle doit avoir en abondance, pour devenir le ciel de Dieu. – VII. Ce ciel en contient d'autres : quels sont-ils. Bassesse et élévation de l'épouse.

I. A quel Salomon appartiennent les pavillons comparés à la beauté de l'épouse.

1. Après avoir rendu à l'ami retourné dans la patrie les devoirs d'humanité qui s'imposaient, je reviens, frères, aux propos d'édification que j'avais interrompus. Il serait inconvenant en effet de pleurer longtemps celui qui est dans la joie, et il serait déplacé d'importuner de larmes abondantes celui qui est assis au festin. Même si nous déplorons nos malheurs, il convient de garder la mesure. Sinon, nous donnerons l'impression, non pas tant de l'aimer, mais plutôt de regretter les avantages que sa présence nous procurait. Oui, que la joie du frère aimé tempère la tristesse de ceux qui se sentent abandonnés. Son absence nous devient plus supportable, puisqu'il est en présence de Dieu. Confiant en vos prières, je veux mettre en lumière, si je le puis, le sens caché de ces pavillons qui sont comparés à la beauté de l'épouse. Ce point, si vous vous en souvenez, a déjà été abordé, mais il n'a pas été examiné[1]. En revanche, nous avons examiné

sed indiscussum remansit; porro discussum et declaratum,
15 quomodo nigra sicut tabernacula Cedar. Quomodo ergo *sicut pelles Salomonis formosa*[a], quasi vero *Salomon in omni gloria sua*[b] quidquam habuerit condignum decore sponsae et gloria ornatus eius? Et quidem si non ad decorem sponsae, sed ad nigredinem potius, nescio quas
20 pelles istas, *sicut* et *tabernacula Cedar*[c], respicere diceremus, fortasse competeret, nec deesset unde id congruere monstraremus, sicut et monstrabimus. At vero si sponsae claritati quarumcumque decorem pellium comparandum putamus, hic prorsus opus est nobis eius ad quem pul-
25 sastis auxilio, quatenus mysterium hoc digne aperire possimus. Quid namque eorum quae in facie lucent, si internae cuiuspiam sanctae animae pulchritudini comparetur, non vile ac foedum recto appareat aestimatori? Quid, inquam, tale in se ostendit ea quae *praeterit figura*
30 *huius mundi*[d], quod aequare speciem animae possit illius, quae exuta terreni hominis vetustatem, eius qui de caelo est decorem induit[e], ornata optimis moribus pro monilibus[f], ipso purior, sicut et excelsior aethere, sole splendidior? Noli ergo respicere ad istum Salomonem, cum
35 indagare cupis, cuiuscemodi se pellibus similem in decore sponsa glorietur.

2. Quid est ergo quod dicit : *Formosa sum sicut pelles Salomonis*[a]? Magnum ac mirabile quiddam, ut ego aestimo, si tamen non hunc, sed illum attendimus, de quo dicitur : *Ecce plus quam Salomon hic*[b]. Nam usque adeo is meus

1. a. Cant. 1, 4 ≠ b. Matth. 6, 29 c. Cant. 1, 4 ≠ d. I Cor. 7, 31 e. Cf. I Cor. 15, 47; Ps. 92, 1 (Lit.) f. Cf. Is. 61, 10
2. a. Cant. 1, 4 ≠ b. Matth. 12, 42

---

1. Cf. *SCt* 25, 4, l. 3-4, p. 262 s. * *Dominus decorem induit* se rencontre ici et en 9 autres lieux dans *SBO*. Bernard suit, non pas le

et expliqué de quelle manière l'épouse est noire comme les tentes de Cédar. Comment donc est-elle «belle comme les pavillons de Salomon[a]»? Faut-il penser que «Salomon, dans toute sa gloire[b]», ait eu quelque chose de comparable à la beauté de l'épouse et à l'éclat de sa parure? Peut-être vaudrait-il mieux dire que ces mystérieux pavillons se rapportent non pas à la beauté de l'épouse, mais plutôt à sa noirceur, tout «comme les tentes de Cédar[c]». Je ne manque pas d'arguments pour justifier ce rapprochement, et je vais le montrer. En revanche, si nous pensons devoir comparer la beauté de ces pavillons, quels qu'ils soient, à l'éclat de l'épouse, alors, pour dévoiler dignement ce mystère, il nous faut le secours de celui à la porte duquel vous avez frappé. En effet, quel charme extérieur ne paraîtra méprisable et vil à un juge sensé, si on le compare à la beauté intérieure d'une âme sainte? Oui, qu'y a-t-il dans «la figure passagère de ce monde[d]» qui puisse égaler la splendeur de cette âme, dépouillée du vieil homme terrestre et revêtue de l'éclat de l'homme céleste[e][1]? Elle est ornée non pas de joyaux[f], mais d'une vie sainte; elle est plus pure et plus sublime que le ciel même, plus lumineuse que le soleil. Ne songe donc pas à l'homme Salomon, lorsque tu veux chercher à quels pavillons l'épouse se glorifie d'être semblable en beauté.

2. Que signifient donc ces paroles: «Je suis belle comme les pavillons de Salomon[a]»? Elles ont un sens grand et admirable, je pense, pourvu que nous les rapportions, non pas au premier Salomon, mais à celui dont il est dit: «Il y a ici plus que Salomon[b].» En effet, ce Salomon-là est tellement Salomon qu'il n'est plus appelé

Psautier gallican, mais la liturgie, selon plusieurs pièces, dont un verset des laudes de chaque dimanche; cf. *SCt* 32, 3, l. 5, p. 452.

5 Salomon Salomon est, ut non modo Pacificus, quod quidem Salomon interpretatur, sed et Pax ipsa vocetur, Paulo perhibente quia *ipse est pax nostra*[c]. Apud ipsum Salomonem non dubito posse inveniri quod decori sponsae omnino comparare non dubitem. Et praesertim 10 de pellibus eius adverte in Psalmo : *Extendens,* ait, *caelum sicut pellem*[d]. Non ille Salomon profecto, etsi multum 183 sapiens multumque potens[e], extendit caelum sicut pellem, sed is potius qui non tam sapiens quam ipsa Sapientia[f] est, prorsus extendit et condidit. Istius siquidem, et non 15 illius illa vox est : *Quando praeparabat caelos,* haud dubium quin Deus Pater, *ego aderam*[g]. Aderat sine dubio praeparanti caelos sua virtus suaque sapientia[h]. Nec putes astitisse otiosam, et quasi ad spectandum solummodo, quia dixit *aderam,* non etiam « praeparabam. » Respice 20 paulisper inferius, et invenies aperte subiungentem quia *erat cum eo componens omnia*[i]. Denique ait : *Quaecumque opera Pater facit, haec et filius similiter facit*[j]. Et ipse itaque *extendit caelum sicut pellem.* Pulcherrima pellis, quae in modum magni cuiusdam tentorii universam ope-25 riens faciem terrae, solis, lunae atque stellarum varietate tam spectabili humanos oblectat aspectus. Quid hac pelle formosius? Quid ornatius caelo? Minime tamen vel ipsum ullatenus conferendum gloriae et decori sponsae, eo ipso succumbens, quod praeterit et haec figura ipsius[k], utpote 30 corporea et corporeis subiacens sensibus. *Quae enim videntur temporalia sunt, quae autem non videntur aeterna*[l].

c. Éphés. 2, 14 d. Ps. 103, 2 e. Cf. III Rois 3, 11-13 f. Cf. I Cor. 1, 30 g. Prov. 8, 27 ≠ h. Cf. I Cor. 1, 24 i. Prov. 8, 30 ≠ j. Jn 5, 19 ≠ k. Cf. I Cor. 7, 31 l. II Cor. 4, 18 ≠

1. * « Salomon... le Pacifique » : cf. JÉROME, *Nom. hebr.* 63, 5 ; 71, 5. Cette étymologie est rappelée à 3 reprises dans *SCt* 28, 11-12.

seulement le Pacifique[1], ce que signifie le nom de Salomon, mais la Paix elle-même. Paul l'atteste en disant : «C'est lui qui est notre paix[c].» En ce Salomon, je ne doute pas de pouvoir trouver une beauté digne d'être comparée à celle de l'épouse. Justement à propos de ses pavillons, remarque ce que dit le Psaume : «Il déploie le ciel comme un pavillon[d].» Certes, ce n'est pas le roi Salomon, bien que très sage et très puissant[e], qui déploie le ciel comme un pavillon, mais plutôt celui qui n'est pas tant un sage que la Sagesse elle-même[f]. C'est lui qui déploie le ciel et qui l'a créé. Car c'est lui, et non pas le premier Salomon, qui prononce ces paroles : «Quand il mettait en place les cieux – il s'agit sans aucun doute de Dieu le Père – moi, j'étais présent[g].» Lorsque Dieu mettait en place les cieux, sa puissance et sa sagesse[h] étaient certainement présentes. Ne va pas croire qu'elles se tenaient là sans rien faire, comme de simples spectatrices, parce qu'il a dit : «J'étais présent», et non pas : «Je mettais en place.» Regarde un peu plus bas, et tu trouveras qu'il ajoute expressément qu'«il était avec lui, disposant avec art toutes choses[i].» Enfin il dit : «Toutes les œuvres que fait le Père, le Fils les fait pareillement[j].» Donc, lui aussi «déploie le ciel comme un pavillon». Merveilleux pavillon qui, couvrant toute la face de la terre comme une immense tenture, éblouit les regards humains par l'admirable variété des étoiles, de la lune et du soleil. Qu'y a-t-il de plus beau que ce pavillon? Quoi de plus splendide que le ciel? Pourtant, lui non plus ne peut être comparé à la gloire et à la beauté de l'épouse. Car il lui reste inférieur du fait même que sa figure passe elle aussi[k], étant corporelle et soumise aux sens du corps. «Les choses visibles, en effet, n'ont qu'un temps, les invisibles sont éternelles[l].»

II. Quis sit sponsae decor, cui nec caeli pulchritudo sit comparanda.

3. Sed est rationalis quaedam sponsae species ac spiritualis effigies, ipsaque aeterna, quia imago aeternitatis. Decor eius, verbi gratia, caritas est, et *caritas,* sicut legitis, *numquam excidit*[a]. Est certe et iustitia : *Et iustitia eius,* 5 inquit, *manet in saeculum saeculi*[b]. Est etiam patientia, et legis nihilominus quia *patientia pauperum non peribit in finem*[c]. Quid voluntaria paupertas? Quid humilitas? Nonne altera regnum aeternum[d], altera aeque exaltationem promeretur aeternam[e]? Eo quoque spectat et *timor Domini* 10 *sanctus permanens in saeculum saeculi*[f]. Sic prudentia, sic temperantia, sic fortitudo et si quae sunt virtutes aliae, quid nisi margaritae quaedam sunt in sponsae ornatu, splendore perpetuo coruscantes? Perpetuo, inquam, quia sedes et fundamentum perpetuitatis. Nec enim perpetuae 15 beataeque vitae omnino locus in anima est, nisi mediis 184 interiectisque virtutibus. Unde Propheta Deo, qui utique vita beata est : *Iustitia,* inquit, *et iudicium praeparatio sedis tuae*[g]. Et Apostolus dicit *Christum habitare,* non omni modo quidem, sed signanter *per fidem in cordibus* 20 *nostris*[h]. Domino quoque sessuro super asellum, vestes suas discipuli substraverunt, significantes Salvatorem[i] seu salutem nequaquam insidere nudae animae, quam non videlicet vestitam invenerit[j] doctrina et moribus Apostolorum. Et ideo Ecclesia, promissionem habens futurae feli-

3. a. I Cor. 13, 8 b. Ps. 111, 3 c. Ps. 9, 19 d. Cf. Matth. 5, 3 e. Cf. Lc 14, 11 f. Ps. 18, 10 g. Ps. 88, 15 h. Éphés. 3, 17 ≠ i. Cf. Lc 19, 36; Jn 12, 14; Zach. 9, 9 j. Cf. II Cor. 5, 3

1. * « Le siège et le fondement... il n'est dans l'âme aucun lieu... » : c'est là une allusion ténue au dicton patristique : « L'âme du juste est la demeure de la sagesse. » Le texte biblique que Bernard met ici en rapport est *Ps.* 88, 15 ; cf. p. 268, n. 2 sur *Sag.* 7, 26 (Patr.) cité en *SCt* 25, 6.

II. Quelle est cette beauté de l'épouse, qui dépasse même la beauté du ciel.

3. La beauté de l'épouse est pour ainsi dire intelligible, et sa figure est spirituelle ; elle est éternelle, image de l'éternité. Sa beauté, par exemple, c'est la charité, et « la charité, comme vous le lisez, ne passe jamais[a]. » C'est aussi la justice : « Or sa justice, est-il écrit, demeure dans les siècles des siècles[b]. » C'est encore la patience, et tu lis également que « la patience des pauvres ne périra pas pour toujours[c] ». Que dire de la pauvreté volontaire ? Et de l'humilité ? L'une n'est-elle pas promise au royaume éternel[d], l'autre à la gloire éternelle[e] ? A ce but tend aussi « la sainte crainte du Seigneur, qui subsiste dans les siècles des siècles[f] ». De même la prudence, la tempérance, la force et toutes les autres vertus, ne sont-elles pas comme autant de perles dans la parure de l'épouse, qui brillent d'un éclat éternel ? Je dis éternel, car elles sont le siège et le fondement de l'éternité. En effet, il n'est dans l'âme[1] aucun lieu pour la vie éternelle et bienheureuse, sinon par le moyen et l'intermédiaire des vertus[2]. C'est pourquoi le Prophète dit à Dieu, qui est assurément la vie bienheureuse : « La justice et le jugement sont l'appui de ton trône[g]. » Et l'Apôtre dit que « le Christ habite en nos cœurs », non pas n'importe comment, mais avec cette précision : « par la foi[h] ». Et encore, lorsque le Seigneur allait s'asseoir sur l'ânon, les disciples disposèrent leurs vêtements comme une selle. Ils voulaient montrer par là que le Sauveur[i] ou le salut ne s'établit jamais dans une âme nue, qu'il ne trouve pas déjà revêtue[j] de l'enseignement et des vertus des Apôtres. C'est pourquoi

2. Bernard a d'abord présenté le firmament comme « les pavillons de Salomon ». Ici il donne une explication plus personnelle de ces pavillons : ils pourraient symboliser l'âme individuelle ou l'Église.

25 citatis[k], curat interim praeparare se et praeornare *in vestitu deaurato, circumamicta varietate*[l] gratiarum atque virtutum, quo digna et capax plenitudinis gratiae inveniatur.

4. Ceterum spirituali huic tam pulchrae varietati, quam de prima interim stola[a] in quadam veste suae sanctificationis accepit, nullo pacto ego comparaverim in decore caelum hoc visibile atque corporeum, quamvis in suo 5 genere quidem siderea varietate pulcherrimum. Sed est caelum caeli, de quo Propheta : *Psallite,* inquit, *Domino, qui ascendit super caelum caeli ad orientem*[b]. Et hoc caelum intellectuale ac spirituale ; et *qui fecit caelos in intellectu*[c], creavit illud et statuit in sempiternum[d], 10 ipsumque inhabitat[e]. Ne vero putes sponsae devotionem citra illud remanere caelum, in quo scit habitare dilectum : *ubi enim thesaurus eius, ibi et cor eius*[f]. Aemulatur sane assistentes vultui ad quem suspirat ; et quibus se interim non valet associare videndo, studet conformare vivendo, 15 moribus magis quam vocibus clamans : *Domine, dilexi decorem domus tuae, et locum habitationis gloriae tuae*[g].

III. De caelo caeli, quod ipsum sit pellis Salomonis et in eo sint pelles Salomonis.

5. Prorsus de hoc caelo minime sibi indignum ducit ducere similitudinem. Hoc extentum sicut pellis[a], non spatiis tamen locorum, sed affectibus animorum ; hoc miris variisque artificis distinctum operibus[b]. Divisiones autem 5 sunt, non colorum, sed beatitudinum. Nam alios quidem

k. Cf. I Tim. 4, 8 l. Ps. 44, 10. 15 ≠
4. a. Cf. Lc 15, 22 b. Ps. 67, 33-34 ≠ c. Ps. 135, 5 d. Cf. Ps. 148, 5-6 e. Cf. Is. 40, 22 f. Matth. 6, 21 ≠ g. Ps. 25, 8
5. a. Cf. Ps. 103, 2 b. Cf. Ex. 36, 35

1. *De prima stola,* « Avec sa première robe ». Voir *Gra* 48 (*SC* 393, 352, l. 28-29) : les deux robes, celle de la justice et celle de la gloire. Voir *SC* 393, 140, n. 1 sur *Dil* 31.

l'Église, qui possède la promesse de la félicité à venir[k], prend soin entre-temps de se préparer et de s'orner « d'une robe brodée d'or. Elle s'habille d'une variété[l] » de grâces et de vertus, pour être digne et capable de recevoir la plénitude de la grâce.

4. Par ailleurs, en ce qui concerne la beauté, je ne pourrais d'aucune manière comparer le ciel visible et corporel, bien que très beau en son genre par la variété des étoiles, à cette variété spirituelle si admirable, que l'épouse a reçue ici-bas avec sa première robe[a 1] : vêtement, pour ainsi dire, de sa sanctification. Mais il y a un ciel du ciel, dont le Prophète dit : « Chantez un psaume au Seigneur, qui s'élève sur le ciel du ciel, à l'Orient[b]. » Ce ciel est intelligible et spirituel. « Celui qui a fait les cieux avec intelligence[c] », l'a créé et l'a établi pour l'éternité[d], et en fait sa demeure[e]. Ne va pas croire que la ferveur de l'épouse reste en deçà de ce ciel, où elle sait qu'habite son bien-aimé : « Car là où est son trésor, là aussi est son cœur[f]. » Oui, elle cherche à imiter ceux qui contemplent le visage pour lequel elle soupire ; et si, pour le moment, elle ne peut pas se joindre à eux dans la vision, elle s'efforce de leur ressembler dans la vie. Par sa conduite, plus que par ses paroles, elle s'écrie : « Seigneur, j'ai aimé la beauté de ta maison, et le lieu où habite ta gloire[g]. »

III. Le pavillon de Salomon, c'est le ciel du ciel ; les pavillons de Salomon se trouvent en lui.

5. L'épouse n'estime pas indigne d'elle de tirer une comparaison de ce ciel. Il se déploie comme un pavillon[a], non pas dans l'espace, mais dans les sentiments des âmes ; il se diversifie par les œuvres merveilleuses et variées de son auteur[b]. Il ne s'agit pas d'une variété de couleurs, mais d'esprits bienheureux. En effet, le Créateur y a réparti

posuit Angelos[c], alios autem Archangelos, alios vero Virtutes, alios Dominationes, alios Principatus, alios Potestates, alios Thronos, alios Cherubim atque alios Seraphim. Sic stellatum caelum hoc, sic depicta haec pellis. Haec 185 10 una de pellibus mei Salomonis, et haec praecipua in omni ornatu multiformis gloriae eius. Habet autem grandis ista pellis quamplurimas in se aeque Salomonis pelles, quoniam unusquisque beatus et sanctus, qui ibi est, pellis utique est Salomonis. Benigni siquidem sunt atque extenti 15 in caritate, pertingentes usque ad nos, quibus gloriam, quam habent, non invident, sed optant, ita ut ex ipsis huius rei gratia demorari apud nos non graventur, seduli circa nos et curam gerentes nostri, *omnes administratorii spiritus, in ministerium missi propter eos qui hereditatem* 20 *capiunt salutis*[d]. Quamobrem sicut caelum caeli singulariter dicitur universa illa multitudo collecta beatorum, sic et caeli caelorum propter singulos, qui utique caeli sunt, nominantur, et ad singulos spectat quod dicitur : *Extendens caelum sicut pellem*[e]. Videtis, credo, quaenam illae pelles, 25 et cuius sint Salomonis, de quarum sponsa similitudine gloriatur.

IV. Quae sit sponsae gloria, qua se summo caelo comparat, et unde haec ei.

6. Nunc iam intuemini eius gloriam, quae et caelo se comparat, et illi caelo quod tanto est gloriosius, quanto divinius. Nec immerito usurpat inde similitudinem, unde originem ducit. Nam si propter corpus, quod de terra

c. Cf. I Cor. 12, 4. 28; cf. Éphés. 4, 11 d. Hébr. 1, 14 ≠
e. Ps. 103, 2

1. « Voilà les étoiles de ce ciel. » Bernard compare les étoiles aux neuf chœurs des anges. Il faut se rappeler que la science précopernicienne considérait les anges comme les « formes substantielles » des étoiles.

les Anges[c] et les Archanges, les Vertus et les Dominations, les Principautés et les Puissances, les Trônes, les Chérubins et les Séraphins. Voilà les étoiles de ce ciel[1], voilà les broderies de ce pavillon. Tel est l'un des pavillons de mon Salomon, celui qui reflète le mieux toute la splendeur de sa gloire chatoyante. Mais ce vaste pavillon en renferme plusieurs autres du même Salomon, car chaque esprit bienheureux et saint qui s'y trouve est un pavillon de Salomon. Ils sont bienveillants, en effet, et leur charité se déploie et parvient jusqu'à nous. Ils ne sont pas jaloux de la gloire qu'ils possèdent, mais ils nous la souhaitent. C'est pourquoi certains d'entre eux ne dédaignent pas de séjourner parmi nous, dévoués à notre égard et prenant soin de nous. « Ils sont tous des esprits chargés d'un ministère, envoyés pour servir ceux qui héritent du salut[d]. » Toute cette multitude de bienheureux dans son ensemble s'appelle le ciel du ciel au singulier. Mais elle se nomme aussi les cieux des cieux, parce que chaque esprit est un ciel[2]. C'est à chacun d'eux que s'applique cette parole : « Il déploie le ciel comme un pavillon[e]. » Vous voyez, je pense, ce que sont ces pavillons auxquels l'épouse se glorifie de ressembler, et à quel Salomon ils appartiennent.

IV. Quelle est cette gloire de l'épouse, qui lui permet de se comparer au ciel le plus haut. D'où cette gloire lui vient.

6. Considérez maintenant la gloire de celle qui se compare au ciel, un ciel d'autant plus glorieux qu'il est plus divin. Ce n'est pas à tort qu'elle emprunte cette comparaison au lieu d'où elle tire son origine. Si par son

2. Cf. AUG., *Conf.* XII, 15, 20 : ... *quibus caelis, nisi qui te laudant « caeli caelorum »* (*Ps.* 48, 4) *quia hoc est et « caelum caeli »* (*Ps.* 113, 16) *domino?* Cf. la longue note d'A. SOLIGNAC, *BA* 14, p. 592-598.

5 habet, tabernaculo Cedar se assimilat, cur non et propter animam, quae de caelo est, caelo aeque similem esse glorietur, praesertim cum vita testetur originem, testetur naturae dignitatem et patriae ? Unum Deum adorat et colit, quomodo angeli ; Christum super omnia amat, quomodo 10 angeli ; casta est, quomodo angeli, idque in carne peccati[a] et fragili corpore, quod non angeli ; *quaerit* postremo et *sapit* quae apud illos sunt, *non quae super terram*[b]. Quod evidentius caelestis insigne originis, quam ingenitam et in regione dissimilitudinis retinere similitudinem, gloriam cae- 15 libis vitae in terra et ab exsule usurpari, in corpore denique paene bestiali vivere angelum ? Caelestis sunt ista potentiae, non terrenae, et quod vere de caelo sit anima quae haec potest, aperte indicant. Audi tamen apertius : *Vidi,* inquit, *civitatem sanctam Ierusalem novam, descen-* 20 *dentem de caelo a Deo, paratam tamquam sponsam ornatam viro suo*[c]. Et addit : *Et audivi vocem magnam* 186 *de throno dicentem : Ecce tabernaculum Dei cum hominibus, et habitabit cum eis*[d]. Ad quid ? Credo ut sibi acquirat sponsam de hominibus. Mira res ! Ad sponsam 25 veniebat, et absque sponsa non veniebat. Quaerebat sponsam, et sponsa cum ipso erat. An duae erant ? Absit. *Una est enim,* ait, *columba mea*[e]. Sed sicut de diversis ovium gregibus unum facere voluit, ut sit unum ovile et unus pastor[f], ita cum haberet sponsam inhaerentem sibi

6. a. Cf. Rom. 8, 3 b. Col. 3, 1-2 ≠ c. Apoc. 21, 2 ≠ d. Apoc. 21, 3 e. Cant. 6, 8 ≠ f. Cf. Jn 10, 16

1. « Par son âme, qui vient du ciel ». Bérenger, le disciple d'Abélard, a accusé Bernard de tomber dans les doctrines détestables d'Origène (*PL* 178, 1866 CD). Quoi qu'on pense de l'orthodoxie d'Origène, Bernard peut invoquer en outre l'autorité d'AUGUSTIN, *Contra Iulianum* II, 6 (*PL* 44, 676) : « Comme nous tenons un corps de la terre et un esprit du ciel, nous sommes à la fois terre et ciel. »

corps, qu'elle tient de la terre, elle s'identifie à une tente de Cédar, pourquoi ne se glorifierait-elle pas aussi d'être semblable au ciel par son âme, qui vient du ciel[1]? Surtout lorsque sa vie témoigne de son origine, et atteste la noblesse de sa nature et de sa patrie. Elle adore et vénère un seul Dieu, comme les anges; comme eux, elle aime le Christ par-dessus tout; elle est chaste comme les anges, et elle l'est dans une chair de péché[a] et dans un corps fragile, ce que les anges n'ont pas. Enfin, «elle cherche et goûte les biens dont jouissent les anges, et non les biens de la terre[b]». Quel signe plus évident d'une origine céleste que celui-ci : garder la ressemblance innée jusque dans la région de la dissemblance[2], acquérir la gloire d'une vie virginale sur cette terre d'exil, bref, vivre comme un ange dans un corps presque animal? Voilà les signes d'une puissance céleste, et non terrestre; ils montrent ouvertement qu'une âme capable de cela vient du ciel. Mais écoute ces paroles encore plus explicites : «Je vis, est-il écrit, la cité sainte, la Jérusalem nouvelle, qui descendait du ciel d'auprès de Dieu, prête comme une épouse parée pour son époux[c].» Et il ajoute : «J'entendis alors, venant du trône, une voix forte qui disait : Voici la tente de Dieu avec les hommes; il habitera avec eux[d].» Pourquoi? Je pense que c'est pour se choisir une épouse parmi les hommes. Chose admirable! Il venait vers une épouse, et il ne venait pas sans épouse. Il cherchait une épouse, et l'épouse était avec lui. Y avait-il donc deux épouses? Loin de là. «Car, dit-il, unique est ma colombe[e].» Mais, comme il voulut réunir plusieurs troupeaux de brebis en un seul, pour qu'il n'y ait qu'un seul bercail et un seul pasteur[f], de même, ayant dès l'origine pour épouse

2. *Regio dissimilitudinis,* «La région de la dissemblance». Voir *Sent* III, 94 (*SBO* VI-2, 151, l. 25); AUGUSTIN, *Conf.* VII, 10, 16 (*CCL* 27, 103, l. 17); A. SOLIGNAC, *BA* 13, p. 689-693.

30 a principio multitudinem angelorum, placuit ei et de hominibus convocare Ecclesiam, atque unire illi quae de caelo est, ut sit una sponsa et sponsus unus. Ergo ex adiecta ista, perfecta est illa, non duplicata ; et agnoscit de se dictum : *Una est perfecta mea*[g]. Porro unam conformitas 35 facit, nunc quidem in simili devotione, postea vero et in pari gloria.

7. Habes itaque utrumque de caelo, et sponsum scilicet Iesum, et sponsam Ierusalem. Et ille quidem ut videretur, *semetipsum exinanivit formam servi accipiens, et habitu inventus ut homo*[a]. At illam, in quanam putamus 5 forma seu specie, aut in quo habitu, descendentem vidit ille qui vidit[b]? An forte in frequentia *angelorum,* quos *vidit descendentes et ascendentes super Filium hominis*[c]? Sed melius dicimus, quod sponsam tunc viderit, cum Verbum in carne vidit, agnoscens *duos in carne una*[d]. 10 Dum enim sanctus ille Emmanuel terris intulit magisterium disciplinae caelestis, dum supernae illius *Ierusalem, quae est mater nostra*[e], visibilis quaedam imago[f] et *species decoris eius*[g], per ipsum nobis et in Christo expressa, innotuit, quid, nisi in sponso sponsam, perspeximus, unum 15 eumdemque *Dominum gloriae*[h] admirantes, et *sponsum decoratum corona, et sponsam ornatam monilibus suis*[i]? Ipse igitur *qui descendit, ipse est et qui ascendit*[j] : ut *nemo ascendat in caelum, nisi qui de caelo descendit*[k], unus idemque Dominus, et sponsus in capite, et sponsa in

g. Cant. 6, 8 ≠

7. a. Phil. 2, 7 ≠ b. Cf. Apoc. 21, 2 c. Jn 1, 51 ≠ d. Gen. 2, 24 ≠ e. Gal. 4, 26 ≠ f. Cf. Col. 1, 15 g. Ps. 49, 2 h. I Cor. 2, 8 i. Is. 61, 10 ≠ j. Éphés. 4, 10 k. Jn 3, 13 ≠

1. L'Église des anges est une notion origénienne. ORIGÈNE, *Comm. in Rom.* I, 4 (*PG* 14, 848 A) ; *Com in Ioh.* I 34 (*PG* 14, 82 B) ; *SC* 120, 166, n. 2 : « Il est certain qu'il s'est fait homme pour les hommes et ange pour les anges. » Cf. J. CHENEVERT, *L'Église dans le Comm. d'Origène sur le Cant. des cant.*, p. 56, n. 5.

la multitude des anges, il lui a plu de rassembler aussi une Église d'entre les hommes[1]. Il a voulu l'unir à l'Église du ciel, pour qu'il n'y ait plus qu'une seule épouse et un seul Époux. Par l'adjonction de l'Église des hommes, celle du ciel a été menée à sa perfection, non pas redoublée. Et elle reconnaît que c'est à son sujet que l'Époux dit : « Unique est ma parfaite[g]. » Désormais l'unité se fait par la conformité : dans la même ferveur dès à présent, dans la même gloire aussi plus tard.

7. Ainsi, l'un et l'autre viennent du ciel : l'Époux, c'est-à-dire Jésus, et l'épouse, Jérusalem. Lui, pour se rendre visible, « s'est anéanti lui-même, prenant la condition de serviteur et, par son aspect, il fut reconnu comme un homme[a] ». Mais elle, dans quelle condition, ou sous quelle apparence et quel aspect pensons-nous que le voyant (de Patmos) la vit descendre[b] ? Serait-ce en la compagnie de « ces anges qu'il vit descendre et monter au-dessus du Fils de l'homme[c] » ? Nous disons plutôt qu'il vit l'épouse quand il vit le Verbe dans la chair, reconnaissant « les deux en une seule chair[d] ». En effet, lorsque ce saint Emmanuel apporta à la terre l'enseignement de la doctrine céleste, lorsque l'image visible[f] et la « splendeur de la beauté[g] » de cette « Jérusalem d'en haut, qui est notre mère[e] », se dévoila à nous, manifestée dans le Christ, n'avons-nous pas vu alors l'épouse dans l'Époux[2] ? En un seul et même « Seigneur de gloire[h] », nous avons admiré « l'Époux paré de sa couronne et l'épouse ornée de ses joyaux[i] ». « Celui donc qui est descendu est le même qui est monté[j] », pour que « nul ne monte au ciel sinon celui qui est descendu du ciel[k] », un seul et même Seigneur, Époux comme tête, épouse comme corps. Ce

2. « N'avons-nous pas vu alors l'épouse dans l'Époux ? » Voir AUGUSTIN, *Enarr. in Ps.* 142, 3 (*CCL* 40, 2061-2062) ; GRÉGOIRE, *Mor.* Praef. VI, 14 (*CCL* 143, 20, l. 44-50) ; FULGENCE, *Ad Trasimundum* I, 11 (*PL* 65, 236 B : *ipse sponsus et sponsa*).

20 corpore. Nec frustra *in terris visus est*[l] *homo caelestis*[m], cum de terrenis caelestes quamplurimos fecerit sibi similes, ut sit quod legitur : *Qualis caelestis, tales et caelestes*[n]. Ex 187 tunc ergo in terra vivitur more caelestium, dum instar supernae illius beataeque creaturae, haec quoque quae *a* 25 *finibus terrae venit audire sapientiam Salomonis*[o], caelesti viro nihilominus casto inhaeret amore, etsi necdum quomodo illa iuncta *per speciem,* tamen sponsata *per fidem*[p], iuxta promissum Dei per Prophetam dicentis : *Sponsabo te mihi in misericordia et miserationibus, et* 30 *sponsabo te mihi in fide*[q]. Unde magis magisque conformari satagit formae, quae de caelo venit, discens ab ea verecunda esse et sobria, discens pudica et sancta, discens patiens atque compatiens, postremo discens *mitis et humilis corde*[r]. Et ideo moribus huiuscemodi *contendit* 35 et *absens placere ei*[s], *in quem angeli prospicere concupiscunt*[t], ut dum desiderio fervet angelico, probet se perinde *civem sanctorum et domesticam Dei*[u], probet dilectam, probet sponsam.

V. Quomodo sponsa caelum ornatissimum sit, in quo Deus habitat.

8. Ego puto omnem animam talem non modo caelestem esse propter originem, sed et caelum ipsum posse non immerito appellari propter imitationem. Et tunc liquido ostendit quia vere origo ipsius de caelis est, cum *conver-* 5 *satio* eius *in caelis est*[a]. Est ergo caelum sancta aliqua anima, habens solem intellectum, lunam fidem, astra vir-

l. Bar. 3, 38 m. I Cor. 15, 47 ≠ n. I Cor. 15, 48 o. Matth. 12, 42 ≠ p. II Cor. 5, 7 ≠ q. Os. 2, 19-20 ≠ r. Matth. 11, 29 ≠ s. II Cor. 5, 9 ≠ t. I Pierre 1, 12 (Patr.) u. Éphés. 2, 19 ≠
8. a. Phil. 3, 20 ≠

1. Cf. p. 264, n. 1 sur *SCt* 25, 4.
2. * Cf. p. 176, n. 2 sur *I Pierre* 1, 12 (Patr.) cité en *SCt* 22, 3.

n'est pas en vain que « l'homme céleste[m] » « a été vu sur terre[l] », puisqu'il a rendu célestes, semblables à lui, beaucoup d'hommes terrestres[1]. Ainsi s'accomplit cette parole : « Tel est l'homme céleste, tels seront aussi les hommes célestes[n]. » Depuis lors, on mène sur la terre la vie des habitants du ciel. A l'exemple de la créature céleste et bienheureuse, la reine « qui vint des extrémités de la terre pour entendre la sagesse de Salomon[o] » s'attache elle aussi par un chaste amour à l'Époux céleste. Même si elle ne lui est pas encore unie « par la claire vision », comme la créature céleste, elle lui est néanmoins fiancée « par la foi[p] », suivant la promesse de Dieu annoncée par le Prophète en ces termes : « Je te fiancerai à moi dans la miséricorde et la bonté, et je te fiancerai à moi dans la foi[q]. » Voilà pourquoi elle s'efforce de se conformer toujours plus à ce modèle venu du ciel, apprenant de lui à être modeste et sobre, chaste et sainte, patiente et compatissante, enfin « douce et humble de cœur[r] ». Bien que « séparée de lui, elle tâche par une telle conduite, de plaire à celui[s] » « en qui les anges désirent plonger leurs regards[t2] ». Brûlant du même désir que les anges, elle montre également qu'elle est « concitoyenne des saints et membre de la famille de Dieu[u] », sa bien-aimée et son épouse.

V. L'épouse est un ciel éclatant, où Dieu habite.

8. Je pense que toute âme de ce genre n'est pas seulement céleste par son origine, mais peut à bon droit être appelée le ciel même, par son imitation du Christ. Elle montre clairement que son origine est vraiment du ciel, lorsque « sa vie est dans le ciel[a] ». Toute âme sainte est donc un ciel[3], puisqu'elle a pour soleil l'intelligence,

3. Grégoire, *Hom. in Ezech.* II 2, 14 (*CCL* 142, 235, l. 354-356) : *Caelum quippe est anima iusti,* « L'âme du juste est un ciel. »

tutes. Vel certe sol, iustitiae zelus aut fervens caritas, et luna continentia. Quomodo enim claritas, ut aiunt, lunae non nisi a sole est, sic absque caritate seu iustitia, continentiae nullum meritum est. Hinc denique Sapiens : *O* 10 *quam pulchra est,* inquit, *casta generatio cum caritate*[b]! Porro stellas dixisse virtutes non me paenitet, considerantem congruentiam similitudinis. Quomodo nempe stellae in nocte lucent, in die latent, sic vera virtus, quae saepe in prosperis non apparet, eminet in adversis. Illud 15 sane cautelae est, hoc necessitatis. Ergo virtus est sidus, et homo virtutum, caelum. Nisi quis forte, cum Deum per Prophetam dixisse legit : *Caelum mihi sedes est*[c], caelum hoc volubile visibileque intelligendum existimet, et non potius illud de quo alibi apertius Scriptura com-20 memorat : *Anima,* inquiens, *iusti sedes est sapientiae.* Qui autem ex doctrina Salvatoris sapit *spiritum esse Deum* 188 atque *in spiritu adorandum*[d], etiam sedem ei non ambigit assignare spiritualem. Ego vero fidenter id fecerim, non minus in hominis iusti quam in angelico spiritu. Confirmat 25 me in hoc sensu maxime illa fidelis promissio : *Ego et Pater,* ait Filius, *ad eum,* id est ad sanctum hominem, *veniemus, et mansionem apud eum faciemus*[e]. Prophetam quoque non de alio dixisse caelo arbitror : *Tu autem in*

b. Sag. 4, 1 (Patr.) c. Act. 7, 49 d. Jn 4, 24 ≠ e. Jn 14, 23 ≠

---

1. * Les *SBO* comportent 2 autres citations de *Sagesse* identiques à celle-ci. *O quam pulchra est casta* est une variante que donnent beaucoup de manuscrits *Vg* et plusieurs pièces liturgiques. Dans ces 3 citations ainsi que dans une allusion, Bernard écrit *caritate* ; c'est une variante que l'on trouve dans quelques manuscrits *Vg* et chez quelques Pères, alors que la *Vg* ainsi que la liturgie actuelle ont *claritate.*

2. *Caelum mihi sedes est,* « Le ciel est mon trône. » On trouve la même leçon chez HILAIRE, *In Ps.* 126, 6 (*CSEL* 22, 617, l. 14) et chez

pour lune la foi, pour astres les vertus. Ou encore : pour soleil, le zèle en vue de la justice et la ferveur de la charité, et pour lune la continence. En effet, comme la clarté de la lune provient, dit-on, tout entière du soleil, ainsi, sans la charité et la justice, la continence n'a aucune valeur. D'où cette parole du Sage : « Qu'elle est belle, la génération qui est chaste et qui possède la charité[b1] ! » Par ailleurs, je ne regrette pas d'avoir identifié les vertus aux étoiles, quand je considère la convenance de la comparaison. Comme les étoiles brillent la nuit et s'effacent le jour, ainsi la véritable vertu, qui souvent n'apparaît pas dans la prospérité, éclate dans l'adversité. C'est prudence de cacher la vertu dans la prospérité ; c'est nécessité qu'elle paraisse dans l'adversité. La vertu est donc une étoile, et l'homme vertueux, un ciel. Mais quelqu'un pourrait penser, en lisant la parole de Dieu énoncée par le Prophète : « Le ciel est mon trône[c2] », qu'il faille l'entendre du ciel visible et périssable, et non pas de celui dont l'Écriture parle ailleurs plus clairement, lorsqu'elle dit : « L'âme du juste est le trône de la sagesse[3]. » Cependant, celui qui sait, par l'enseignement du Sauveur, que « Dieu est esprit et qu'il faut l'adorer en esprit[d] », n'hésite pas à lui attribuer également un trône spirituel. Pour moi, je l'affirmerai avec assurance, aussi bien de l'esprit du juste que de l'esprit des anges. Ce qui surtout me confirme dans cette interprétation, c'est la promesse du Fils : « Moi et le Père, nous viendrons à lui », c'est-à-dire chez le saint, « et nous ferons en lui notre demeure[e]. » Je pense que le Prophète lui aussi n'entendait pas parler d'un autre ciel, lorsqu'il disait : « Tu habites dans l'homme saint, toi,

IRÉNÉE, *Adv. haer.* 4, 2, 5 (*SC* 100, 406, l. 67). Voir p. 268, n. 2 sur *SCt* 25, 6.

3. « L'âme du juste est la demeure de la sagesse. » Voir AUGUSTIN, *Sermon* 200, 1 (*PL* 38, 1028). * Cf. p. 268, n. 2 sur *Sag.* 7, 26 (Patr.) cité en *SCt* 25, 6.

sancto habitas, laus Israel[f]. Manifeste autem Apostolus
30 dicit *habitare Christum per fidem in cordibus nostris*[g].

9. Nec mirum, si libenter inhabitat caelum hoc Dominus Iesus, quod utique, non quomodo ceteros, dixit tantum ut fieret[a], sed pugnavit ut acquireret, occubuit ut redimeret. Ideo et post laborem, voto potitus ait : *Haec requies*
5 *mea in saeculum saeculi, hic habitabo quoniam elegi eam*[b]. Et beata cui dicitur : *Veni electa mea, et ponam in te thronum meum. Quid* tu *tristis es* nunc, o *anima mea, et quare conturbas me*[c]? Putasne et tu penes te *invenias locum Domino*[d]? Et quis nobis in nobis locus
10 huic idoneus gloriae, sufficiens maiestati ? Utinam vel merear *adorare in loco ubi steterunt pedes eius*[e] ! Quis dabit mihi saltem vestigiis adhaerere sanctae cuiuspiam animae, *quam elegit in hereditatem sibi*[f]? Tamen si dignetur et meam infundere animam unctione miseri-
15 cordiae suae, atque ita *extendere sicut pellem*[g], quae utique cum ungitur dilatatur, quatenus et ego dicere valeam : *Viam mandatorum tuorum cucurri, cum dilatasti cor meum*[h], potero etiam fortassis ipse ostendere in meipso, etsi non *cenaculum grande stratum, ubi possit recumbere*
20 *cum discipulis suis*[i], attamen *ubi* saltem *reclinet caput*[j]. A longe suspicio illos certe beatos, de quibus dicitur : *Et inhabitabo in eis, et deambulabo in illis*[k].

f. Ps. 21, 4 g. Éphés. 3, 17 ≠

9. a. Cf. Ps. 32, 9; Ps. 148, 5 b. Ps. 131, 14 c. Ps. 41, 6 ≠ d. Ps. 131, 5 ≠ e. Ps. 131, 7 ≠ f. Ps. 32, 12 ≠ g. Ps. 103, 2 ≠ h. Ps. 118, 32 i. Mc 14, 15 ≠ j. Matth. 8, 20 ≠ k. II Cor. 6, 16 ≠

1. * C'est le répons *Veni electa,* au premier nocturne, pour une vierge non martyre.

la louange d'Israël[f].» L'Apôtre, de son côté, dit clairement que «le Christ habite par la foi dans nos cœurs[g]».

9. Rien d'étonnant si le Seigneur Jésus habite volontiers ce ciel. Car il n'a pas seulement prononcé une parole pour le faire exister[a], comme les autres cieux, mais il a combattu pour l'acquérir, il est mort pour le racheter. C'est pourquoi après sa peine, voyant ses vœux accomplis, il dit : «Voilà le lieu de mon repos dans les siècles des siècles ; j'en ferai ma demeure, car je l'ai choisie[b].» Heureuse l'âme à laquelle il dit : «Viens, mon élue, et je placerai en toi mon trône[1].» «Pourquoi es-tu triste maintenant, ô mon âme, et pourquoi me troubles-tu[c]?» Penses-tu que, toi aussi, «tu trouveras chez toi un lieu pour le Seigneur[d]»? Et quel lieu en nous serait-il digne d'une telle gloire, suffisant pour une telle majesté? Plaise à Dieu que je mérite au moins «d'adorer en un lieu où ses pieds se sont posés[e]»! Qui me donnera de suivre au moins les traces de quelque âme sainte, «qu'il s'est choisie pour héritage[f]»? Pourtant, s'il daignait répandre l'onction de sa miséricorde aussi sur mon âme, et la «déployer ainsi comme un pavillon de peaux[g]», qui se dilatent lorsqu'elles sont ointes, alors je pourrais dire à mon tour : «J'ai couru sur la voie de tes commandements, lorsque tu as dilaté mon cœur[h].» Et je pourrais peut-être lui montrer en moi-même, à défaut d'une «salle vaste et garnie où il puisse s'attabler avec ses disciples[i]», au moins un endroit «où reposer sa tête[j]». De loin, je regarde ces bienheureux dont il est dit : «J'habiterai en eux, et je marcherai au milieu d'eux[k 2].»

2. Cette citation de *II Cor.* 6, 16 se rapproche de la leçon d'AMBROISE, *In Ps. 118,* 10, 45 (*CSEL* 62, 230, l. 20) : *Inhabitabo in illis et deambulabo in ipsis.* Voir *SCt* 6, 6, l. 8-9 (*SC* 414, 146).

VI. Quibus oporteat carere animam, quibus abundare, uti caelum Dei fiat.

10. O quanta illi animae latitudo, quanta et meritorum praerogativa, quae divinam in se praesentiam et digna
189 invenitur suscipere, et sufficiens capere! Quid illa cui et spatiosa suppetunt deambulatoria ad opus quidem maies-
5 tatis? Non est profecto intricata forensibus causis curisve saecularibus, nec certe ventri et luxuriae dedita, sed nec curiosa spectandi, seu cupida omnino dominandi, vel etiam tumida dominatu. Oportet namque primo quidem his omnibus vacuam esse animam, ut caelum fiat atque
10 habitatio Dei. Alioquin quomodo poterit *vacare et videre, quoniam ipse est Deus*[a]? Sed et odio, sive invidiae aut rancori, minime prorsus indulgendum, *quoniam in malevolam animam non introibit sapientia*[b]. Deinde necesse est eam crescere ac dilatari, ut sit capax Dei. Porro latitudo
15 eius dilectio eius, sicut dicit Apostolus : *Dilatamini in caritate*[c]. Nam etsi anima minime, cum sit spiritus, corpoream recipit quantitatem, tamen confert illi gratia quod negatum est a natura. Crescit quidem et extenditur, sed spiritualiter; crescit non in substantia, sed in virtute; crescit
20 et in gloria; crescit denique et proficit *in virum perfectum, in mensuram aetatis plenitudinis Christi*[d] ; *crescit* etiam *in templum sanctum in Domino*[e]. Ergo quantitas cuiusque animae aestimetur de mensura caritatis quam habet, ut, verbi gratia, quae multum habet caritatis magna sit, quae
25 parum parva, quae vero nihil nihil, dicente Paulo : *Si caritatem non habuero, nihil sum*[f]. Quod si quantulam-

10. a. Ps. 45, 11 ≠ b. Sag. 1, 4 ≠ c. II Cor. 6, 13 ≠ d. Éphés. 4, 13 e. Éphés. 2, 21 f. I Cor. 13, 2 ≠

---

1. « Ni avide de dominer », *cupida dominandi* : TACITE, *Hist.* I, 10.
2. * Emploi unique. Cette citation ne se trouve nulle part ailleurs dans la *PL*.

VI. Ce dont l'âme doit s'abstenir, et ce qu'elle doit avoir en abondance, pour devenir le ciel de Dieu.

10. Ô quelle grandeur, et quelle prérogative de mérites, dans l'âme qui est reconnue digne de recevoir en soi la présence divine, et qui est capable de la comprendre! Que dire de celle qui dispose aussi de déambulatoires assez spacieux pour que la divine majesté y déploie son action? Une telle âme n'est certes pas empêtrée dans les affaires publiques ou les soucis du monde, ni esclave du ventre et de la luxure. Elle n'est pas non plus curieuse de tout voir ni avide de dominer[1], ni orgueilleuse de son pouvoir. Il faut d'abord que l'âme soit vide de tout cela, pour devenir un ciel et une demeure de Dieu. Sinon, comment «aurait-elle le loisir de voir qu'il est Dieu[a]»? Mais elle ne doit pas non plus avoir la moindre complaisance pour la haine, ni pour l'envie, ni pour la rancune, «car la sagesse n'entrera pas dans une âme malveillante[b]». Il faut encore qu'elle croisse et se dilate, pour être capable de Dieu. Or, sa grandeur c'est son amour, comme dit l'Apôtre: «Dilatez-vous dans la charité[c][2].» Bien que l'âme, en tant qu'esprit, ne comporte aucune dimension corporelle, néanmoins la grâce lui confère ce qui lui est refusé par la nature. Oui, l'âme croît et se déploie, mais de façon spirituelle. Elle croît non en substance, mais en vertu; elle croît aussi en gloire. Elle croît enfin et progresse «jusqu'à l'état d'homme parfait, à la taille du Christ dans sa plénitude[d]». «Elle croît également pour devenir un temple saint dans le Seigneur[e].» La grandeur de chaque âme sera donc appréciée à la mesure de la charité qu'elle possède. Ainsi, par exemple, celle qui a beaucoup de charité sera grande, et petite celle qui en a peu. Quant à celle qui n'en a point, elle ne sera rien, suivant la parole de Paul: «Si je n'ai pas la charité, je ne suis rien[f].» Et si une âme commence d'en

cumque habere coeperit, ut saltem diligentes se diligere curet, ac salutare vel fratres suos et eos qui se salutant[g], iam nihil quidem, non illam animam dixerim, quae *in* 30 *ratione dati et accepti*[h] socialem saltem retinet caritatem. Verumtamen, iuxta sermonem Domini, *quid amplius facit*[i]? Nec amplam proinde, nec magnam, sed plane angustam modicamque censuerim animam, quam tam modicae caritatis esse cognoverim.

11. At si grandescat et proficiat, ita ut transiens limitem angusti huius obnoxiique amoris, latos fines gratuitae bonitatis tota libertate spiritus apprehendat, quatenus largo 190 quodam gremio bonae voluntatis ad omnem seipsam curet 5 extendere proximum, diligendo unumquemque tamquam seipsam[a], numquid iam illi recte dicetur : *Quid amplius facis*[b]? Quippe quae seipsam tam amplam facit. Amplum, inquam, gerit caritatis sinum, quae complectitur universos, etiam quibus nulla se novit carnis necessitudine iunctam, 10 nulla spe percipiendi commodi cuiuscumque illectam, nulla percepti redhibitione obnoxiam, nullo denique omnino adstrictam debito nisi illo sane, de quo dicitur : *Nemini quidquam debeatis, nisi ut invicem diligatis*[c]. Verum si adicias etiam usquequaque vim facere regno[d] 15 caritatis, ut usque ad ultimos eius terminos occupare illud pius invasor praevaleas, dum ne inimicis quidem viscera claudenda[e] pietatis existimes, *benefacias his* quoque *qui te oderunt, ores et pro persequentibus ac calumniantibus te*[f], necnon et *cum his qui oderunt pacem esse pacificus*[g] 20 studeas, tunc prorsus latitudo caeli, latitudo tuae animae, et altitudo non dispar, sed nec dissimilis pulchritudo, impleturque tunc demum in ea quod dicitur : *Extendens caelum sicut pellem*[h] : in quo iam mirae latitudinis, alti-

g. Cf. Matth. 5, 46-47 h. Phil. 4, 15 i. Matth. 5, 47 ≠
11. a. Cf. Matth. 19, 19 b. Matth. 5, 47 ≠ c. Rom. 13, 8
d. Cf. Matth. 11, 12 e. Cf. I Jn 3, 17 f. Matth. 5, 44 ≠
g. Ps. 119, 7 ≠ h. Ps. 103, 2

avoir tant soit peu, si bien qu'elle tâche au moins d'aimer ceux qui l'aiment, et de saluer ses frères et ceux qui la saluent[g], je ne dirai plus que cette âme n'est rien. Car elle possède au moins la charité sociale « dans un compte de doit et avoir[h] ». Cependant, selon la parole du Seigneur, « que fait-elle d'extraordinaire[i] ? » Cette âme d'une charité si mesquine, je ne l'estimerai ni grande ni magnanime, mais franchement étriquée et mesquine.

11. Mais supposons qu'elle grandisse et progresse, dépassant les limites de cet amour étriqué et légaliste jusqu'à embrasser les larges espaces de la bonté gratuite avec une entière liberté spirituelle. Alors, si elle tâche de s'étendre à tout prochain en l'accueillant largement au sein de son amour, aimant tout prochain comme elle-même[a], aura-t-on encore le droit de lui dire : « Que fais-tu d'extraordinaire[b] ? » Car elle a pris une telle ampleur ! Oui, elle a vraiment élargi le sein de sa charité, l'âme qui embrasse tout le monde, même ceux à qui elle n'est liée par aucune parenté charnelle, par aucun espoir d'en tirer un avantage quelconque, par aucune obligation de leur rendre un bienfait reçu. Bref, elle n'y est tenue par aucune dette, sinon par celle dont il est écrit : « N'ayez aucune dette envers personne, sauf celle de l'amour mutuel[c]. » Mais tu peux continuer à faire violence jusqu'au bout au royaume[d] de la charité, pour l'occuper, pieux envahisseur, jusqu'à ses derniers confins. Alors, tu penseras qu'il ne faut pas fermer les entrailles[e] de ta miséricorde même à tes ennemis ; « tu feras du bien à ceux-là mêmes qui te haïssent ; tu prieras aussi pour ceux qui te persécutent et te calomnient[f] », et tu t'efforceras « d'être pacifique même avec ceux qui haïssent la paix[g] ». A ce moment-là, ton âme aura l'ampleur du ciel, mais elle en aura aussi la hauteur et la beauté. C'est alors que s'accomplit en elle cette parole : « Il déploie le ciel comme un pavillon[h]. » Dans ce ciel admirable d'am-

tudinis ac pulchritudinis caelo, summus et immensus, atque
25 gloriosus, non modo dignanter habitat, sed et spatiose
deambulat.

VII. Quod in hoc caelo sunt caeli et qui illi, et de sponsae deiectione vel celsitudine.

12. Videsne quales in se habeat Ecclesia caelos, cum
sit nihilominus ipsa, in sua quidem universitate, ingens
quoddam caelum, extentum *a mari usque ad mare, et a
flumine usque ad terminos orbis terrarum*[a]? Vide etiam
5 consequenter, cui in hoc ipso assimiles eam, si tamen
non tibi excidit illud, quod paulo ante memoratum est,
huius rei exemplar, de caelo videlicet caeli, et caelis caelorum. Ergo, exemplo *illius quae sursum est mater nostra*[b],
haec quoque, quae adhuc peregrinatur[c], habet caelos
10 suos, homines spirituales, vita et opinione conspicuos,
fide puros, spe firmos, latos caritate, contemplatione suspensos. Et hi pluentes pluviam verbi salutarem, tonant
increpationibus, coruscant[d] miraculis. Hi *enarrant gloriam
Dei*[e], hi *extenti sicut pelles*[f] super omnem terram, *legem*
191 15 *vitae et disciplinae*[g] *digito* quidem *Dei scriptam*[h] in semetipsis ostendunt, *ad dandam scientiam salutis plebi eius*[i].
Ostendunt et *Evangelium pacis*[j], quoniam Salomonis sunt
pelles.

13. Agnosce in his iam pellibus supernarum illarum
imaginem, quae in sponsi ornatu non longe superius de-
scribebantur. Agnosce similiter et *reginam astantem a
dextris eius*[a], circumamictam similibus ornamentis, non
5 tamen paribus[b]. Nam etsi huic etiam *in loco peregrina-*

12. a. Ps. 71, 8 b. Gal. 4, 26 ≠ c. Cf. II Cor. 5, 6 d. Cf. Ps. 103, 7; Sag. 16, 22 e. Ps. 18, 1 f. Ps. 103, 2 ≠ g. Sir. 45, 6 h. Ex. 31, 18 ≠ i. Lc 1, 77 j. Éphés. 6, 15
13. a. Ps. 44, 10 ≠ b. Cf. Ps. 44, 15

pleur, de hauteur et de beauté, Celui qui est très-haut, immense et glorieux non seulement se plaît à habiter, mais peut aussi se promener à son aise.

VII. Ce ciel en contient d'autres : quels sont-ils. Bassesse et élévation de l'épouse.

12. Vois-tu quels cieux l'Église a en elle? Car elle-même, dans son universalité, est une sorte de ciel immense, déployé «d'une mer à l'autre, et du fleuve jusqu'aux extrémités de la terre[a]». Vois aussi, par conséquent, à quoi tu peux la comparer en ce point, si toutefois tu n'as pas oublié son modèle que j'évoquais tout à l'heure, quand je décrivais le ciel du ciel et les cieux des cieux. Donc, à l'exemple de l'Église «d'en haut, notre mère[b]», celle qui est encore en exil[c] a ses cieux, les hommes spirituels[1], illustres par leur vie et leur renom, intègres dans la foi, fermes dans l'espérance, généreux dans la charité, élevés par la contemplation. Leur parole se répand comme une pluie salutaire; leurs avertissements retentissent comme le tonnerre; leurs miracles brillent[d] comme l'éclair. «Ils proclament la gloire de Dieu[e]»; «ils sont déployés comme des pavillons[f]» sur toute la terre; ils montrent «la loi de vie et de sagesse[g]» «écrite en eux-mêmes par le doigt de Dieu[h]», «pour donner à son peuple la connaissance du salut[i]». Ils montrent aussi «l'Évangile de paix[j]», puisqu'ils sont les pavillons de Salomon.

13. Reconnais maintenant dans ces pavillons l'image des pavillons célestes, que je décrivais un peu plus haut dans la parure de l'Époux. Reconnais pareillement «la reine qui se tient à sa droite[a]», enveloppée d'ornements semblables, mais non identiques[b]. Bien qu'elle n'ait pas peu de lumière et de beauté, «par les splendeurs de ses

1. «Les hommes spirituels». On peut se rappeler toutes les figures évoquées au *SCt* 12, 2-5 (*SC* 414, 256-265).

tionis suae[c], et *in die virtutis suae, in splendoribus sanctorum*[d], non minima claritatis atque decoris est portio, differenter tamen illum coronat integritas et consummatio gloriae beatorum. Quamquam et sponsam dixerim per-
10 fectam atque beatam, sed ex parte. Nam ex parte tabernaculum Cedar; formosa tamen, sive in illa portione sui, quae iam beata regnat, sive etiam in illustribus viris, quorum, et in hac nocte sua, sapientia atque virtutibus, tamquam caelum suis sideribus, adornatur. Unde Pro-
15 pheta : *Qui docti,* inquit, *fuerint, fulgebunt quasi splendor firmamenti; et qui ad iustitiam erudiunt multos, quasi stellae in perpetuas aeternitates*[e].

14. O humilitas! o sublimitas! Et tabernaculum Cedar, et sanctuarium Dei; et terrenum habitaculum[a], et caeleste palatium; et *domus lutea*[b], et aula regia; et *corpus mortis*[c] et templum lucis; et *despectio* denique *superbis*[d], et sponsa
5 Christi. *Nigra est, sed formosa, filiae Ierusalem*[e] : quam etsi *labor et dolor*[f] longi exsilii decolorat, species tamen caelestis exornat, exornant pelles Salomonis. Si horretis nigram, miramini et formosam; si despicitis humilem, sublimem suspicite. Hoc ipsum quam cautum, quam
10 plenum consilii, plenum discretionis et congruentiae est, quod in sponsa deiectio ista, et ista celsitudo, secundum tempus quidem, ea moderatione sibi pariter contemperantur, ut inter mundi huius varietates et sublimitas erigat humilem, ne deficiat in adversis, et sublimem humilitas
15 reprimat, ne evanescat in prosperis! Pulchre omnino ambae res, cum ad invicem contrariae sint, sponsae tamen pariter *cooperantur in bonum*[g], subserviunt in salutem.

c. Ps. 118, 54 ≠ d. Ps. 109, 3 ≠ e. Dan. 12, 3

14. a. Cf. Sag. 9, 15 b. Job 4, 19 ≠ c. Rom. 7, 24 ≠ d. Ps. 122, 4 ≠ e. Cant. 1, 4 ≠ f. Ps. 89, 10 g. Rom. 8, 28

1. « Au milieu des vicissitudes de ce monde ». Collecte du 4e dimanche après Pâques.

saints[d]», même «sur cette terre de son exil[c]», et «au jour de son épreuve[d]», cependant la gloire des bienheureux, dans sa plénitude achevée, couronne l'Époux d'une tout autre manière. Je dirai néanmoins que l'épouse aussi est parfaite et bienheureuse, mais en partie seulement. Car elle est en partie une tente de Cédar. Elle est belle pourtant, soit dans cette part d'elle-même qui déjà règne dans la béatitude, soit aussi dans ces hommes illustres qui, même dans cette nuit terrestre, la rehaussent de leur sagesse et de leurs vertus, comme les étoiles rehaussent le ciel. D'où cette parole du Prophète : «Ceux qui auront eu la science, brilleront comme la splendeur du firmament; et ceux qui enseignent la justice à la multitude seront comme des étoiles dans les éternités sans fin[e].»

14. Ô humilité! Ô sublimité! A la fois tente de Cédar et sanctuaire de Dieu, demeure terrestre[a] et palais céleste, «maison d'argile[b]» et salle royale, «corps de mort[c]» et temple de lumière, enfin «rebut pour les superbes[d]» et épouse du Christ. «Elle est noire, et pourtant belle, filles de Jérusalem[e].» Même si «la peine et la douleur[f]» d'un long exil la ternissent, néanmoins une beauté céleste la rehausse, les pavillons de Salomon l'embellissent. Si vous êtes rebutés par sa noirceur, admirez sa beauté; si vous méprisez son humble apparence, levez les yeux vers sa sublimité. Quelle prévoyance, quelle plénitude de sagesse, de discernement et d'à-propos en tout ceci : chez l'épouse, la bassesse et l'élévation, selon les moments, se tempèrent l'une l'autre dans un parfait équilibre. Ainsi, au milieu des vicissitudes de ce monde[1], la sublimité relève l'humilité, pour que celle-ci ne défaille pas dans l'adversité; et l'humilité modère la sublimité, pour que celle-ci ne disparaisse pas dans la prospérité. Avec bonheur l'une et l'autre, bien que contraires entre elles, «coopèrent pourtant toutes deux au bien[g]» de l'épouse, et se mettent au service de son salut.

15. Et haec pro eo quod sponsa videtur de pellibus Salomonis inducere similitudinem. Restat tamen aperiendus 192 ille super eodem capitulo sensus, quem in principio commemoravi et promisi, qualiter videlicet tota ad solam nigre- 5 dinem similitudo referatur : qua quidem non estis promissione fraudandi. Ceterum id differendum in aliud sermonis principium : tum quia hoc iam huius flagitat longitudo, tum etiam ut praeveniat ex more oratio ea quae in laudem et gloriam sunt reseranda sponsi Ecclesiae, Iesu 10 Christi Domini nostri, *qui est benedictus Deus in saecula. Amen*[a].

15. a. Rom. 9, 5 ≠

15. Voilà pour la comparaison que l'épouse semble tirer des pavillons de Salomon. Il reste cependant à expliquer l'autre sens de ce même passage, celui que j'ai mentionné et annoncé au début : comment toute la comparaison peut se rapporter à la seule noirceur. Certes, il ne faut pas que vous soyez frustrés de cette promesse. Mais nous devons remettre ce point au début d'un autre sermon. Car la longueur de celui-ci l'exige. Ainsi la prière pourra précéder, comme d'habitude, ce qu'il me faut encore dévoiler à la louange et à la gloire de Jésus-Christ notre Seigneur, l'Époux de l'Église, « qui est Dieu béni dans les siècles. Amen[a] ».

SERMO XXVIII

I. Quomodo nigra sit sponsa sicut pellis Salomonis, et quae pellis huius nigredo. – II. Quod Christus ex visu et facie reputatus sit niger, sed ex auditu et voce speciosus; et de auditu vel visu. – III. Quomodo in animae profectu auditus visum praecedat. – IV. Quod fides rationem, sensum et experientiam transcendat, et quomodo tangendus sit Christus. – V. Qua prudentia decorem Salomonis sub nigris pellibus sponsa deprehendit, et de trina nigredine. – VI. Quadrupliciter quomodo sponsam decoloraverit sol.

I. Quomodo nigra sit sponsa sicut pellis Salomonis, et quae pellis huius nigredo.

1. Tenetis, credo, cuius et quibus Salomonis pellibus[a] decorem sponsae sentiam comparatum, si tamen ad ostensionem commendationemque referatur decoris data ex his similitudo. At si ad nigredinem magis referenda putetur, 5 reducendae ad memoriam illae, quibus olim Salomon tabernaculum operuit[b]. Erant procul dubio nigrae, quotidiano expositae soli, quotidianarum iniuriis pluviarum. 193 Neque id frustra, sed ut is qui intus repositus erat ornatus, nitidior servaretur. Hoc exemplo sponsa non negat nigre- 10 dinem, sed excusat; nec probro ducit qualemcumque habitum, quem caritas formet, iudicium veritatis non improbet. Denique *quis infirmatur, cum quo non infirmetur? Quis scandalizatur, et non uritur*[c]? Induit se com-

1. a. Cf. Cant. 1, 4 b. Cf. II Chr. 3, 14 c. II Cor. 11, 29 ≠

SERMON 28

I. De quelle manière l'épouse est noire comme le pavillon de Salomon. Quelle est la noirceur de ce pavillon. – II. Le Christ paraît noir à la vue par son visage, mais il paraît beau à l'ouïe par sa voix. L'ouïe et la vue. – III. L'ouïe précède la vue dans une âme qui progresse. – IV. La foi dépasse la raison, les sens et l'expérience. Comment il faut toucher le Christ. – V. Avec quelle perspicacité l'épouse découvre la beauté de Salomon sous les noirs pavillons. Les trois noirceurs. – VI. Le soleil a terni l'épouse de quatre manières.

I. De quelle manière l'épouse est noire comme le pavillon de Salomon. Quelle est la noirceur de ce pavillon.

1. Vous vous rappelez, je pense, quels sont à mon sens les pavillons de Salomon[a] comparés à la beauté de l'épouse, et de quel Salomon il s'agit; si du moins cette comparaison se rapporte à la manifestation et à la louange de la beauté. En revanche, si l'on estime qu'elle doive plutôt se rapporter à la noirceur, il faut rappeler à la mémoire les pavillons de peaux dont Salomon recouvrit jadis le tabernacle[b]. Ils étaient sans doute noirs, exposés chaque jour au soleil et à l'injure des pluies. Ce n'était pas inutile, car ils devaient conserver dans tout leur éclat les parures qui se trouvaient à l'intérieur. Suivant cet exemple, l'épouse ne nie pas sa noirceur, mais l'excuse. Elle ne regarde comme honteux aucun état que la charité inspire et qu'un jugement véridique approuve. En effet, «qui est faible, qu'elle ne soit faible aussi? Qui vient à tomber, qu'un feu ne la brûle[c]?» Elle prend sur elle la

passionis naevum, ut morbum in altero passionis levet
15 vel sanet : nigrescit candoris zelo, lucro pulchritudinis.

2. Multos candidos facit unius denigratio, non cum tingitur culpa, sed cum cura afficitur. *Expedit,* inquit, *ut unus moriatur homo pro populo, et non tota gens pereat*[a] : expedit ut unus pro omnibus denigretur *similitudine carnis*
5 *peccati*[b], et non tota gens nigredine condemnetur peccati, *splendor et figura substantiae*[c] Dei obnubiletur in *forma servi*[d] pro vita servi, *candor* vitae *aeternae*[e] nigrescat in carne pro carne purganda, *speciosus forma prae filiis hominum*[f] pro filiis hominum illuminandis obscuretur in
10 passione, turpetur in cruce, palleat in morte : ex toto *non sit ei species neque decor*[g], ut sibi speciosam atque decoram acquirat sponsam Ecclesiam sine macula et sine ruga[h]. Agnosco pellem Salomonis, immo ipsum in pelle nigra Salomonem amplector. Habet et Salomon nigre-
15 dinem, sed in pelle : foris niger, in cute niger, non intus. Alioquin *omnis gloria eius filiae regis ab intus*[i]. Intus divinitatis candor, decor virtutum, splendor gratiae, innocentiae puritas; sed tegit haec despicabilior infirmitatis color, *et quasi absconditus vultus eius et despectus*[j], dum *tentatur*
20 *per omnia pro similitudine absque peccato*[k]. Agnosco denigratae formam naturae; agnosco *tunicas* illas *pelliceas*[l], protoplastorum peccantium habitum. Denique semetipsum

2. a. Jn 11, 50 ≠ b. Rom. 8, 3 ≠ c. Hébr. 1, 3 ≠ d. Phil. 2, 7 ≠ e. Sag. 7, 26 (Patr.) f. Ps. 44, 3 g. Is. 53, 2 ≠ h. Cf. Éphés. 5, 27 i. Ps. 44, 14 j. Is. 53, 3 k. Hébr. 4, 15 ≠ l. Gen. 3, 21 ≠

---

1. * Cf. p. 76, n. 1 sur *Sag.* 7, 26 (Patr.) cité en *SCt* 17, 3.

2. *Tunicas illas pelliceas,* « les tuniques de peau ». Voir AUGUSTIN, *Conf.* VII, 18, 24 : « en voyant... la divinité affaiblie qui prend en partage notre tunique de peau » (*CCL* 27, 108, l. 15-16); *Enarr. in Ps.* 103 1, 8 (*CCL* 40, 1480, l. 13); BERNARD, *Par* 7 (*SBO* VI-2, 300, l. 3).

tache de la compassion, pour soulager ou guérir dans un autre la maladie dont il souffre. Elle devient noire par amour de la blancheur, et pour gagner la beauté.

2. Un seul devient noir – non par une faute qui l'aurait terni, mais par la sollicitude qui le tient – et beaucoup, grâce à lui, recouvrent la blancheur. « Il vaut mieux qu'un seul homme meure pour le peuple et que la nation ne périsse pas tout entière[a]. » Il vaut mieux qu'un seul, pour le salut de tous, devienne noir dans « une chair semblable à celle du péché[b] », et que la nation ne soit pas tout entière condamnée pour la noirceur de son péché. Ainsi, « l'image resplendissante de la substance[c] » de Dieu se voilera en prenant « la condition d'esclave[d] », pour sauver la vie à l'esclave. « La blancheur éclatante de la vie éternelle[e 1] » deviendra noire dans la chair pour purifier cette chair. « Le plus beau parmi les enfants des hommes[f] » se ternira dans la Passion pour illuminer les enfants des hommes ; il sera défiguré sur la croix et pâlira dans la mort. « Il se dépouillera de toute splendeur et de toute beauté[g] », pour s'acquérir comme épouse belle et resplendissante une Église sans tache ni ride[h]. Je reconnais le pavillon de Salomon, bien plus, j'embrasse Salomon lui-même sous ce pavillon noir. Salomon aussi a sa noirceur, mais seulement sur son pavillon : il est noir à l'extérieur, noir de peau, et non pas à l'intérieur. Car « toute la gloire de la fille du roi est intérieure[i]. » A l'intérieur, il y a la blancheur éclatante de la divinité, la beauté des vertus, la splendeur de la grâce, la pureté de l'innocence. Mais la très laide couleur de la faiblesse recouvre tout cela ; « et son visage est comme caché et enlaidi[j] », aussi longtemps « qu'il est tenté en toutes choses à notre ressemblance, sans pécher[k] ». Je reconnais la condition de la nature devenue noire ; je reconnais « les tuniques de peau[l 2] », l'aspect de nos premiers parents après le péché. Car il a voulu devenir noir lui-même,

denigravit *formam servi accipiens, in similitudinem hominum factus et habitu inventus ut homo*[m]. Agnosco
25 sub pelle haedi, qui peccatum significat, et manum quae *peccatum non fecit,* et collum[n] per quod mali cogitatio non transivit; ideoque *non inventus est dolus in ore eius*[o]. Novi quod sis lenis natura, *mitis et humilis corde*[p], blandus
194 aspectu, suavis spiritu : et quidem *unctus oleo laetitiae*
30 *prae consortibus tuis*[q]. Unde nunc ad instar Esau pilosus et hispidus[r]? Cuiusnam rugosa et tetra imago haec, et unde hi pili? Mei sunt : nam *pilosae manus similitudinem exprimunt* peccatoris[s]. Meos agnosco hos pilos : *et in pelle mea videbo Deum Salvatorem meum*[t].

3. Non tamen Rebecca sic illum induit, sed Maria, tanto digniorem qui benedictionem acciperet, quanto sanctior quae peperit. Et bene in meo habitu, quia mihi benedictio vindicatur, mihi postulatur hereditas. Siquidem
5 audierat : *Postula a me, et dabo tibi gentes hereditatem tuam, et possessionem tuam terminos terrae*[a]. Tuam, inquit, hereditatem tuamque possessionem dabo tibi. Quomodo dabis ei, si sua est? Et quomodo suam mones ut postulet? Aut quomodo sua, si necesse habet ut postulet?
10 Mihi proinde postulat, qui meam ad hoc induit formam, ut suscipiat causam. Quippe *disciplina pacis nostrae super eum*[b], dicente Propheta : *Et Dominus in eo posuit ini-*

m. Phil. 2, 7 n. Cf. Gen. 27, 16 o. I Pierre 2, 22 ≠ p. Matth. 11, 29 ≠ q. Ps. 44, 8 ≠ r. Cf. Gen. 27, 11; Gen. 25, 25 s. Gen. 27, 23 ≠ t. Job 19, 26 (Lit.)
3. a. Ps. 2, 8 b. Is. 53, 5

1. *Meos agnosco hos pilos,* « Je reconnais que ces poils sont les miens. » Allusion manifeste au récit de Jacob qui vola la bénédiction de son frère Ésaü en se couvrant les mains par la peau des chevreaux pour qu'elles soient aussi velues que celles d'Ésaü.

2. * Bernard cite 2 fois cette partie d'un verset de *Job,* les 2 fois en

« prenant la condition d'esclave, devenant semblable aux hommes et, par son aspect, il fut reconnu comme un homme[m] ». Sous la peau du chevreau, qui représente le péché, je reconnais la main qui « n'a pas commis de péché », et le cou[n] par où n'est passée aucune pensée mauvaise. C'est pourquoi « il ne s'est pas trouvé de fraude dans sa bouche[o] ». Je sais que tu es de nature bienveillante, « doux et humble de cœur[p] », d'aspect attrayant, d'esprit aimable : oui, « tu as été oint d'une huile d'allégresse de préférence à tes compagnons[q] ». Pourquoi es-tu maintenant velu et hirsute comme Ésaü[r]? De qui est cette figure ridée et laide, et d'où viennent ces poils? Ce sont les miens : car « les mains velues expriment ta ressemblance[s] » avec l'homme pécheur. Je reconnais que ces poils sont les miens[1] : « Et je verrai revêtu de ma peau Dieu mon Sauveur[t] [2]. »

3. Pourtant, ce n'est pas Rébecca, mais Marie qui l'a ainsi revêtu. Il est d'autant plus digne de recevoir la bénédiction qu'est plus sainte celle qui l'a enfanté. Et c'est à juste titre qu'il a pris mon aspect, car c'est pour moi qu'est réclamée la bénédiction, demandé l'héritage. En effet, il avait entendu ces paroles : « Demande-moi, et je te donnerai les nations qui sont ton héritage, et les extrémités de la terre qui sont ta propriété[a]. » Je te donnerai, dit-il, ton héritage et ta propriété. Comment les lui donneras-tu, s'ils sont déjà à lui? Et comment l'engages-tu à demander ce qui est sien? Ou comment est-ce sien, s'il faut qu'il le demande? C'est pour moi qu'il le demande, lui qui a assumé ma condition pour plaider ma cause. Car « le châtiment qui nous rend la paix était sur lui[b] », selon cette parole du Prophète : « Le Seigneur a fait

ajoutant *Salvatorem,* avec le répons *Credo quod Redemptor* des matines de l'office des défunts.

quitatem omnium nostrum[c]; *unde debuit fratribus per omnia similari,* sicut ait Apostolus, *ut misericors fieret*[d].

II. Quod Christus ex visu et facie reputatus sit niger, sed ex auditu et voce speciosus; et de auditu vel visu.

15 Propterea *vox quidem vox Iacob, manus autem manus sunt Esau*[e]. Suum est quod auditur ex eo; quod in eo videtur, nostrum. Quod loquitur, *spiritus et vita*[f]; quod apparet, mortale et mors. Aliud cernitur, et aliud creditur. Nigrum sensus renuntiat, fides candidum et formosum 20 probat. Niger est, sed *oculis insipientium*[g] : nam fidelium mentibus formosus valde. Niger est, sed formosus : niger reputatione Herodis, formosus confessione latronis, centurionis fide.

4. Quam formosum adverterat qui exclamavit : *Vere homo hic filius Dei erat*[a]! Sed in quo advertit advertendum. Si enim attenderet quod apparebat, quomodo formosus, quomodo Filius Dei? Quid, nisi deforme et 5 nigrum oculis spectantium occurrebat, cum expansis in cruce manibus, medius duorum nequam, risum malig- 195 nantibus daret, fletum fidelibus? Et solus erat risui, qui solus poterat esse terrori, solus honorari debuerat. Unde igitur advertit pulchritudinem Crucifixi, et quod is sit Filius 10 Dei, qui *cum iniquis reputatus est*[b]? Respondere ad id aliquid nostrum nec fas, nec opus est; nec enim Evangelistae hoc diligentia praeterivit. Sic enim habes : *Videns autem centurio qui ex adverso stabat, quia sic clamans*

c. Is. 53, 6 ≠ d. Hébr. 2, 17 ≠ e. Gen. 27, 22 (Patr.) f. Jn 6, 64 g. Sag. 3, 2
4. a. Mc 15, 39 b. Mc 15, 28

1. * Ici et dans *SCt* 28, 7, l. 20-21, seules occurrences, Bernard suit un texte *Vl* avec *manus autem* à la place de *sed manus* – équivalent banal. On trouve *manus autem* chez Hilaire, Ambroise et Jérôme, une fois chacun.

retomber sur lui la perversité de nous tous[c]. » « Aussi devait-il en toutes choses se faire semblable à ses frères, comme dit l'Apôtre, pour devenir miséricordieux[d]. »

II. Le Christ paraît noir à la vue par son visage, mais il paraît beau à l'ouïe par sa voix. L'ouïe et la vue.

C'est pourquoi « la voix est bien la voix de Jacob, mais les mains sont les mains d'Ésaü[e 1] ». Ce que l'on entend de sa bouche est à lui ; ce que l'on voit en lui est à nous. Ses paroles sont « esprit et vie[f] » ; son aspect est périssable, marqué par la mort. Autre est ce que l'on perçoit, autre ce que l'on croit. Les sens déclarent qu'il est noir ; la foi atteste qu'il est blanc et beau. Il est noir, mais « aux yeux des insensés[g] » ; car pour l'esprit des fidèles il est très beau. Il est noir, et pourtant beau : noir dans l'opinion d'Hérode, beau selon la confession du larron, selon la foi du centurion.

4. Il dut le voir très beau celui qui s'écria : « Vraiment, cet homme était le Fils de Dieu[a] ! » Mais il faut regarder ce qu'il regardait. S'il avait prêté attention à l'apparence, comment l'aurait-il vu beau, comment aurait-il vu en lui le Fils de Dieu ? Qu'est-ce qui s'offrait aux yeux des assistants, sinon un être laid et noir lorsque, les bras étendus sur la croix, entre deux vauriens, il suscitait la risée des méchants, les pleurs des fidèles ? Et lui seul était objet de risée, lui qui seul aurait pu inspirer la crainte, qui seul aurait dû être honoré. Comment le centurion voit-il la beauté du Crucifié, et reconnaît-il qu'il est le Fils de Dieu, cet homme « compté au nombre des criminels[b] » ? Il ne nous est ni permis ni nécessaire de répondre à cette question. L'Évangéliste a pris soin de le faire. Voici en effet ses paroles : « Le centurion qui se tenait en face de lui, voyant qu'il avait expiré en criant ainsi, dit :

exspirasset, ait : Vere hic homo Filius Dei erat[c]. Ergo ad
15 vocem credidit, ex voce agnovit Filium Dei, et non ex facie. Erat enim fortassis ex ovibus eius[d], de quibus ait : *Oves meae vocem meam audiunt*[e].

5. Auditus invenit quod non visus. Oculum species fefellit, auri veritas se infudit. Oculus pronuntiabat infirmum, oculus foedum, oculus miserum, oculus *morte turpissima condemnatum*[a] : auri Dei Filius, auri formosus
5 innotuit, sed non Iudaeorum, quia erant *incircumcisi auribus*[b]. Merito Petrus abscidit auriculam servi[c], ut viam faceret veritati et *veritas liberaret eum*[d], id est libertum faceret. Erat ille Centurio incircumcisus, sed non aure, qui ad unam exspirantis vocem sub tot infirmitatis indiciis
10 Dominum maiestatis agnovit[e]. Ideoque non despexit quod vidit, quia credidit quod non vidit. Non autem credidit ex eo quod vidit, sed ex eo procul dubio quod audivit, quia *fides ex auditu*[f]. Dignum quidem fuerat per superiorum oculorum fenestras veritatem intrare ad animam;
15 sed hoc nobis, o anima, servatur in posterum, cum *videbimus facie ad faciem*[g]. Nunc autem unde irrepsit morbus, inde remedium intret, et per eadem sequatur vestigia vita mortem[h], tenebras lux, venenum serpentis antidotum veritatis, et sanet oculum qui turbatus est[i], ut serenus videat
20 quem turbatus non potest. Auris prima mortis ianua, prima

c. Mc 15, 39 ≠ d. Cf. Jn 10, 26 e. Jn 10, 27
5. a. Sag. 2, 20 ≠ b. Act. 7, 51 ≠ c. Cf. Jn 18, 10 d. Jn 8, 32 ≠ e. Cf. Matth. 27, 54 f. Rom. 10, 17 g. I Cor. 13, 12 ≠; cf. I Jn 3, 2 h. Cf. Jér. 9, 21 (Patr.) i. Cf. Ps. 6, 8

1. « L'ouïe a découvert ce qui avait échappé à la vue. » Cette phrase introduit le sujet des §§ 5-8. C'est par l'écoute que l'on parvient à la foi (*Rom.* 10, 17).

2. « Par les fenêtres des yeux ». Cf. CICÉRON, *Disp. Tuscul.* I, 20. Voir aussi *SCt* 24, 3, l. 20, p. 244.

3. « Le remède doit entrer par où s'est infiltrée la maladie. » Le serpent

Vraiment cet homme était le Fils de Dieu[c].» C'est donc à la voix qu'il crut, à la voix qu'il reconnut le Fils de Dieu, et non au visage. Peut-être était-il du nombre de ses brebis[d], dont le Seigneur dit : «Mes brebis écoutent ma voix[e].»

5. L'ouïe a découvert ce qui avait échappé à la vue[1]. L'apparence a trompé les yeux; la vérité a pénétré par les oreilles. Les yeux le disaient faible, repoussant, misérable, «condamné à une mort infâme[a]». Aux oreilles, il se révéla beau, Fils de Dieu; mais non aux oreilles des juifs, car ils avaient «les oreilles incirconcises[b]». A juste titre Pierre trancha l'oreille du serviteur[c], pour ouvrir une voie à la vérité et pour que «la vérité le libère[d]», faisant de lui un homme libre. Le centurion était incirconcis, mais non d'oreilles, puisqu'à la seule voix du mourant il reconnut le Seigneur de majesté[e] en dépit de tant de signes de faiblesse. Aussi ne méprisa-t-il pas ce qu'il vit, parce qu'il crut ce qu'il ne vit pas. Et il ne crut pas d'après ce qu'il vit mais, sans aucun doute, d'après ce qu'il entendit, parce que «la foi naît de l'écoute[f].» Il eût certes été digne de la vérité d'entrer dans l'âme par les fenêtres des yeux, le sens le plus élevé[2]. Mais cela, ô mon âme, nous est réservé pour plus tard, lorsque «nous verrons face à face[g]». Maintenant, le remède doit entrer par où s'est infiltrée la maladie[3]. En suivant les mêmes traces, la vie doit succéder à la mort[h 4], la lumière aux ténèbres, l'antidote de la vérité au venin du serpent. Ainsi, la vérité guérira l'œil troublé[i], et l'œil redevenu limpide verra celui qu'il ne peut voir dans son trouble. L'oreille

a inoculé son venin par l'oreille *(ad auriculum)*: *Par* 7 (*SBO* VI-2, 299, l. 14); l'antidote doit pénétrer par la même voie.

4. * Cf. *SCt* 24, 3, p. 245, n. 2 sur *Jér.* 9, 21 (Patr.). Bernard a fait de nombreuses allusions à ce verset de *Jérémie,* dont certaines très amenuisées.

aperiatur et vitae; auditus, qui tulit, reparet visum: quoniam *nisi crediderimus, non intelligemus*[j]. Ergo auditus ad meritum, visus ad praemium. Unde Propheta: *Auditui meo,* inquit, *dabis gaudium et laetitiam*[k], quod fidelis 25 retributio auditionis beata visio sit, et beatae meritum visionis fidelis auditio. *Beati* autem *mundo corde, quoniam* 196 *ipsi Deum videbunt*[l]. Porro fide oportet mundari oculum qui videat Deum, quemadmodum habes: *Fide mundans corda eorum*[m].

III. Quomodo in animae profectu auditus visum praecedat.

6. Interim ergo, dum necdum paratus est visus, auditus excitetur, auditus exercitetur, auditus excipiat veritatem. Felix, cui Veritas attestatur, dicens: *In auditu auris oboedivit mihi*[a]. Dignus qui videam, si priusquam videam 5 oboedisse inveniar: securus videbo, ad quem meae oboedientiae munus praecesserit. Quam beatus qui ait: *Dominus Deus aperuit mihi aurem, et ego non contradico, retrorsum non abii*[b]! Ubi et voluntariae habes oboedientiae formam, et longanimitatis exemplum. Qui enim non 10 contradicit, spontaneus est; et qui retro non abiit, perseverat[c]. Utrumque necessarium, quoniam *hilarem datorem diligit Deus*[d], et *qui perseveraverit usque in finem, hic salvus erit*[e]. Utinam et mihi aperiat aurem Dominus,

j. Is. 7, 9 (Patr.) k. Ps. 50, 10 l. Matth. 5, 8 m. Act. 15, 9 (Patr.)
6. a. Ps. 17, 45 b. Is. 50, 5 ≠ c. Cf. Jn 6, 67 d. II Cor. 9, 7 e. Matth. 10, 22 ≠

1. * Alors que *Vg* écrit: *Si non... permanebitis...*, «Si vous ne croyez pas, vous ne subsisterez pas», Augustin avait répété, 40 fois environ, ce verset ainsi: *Nisi credideritis, non intelligetis,* «... vous ne comprendrez pas», et Anselme venait de rendre célèbre sa formule: *Nisi credidero, non intelligam,* «Si je...» (*Proslogion* 1, 1; cf. *SC* 425, 268,

a été la première porte de la mort : qu'elle s'ouvre aussi la première à la vie. Que l'ouïe, qui ôta la vue, la rétablisse : car, «si nous ne croyons pas, nous ne comprendrons pas[j 1]». L'ouïe est donc ordonnée au mérite, la vue à la récompense. D'où cette parole du Prophète : «Tu donneras à mon oreille la joie et l'allégresse[k].» En effet, la vision bienheureuse récompense l'écoute fidèle, et l'écoute fidèle mérite la vision bienheureuse. «Bienheureux les cœurs purs, car ils verront Dieu[l].» Il faut donc que l'œil, pour voir Dieu, soit purifié par la foi, ainsi qu'il est écrit : «C'est par la foi que leurs cœurs sont purifiés[m 2].»

III. L'ouïe précède la vue dans une âme qui progresse.

6. En attendant, tant que la vue n'est pas encore au point, nous devons éveiller l'ouïe et l'exercer à accueillir la vérité. Heureux celui à qui la Vérité rend ce témoignage : «Dès que son oreille a entendu, il m'a obéi[a].» Je serai digne de voir si, avant de voir, je suis reconnu obéissant. Je verrai sans crainte celui devant lequel m'aura précédé l'offrande de mon obéissance. Quel bonheur pour l'homme qui dit : «Le Seigneur Dieu m'a ouvert l'oreille, et moi je ne conteste pas, je n'ai pas reculé[b]»! Tu as ici un modèle d'obéissance spontanée et un exemple de longue patience. En effet, celui qui ne conteste pas obéit de son plein gré; et celui qui n'a pas reculé persévère[c]. Les deux choses sont nécessaires, puisque «Dieu aime celui qui donne avec joie[d]», et «celui qui aura persévéré jusqu'au bout sera sauvé[e]». Puisse le Seigneur ouvrir aussi

n. 1 sur *Ep* 18, 2, l. 24-25).

2. * Bernard, qui cite 7 fois ce texte, emploie 6 fois *mundans, Vl,* au lieu de *purificans, Vg*; une fois, on a *purgans* (avec Paschase Radbert). Augustin a *mundans* 14 fois; cf. *SCt* 31, 9, l. 3, p. 444.

intret ad cor meum sermo veritatis, mundet oculum, laetae
15 praeparet visioni, ut dicam Deo etiam ipse : *Praeparationem cordis mei audivit auris tua*[f]! Ut audiam a Deo, etiam ipse cum ceteris oboedientibus : *Et vos mundi estis propter sermonem, quem locutus sum vobis*[g]. Nec omnes mundantur qui audiunt, sed qui oboediunt. *Beati qui*
20 *audiunt et custodiunt* illud[h]. Talem requirit auditum qui mandat dicens : *Audi Israel*[i]; talem offert qui ait : *Loquere, Domine, quia audit servus tuus*[j]; talem spondet qui dicit : *Audiam quid loquatur in me Dominus Deus*[k].

7. Et ut scias etiam Spiritum Sanctum hunc in animae spirituali profectu ordinem observare, ut videlicet prius formet auditum, quam laetificet visum : *Audi,* inquit, *filia, et vide*[a]. Quid intendis oculum? Aurem para. Videre desi-
5 deras Christum? Oportet te prius audire eum, audire de eo, ut dicas cum videris : *Sicut audivimus, sic vidimus*[b]. Immensa claritas, visus angustus, et *non potest ad eam*[c]. Potes auditu, sed non aspectu. Clamantem denique Deum : *Adam, ubi es*[d]? non videbam iam peccator, audiebam
10 tamen. Sed auditus aspectum restituet, si pius, si vigil, si fidelis praecesserit. Fides purgabit, quem turbavit impietas,
197 et quem inoboedientia clausit, aperit oboedientia. Denique *a mandatis tuis,* inquit, *intellexi*[e], quod intellectum reddat observatio mandatorum, quem tulit transgressio. Adverte
15 adhuc in sancto Isaac, quomodo prae ceteris sensibus auditus in tam sene viguerit. Caligant oculi Patriarchae[f], palatum seducitur, fallitur manus, non fallitur auris. Quid

f. Ps. 9, 38 ≠ g. Jn 15, 3 ≠ h. Lc 11, 28 ≠ i. Deut. 6, 3
j. I Sam. 3, 9 k. Ps. 84, 9
7. a. Ps. 44, 11 b. Ps. 47, 9 c. Ps. 138, 6 ≠ d. Gen. 3, 9 (Lit.)
e. Ps. 118, 104 f. Cf. Gen. 27, 1

---

1. * Bernard cite 5 fois ce verset. Il se réfère au répons *Dum deambularet* des matines du mardi après la Septuagésime, en employant *clamavit,* et en ajoutant *Adam.*

mon oreille, et la parole de vérité entrer dans mon cœur, purifier mon œil et le préparer à l'heureuse vision ! Alors je dirai à Dieu, moi aussi : « Ton oreille a entendu mon cœur : il était prêt[f]. » Et j'entendrai Dieu me répondre, comme aux autres âmes obéissantes : « Vous aussi, vous êtes pures, grâce à la parole que je vous ai dite[g]. » Mais il ne suffit pas d'entendre pour être purifié ; il faut encore obéir. « Heureux ceux qui entendent la parole de Dieu et qui la gardent[h]. » Telle est l'ouïe que réclame celui qui prescrit : « Écoute, Israël[i]. » Telle est l'ouïe qu'offre celui qui dit : « Parle, Seigneur, ton serviteur écoute[j] » et : « J'écouterai ce que le Seigneur Dieu dira au-dedans de moi[k]. »

7. Tu dois savoir que l'Esprit-Saint lui-même suit cet ordre dans le progrès spirituel de l'âme : il éduque l'ouïe avant de réjouir la vue. « Écoute, ma fille, dit-il, et vois[a]. » Pourquoi aiguises-tu ton regard ? Prête l'oreille. Tu désires voir le Christ ? Il te faut d'abord l'entendre, entendre parler de lui, pour pouvoir dire, quand tu l'auras vu : « Tel que nous l'avons entendu, nous l'avons vu[b]. » Immense est son éclat ; ta vue est courte et « elle ne peut l'atteindre[c] ». Tu le peux par l'ouïe, mais non par le regard. Lorsque Dieu criait : « Adam, où es-tu[d][1] ? », moi, déjà pécheur, je ne le voyais pas, mais je l'entendais. Pourtant, l'ouïe nous rendra le regard, à condition qu'elle ait été fervente, vigilante et fidèle. La foi purifiera la vue que l'impiété a troublée ; et l'obéissance ouvre les yeux que la désobéissance a fermés. Aussi le Psalmiste dit-il : « Par tes préceptes j'ai l'intelligence[e]. » Car l'observance des préceptes rend l'intelligence que nous avait ôtée la transgression. Songe encore au bienheureux Isaac : comment dans un homme si vieux l'ouïe avait gardé sa finesse plus que les autres sens. Les yeux du Patriarche se brouillent[f], son goût est surpris, sa main se trompe ; mais l'oreille ne se

mirum si auris percipit veritatem, cum *fides ex auditu, auditus per verbum* Dei[g], verbum Dei veritas sit[h]? *Vox,*
20 inquit, *vox Iacob est* : nihil verius ; *manus autem manus sunt Esau*[i] : nihil falsius. Falleris : manus similitudo decepit te. Nec in gustu veritas, etsi suavitas est. Nam quomodo habet veritatem, qui se putat edere venationem, cum domesticis vescatur haedorum carnibus? Multo minus
25 oculus qui nil videt. Non est veritas in oculo, non sapientia. *Vae qui sapientes estis,* ait, *in oculis vestris*[j]. Num bona sapientia, cui maledicitur? *Mundi est,* ac per hoc *stultitia apud Deum*[k].

8. Bona et vera *sapientia trahitur de occultis*[a], ut sapit beatus Iob. Quid foris eam quaeris in corporis sensu? Sapor in palato, in corde est sapientia. Ne quaeras sapientiam in oculo carnis, quia *caro et sanguis non revelat*
5 eam, *sed* spiritus[b]. Non in gustu oris : *nec* enim *invenitur in terra suaviter viventium*[c]. Non in tactu manus, cum sanctus dicat : *Si osculatus sum manum meam ore meo, quod est iniquitas maxima, et negatio in Deum*[d]. Quod tunc fieri arbitror, cum donum Dei, quod est sapientia,
10 non Deo, sed meritis ascribitur actionum. Sapiens fuit Isaac, sed tamen erravit in sensibus. Solus habet auditus verum, qui percipit verbum. Merito carnem redivivam Verbi tangere prohibetur mulier carnaliter sapiens[e], plus quippe tribuens oculo quam oraculo, id est carnis sensui
15 quam verbo Dei. Quem enim mortuum vidit, resurrec-

g. Rom. 10, 17 ≠ h. Cf. Jn 17, 17 i. Gen. 27, 22 (Patr.) j. Is. 5, 21 k. I Cor. 3, 19 ≠

8. a. Job 28, 18 ≠ b. Matth. 16, 17 ≠ c. Job 28, 13 d. Job 31, 27-28 ≠ e. Cf. Jn 20, 17

1. L'ouïe est le sens qui reste le plus réceptif chez les personnes âgées ou malades. Au § 8 Bernard reprend la théorie platonicienne sur les défauts de la connaissance visuelle et la fiabilité de la connaissance intérieure.

trompe pas. Quoi d'étonnant si l'oreille saisit la vérité, puisque «la foi naît de l'écoute, l'écoute se fait par la parole de Dieu[g]» et la parole de Dieu est la vérité[h]? «La voix, dit Isaac, est la voix de Jacob» : rien de plus vrai[1]. «Mais les mains sont les mains d'Ésaü[i]» : rien de plus faux. Tu te trompes : la ressemblance de la main t'a égaré. La vérité n'est pas non plus dans le goût, bien qu'il puisse savourer la douceur. En effet, comment aurait-il la vérité, celui qui croit déguster du gibier, alors qu'il mange la viande de chevreaux domestiques? Et l'œil, qui ne voit rien, est encore moins dans le vrai. Il n'y a pas de vérité dans l'œil, ni de sagesse. «Malheur à vous, qui êtes sages à vos propres yeux[j]», dit le Prophète. Une sagesse maudite serait-elle bonne? «Elle est de ce monde, et donc folie devant Dieu[k].»

8. La bonne et vraie «sagesse est tirée des choses cachées[a]», selon l'avis du bienheureux Job. Pourquoi la cherches-tu au-dehors, dans les sens du corps? La saveur est dans le palais, la sagesse dans le cœur. Ne cherche pas la sagesse dans les yeux du corps, car «ce n'est pas la chair et le sang qui la révèlent, mais[b]» l'esprit. Ni dans le goût de la bouche, car «elle ne se trouve pas sur la terre de ceux qui vivent dans les délices[c]». Ni dans le toucher de la main, puisque le saint déclare : «Si de ma bouche j'ai baisé ma main, c'est la pire iniquité, et le reniement de Dieu[d].» Cela arrive, je pense, lorsque nous attribuons le don de Dieu qu'est la sagesse, non pas à Dieu, mais aux mérites de nos actions. Isaac fut sage, et pourtant ses sens le trompèrent. Seule l'ouïe possède la vérité, puisqu'elle entend le Verbe. A juste titre la femme, qui avait une sagesse encore charnelle[e], se voit interdire de toucher la chair ressuscitée du Verbe. Car elle se fiait à ses yeux plus qu'à la prophétie, c'est-à-dire aux sens de la chair plutôt qu'à la parole de Dieu.

turum non credidit, cum tamen hoc promiserit ipse. Denique *non* quievit *oculus* usque dum *satiatus est visus*[f], quoniam non erat consolatio fidei, nec Dei rata promissio. Nonne *caelum et terra,* et quidquid omnino carnis oculus 20 attingere potest, ante habent *transire*[g] et perire, quam *iota unum aut unus apex*[h] ex omnibus quae locutus est 198 Deus? Et tamen cessavit a fletu[i] in visu oculi, quae noluit consolari in verbo Domini, pluris habens experimentum quam fidem. At experimentum fallax.

9. Mittitur ergo ad certiorem fidei cognitionem; quae utique apprehendit quod sensus nescit, experimentum non invenit. *Noli me tangere*[a], inquit, hoc est : Dissuesce huic seducibili sensui; innitere verbo, fidei assuesce.

IV. Quod fides rationem, sensum et experientiam transcendat, et quomodo tangendus sit Christus.

5 Fides nescia falli, fides invisibilia comprehendens, sensus penuriam non sentit; denique transgreditur fines etiam rationis humanae, naturae usum, experientiae terminos. Quid interrogas oculum, ad quod non sufficit? Et manus quid explorare conatur, quod supra ipsam est? Minus est 10 quidquid ille vel illa renuntiet. Sane fides pronuntiet de me, quae maiestati nil minuat. Disce id habere certius, id tutius sequi, quod illa suaserit. *Noli me tangere: nondum enim ascendi ad Patrem meum*[a]. Quasi vero

f. Eccl. 1, 8 ≠ g. Matth. 24, 35 ≠ h. Matth. 5, 18 i. Cf. Jn 20, 15. 18
9. a. Jn 20, 17

1. * Cette brève allusion à un verset que Bernard emploie 7 fois comporte le verbe *satiare* à la place du *saturare* de *Vg*. Ambroise est une source possible; cf. *Conv* 10 (*SBO* IV, 83, l. 15).

2. Bernard donne ici un sens allégorique à l'apparition du Christ ressuscité à Marie-Madeleine (*Jn* 20, 17). L'expérience ne mène pas toujours à la foi.

Malgré la promesse qu'il avait faite lui-même, elle ne crut pas que celui qu'elle avait vu mort ressusciterait. « Ses yeux n'eurent pas de repos jusqu'à ce que sa vue fût rassasiée[f 1] », car elle n'avait ni la consolation de la foi, ni la confiance en la promesse de Dieu. « Le ciel et la terre », et tout ce que l'œil du corps peut atteindre, « ne doivent-ils pas passer[g] » avant que disparaisse « un seul iota, un seul menu trait[h] » de tout ce que Dieu a dit? Et pourtant cette femme, qui ne voulut pas trouver de consolation dans la parole du Seigneur, cessa de pleurer[i] lorsque ses yeux virent, car elle faisait plus grand cas de l'expérience que de la foi. Mais l'expérience est trompeuse[2].

9. C'est pourquoi elle est renvoyée à la connaissance plus sûre de la foi. Celle-ci saisit ce que les sens ignorent, ce que l'expérience ne trouve pas. « Ne me touche pas[a] », dit le Seigneur, c'est-à-dire : perds l'habitude de te fier à tes sens, faciles à égarer; appuie-toi sur la parole, accoutume-toi à la foi.

IV. La foi dépasse la raison, les sens et l'expérience. Comment il faut toucher le Christ.

La foi ne saurait se tromper. La foi perçoit les réalités invisibles, et ne ressent pas l'indigence des sens; elle dépasse même les frontières de la raison humaine, les possibilités de la nature, les bornes de l'expérience. Pourquoi interroges-tu l'œil sur ce qu'il ne peut atteindre? Et pourquoi la main s'efforce-t-elle d'explorer ce qui est hors de sa portée? Tout ce que l'un et l'autre peuvent te faire connaître est si peu de chose. La foi, elle, pourra se prononcer sur moi sans rien enlever à ma majesté. Apprends à tenir pour plus certain et à suivre comme plus sûr ce dont la foi t'aura persuadé. « Ne me touche pas : car je ne suis pas encore monté vers mon Père[a]. »

cum iam ascenderit, tunc tangi ab ea velit aut possit. Et
15 utique poterit, sed affectu, non manu ; voto, non oculo ;
fide, non sensibus. Quid tu me, ait, modo tangere quaeris,
quae sensu corporis gloriam aestimas resurrectionis ? Nescis
quod, tempore adhuc meae mortalitatis, transfigurati ad
horam morituri corporis gloriam oculi discipulorum sus-
20 tinere nequiverint[b] ? Adhuc quidem tuis sensibus gero
morem, formam ingerendo servilem, quam de consue-
tudine recognoscas. Ceterum *mirabilis facta est* gloria mea
ex te, confortata est et non poteris ad eam[c]. Differ ergo
iudicium, suspende sententiam, et tantae rei diffinitionem
25 ne credas sensui, fidei reservato. Illa dignius, illa diffiniet
certius, quae plenius comprehendet. Denique compre-
hendit suo illo mystico ac profundo sinu, *quae sit longitudo, latitudo, sublimitas et profundum*[d]. *Quod oculus
non vidit, nec auris audivit, nec in cor hominis ascendit*[e],
30 illa in se quasi quodam involucro clausum portat, ser-
vatque signatum.

10. Illa igitur digne me tanget, quae Patri consedentem
suscipiet, non iam in humili habitu, sed in caelesti carne
ipsa, sed altera specie. Quid deformem vis tangere ? Exspecta ut formosum tangas. Nam qui deformis modo, tunc
5 formosus : deformis tactui, deformis aspectui, deformis
denique deformi tibi, quae sensibus plus inhaeres, fidei

b. Cf. Matth. 17, 6 c. Ps. 138, 6 ≠ d. Éphés. 3, 18 ≠
e. I Cor. 2, 9

1. « La profondeur mystique de la foi ». Bernard emploie seize fois l'adjectif *mysticus*. Le sens n'est pas toujours clair. Il parle « de compléter le nombre mystique » (*SCt* 16, 3, l. 8-9, p. 46). Ailleurs il veut expliquer un texte sacré et mystique (*SCt* 74, 2, *SBO* II, 240, l. 18). Mais le plus souvent *mysticus* indique la troisième étape de la vie spirituelle. Voir *Sent* III, 116 (*SBO* VI-2, 212, l. 4-6) : *Hi tres panes tres intellectus sapientiae designant : historialem, mysticum et moralem... Mysticus ex una parte apparet, ex alia latet*, « Ces trois pains désignent les trois intelligences de la sagesse : historique, mystique et morale... L'in-

Comme si, une fois monté, il voulait ou pouvait se laisser toucher par cette femme ! Il le pourrait, certes, mais par l'amour, non par la main ; par le désir, non par l'œil ; par la foi, non par les sens. Pourquoi, dit-il, cherches-tu à me toucher maintenant ? C'est d'après les sens du corps que tu juges de la gloire de ma résurrection ! Ne sais-tu pas qu'au temps de ma vie mortelle, les yeux de mes disciples ne purent soutenir la gloire de mon corps périssable[b], transfiguré pour quelques instants ? Certes, je m'adapte encore à la capacité de tes sens, en me présentant sous la forme de serviteur, que tu peux reconnaître parce que tu en as l'habitude. Mais ma gloire « est devenue éblouissante pour toi, elle a retrouvé sa splendeur et tu ne peux plus la saisir[c] ». Diffère donc ton jugement ; suspends ton avis ; ne te fie pas à tes sens pour définir une réalité si grande ; réserve cela à la foi. Elle pourra en donner une définition plus digne et plus sûre, car elle en aura une compréhension plus complète. Dans sa profondeur mystique[1], elle comprend « ce qu'est la longueur, la largeur, la hauteur et la profondeur[d] » de cette réalité. « Ce que l'œil n'a pas vu ni l'oreille entendu, ce qui n'est pas monté au cœur de l'homme[e] », la foi le porte enfermé en elle-même comme dans une enveloppe, et le conserve scellé.

10. La foi sera digne de me toucher, car elle m'observera assis à la droite du Père, non plus dans mon état humilié, mais dans ma chair céleste – la même chair, mais d'une tout autre splendeur. Pourquoi veux-tu me toucher dans ma laideur ? Attends de pouvoir me toucher dans ma beauté. En effet, celui qui est laid maintenant sera beau un jour. Il est laid au toucher, à la vue ; bref, il est laid pour toi qui es laide, toi qui t'attaches aux

telligence mystique se manifeste en partie et se cache en partie. » Cette intelligence se rapproche de ce que l'on entend actuellement par la vie mystique.

199 minus. Esto formosa, et tange me; esto fidelis, et formosa es. Formosa formosum et dignius tanges, et felicius. Tanges manu fidei, desiderii digito, devotionis amplexu; tanges
10 oculo mentis. At numquid adhuc nigrum? Absit. *Dilectus tuus candidus et rubicundus*[a]. Formosus plane, quem *circumdant flores rosarum et lilia convallium*[b], hoc est Martyrum Virginumque chori; et qui medius resideo, utrique non dissideo choro, virgo et martyr. Quomodo denique
15 candidis non congruo Virginum choris, virgo, Virginis filius, Virginis sponsus? Quomodo non roseis Martyrum, causa, virtus, fructus et forma martyrii? Talem talis taliterque tange, et dic : *Dilectus meus candidus et rubicundus, electus e millibus*[c]. *Millia millium* cum dilecto, *et*
20 *decies centena millia*[d] circa dilectum, et nemo ad dilectum. Num tibi verendum erit ne forte in quempiam de multitudine errore incidas, *quaerendo quem diligis*[e]? Non prorsus ambiges quemnam eligas. Facile occurret electus e millibus, cunctis insignior. Dices : *Iste formosus in stola*
25 *sua, gradiens in multitudine virtutis suae*[f]. Non ergo in pelle nigra, quae sane hactenus ingerenda fuit oculis persequentium ut contemnerent occidendum, aut etiam amicorum ut recognoscerent redivivum. Non, inquam, iam in pelle occurret nigra, sed in veste alba, *speciosus forma,*
30 non modo *prae filiis hominum*[g], sed etiam prae vultibus angelorum. Quid me vis tangere in humili habitu, servili forma[h], specie contemptibili? Tange caelesti decorum

10. a. Cant. 5, 10 ≠ b. Cant. 2, 1 (Lit.) c. Cant. 5, 10 d. Dan. 7, 10 ≠ e. Cant. 3, 1 ≠ f. Is. 63, 1 ≠ g. Ps. 44, 3 ≠ h. Cf. Phil. 2, 7

1. * Voir le répons *Vidi speciosam,* aux matines de l'Assomption de la Vierge; ce répons reprend diverses images du *Cantique,* mais aussi *Sir.* 50, 8 : *flos rosarum*; cf. *SCt* 32, 9, l. 19-20.

2. «Les roses en fleurs et les lis des vallées, c'est-à-dire les chœurs des martyrs et des vierges.» Pseudo-Bède, *PL* 94, 450.

sens plus qu'à la foi. Sois belle, et tu me toucheras ; aie la foi, et tu seras belle. Alors, tu seras aussi plus digne et plus heureuse de me toucher dans ma beauté. Tu me toucheras avec la main de la foi, le doigt du désir, l'étreinte de la ferveur ; tu me toucheras avec l'œil de l'esprit. Mais y aura-t-il encore en moi quelque noirceur ? Nullement. « Ton bien-aimé est blanc et vermeil[a]. » Oui, il est beau, « lui qu'entourent les roses en fleurs et les lis des vallées[b 1] », c'est-à-dire les chœurs des martyrs et des vierges[2]. Au milieu de ces deux chœurs, je ne détonne pas, moi qui suis vierge et martyr. Comment ne serais-je pas accordé aux chœurs immaculés des vierges, étant vierge moi-même, fils d'une Vierge, époux d'une Vierge ? Accordé aussi aux chœurs empourprés des martyrs, moi qui suis la cause, la force, le fruit et le modèle du martyre ? Quand tu seras pareille à moi, touche-moi pareillement, et dis : « Mon bien-aimé est blanc et vermeil, élu entre mille[c]. » « Mille milliers sont avec mon bien-aimé, et dix mille myriades[d] » l'entourent ; mais nul ne l'égale. Faudra-t-il craindre « qu'en cherchant ton bien-aimé[e] » tu ne tombes par erreur sur quelqu'un de cette multitude ? Non, certes, tu n'hésiteras pas dans ton choix. L'élu entre mille s'offrira aisément à ta vue, plus éclatant que tous. Tu diras alors : « Le voici, beau dans sa robe magnifique, s'avançant dans la plénitude de sa force[f]. » Il n'a plus la peau noire. Jusqu'alors il avait dû s'en revêtir aux yeux de ses persécuteurs, pour qu'ils le méprisent et le tuent ; mais aussi aux yeux de ses amis, pour qu'ils le reconnaissent revenu à la vie. Désormais, dis-je, il ne se présentera plus avec une peau noire, mais en habit blanc, comme « le plus beau, non seulement parmi les enfants des hommes[g] », mais aussi parmi les anges. Pourquoi veux-tu me toucher dans mon état humilié, dans ma condition d'esclave[h], dans mon apparence méprisable ? Touche-moi dans ma splendeur céleste,

specie, *gloria et honore coronatum*[i], divina quidem maiestate tremendum, sed ingenita serenitate gratum ac
35 placidum.

V. Qua prudentia decorem Salomonis sub nigris pellibus sponsa deprehendit, et de trina nigredine.

11. Inde haec advertenda prudentia sponsae, et profunditas sermonum eius, quae sub figura pellium Salomonis, scilicet in carne, rimata est Deum, in morte vitam, summam gloriae et honoris inter opprobria, et sub nigro
5 denique habitu Crucifixi candorem innocentiae splendoremque virtutum : sicut illae utique pelles, cum essent nigrae ac despectae, pretiosa et praecandida prae divitiis regis in se ornamenta servabant. Merito nigredinem non contemnit in pellibus, decorem qui sub pellibus est
200 10 advertens. Et ideo quidam illam contempserunt, quia hunc minime cognoverunt. *Si enim cognovissent, numquam Dominum gloriae crucifixissent*[a]. Non cognovit Herodes, et ideo despexit[b]; non cognovit Synagoga, quae nigredinem illi passionis et infirmitatis improperans : *Alios,* ait,
15 *salvos fecit, seipsum non potest salvum facere. Christus rex Israel descendat de cruce, et credimus ei*[c]. Sed cognovit latro de cruce, licet in cruce, qui et innocentiae puritatem confessus est : *Hic autem,* inquiens, *quid mali fecit*[d]? Gloriam regiae maiestatis simul est protestatus : *Memento*
20 *mei,* dicens, *cum veneris in regnum tuum*[e]. Cognovit centurio, qui filium Dei clamat[f]. Cognoscit Ecclesia, quae et

i. Ps. 8, 6 ≠

11. a. I Cor. 2, 8 b. Cf. Lc 23, 11 c. Mc 15, 31-32 ≠; Matth. 27, 42 ≠ d. Lc 23, 41 ≠; Matth. 27, 23 ≠ e. Lc 23, 42 f. Cf. Mc 15, 39

1. Le bon larron et le centurion ne se laissent pas égarer par l'aspect visible de Jésus souffrant. Grâce à la foi, ils découvrent la divinité de celui qui réconcilie les pécheurs avec Dieu.

«couronné de gloire et d'honneur[i]», redoutable de majesté divine, mais bienveillant et doux par la bonté qui m'est naturelle.

V. Avec quelle perspicacité l'épouse découvre la beauté de Salomon sous les noirs pavillons. Les trois noirceurs.

11. Il faut remarquer cette perspicacité de l'épouse, et la profondeur de ses paroles. Sous le symbole des pavillons de Salomon, c'est-à-dire sous le voile de la chair, elle a reconnu Dieu; dans la mort, la vie; le comble de la gloire et de l'honneur au milieu des outrages; enfin, sous l'aspect noir du Crucifié, la blancheur de l'innocence et la splendeur des vertus. Ainsi ces pavillons, bien que noirs et méprisés, enfermaient en eux-mêmes les parures précieuses et les plus éclatantes parmi les richesses du roi. A juste titre l'épouse ne dédaigne pas la noirceur dans les pavillons, car elle aperçoit la beauté qui s'y cache. Voilà pourquoi certains ont dédaigné la noirceur : parce qu'ils n'ont pas connu cette beauté. «En effet, s'ils l'avaient connue, ils n'auraient jamais crucifié le Seigneur de gloire[a].» Hérode ne l'a pas connue, c'est pourquoi il l'a méprisée[b]. La Synagogue non plus, elle qui reprochait au Seigneur la noirceur de sa Passion et de sa faiblesse. «Il en a sauvé d'autres, dit-elle, et il ne peut se sauver lui-même! Il est le Christ, le roi d'Israël : qu'il descende de la croix, et nous croirons en lui[c].» Mais le larron suspendu à la croix connut cette beauté, bien que crucifiée; et il proclama aussi la pureté de son innocence, en disant : «Lui, qu'a-t-il fait de mal[d]?» En même temps, il rendit témoignage à la gloire de la majesté royale par ces mots : «Souviens-toi de moi, quand tu seras entré dans ton royaume[e].» Le centurion connut cette beauté, lui qui le déclare fils de Dieu[f1]. L'Église la connaît, qui cherche

aemulatur nigredinem, ut decorem participet. Non confunditur nigra videri, nigra dici, ut dilecto dicat : *Opprobria exprobrantium tibi ceciderunt super me*[g]. At sane nigra
25 ad instar pellium Salomonis, foris scilicet et non intus : neque enim intus nigredinem meus Salomon habet. Denique non ait : « Nigra sum sicut Salomon », sed : *sicut pelles Salomonis,* quod in superficie tantum sit veri nigredo Pacifici. Peccati nigredo intus est, et prius interiora culpa
30 commaculat quam ad oculos prodeat. Denique *de corde exeunt cogitationes malae, furta, homicidia, adulteria, blasphemiae, et haec sunt quae coinquinant hominem*[h]; sed absit ut Salomonem. Minime prorsus apud verum Pacificum istiusmodi inquinamenta reperies. Oportet
35 namque esse sine peccato eum *qui tollit peccata mundi*[i], quo ad reconciliandos peccatores inventus idoneus, iure sibi nomen vindicet Salomonis.

12. Sed est nigredo affligentis paenitentiae, cum assumitur lamentatio pro delictis. Hanc fortassis non abhorreat in me Salomon, si sponte induam mihi pro peccatis meis, quia *cor contritum et humiliatum Deus non despiciet*[a]. Est
5 et afficientis compassionis, si afflicto condoleas, et fra-
201 ternum te decoloret incommodum. Ne hanc profecto reiciendam putat noster Pacificus, quippe quam et sibi ipse pro nobis dignanter induit, *qui peccata nostra tulit in corpore suo super lignum*[b]. Est et persecutionis, quae etiam
10 pro summo ornamento habetur, si quidem suscipio pro iustitia et veritate. Unde est illud : *Ibant gaudentes* discipuli *a conspectu concilii, quoniam digni habiti sunt pro nomine Iesu contumeliam pati*[c]. Denique *beati qui per-*

g. Ps. 68, 10 h. Matth. 15, 19-20 ≠ i. Jn 1, 29 (Lit.)
12. a. Ps. 50, 19 ≠ b. I Pierre 2, 24 ≠ c. Act. 5, 41 ≠

1. * Cf. p. 318, n. 1 à propos de « Pacifique » en *SCt* 27, 2.
2. * *Peccata,* au pluriel, comme à l'ordinaire de la messe : dans le chant *Agnus Dei* ou dans le texte *Ecce Agnus Dei.*

aussi à imiter sa noirceur pour avoir part à sa beauté. Elle n'a pas honte de paraître noire, d'être appelée noire, pour pouvoir dire à son bien-aimé : « Les insultes de tes insulteurs sont tombées sur moi[g]. » Mais elle est noire comme les pavillons de Salomon, c'est-à-dire à l'extérieur et non à l'intérieur. En effet, mon Salomon n'a aucune noirceur au-dedans de lui. Aussi ne dit-elle pas : « Je suis noire comme Salomon », mais : « comme les pavillons de Salomon. » Car la noirceur du vrai Pacifique[1] n'est que superficielle. La noirceur du péché, elle, est au-dedans, et la faute souille l'intérieur avant de se montrer aux yeux. En effet, « du cœur proviennent intentions mauvaises, vols, meurtres, adultères, blasphèmes, et c'est cela qui rend impur l'homme[h] », mais non Salomon. Car tu ne trouveras nullement de telles souillures chez le vrai Pacifique. Il faut que soit sans péché « celui qui enlève les péchés du monde[i2] ». Ainsi, reconnu apte à réconcilier les pécheurs, il pourra à bon droit revendiquer le nom de Salomon.

12. Mais il y a aussi la noirceur du repentir, lorsque l'homme s'afflige et gémit sur ses fautes. Peut-être Salomon ne fuira-t-il pas cette noirceur en moi, si je m'en revêts moi-même à cause de mes péchés. Car « Dieu ne méprisera pas un cœur broyé et humilié[a] ». Il y a aussi la noirceur de la compassion, si tu te laisses toucher et que tu souffres avec l'affligé ; alors, tu es terni par le malheur de ton frère. Celle-là non plus, assurément, notre Pacifique ne la rejettera pas. Car il a daigné s'en revêtir lui-même pour nous, lorsque « dans son corps il a porté nos péchés sur le bois[b] ». Il y a encore la noirceur de la persécution ; on la regarde comme l'ornement suprême, si je la subis pour la justice et la vérité. D'où cette parole : « Les disciples sortaient tout joyeux du Sanhédrin, parce qu'ils avaient été jugés dignes de subir des outrages pour le nom de Jésus[c]. » Bref, « heureux ceux qui souf-

secutionem patiuntur propter iustitiam[d]. Hac potissimum
15 gloriari Ecclesiam arbitror, hanc libentius imitari de pellibus sponsi. Denique et habet in promissione : *Si me persecuti sunt, et vos persequentur*[e].

VI. Quadrupliciter quomodo sponsam decoloraverit sol.

13. Unde et addit sponsa : *Nolite me considerare quod fusca sim, quia decoloravit me sol*[a], hoc est : Nolite me notare quasi deformem, quia cernitis pro ingruente persecutione minus florentem, minus secundum gloriam
5 saeculi coloratam. Quid exprobratis nigredinem, quam fervor persecutionis, non conversationis pudor invexit? Vel solem dicit zelum iustitiae, quo accenditur et accingitur *adversus malignantes*[b], dicens Deo : *Zelus domus tuae comedit me*[c]; et illud : *Tabescere me fecit zelus meus, quia*
10 *obliti sunt verba tua inimici mei*[d]; illud quoque : *Defectio tenuit me pro peccatoribus derelinquentibus legem tuam*[e]; item : *Nonne qui oderunt te, Domine, oderam illos, et super inimicos tuos tabescebam*[f]? Etiam illud Sapientis caute observat : *Filiae,* ait, *tibi sunt? Noli ostendere laetum*
15 *vultum ad ipsas*[g], ut scilicet remissis et mollibus et fugitantibus disciplinam, non candorem serenitatis, sed obscurum severitatis exhibeat. Vel decolorari a sole, est ignescere caritate fraterna, *flere cum flentibus, gaudere cum gaudentibus*[h], cum infirmantibus infirmari, uri ad
20 scandala singulorum[i]. Vel sic : *Sol iustitiae*[j] decoloravit me Christus, cuius *amore langueo*[k]. Languor iste coloris quaedam exterminatio est, et defectus *in desiderio*

d. Matth. 5, 10 e. Jn 15, 20

13. a. Cant. 1, 5 b. Ps. 93, 16 c. Ps. 68, 10 d. Ps. 118, 139 e. Ps. 118, 53 ≠ f. Ps. 138, 21 ≠ g. Sir. 7, 26 ≠ h. Rom. 12, 15 ≠ i. Cf. II Cor. 11, 29 j. Mal. 4, 2 k. Cant. 2, 5

frent persécution pour la justice[d]». A mon avis, l'Église se glorifie surtout de cette dernière noirceur, et parmi les pavillons de l'Époux, c'est celui-ci qu'elle reproduit le plus volontiers. Aussi en a-t-elle reçu la promesse : «S'ils m'ont persécuté, ils vous persécuteront vous aussi[e].»

VI. Le soleil a terni l'épouse de quatre manières.

13. C'est pourquoi l'épouse ajoute : «Ne prenez pas garde à mon teint basané, car c'est le soleil qui m'a ternie[a].» Ce qui veut dire : ne m'accusez pas d'être laide, parce que vous me voyez moins florissante à cause de la persécution endurée, moins brillante au regard de la gloire mondaine. Pourquoi me reprochez-vous cette noirceur, provoquée par la violence de la persécution, et non par une conduite honteuse? Elle peut aussi entendre par le soleil le zèle de la justice, dont elle brûle et s'arme «contre les méchants[b]», disant à Dieu : «Le zèle de ta maison me dévore[c].» Et ailleurs : «Mon zèle m'a consumée, parce que mes ennemis ont oublié tes paroles[d].» Et encore : «Je me suis évanouie à la vue des pécheurs qui délaissent ta loi[e].» De même : «N'ai-je pas haï, Seigneur, ceux qui te haïssent, et n'ai-je pas pris en dégoût tes ennemis[f]?» Elle suit aussi avec soin cette recommandation du Sage : «As-tu des filles? Ne leur montre pas un visage gai[g].» Si elles sont relâchées, indolentes et fuient la discipline, l'épouse ne leur montre pas un visage lumineux et serein, mais sombre et sévère. Être ternie par le soleil, il se peut que ce soit encore être embrasée de charité fraternelle, «pleurer avec ceux qui pleurent, se réjouir avec ceux qui sont dans la joie[h]», être faible avec les faibles, brûler à la vue des chutes de chacun[i]. Autre explication : «le Soleil de justice[j]» m'a ternie, lui, le Christ, car pour lui «je languis d'amour[k]». Cette langueur est comme une perte de la couleur, et

animae[l]; unde et dicit : *Memor fui Dei, et delectatus sum,*
202 *et exercitatus sum, et defecit spiritus meus*[m]. Ergo, instar
25 urentis solis, desiderii ardor peregrinantem in corpore[n] decolorat, dum vultui gloriae[o] inhiantem, impatientem facit repulsa et excruciat amantem dilatio. Quis nostrum ita sancto amore ardet, ut desiderio videndi Christum omnem colorem praesentis gloriae laetitiaeque fastidiat et deponat,
30 illa ei prophetica voce contestans : *Et diem hominis non desideravi, tu scis*[p]. Item cum Sancto David : *Renuit consolari anima mea*[q], id est praesentium bonorum inani laetitia despicit colorari. Vel certe *decoloravit me sol*[r], sui nimirum comparatione splendoris, dum appropians illi, ex
35 eo me obscuram deprehendo, nigram invenio, foedam despicio. Ceterum alias quidem formosa sum : quid fuscam dicitis solius Solis pulchritudini succumbentem? At sensui priori videntur magis assentire ea quae sequuntur. Adiciens siquidem : *Filii matris meae pugnaverunt contra me*[r],
40 persecutionem se esse passam significat. Sed hinc aliud sermonis principium ordiemur, quoniam sufficere hac vice possunt, quae accepimus de gloria sponsi Ecclesiae, dono ipsius, *qui est Deus benedictus in saecula. Amen*[s].

l. Is. 26, 8 m. Ps. 76, 4 ≠ n. Cf. II Cor. 5, 6 o. Cf. II Cor. 3, 7 p. Jér. 17, 16 q. Ps. 76, 3 r. Cant. 1, 5 s. Rom. 9, 5 ≠

une défaillance «de l'âme dans son désir[l]». C'est pourquoi elle dit : «Je me suis souvenue de Dieu, et j'ai été comblée de joie; j'ai médité, et mon esprit a défailli[m].» Comme un soleil brûlant, l'ardeur du désir ternit l'épouse en exil dans le corps[n]. Tandis qu'elle aspire au visage de gloire[o], le refus essuyé la rend impatiente et le délai la torture, car elle aime. Qui parmi nous brûle de ce saint amour, au point que le désir de voir le Christ le dégoûte et le détourne des gloires et des joies de toutes couleurs d'ici-bas? Il s'écriera avec le Prophète : «Je n'ai pas désiré le jour de l'homme, tu le sais[p].» Et avec le bienheureux David : «Mon âme a refusé d'être consolée[q].» Autrement dit, elle dédaigne les couleurs que donne la vaine joie des biens présents. Enfin on peut dire : le soleil m'a ternie, quand je me suis comparée à sa splendeur. En m'approchant de lui, je me découvre obscure, je me trouve noire, je méprise ma laideur. Cependant je suis belle. Pourquoi appelez-vous basanée celle qui ne le cède en beauté qu'au Soleil? Mais les paroles qui suivent semblent s'accorder mieux à ma première interprétation. Car, en ajoutant : «Les fils de ma mère ont combattu contre moi[r]», l'épouse indique clairement qu'elle a souffert la persécution. Mais nous prendrons ce passage comme intitulé d'un nouveau sermon. En effet, peut nous suffire pour cette fois ce que l'Époux de l'Église nous a fait voir de sa gloire. Lui-même nous en a fait le don, «lui qui est Dieu béni dans les siècles. Amen[s]».

SERMO XXIX

I. De quibus dicit sponsa : *Filii matris meae pugnaverunt contra me*; et quam cavendum sit domesticum malum. – II. Quam sit amplectenda pax, et vitandum scandalum etiam in minimis a communiter viventibus. – III. Qualiter haec verba : *Filii matris meae,* etc., de utili increpatione, et quod miro modo tenerius diligantur qui per increpatoria convalescunt. – IV. De sagitta amoris quae beatae Mariae animam pertransiit, et quomodo Ecclesiae vel studiosae animae gratias agendo dicere conveniat : *Filii matris meae pugnaverunt contra me.*

I. De quibus dicit sponsa : *Filii matris meae pugnaverunt contra me* ; et quam cavendum sit domesticum malum.

1. *Filii matris meae pugnaverunt contra me*[a]. Annas et Caiphas, et Iudas Iscarioth, filii Synagogae fuerunt ; et hi contra Ecclesiam, aeque Synagogae filiam, in ipso exortu ipsius acerbissime pugnaverunt, *suspendentes in ligno*[b]
5 collectorem ipsius Iesum. Iam tunc siquidem Deus implevit per eos quod olim praesignaverat per Prophetam[c], dicens : *Percutiam pastorem, et dispergentur oves*[d]. Et fortassis illius
203 illa vox est in cantico Ezechiae : *Praecisa est velut a texente vita mea ; dum adhuc ordirer, succidit me*[e]. De
10 his ergo atque aliis, qui de illa gente christiano nomini contradixisse sciuntur, puta dictum a sponsa : *Filii matris meae pugnaverunt contra me.* Et pulchre filios matris suae,

1. a. Cant. 1, 5 b. Act. 10, 39 c. Cf. Act. 3, 18 d. Mc 14, 27 e. Is. 38, 12

SERMON 29

I. A qui se rapportent ces paroles de l'épouse : « Les fils de ma mère ont combattu contre moi. » Combien il faut se méfier du mal caché dans sa propre famille. – II. Combien ceux qui vivent en communauté doivent poursuivre la paix et éviter le scandale, même dans les moindres choses. – III. Comment ces paroles « Les fils de ma mère etc. » s'entendent de la réprimande utile. Ceux qui reprennent vigueur grâce aux réprimandes sont, de façon étonnante, aimés plus tendrement. – IV. La flèche de l'amour qui a transpercé l'âme de la bienheureuse Marie. C'est en rendant grâces que l'Église ou l'âme aimante doivent dire : « Les fils de ma mère ont combattu contre moi. »

I. A qui se rapportent ces paroles de l'épouse : « Les fils de ma mère ont combattu contre moi. » Combien il faut se méfier du mal caché dans sa propre famille.

1. « Les fils de ma mère ont combattu contre moi[a]. » Anne, Caïphe et Judas Iscariote furent fils de la Synagogue. Ils ont âprement combattu l'Église dès sa naissance, quoiqu'elle fût, elle aussi, fille de la Synagogue. Ils ont « pendu au bois[b] » Jésus, qui rassemble les hommes dans l'Église. Dès lors, Dieu accomplit par eux ce qu'il avait jadis prédit par le Prophète[c] en ces termes : « Je frapperai le pasteur, et les brebis seront dispersées[d]. » Et c'est peut-être l'Église qui parle ainsi dans le cantique d'Ézéchias : « Ma vie a été tranchée comme par un tisserand; il a rompu la trame que je venais de commencer[e]. » Il faut croire que ces paroles de l'épouse : « Les fils de ma mère ont combattu contre moi » visent ces gens et d'autres de la même nation, dont on sait qu'ils s'opposèrent au nom chrétien. C'est fort à propos

non autem et patris sui illos vocat, qui non *habebant patrem Deum,* sed *ex patre diabolo erant*: homicidae
15 utique, sicut et *ille homicida erat ab initio*[f]. Propterea non dicit : « Fratres mei », aut : « filii patris mei », sed : *Filii,* inquit, *matris meae pugnaverunt contra me.* Alioquin si non ita distingueret, videretur etiam apostolus Paulus comprehensus in his de quibus conqueritur, quod et ipse
20 *aliquando persecutus sit Ecclesiam Dei*[g]. Sed *misericordiam consecutus est, quia ignorans* hoc *fecit* manens *in incredulitate*[h], et probavit Deum se habere patrem[i], fratrem Ecclesiae tam ex Patre quam ex matre esse.

2. Sed attende quomodo nominatim filios matris suae et solos incusat, quasi soli in culpa sint. Quanta et ab exteris passa est, iuxta illud apud Prophetam : *Saepe expugnaverunt me a iuventute mea*[a], et : *Supra dorsum meum*
5 *fabricaverunt peccatores*[b]. Quid igitur singulariter filios matris tuae causaris, quae te minime ignoras[c] et ex aliis atque aliis nationibus saepissime impugnatam? *Ad mensam divitis vocatus, diligenter,* ait, *considera quae tibi apponuntur*[d]. Fratres, ad mensam Salomonis sedemus. Quis
10 ditior Salomone? Non de terrenis dico divitiis, quamquam et ipsis Salomon abundaret ; sed intuemini praesentem mensam, quomodo supernis referta est deliciis. Spiritualia

f. Jn 8, 41. 44 ≠ g. I Cor. 15, 9 ≠; cf. Gal. 1, 23 h. I Tim. 1, 13 ≠ i. Cf. Rom. 1, 28

2. a. Ps. 128, 1 b. Ps. 128, 3 ≠ c. Cf. Cant. 1, 7 d. Prov. 23, 1-2 (Patr.)

---

1. Bernard n'avait pas une réputation d'antisémite. Au contraire : Cf. *SC* 414, 304, n. 1 sur *SCt* 14, 1.

2. * Ce verset est utilisé 6 fois par Bernard, avec un texte variable ; 3 fois, nous trouvons *manens in incredulitate,* alors que *Vg* et *Vl* n'ont que *in incredulitate.* L'expression n'a pu être trouvée dans *PL.*

3. * Citation d'un passage des *Proverbes,* imbriquée dans le texte de Bernard. C'est l'un des 12 emplois dans les *SBO* d'un texte *Vl* qui avait été souvent cité : depuis Cassien, en passant par AUGUSTIN (*Sermon*

qu'elle les appelle fils de sa mère, et non de son père. Car «ils n'avaient pas Dieu pour père, mais bien le diable[1]». En effet, ils étaient homicides, comme «lui-même était homicide dès le commencement[f]». C'est pourquoi elle ne dit pas : «Mes frères», ou : «les fils de mon père», mais : «Les fils de ma mère ont combattu contre moi.» Autrement, si elle ne faisait pas cette distinction, on pourrait croire que même l'apôtre Paul soit compris parmi ceux dont elle se plaint. Car lui aussi «persécuta pour un temps l'Église de Dieu[g]». Mais «il obtint miséricorde, parce qu'il avait agi par ignorance, n'ayant pas encore la foi[h][2]». Il prouva ainsi qu'il avait Dieu pour père, et qu'il était le frère de l'Église, tant par son Père que par sa mère.

2. Mais remarque comment l'épouse accuse nommément les fils de sa mère et eux seuls, comme s'ils étaient les seuls coupables. Pourtant, elle a aussi beaucoup souffert des étrangers, selon cette parole du Prophète : «Bien des fois ils m'ont traqué dès ma jeunesse[a]», et : «Les pécheurs ont tramé dans mon dos[b].» Pourquoi accuses-tu particulièrement les fils de ta mère, quand tu n'ignores pas[c] que tu as été très souvent attaquée par bien d'autres nations? «Lorsque tu es invité à la table d'un riche, dit le Sage, fais bien attention aux mets qui te sont servis[d][3].» Frères, nous sommes assis à la table de Salomon. Qui est plus riche que Salomon? Je ne parle pas des richesses terrestres, bien que Salomon les eût aussi en abondance. Mais considérez la table que nous avons sous les yeux,

329, 1, *PL* 38, 1455), Grégoire le Grand, Haymon d'Halberstadt, Paschase Radbert, Éric d'Auxerre, jusqu'à Robert Pullus. Bernard présente, au total, un texte fixe ; mais les variations des Pères sont nombreuses, fréquentes et importantes. Bernard, ici, se soucie des mets – «la doctrine» – qu'il doit «préparer» pour ses moines. Une brève allusion se rencontre dans *SCt* 30, 12, l. 6-7, p. 422.

sunt et divina, quae nobis in ea apponuntur. *Diligenter* ergo, inquit, *considera quae tibi apponuntur, sciens quia* 15 *talia te oportet praeparare*[d]. Ego utique, quod in me est, diligenter attendo id mihi apponi in his verbis sponsae, et ad meam prorsus doctrinam cautelamque respicere, quod ita ex nomine ac sola exprimitur persecutio a domesticis[e], et tacentur tot et tam gravia quae ubique terrarum 20 nihilominus *ex omni natione quae sub caelo est*[f], ab infidelibus, ab haereticis et schismaticis pertulisse cognoscitur. Novi sponsae prudentiam, nec putaverim casu haec 204 illam aut quasi immemorem praeteriisse. Sed profecto id expressius plangit, quod et sentit differentius, quodque 25 vigilantius nobis cavendum existimat. Quidnam hoc? Malum utique intestinum ac domesticum. Hoc tibi manifeste in Evangelio ore ipsius Salvatoris exprimitur, cum dicit : *Et inimici hominis domestici eius*[g]. Hoc et in Propheta : *Homo,* inquit, *pacis meae, qui edebat panes meos,* 30 *magnificavit super me supplantationem*[h]. Item : *Quoniam si inimicus meus maledixisset mihi, sustinuissem utique; et si is qui oderat me, super me magna locutus fuisset, abscondissem me forsitan ab eo. Tu vero homo unanimis, dux meus et notus meus, qui simul mecum dulces capiebas* 35 *cibos*[i], hoc est : quod a te patior conviva et contubernali meo, id molestius sentio, fero acrius. Scitis haec querimonia cuius et de quo sit.

3. Agnoscite ergo et sponsam eodem de filiis matris suae conquerentem affectu, quia in eodem spiritu, cum

d. Prov. 23, 1-2 (Patr.) e. Cf. Matth. 10, 36 f. Act. 2, 5 ≠
g. Matth. 10, 36 h. Ps. 40, 10 ≠ i. Ps. 54, 13-15 ≠

comment elle est garnie de délices célestes. Les mets qui nous y sont servis sont spirituels et divins. Dès lors, « fais bien attention aux mets qui te sont servis, dit le Sage, sachant que tu dois en préparer de semblables[d] ». Pour moi donc, dans la mesure de mes forces, je prête la plus grande attention à ce qui m'est servi par ces paroles de l'épouse en vue de m'instruire et de me mettre en garde. Seule est ici mentionnée nommément la persécution exercée par les gens de la famille[e]. En revanche, elles sont passées sous silence, les si nombreuses et si graves vexations que l'épouse a endurées par toute la terre, « de la part de chaque nation sous le ciel[f] », des infidèles, des hérétiques et des schismatiques. Je connais la prudence de l'épouse, et je ne croirais pas qu'elle ait passé ces vexations sous silence par hasard ou par oubli. Certes, elle déplore plus particulièrement ce qu'elle ressent plus intensément, et ce dont elle pense que nous devons nous méfier avec plus de vigilance. De quoi s'agit-il donc? Du mal intérieur qui se cache dans la famille. Il est clairement désigné dans l'Évangile par la bouche du Sauveur lui-même, lorsqu'il dit : « L'homme aura pour ennemis les gens de sa famille[g]. » De même dans le Prophète : « L'homme avec qui j'étais en paix, et qui mangeait le même pain, a triomphé de moi par ruse[h]. » Et encore : « Si mon ennemi m'avait maudit, je l'aurais supporté. Et si celui qui me haïssait avait tenu sur moi des propos insolents, je me serais peut-être dérobé à lui. Mais toi, un seul cœur avec moi, mon guide et mon intime, qui partageais avec moi des mets délicieux[i]? » C'est-à-dire : ce que je souffre de ta part, mon convive et mon compagnon, je le ressens plus douloureusement, j'ai plus de peine à le supporter. Vous savez de qui est cette plainte, et à qui elle s'adresse.

3. Reconnaissez donc que l'épouse se plaint des fils de sa mère avec les mêmes sentiments, car elle en parle

ait : *Filii matris meae pugnaverunt contra me.* Unde et alibi loquitur : *Amici mei et proximi mei adversum me*
5 *appropinquaverunt et steterunt*[a].

II. Quam sit amplectenda pax, et vitandum scandalum etiam in minimis a communiter viventibus.

Longe, quaeso, a vobis facite semper hoc tam abominabile et detestabile malum vos, qui experti estis, et quotidie experimini, *quam bonum* sit *et quam iucundum habitare fratres in unum*[b], si tamen in unum et non in
10 scandalum. Alioquin nec iucundum plane, nec bonum, sed pessimum ac molestissimum. *Vae autem homini illi, per quem*[c] unitatis iucundum turbabitur! *Iudicium* profecto *portabit quicumque est ille*[d]. Ante mihi contingat mori, quam audire in vobis quempiam iuste clamitantem :
15 *Filii matris meae pugnaverunt contra me.* Nonne praesentis congregationis tamquam unius matris filii omnes vos estis, singuli alterutrum fratres[e]? Quid ergo a foris vos conturbare aut contristare possit, si intus bene estis et fraterna pace gaudetis? Denique *quis vobis nocere*
20 *poterit,* inquit, *si boni aemulatores fueritis*[f]? Quamobrem *aemulamini charismata meliora*[g], ut bonos vos probetis aemulatores. Charisma peroptimum caritas est, plane incomparabile, quod novae sponsae caelestis sponsus
205 totiens inculcare curabat, nunc quidem dicens : *In hoc*
25 *cognoscent omnes quia mei estis discipuli, si dilectionem*

3. a. Ps. 37, 12 b. Ps. 132, 1 ≠ c. Matth. 26, 24 d. Gal. 5, 10 ≠ e. Cf. Matth. 23, 8 f. I Pierre 3, 13 (Patr.) g. I Cor. 12, 31 ≠

1. * Bernard, 3 fois sur 3, à la place de *nocebit,* « nuira », de *Vg,* écrit *poterit nocere,* « pourra nuire ». Augustin a bien 3 fois ce texte, mais il est banal de passer de l'expression du seul futur à l'énoncé formel de la possibilité.

dans le même esprit, lorsqu'elle dit : « Les fils de ma mère ont combattu contre moi. » C'est pourquoi elle dit aussi ailleurs : « Mes amis et mes parents se sont approchés et se sont arrêtés en face de moi[a]. »

II. Combien ceux qui vivent en communauté doivent poursuivre la paix et éviter le scandale, même dans les moindres choses.

Je vous en prie, écartez toujours de vous ce mal si abominable et si détestable, vous qui savez, par une expérience chaque jour renouvelée, « combien il est bon et doux d'habiter en frères tous ensemble[b] », pourvu que ce soit dans l'unité et non dans le scandale. Autrement, ce ne serait ni doux ni bon, mais très mauvais et très pénible. « Malheur à l'homme[c] » qui trouble la douceur de l'unité ! Oui, « il en subira la sanction, quel qu'il soit[d] ». Je souhaiterais mourir plutôt que d'entendre quelqu'un d'entre vous s'écrier avec raison : « Les fils de ma mère ont combattu contre moi. » N'êtes-vous pas tous fils de cette communauté comme d'une seule mère, chacun étant frère de tous les autres[e] ? Qu'est-ce qui pourrait vous troubler ou vous attrister de l'extérieur, si à l'intérieur vous êtes heureux, jouissant de la paix fraternelle ? Bref, « qui pourra vous nuire, est-il écrit, si vous devenez zélés pour le bien[f1] ? » C'est pourquoi, « aspirez aux dons les meilleurs[g2] », pour prouver que votre zèle est bon. Le plus excellent des dons, c'est la charité, don absolument incomparable, que l'Époux céleste de la nouvelle épouse s'efforçait si souvent de graver en elle, disant : « A ceci tous reconnaîtront que vous êtes mes disciples : si vous

2. * Toute la tradition textuelle de ce verset, grec inclus, est divisée pour donner un qualificatif aux charismes : *maiora,* « plus grands », ou *meliora,* « meilleurs ». Les *SBO,* 7 fois sur 8, écrivent *meliora,* avec les bibles de l'époque et avec la grande majorité des Pères tardifs ; la huitième occurrence a *maiora.*

habueritis ad invicem[h], nunc vero : *Mandatum novum do vobis, ut diligatis invicem*[i], et : *Hoc est praeceptum meum, ut diligatis invicem*[j], itemque orans unum eos fore, sicut ipse et Pater unum sunt[k]. Et vide si non ipse Paulus, 30 qui te ad charismata meliora invitat, inter cetera caritatem insinuet, sive cum fide et spe dicit eam esse maiorem[l] et *supereminentem scientiae*[m], sive cum enumeratis pluribus aut mirabilibus supernae gratiae donis, tandem ad superexcellentiorem viam nos mittit[n], haud aliam profecto 35 illam quam caritatem diffiniens. Denique quidnam huic comparandum putemus, quae ipsi praefertur martyrio ac fidei transferenti montes[o]? Hoc igitur est quod dico : pax vobis a vobis sit, et omne quod extrinsecus minari videatur, non terret, quia non nocet. Nam e contrario 40 quidquid foris blandiri appareat, nulla est profecto consolatio, si intus, quod absit, seminarium discordiae germinaverit.

4. Proinde, dilectissimi, pacem habete ad vos, et nolite laedere invicem, non facto, non verbo, non signo qualicumque, ne quis forte exacerbatus et praeoccupatus *a pusillanimitate spiritus et tempestate*[a], Deum interpellare 5 cogatur adversus illos qui se laeserunt aut contristaverunt, et prorumpere in verbum grave contingat : *Filii matris meae pugnaverunt contra me. Sic* enim *peccantes in fratrem, in Christum peccaretis*[b], qui ait : *Quod uni ex* 10 *minimis meis fecistis mihi fecistis*[c]. Nec cavendum a gravioribus tantum offensis, verbi gratia ab aperto convicio

h. Jn 13, 35 ≠ i. Jn 13, 34 j. Jn 15, 12 k. Cf. Jn 17, 22
l. Cf. I Cor. 12, 31 ; I Cor. 13, 13 m. Éphés. 3, 19 n. Cf. I Cor. 12, 8-11. 31 o. Cf. I Cor. 13, 2-3
4. a. Ps. 54, 9 ≠ b. I Cor. 8, 12 ≠ c. Matth. 25, 40 (Lit.)

1. * Sur 7 citations ou quasi-citations, Bernard commence 4 fois son texte par *Quod,* comme le font une antienne et la communion du lundi

avez de l'amour les uns pour les autres[h].» Et aussi: «Je vous donne un commandement nouveau: vous aimer les uns les autres[i].» Et encore: «Mon commandement, le voici: vous aimer les uns les autres[j].» Il prie aussi pour qu'ils soient un, comme lui-même et le Père sont un[k]. Et vois si Paul lui-même, qui t'invite aux dons les meilleurs, ne recommande pas la charité parmi tous les autres: soit lorsqu'il la déclare plus grande que la foi et l'espérance[l], et «bien supérieure à toute science[m]»; soit lorsqu'après avoir énuméré plusieurs dons admirables de la grâce céleste, il nous indique enfin une voie plus excellente encore[n]. Celle-ci n'est autre, à son avis, que la charité. Bref, que pourrions-nous lui comparer, puisqu'on la préfère même au martyre et à la foi qui transporte les montagnes[o]? Voilà donc ce que je dis: ayez la paix entre vous, et tout ce qui semble la menacer du dehors ne pourra pas vous effrayer, ne pouvant plus vous nuire. Au contraire, tout ce qui paraît vous flatter du dehors ne vous sera d'aucun réconfort, si à l'intérieur, ce qu'à Dieu ne plaise, a germé une pépinière de discorde.

4. C'est pourquoi, mes bien-aimés, soyez en paix entre vous, et ne vous blessez pas mutuellement, ni en acte, ni en parole, ni par quelque signe que ce soit. Sinon quelqu'un, excédé, en proie «au découragement et au trouble[a]», pourrait se voir forcé de recourir à Dieu contre ceux qui l'ont blessé ou contristé. Il pourrait alors s'emporter avec ces paroles accablantes: «Les fils de ma mère ont combattu contre moi.» Car, «en péchant ainsi contre un frère, vous pécheriez contre le Christ[b]», qui dit: «Ce que vous avez fait à l'un de ces plus petits, qui sont à moi, c'est à moi que vous l'avez fait[c 1].» Et il ne faut pas seulement se garder des offenses graves, comme par

de la première semaine de Carême, et non par le *Quamdiu* de *Vg.* Il a, par ailleurs, un texte peu fixe.

seu maledicto, a clandestino quoque et venenato susurrio. Non, inquam, sufficit os custodire ab his et his similibus; cavenda sunt et levia, si tamen leve debeat dici quod-
15 cumque in fratrem praesumpseris voluntate laedendi, cum hoc solo, si irasceris illi, divini reus iudicii tenearis[d]. Merito quidem : nam quod tu leve putas, et ob hoc levius praecipitas, plerumque alius aliter accipit, tamquam *homo*
206 *videns in facie*[e] et *secundum faciem iudicans*[f], paratus
20 festucam trabem suspicari[g] et scintillam putare fornacem. Non enim omnium est *caritas* illa, quae *omnia credit*[h]. *Proni sunt* autem *sensus hominis et cogitationes ad malum*[i] potius suspicandum quam ad bonum credendum, praesertim ubi disciplina silentii nec te, qui in causa es,
25 excusare permittit, nec illum suspicionis vulnus aperire quod patitur, ut curetur. Ita uritur ille, et moritur clauso et letali vulnere, intra semetipsum gemens[j], dum totus in ira et disceptatione positus, nil aliud silens versare in mente possit, nisi iniuriam quam accepit. Non potest orare,
30 non potest legere, non sanctum aut spirituale aliquid meditari; et ita intercepto vitali spiritu, dum suis destituta alimentis vadit ad mortem anima *pro qua Christus mortuus est*[k], quid tu interim, quaeso, animi habes? Quid oratio tua, aut opus quodcumque interim feceris, sapit tibi, contra
35 quem nimirum Christus anxie clamat de pectore fratris tui quem contristasti : Filius, inquiens, matris meae pugnat

d. Cf. Matth. 5, 22 e. I Sam. 16, 7 (Lit.) f. Jn 7, 24 ≠ g. Cf. Matth. 7, 3 h. I Cor. 13, 7 ≠ i. Gen. 8, 21 ≠ j. Cf. Rom. 8, 23 k. Rom. 14, 15 ≠

---

1. * Cf. p. 266, n. 1 sur *I Sam.* 16, 7 (Lit., Patr.) cité en *SCt* 25, 5.
2. * Bernard emploie ce texte 19 fois. Il semble avoir un texte à lui, dont il use à 9 reprises en termes quasi identiques, par exemple ce passage-ci. Or ce texte est très différent de *Vg*, l'apparat de l'édition de *Vl* ne propose rien de semblable et rien n'a pu être trouvé dans la fin de l'âge patristique. S'agirait-il d'une sentence pessimiste sur

exemple des insultes directes et des injures ; il faut aussi éviter les chuchotements secrets et venimeux. Je le répète, il ne suffit pas de préserver sa bouche de ces choses-là et d'autres semblables. Il faut encore se garder des offenses légères, si l'on peut appeler légère la volonté préméditée de blesser un frère, alors que le seul fait de te mettre en colère contre lui te rend passible du jugement de Dieu[d]. A juste titre. En effet, ce que tu considères comme léger – et, par suite, tu y vas plutôt à la légère –, un autre bien souvent le prend tout autrement. Car, « en homme qui regarde l'apparence[e 1] » et « qui juge d'après l'apparence[f] », il est prêt à soupçonner une poutre derrière une paille[g] et à prendre une étincelle pour une fournaise. De fait, elle n'est pas donnée à tous, cette « charité qui croit tout[h] ». « L'esprit de l'homme et ses pensées sont portés à soupçonner le mal[i 2] » plutôt qu'à croire au bien. Surtout là où la discipline du silence ne permet ni à toi, qui es en cause, de t'excuser, ni à l'autre de dévoiler la blessure du soupçon dont il souffre, pour qu'on puisse la soigner. Ainsi il brûle, et il meurt de cette blessure cachée et mortelle. Gémissant en lui-même[j], tout entier en proie à la colère et au ressentiment, dans son silence il ne peut penser à autre chose sinon à l'injure subie. Il ne peut plus prier, il ne peut plus lire, ni méditer rien de saint ou de spirituel. Ainsi, le souffle vital lui est coupé, et son âme privée d'aliments court à la mort – cette âme « pour laquelle le Christ est mort[k] ». Et toi, dis-moi, qu'as-tu entre-temps dans le cœur ? Quel goût peux-tu trouver dans la prière, ou dans toute œuvre que tu pourrais accomplir entre-temps ? Car du cœur de ton frère, que tu as contristé, le Christ crie avec douleur contre toi, en disant : « Le fils de ma mère combat contre

l'homme qui aurait parfois été liée à ce texte biblique, et à laquelle Bernard aurait donné cette forme ?

contra me[l], et *qui simul mecum dulces capiebat cibos*[m], *replevit me amaritudine*[n]?

5. Quod si dixeris illum non tam graviter pro tam levi causa debuisse turbari, respondeo : quanto levior est, tanto a te levius potuit non committi. Quamquam nescio quomodo leve dicas, ut iam dixi, quidquid amplius est 5 quam irasci, cum vel hoc ipsum obnoxium esse iudicio ex ore ipsius acceperis Iudicis[a]. Quid enim? Tune leve dixeris, in quo offenditur Christus, unde ad Dei iudicium pertrahi habes, cum *horrendum sit incidere in manus Dei viventis*[b]? Tu ergo accepta forte iniuria, quod quidem 10 interdum non accidere in his conventibus difficile est, non continuo, more saecularis, obliqua referire fratrem responsione festines; sed neque, sub specie quasi corripiendi, verbo acuto et urenti transfigere audeas ullatenus animam pro qua Christus affigi cruci dignatus est; non 15 grunnire quasi increpando, non labiis mussitare quasi in murmurando, non narem contrahere aut cachinnare quasi subsannando, non frontem rugare quasi invehendo aut comminando. Sane commotio tua ibi moriatur ubi oritur, ne permittatur exire quae mortem portat, ne perimat, ut 20 dicere possis et tu cum Propheta : *Turbatus sum, et non sum locutus*[c].

III. Qualiter haec verba : *Filii matris meae,* etc., de utili increpatione, et quod miro modo tenerius diligantur qui per increpatoria convalescunt.

207 **6.** Quosdam altius intellexi sentire istud, quasi de *diabolo et angelis eius*[a] dictum, qui cum fuerint et ipsi

l. Cf. Cant. 1, 5 m. Ps. 54, 15 ≠ n. Ruth 1, 20 ≠
5. a. Cf. Matth. 5, 22 b. Hébr. 10, 31 ≠ c. Ps. 76, 5
6. a. Matth. 25, 41

1. « Certains ». ORIGÈNE, *Comm. sur le Cant.* II, 3, 15-18 (*SC* 375, 325-327).

moi[l], et 'celui qui partageait avec moi des mets délicieux[m] m'a rempli d'amertume[n]'. »

5. Si tu prétends qu'il n'aurait pas dû se troubler si profondément pour un motif si léger, je te réponds : plus la faute est légère, plus aisément tu aurais pu l'éviter. D'ailleurs – je l'ai déjà dit –, je ne sais pas comment tu peux qualifier de léger ce qui est plus grave que la colère, alors que celle-ci est déjà passible du jugement : tu l'as entendu de la bouche même du Juge[a]. Quoi donc? Tiendras-tu pour léger ce qui blesse le Christ, et qui te vaut d'être traîné devant le tribunal de Dieu, alors qu'il est « terrible de tomber aux mains du Dieu vivant[b] » ? S'il t'arrive d'essuyer une injure, ce qu'il est difficile de toujours éviter dans nos communautés, ne va pas aussitôt rendre la pareille à ton frère par une riposte blessante, suivant les mœurs du monde. Mais évite aussi, sous prétexte de corriger ton frère, de transpercer par un mot piquant et cuisant une âme pour qui le Christ a daigné se laisser clouer sur une croix. Ne grommelle pas des reproches, ne murmure pas entre les dents, ne fronce pas le nez et ne ricane pas d'un air moqueur, ne plisse pas le front comme pour exprimer l'hostilité ou la menace. Que ton émoi meure à sa source. Ne lui permets pas de se montrer au grand jour, de peur qu'il ne fasse des ravages, car il est porteur de mort. Tu pourras dire alors avec le Prophète : « J'étais troublé et je n'ai pas parlé[c]. »

III. Comment ces paroles « Les fils de ma mère etc. » s'entendent de la réprimande utile. Ceux qui reprennent vigueur grâce aux réprimandes sont, de façon étonnante, aimés plus tendrement.

6. J'ai appris que certains[1] interprètent ce passage dans un sens plus profond, comme s'il visait « le diable et ses anges[a] ». Ceux-ci étaient, eux aussi, « les fils de la Jéru-

filii Ierusalem illius, quae sursum est mater nostra[b], ex quo lapsi sunt, non cessant sororem suam Ecclesiam impugnare. Sed neque contendo, si quis usurpet hoc etiam in bonam significationem, secundum quod spirituales, *qui sunt in Ecclesia*[c], adversus carnales fratres suos dimicant in *gladio spiritus, quod est verbum Dei*[d], vulnerantes eos ad salutem atque ad spiritualia istiusmodi impugnationibus provehentes. Utinam *corripiat me iustus in misericordia et increpet me*[e], *percutiens et sanans, occidens et vivificans*[f], quo audeam et ego dicere : *Vivo ego, iam non ego, vivit vero in me Christus*[g]. *Esto,* inquit, *consentiens adversario tuo, dum es cum eo in via, ne tradat te iudici, et iudex tortori*[h]. Bonus adversarius, cui si consentiens ero, non erit unde aut iudex me calumnietur, aut tortor. Ego profecto si quos vestrum aliquando pro huiusmodi contristavi, non me piget ; contristati enim sunt ad salutem[i]. Et quidem nescio me id umquam fecisse absque mea quoque magna tristitia, secundum illud : *Mulier, cum parit, tristitiam habet*[j]. Sed absit ut iam meminerim pressurae, tenens fructum doloris mei, dum perinde videam Christum formatum in sobole[k]. Nescio autem quomodo etiam tenerius mihi adstricti sunt, qui post increpatoria et per increpatoria tandem *convaluerunt de infirmitate*[l], quam qui fortes ab initio permanserunt, non indigentes istiusmodi medicamento.

7. Ergo in hunc sensum poterit Ecclesia seu anima diligens Deum dicere quod decoloravit eam sol, mittendo scilicet et armando de filiis matris eius qui eam salubriter

b. Gal. 4, 25-26 ≠ c. I Cor. 6, 4 d. Éphés. 6, 17 ≠ e. Ps. 140, 5 ≠ f. Deut. 32, 39 ≠ g. Gal. 2, 20 ≠ h. Matth. 5, 25 ≠ i. Cf. II Cor. 7, 8-9 j. Jn 16, 21 k. Cf. Gal. 4, 19 l. Hébr. 11, 34

---

1. * Bernard, chacune des 3 fois où il cite ce texte, emploie non pas *ministro,* « l'assistant, l'exécuteur » *(Vg),* mais *tortori,* « le bourreau ». Cette variante n'a été trouvée que chez Bernard.

salem d'en haut qui est notre mère[b]». Or, depuis leur chute, ils ne cessent d'assaillir leur sœur, l'Église. Mais je ne contredis pas non plus ceux qui prennent ce passage en bonne part. Selon cette interprétation, les hommes spirituels, «qui sont dans l'Église[c]», combattent contre leurs frères charnels «avec le glaive de l'Esprit, qui est la parole de Dieu[d]», les blessant pour leur salut et les entraînant par de tels combats vers les réalités spirituelles. Plaise à Dieu que «le juste me corrige et me reprenne avec miséricorde[e]», «me frappant pour me guérir, me faisant mourir pour me faire vivre[f]». J'oserais dire alors moi aussi : «Je vis, mais ce n'est plus moi, c'est le Christ qui vit en moi[g].» Il est écrit : «Mets-toi d'accord avec ton adversaire, tant que tu es encore en chemin avec lui, de peur qu'il ne te livre au juge, et le juge au bourreau[h 1].» Bon adversaire! Si je me mets d'accord avec lui, le juge n'aura aucun motif de s'en prendre à moi, ni le bourreau non plus. Pour moi, si j'ai parfois contristé de la sorte l'un ou l'autre d'entre vous, je ne le regrette pas. Car il a été contristé pour son salut[i]. Je n'ai pas conscience de l'avoir jamais fait sans en ressentir moi aussi une profonde tristesse, selon cette parole : «La femme, lorsqu'elle enfante, est dans la tristesse[j].» Mais loin de moi le souvenir des douleurs, puisque je possède le fruit de ma souffrance, en voyant le Christ formé dans mes enfants[k]. Je ne sais trop pourquoi, ceux qui, par suite de mes réprimandes et grâce à elles, «ont repris vigueur après la maladie[l]», je leur suis plus tendrement attaché qu'aux forts, qui se sont toujours montrés tels et n'ont pas eu besoin de pareil remède.

7. L'Église ou l'âme qui aime Dieu pourrait dire en ce sens que le soleil l'a ternie. Dieu a envoyé et armé quelques-uns d'entre les fils de sa mère pour lui faire une guerre salutaire et l'emmener prisonnière de la foi

expugnarent et captivam ducerent ad fidem amoremque ipsius, multis utique confixam sagittis, illis de quibus
5 scriptum est : *Sagittae potentis acutae*[a], et item : *Sagittae tuae infixae sunt mihi*[b]. Ideoque sequitur et ait quoniam *non est sanitas in carne mea*[c], ut secundum animam
208 sanior perinde fortiorque factus dicat : *Spiritus quidem promptus est, caro autem infirma*[d], et cum Apostolo :
10 *Quando infirmor, fortis sum et potens*[e]. Vides quia *carnis infirmitas*[f] robur spiritui augeat, et subministret vires? Ita e contrario noveris carnis fortitudinem debilitatem spiritus operari. Et quid mirum, si hoste debilitato tu fortior efficeris, nisi forte illam tibi insanissime ducas amicam, quae
15 non cessat concupiscere adversus spiritum[g]? Vide ergo, si non prudenter sagittari et impugnari salubriter postulat Sanctus, cum dicit in oratione : *Confige timore tuo carnes meas*[h]. Optima timor iste sagitta, qui configit et interficit carnis desideria[i], *ut spiritus salvus sit*[j]. Sed et qui *cas-*
20 *tigat corpus suum et in servitutem redigit*[k], nonne is tibi videtur etiam manum contra se pugnantis ipse iuvare?

IV. De sagitta amoris quae beatae Mariae animam pertransiit, et quomodo Ecclesiae vel studiosae animae gratias agendo dicere conveniat : *Filii matris meae pugnaverunt contra me*.

8. Est et sagitta *sermo Dei vivus et efficax, et penetrabilior omni gladio ancipiti*[a], de quo Salvator : *Non veni,* inquit, *pacem mittere, sed gladium*[b]. Est etiam *sagitta electa*[c] amor Christi, quae Mariae animam non modo

7. a. Ps. 119, 4 b. Ps. 37, 3 c. Ps. 37, 4 ≠ d. Matth. 26, 41 e. II Cor. 12, 10 (Patr.) f. Gal. 4, 13 ≠ g. Cf. Gal. 5, 17 h. Ps. 118, 120 i. Cf. Gal. 5, 16 j. I Cor. 5, 5 k. I Cor. 9, 27 ≠
8. a. Hébr. 4, 12 ≠ b. Matth. 10, 34 c. Is. 49, 2 ≠

1. * Cf. p. 272, n. 1 sur *II Cor.* 12, 10 (Patr.) cité en *SCt* 25, 7.

en lui et de son amour. Elle a donc été toute percée de ces flèches dont il est écrit : « Les flèches du Puissant sont aiguës[a] », et encore : « En moi tes flèches ont pénétré[b]. » C'est pourquoi le psalmiste continue en disant : car « rien n'est sain dans ma chair[c] » ; afin que, guéri et fortifié en son âme, il puisse dire : « L'esprit est prompt, mais la chair est faible[d] » et, avec l'Apôtre : « Lorsque je suis faible, c'est alors que je suis fort et puissant[e 1]. » Vois-tu que « la faiblesse de la chair[f] » accroît la vigueur de l'esprit et lui procure des forces ? Et inversement, tu sais que la vigueur de la chair débilite l'esprit. Faut-il s'étonner que tu deviennes plus fort lorsque ton ennemi s'affaiblit ? A moins que, par hasard, tu ne considères comme ton amie celle qui ne cesse de convoiter contre l'esprit[g] ; ce qui serait une immense folie. C'est avec raison, tu le vois, que le Saint demande à être attaqué et percé de flèches pour son salut, lorsqu'il dit dans la prière : « Perce ma chair de ta crainte[h]. » Excellente flèche que cette crainte qui perce et tue les désirs de la chair[i], « pour que l'esprit soit sauf[j] ». De plus, l'homme qui « châtie son corps et le réduit en servitude[k] », ne te semble-t-il pas seconder lui-même la main de celui qui combat contre lui ?

IV. La flèche de l'amour qui a transpercé l'âme de la bienheureuse Marie. C'est en rendant grâces que l'Église ou l'âme aimante doivent dire : « Les fils de ma mère ont combattu contre moi. »

8. C'est une flèche aussi que « la Parole de Dieu, vivante et efficace, plus pénétrante qu'aucun glaive à double tranchant[a] », dont le Sauveur a dit : « Je ne suis pas venu apporter la paix, mais le glaive[b]. » C'est encore « une flèche choisie[c] » que l'amour du Christ. Elle n'a pas seulement pénétré dans l'âme de Marie, mais elle l'a trans-

5 confixit, sed etiam pertransivit[d], ut nullam in pectore virginali particulam vacuam amore relinqueret, sed *toto corde, tota anima, tota virtute diligeret*[e], et esset *gratia plena*[f]. Aut certe pertransivit eam, ut veniret usque ad nos, et *de plenitudine* illa *omnes acciperemus*[g], et fieret mater 10 caritatis cuius pater est *caritas Deus*[h], parturiens et *in sole ponens tabernaculum*[i] eius, *ut Scriptura impleretur quae dicit*[j] : *Dedi te in lucem gentium, ut sis salus mea usque ad extremum terrae*[k]. Hoc enim impletum est per Mariam, quae in carne visibilem edidit quem invisibilem 15 nec de carne, nec cum carne suscepit. Et illa quidem in tota se grande et suave amoris vulnus accepit ; ego vero me felicem putaverim, si summo saltem quasi cuspide huius gladii pungi interdum me sensero, ut vel modico accepto amoris vulnere, dicat etiam anima mea : *Vul-* 20 *nerata caritate ego sum*[1]. Quis mihi tribuat in hunc modum 209 non modo vulnerari, sed expugnari omnino usque ad exterminationem coloris et caloris illius, *qui militat adversus animam*[m] ?

9. Si exprobraverint filiae huius saeculi illi animae quae huiusmodi est, dicentes pallidam et sine colore esse, nonne tibi congrue posse respondere videbitur : *Nolite considerare quod fusca sim, quia decoloravit me sol*[a] ? Et si se 5 ad hoc meminerit pervenisse adhortationibus seu increpationibus aliquorum servorum Dei, *aemulantium eam Dei aemulatione*[b], nonne consequenter veraciterque

d. Cf. Lc 2, 35 e. Mc 12, 30 ≠ f. Lc 1, 28 g. Jn 1, 16 ≠ h. I Jn 4, 8 ≠ i. Ps. 18, 6 ≠ j. Jn 19, 24 ≠ k. Is. 49, 6 l. Cant. 2, 5 (Patr.) m. I Pierre 2, 11 ≠
9. a. Cant. 1, 5 ≠ b. II Cor. 11, 2 ≠

1. * Bernard, pour ce verset du *Cantique*, cite plus souvent *Vg (quia amore langueo)* que ce texte *Vl*, fréquent dans l'Origène latin, chez Ambroise, Augustin, Grégoire le Grand, Bède, Raban Maur... Toutefois, dans *SCt*, cette mention selon *Vl* est l'unique ; cf. *SC* 393, 76, n. 2.

percée[d], si bien qu'elle n'a laissé dans son sein virginal aucune parcelle vide d'amour. Marie « aime de tout son cœur, de toute son âme, de toute sa force[e] », et ainsi elle est « comblée de grâce[f] ». Cette flèche l'a aussi transpercée pour venir jusqu'à nous, et pour que « tous nous recevions de sa plénitude[g] ». Ainsi Marie deviendrait la mère de cet amour, dont « Dieu qui est l'amour[h] » est le Père. Elle a enfanté et elle a « planté sa tente en plein soleil[i] », « pour que s'accomplisse cette parole de l'Écriture[j] » : « J'ai fait de toi la lumière des nations, pour que tu sois mon salut jusqu'aux extrémités de la terre[k]. » Cela s'est accompli en effet par Marie. Elle a enfanté et rendu visible dans la chair celui qui était invisible et qu'elle n'avait reçu ni de la chair, ni par la chair. Oui, vraiment, elle a reçu dans tout son être la grande et douce blessure d'amour. Pour moi, je m'estimerais heureux si, de temps à autre, je me sentais atteint au moins par l'extrême pointe de ce glaive. Ayant ainsi reçu cette si légère blessure d'amour, mon âme pourrait dire, elle aussi : « Je suis blessée d'amour[l1]. » Qui me donnera d'être non seulement blessé, mais totalement vaincu, jusqu'à la disparition de la couleur et de la chaleur de ce corps, « qui fait la guerre à l'âme[m2] » ?

9. Si les filles de ce siècle reprochaient à une telle âme sa pâleur et son teint terne, ne crois-tu pas qu'elle pourrait à bon droit leur répliquer : « Ne prenez pas garde à mon teint basané, car c'est le soleil qui m'a ternie[a] » ? Et si elle se souvient d'en être venue là grâce aux exhortations et aux réprimandes de quelques serviteurs de Dieu, « jaloux pour elle de la jalousie de Dieu[b] », ne pourra-t-elle pas conclure en bonne logique et en toute vérité

2. « La disparition de la couleur (noire) et de la chaleur du corps ». Couleur et chaleur évoquent la concupiscence qui peut être vaincue par les flèches de l'amour divin.

inferre poterit, quia *filii matris meae pugnaverunt contra me?* Erit igitur sensus, iuxta quod dictum est, ut Ecclesia 10 seu studiosa quaevis anima id loquatur, non quasi gemens aut conquerens, sed quasi gaudens et gratias agens, insuper et glorians, quod pro nomine et amore Christi digna sit fusca seu decolor esse et dici[c], atque hoc ipsum ascribat non suae industriae, sed gratiae et misericordiae 15 praevenientis se et mittentis ad se. Nam quando crederet sine praedicante? Quomodo autem praedicarent, nisi mitterentur[d]? Filios matris suae contra se pugnasse memorat, non ut irata, sed ut non ingrata. Unde et sequitur: *Posuerunt me custodem in vineis*[e]. Quod verbum utique 20 si spiritualiter examinetur, puto nil in se querimoniae aut rancoris habere videbitur, sed magis favorabile aliquid redolere. Verum ad id contingendum, prius sane quam manum apponere audeamus – locus enim sanctus est[f] –, conciliandus est nobis solitis precibus, et sic consultandus, 25 ille *Spiritus* qui *scrutatur alta Dei*[g], aut certe *Unigenitus qui est in sinu Patris*[h], sponsus Ecclesiae Iesus Christus Dominus, *qui est benedictus in saecula. Amen*[i].

c. Cf. Act. 5, 41 d. Cf. Rom. 10, 14-15 e. Cant. 1, 5 f. Éz. 42, 13 g. I Cor. 2, 10 (Patr.) h. Jn 1, 18 ≠ i. Rom. 1, 25

que : « Les fils de ma mère ont combattu contre moi » ? Le sens sera alors, je l'ai déjà dit, que l'Église ou toute âme aimante prononce ces paroles, non pas comme un gémissement ou une plainte, mais dans la joie et l'action de grâces, et même avec fierté. Car elle est digne de paraître et d'être proclamée basanée et terne pour le nom et pour l'amour du Christ[c]. Elle attribue cela, non pas à son propre zèle, mais à la grâce et à la miséricorde de Celui qui la prévient et lui envoie ses messagers. En effet, comment pourrait-elle croire, si personne ne prêche ? Mais comment prêcher sans être envoyé[d] ? Elle dit que les fils de sa mère ont combattu contre elle, non pas parce qu'elle serait en colère, mais pour ne pas se montrer ingrate. C'est pourquoi elle poursuit : « Ils m'ont mise à garder les vignes[e]. » Si l'on examine le sens spirituel de cette parole, on découvrira, je pense, qu'elle ne contient aucune plainte ni aucun ressentiment, mais qu'elle respire plutôt le bonheur. Toutefois, pour toucher à ce mystère, avant d'oser y mettre la main – car ce lieu est saint[f] –, nous devons nous concilier par nos prières habituelles « l'Esprit qui scrute les profondeurs de Dieu[g 1] ». C'est ainsi que nous devons consulter cet Esprit, ou du moins « le Fils unique qui est dans le sein du Père[h] », l'Époux de l'Église, Jésus-Christ Seigneur, « qui est béni dans les siècles. Amen[i] ».

1. * Les *SBO* écrivent un peu plus souvent *alta Dei, Vl,* que *profunda Dei, Vg,* que l'on trouve dans *SCt* 17, 1, l. 5. *Alta* se rencontre souvent dans Ambroise.

SERMO XXX

I. Qua consequentia dicatur : *Posuerunt me custodem in vineis,* et quae sint vineae. – II. Quae sit sponsae vinea ; qualiter exculta ; quod eius vinum ; quatenus dilatata. – III. Qualiter anima sit vinea. Hic beatus Bernardus vineae suae quaerimoniam facit. – IV. Quomodo spirituali viro conveniat dicere : *Vineam meam non custodivi*; et qualiter perdenda sit anima. – V. Correptio utilis adversus eos qui cibos vel complexionem diiudicant.

I. Qua consequentia dicatur : *Posuerunt me custodem in vineis,* et quae sint vineae.

1. *Posuerunt me custodem in vineis*[a]. Qui ? Tuine illi oppugnatores, quos proxime memorasti ? *Audite et intelligite*[b], si non se ab illis ipsis fatetur ista promotam, a quibus et passam. Nec mirum tamen, siquidem fuerit causa 5 pugnandi intentio corrigendi. Nam quis nesciat multos amicabiliter utiliterque multoties oppugnatos ? Quam multos quotidie experimur piis impugnationibus praelatorum ad meliora proficere, provehi ad altiora ! Ergo illud potius demonstremus, si possumus, quemadmodum 10 adversus Ecclesiam pugnatum sit a filiis matris[c], et hostili animo, et damno utili. Id enim mirum, cum qui nocere intendunt, prosunt et nolentes. Utrumque vero sensum tenet superior interpretatio : quoniam quidem non defuerunt, et qui bene, et qui male aemularentur eam,

1. a. Cant. 1, 5 b. Matth. 15, 10 c. Cf. Cant. 1, 5

SERMON 30

I. Comment ces paroles «Ils m'ont mise à garder les vignes» se relient à ce qui précède. De quelles vignes il s'agit. – II. La vigne de l'épouse : comment on la cultive, quel est son vin et combien elle s'est étendue. – III. Comment l'âme est une vigne. Plainte de saint Bernard sur sa propre vigne. – IV. Il sied à l'homme spirituel de dire : «Ma vigne à moi, je ne l'ai pas gardée.» Comment il faut perdre son âme. – V. Admonition salutaire à ceux qui chicanent au sujet des aliments et de la santé du corps.

I. Comment ces paroles «Ils m'ont mise à garder les vignes» se relient à ce qui précède. De quelles vignes il s'agit.

1. «Ils m'ont mise à garder les vignes[a].» Qui? Seraient-ce ces agresseurs que tu évoquais à l'instant? «Écoutez et comprenez[b]» si l'épouse ne reconnaît pas avoir reçu cette charge de ceux-là mêmes qui la faisaient souffrir. Rien d'étonnant à cela, puisqu'ils la combattaient dans l'intention de la corriger. Qui ne sait, en effet, que bien des gens sont harcelés bien des fois par amitié et pour leur profit? Combien progressent et s'élèvent grâce aux justes réprimandes des supérieurs! Nous en faisons l'expérience chaque jour. Il nous faut donc montrer, autant qu'il se peut, comment l'Église a été combattue par les fils de sa mère[c], à la fois dans un esprit hostile et pour un dommage salutaire. Il est étonnant que ceux qui se proposent de nuire, rendent service même contre leur gré. Or, l'interprétation donnée plus haut inclut l'un et l'autre sens. Car il n'a pas manqué de gens qui ont

15 diversa intentione pugnantes; sed utrique profuerunt. In tantum denique se profecisse ex his, quae ab aemulis passa est, gloriatur, ut pro una vinea, quam sibi abstulisse visi sunt, super multas se gaudeat constitutam[d]. «Hoc mihi, inquit, praestitere, pugnando contra me et contra 20 vineam meam, qui dicunt : *Exinanite, exinanite usque ad fundamentum in ea*[e], ut unam pluribus commutarim.» Hoc quippe est quod infert : *Vineam meam non custodivi*[f], tamquam causam subiungens unde hoc illi contigerit, ut non in una iam, sed in pluribus custos posita 25 sit. Et littera quidem sic est.

211 **2.** Sed si eam simpliciter sequimur, contenti eo solo quod sonare in superficie illa videtur, putabimus nos legere in Scriptura sancta de his vineis corporeis et terrenis, quas quotidie cernimus *de rore caeli et de pin-5 guedine terrae*[a] accipere, unde fundunt *vinum, in quo est luxuria*[b]; et sic nihil, non dico Domini sponsae dignum, sed nec cuivis ceterarum congruum, quid de tam sancta et divina Scriptura attulisse videbimur. Quae enim convenientia sponsis et custodiae vinearum[c]? Sed et si convenire 10 putetur, unde docebimus fuisse aliquando Ecclesiam istiusmodi deputatam officio? *Numquid de* vineis *cura est Deo*[d]? Si autem spirituali sensu vineas ecclesias, id est fideles interpretamur populos, iuxta Prophetae sensum dicentis : *Vinea Domini Sabaoth domus Israel est*[e], incipiet

d. Cf. Matth. 25, 21 e. Ps. 136, 7 f. Cant. 1, 5
2. a. Gen. 27, 28 b. Éphés. 5, 18 ≠ c. Cf. II Cor. 6, 14-15 d. I Cor. 9, 9 ≠ e. Is. 5, 7 (Lit.)

1. «Tel est le sens littéral.» Aux yeux de Bernard, le Cantique est avant tout le chant de l'Église-épouse.

2. * Bernard n'emploie jamais que l'expression *vinea Domini Sabaoth* (6 fois). Elle se trouve telle dans le trait *Vinea facta est,* à la 8e prophétie, le Samedi saint. Il n'emploie jamais *Vg, vinea Domini exercituum*. ~ Pour lui, ces mots évoquent toujours les dégâts provoqués

attaqué l'Église, soit pour son bien, soit pour son malheur. Ils l'ont combattue avec des intentions différentes, mais les uns et les autres lui ont rendu service. Aussi se glorifie-t-elle d'avoir progressé grâce aux attaques subies. En effet, pour une seule vigne que ses adversaires ont cru lui avoir ôtée, ils l'ont établie gardienne sur plusieurs autres[d]. « Voilà, dit-elle, l'avantage que m'ont procuré, en combattant contre moi et contre ma vigne, ceux qui s'écrient : 'Détruisez-la, détruisez-la de fond en comble[e].' Car j'ai échangé une seule vigne contre plusieurs. » C'est bien la conclusion qu'elle en tire : « Ma vigne à moi, je ne l'ai pas gardée[f]. » C'est comme si elle expliquait pourquoi on l'a établie gardienne, non pas d'une seule vigne, mais de plusieurs. Tel est le sens littéral[1].

2. Si nous ne suivons que la lettre, nous contentant de la seule signification qui apparaît à la surface, nous penserons lire dans l'Écriture Sainte une allusion aux vignes concrètes et terrestres. Celles-ci, nous les voyons chaque jour se nourrir « de la rosée du ciel et des gras terroirs[a] », pour produire « le vin qui entraîne à la débauche[b] ». Ainsi, nous ne tirerons de la sainte et divine Écriture rien qui soit digne, je ne dis pas de l'épouse du Seigneur, mais aussi de n'importe quelle autre épouse. Car quel rapport y a-t-il entre des épouses et la garde des vignes[c] ? Même si ce rapport existait, comment prouverons-nous que l'Église a été parfois chargée d'une telle tâche ? « Dieu se mettrait-il en peine des vignes[d] ? » Par contre, si nous suivons le sens spirituel, nous comprenons que les vignes sont les Églises, c'est-à-dire les peuples fidèles, d'après le Prophète qui dit : « La vigne du Seigneur Sabaoth, c'est la maison d'Israël[e][2]. » Alors peut-être

dans l'Église par ses ennemis ou ses mauvais pasteurs, avec l'arrière-fond biblique d'*Isaïe* 5, ou de *III Rois* 21 (la vigne de Nabot), ou des renardeaux qui « démolissent » la vigne dans le *Cantique*, ou des paraboles de *Matth.* 20 et 21.

15 fortassis elucere nobis, quomodo sponsae minime indignum sit fieri custodem in vineis.

3. Puto quod et non parva insuper in hoc apparebit ipso praerogativa, si quis diligentius curet advertere quantum ubique per orbem in huiusmodi vineas *dilataverit terminos suos*[a] a die illa, qua Ierosolymis a filiis 5 matris suae expugnata est et exturbata, una cum prima illa sua *novella plantatione*[b], *multitudinem* dico *credentium,* quorum legitur *fuisse cor unum et anima una*[c]. Et ipsa est, quam se modo fatetur minime custodisse, sed *non ad insipientiam sibi*[d]. Nec enim ita inde evulsa in 10 persecutione fuit, ut non alibi plantaretur atque *aliis locaretur agricolis, qui reddant fructus eius temporibus suis*[e].

II. Quae sit sponsae vinea ; qualiter exculta ; quod eius vinum ; quatenus dilatata.

Non prorsus, non periit, sed migravit ; etiam crevit et dilatata est, tamquam *cui benedixit Dominus*[f]. Denique 15 *leva oculos tuos, et vide*[g] si non *operuit montes umbra eius et arbusta eius cedros Dei*[h], si non *extendit palmites suos usque ad mare et usque ad flumen propagines eius*[i]. Nec mirum : *Dei enim aedificatio est, Dei agricultura est*[j]. Ipse fundat, ipse propagat, ipse putat et *purgat eam, ut* 20 *fructus plus afferat*[k]. Quando nempe sua destitueret cura vel opere, *quam plantavit dextera eius*[l]? Non plane habenda neglectui, in qua Apostoli palmites, Dominus 212 vitis et Pater eius agricola est[m]. In fide plantata[n], in caritate mittit radices[o], defossa sarculo disciplinae, ster-25 corata paenitentium lacrimis[p], rigata praedicantium verbis[q],

3. a. Deut. 12, 20 ≠ b. Ps. 143, 12 ≠ c. Act. 4, 32 ≠ d. Ps. 21, 3 ≠ e. Matth. 21, 41 ≠ f. Gen. 27, 27 g. Is. 49, 18 ≠ h. Ps. 79, 11 i. Ps. 79, 12 j. I Cor. 3, 9 ≠ k. Jn 15, 2 ≠ l. Ps. 79, 16 ≠ m. Cf. Jn 15, 1. 5 n. Cf. I Cor. 3, 6-7 o. Cf. Éphés. 3, 17 p. Cf. Lc 13, 8 q. Cf. I Cor. 3, 6-7

commencerons-nous à entrevoir pourquoi il n'est aucunement indigne de l'épouse de devenir gardienne de vignes.

3. De plus, je pense qu'en cela même on pourra découvrir une prérogative non négligeable. Il suffit de considérer attentivement combien l'Église « a étendu ses frontières[a] » à travers ces vignes par toute la terre, depuis le jour où, à Jérusalem, les fils de sa mère l'ont attaquée et chassée, elle et ses premiers « jeunes plants[b] ». J'entends par là « la multitude des croyants, dont nous lisons qu'ils n'avaient qu'un cœur et qu'une âme[c] ». Voilà justement la vigne que l'Église avoue n'avoir pas gardée, mais « cela n'a pas tourné à sa confusion[d] ». Car la persécution n'a pas si brutalement déraciné cette vigne, qu'elle n'ait pu être replantée ailleurs et « louée à d'autres vignerons qui en rendent les fruits en son temps[e] ».

II. La vigne de l'épouse : comment on la cultive, quel est son vin et combien elle s'est étendue.

Non, vraiment, elle n'a pas péri, mais elle a émigré ; bien plus, elle s'est développée et étendue, comme une vigne « bénie par le Seigneur[f] ». « Lève donc les yeux et regarde[g] » si « son ombre n'a pas couvert les montagnes, et ses pampres les cèdres de Dieu[h] » ; si « elle n'a pas déployé ses sarments jusqu'à la mer, et ses rejetons jusqu'au fleuve[i] ». Rien d'étonnant : « Car elle est la construction de Dieu, le champ que Dieu cultive[j]. » C'est lui qui la plante, lui qui la provigne, lui qui la taille et l'émonde, « afin qu'elle porte plus de fruit[k] ». Quand renoncerait-il à soigner et à travailler la vigne « que sa droite a plantée[l] » ? Non, il ne faut pas la négliger, puisque ses sarments sont les Apôtres, le Seigneur son cep et le Père le vigneron[m]. Plantée dans la foi[n], elle plonge ses racines dans la charité[o] ; elle est labourée par le sarcloir de la discipline, fumée par les larmes des pénitents[p], arrosée par les paroles des prédicateurs[q]. C'est ainsi qu'elle

et sic sane exuberans vino, in quo est laetitia, sed non luxuria[r], vino totius suavitatis, nullius libidinis. Hoc certe *vinum laetificat cor hominis*[s], hoc constat et angelos bibere cum laetitia. Denique gaudent in conversione et
30 paenitentia peccatorum[t], salutem hominum sitientes. Lacrimae paenitentium vinum eorum, quod in illis dolor vitae sapor gratiae sit, indulgentiae gustus, reconciliationis iucunditas, sanitas redeuntis innocentiae, serenatae suavitas conscientiae.

4. Ergo ex illa una vinea, quam saevae persecutionis visa est delevisse tempestas, quantae in universa terra propagatae refloruerunt! Et in his omnibus custos posita sponsa est, ut non contristetur, quod primam vineam non
5 custodivit. Consolare, filia Sion : si *caecitas ex parte contigit in Israel*[a], quid tu perdis? Mirare mysterium et noli plangere detrimentum; dilata sinum et collige plenitudinem gentium[b]. *Dic civitatibus Iudae*[c] : *Vobis oportebat primum loqui verbum Dei; sed quoniam repulistis illud et*
10 *indignos vos iudicastis aeternae vitae, ecce convertimur ad gentes*[d]. Moysi sane oblatum est a Deo, si praevaricatorem populum vellet dimittere, et divinae exponere ultioni, ipsum quidem fieri posse in gentem magnam; sed ille renuit[e]. Quare? Ob nimiam profecto dilectionem, qua
15 illi fortiter devinctus tenebatur[f], et quoniam *non quaerebat quae sua sunt*[g], sed Dei honorem, et *quod non sibi utile foret, sed quod multis*[h]. Et quidem ille sic.

5. Ego autem consilio secretiori puto hoc munus divinitus pro sui magnitudine servatum sponsae, ut ipsa potius,

r. Cf. Ps. 103, 15; Éphés. 5, 18 s. Ps. 103, 15 t. Cf. Lc 15, 10
4. a. Rom. 11, 25 b. Cf. Is. 54, 2-3; Rom. 11, 25 c. Is. 40, 9 d. Act. 13, 46 ≠ e. Cf. Ex. 32, 10-13 f. Cf. Éphés. 2, 4 g. I Cor. 13, 5 ≠ h. I Cor. 10, 33 ≠

1. *RB* 72, 7 (*SC* 182, 670-671).

ruisselle de vin, un vin qui éveille la joie et non la débauche[r], vin plein de douceur et pur de toute passion charnelle. Oui, «ce vin réjouit le cœur de l'homme[s]», et les anges aussi le boivent avec joie. Car ils prennent plaisir à la conversion et au repentir des pécheurs[t], assoiffés qu'ils sont du salut des hommes. Les larmes des pénitents sont le vin des anges, puisqu'en elles le regret de la vie passée devient saveur de la grâce, goût du pardon, allégresse de la réconciliation, santé de l'innocence recouvrée, douceur de la conscience apaisée.

4. Ainsi de cette unique vigne, que la tempête d'une cruelle persécution semblait avoir détruite, combien d'autres ont refleuri, provignées par toute la terre! L'épouse en a été établie gardienne, pour qu'elle ne s'afflige pas de n'avoir pas gardé sa première vigne. Console-toi, fille de Sion. Si «une partie d'Israël a été frappée de cécité[a]», toi, qu'est-ce que tu y perds? Admire le mystère et ne pleure pas la perte; élargis tes flancs et accueille la plénitude des nations[b]. «Dis aux villes de Juda[c]» : «C'est à vous d'abord qu'il fallait annoncer la parole de Dieu; mais puisque vous l'avez repoussée et que vous vous êtes jugés indignes de la vie éternelle, voici que nous nous tournons vers les nations[d].» Dieu offrit à Moïse de faire de lui une grande nation, s'il voulait quitter le peuple traître et l'abandonner à la vengeance divine. Moïse refusa[e]. Pourquoi? Sans doute à cause du trop grand amour qui le tenait étroitement attaché à ce peuple[f], et parce qu'il «ne cherchait pas son avantage personnel[g]», mais l'honneur de Dieu, «non pas son propre intérêt, mais celui du plus grand nombre[h 1]». Tel était Moïse.

5. Je pense, quant à moi, qu'il y avait en cela un dessein plus secret de Dieu : il voulait qu'un don d'une telle ampleur fût réservé à l'épouse. Il fallait que celle-

et non Moyses, mitteretur *in gentem magnam*[a]. Non enim oportebat *amicum Sponsi*[b] praeripere sponsae benedic-
5 tionem[c]; et propterea non quidem Moyses, sed nova sponsa, cui dicitur : *Ite in mundum universum, praedicate Evangelium omni creaturae*[d], ipsa prorsus missa est in gentem magnam. Num in maiorem potuit, quam in universitatem? Et facile universitas cessit portanti pacem,
213 10 gratiam offerenti. Sed non sicut gratia, ita et lex[e]. Quam dissimili vultu ad omnem conscientiam se offerunt suavitas huius, et illius austeritas! Quis sane ex aequo respiciat condemnantem et consolantem, reposcentem et ignoscentem, plectentem et amplectentem? Non pari profecto
15 acceptabantur voto umbra et lux, ira et pax, iudicium et misericordia, figura et veritas, virga et hereditas, frenum et osculum. Graves denique Moysi manus, testibus Aaron et Hur[f]; grave legis iugum, testibus ipsis Apostolis, qui hoc et sibi, et patribus importabile clamitant[g]; *grave*
20 *iugum*[h], et vile praemium : nam terra est in promissione[i]. Pro huiusmodi non est Moyses missus *in gentem magnam.* Verum tu, mater Ecclesia, *promissionem habens vitae quae nunc est et futurae*[j], facile in duplici gratia obtines ab universis te recipi et propter *iugum suave*[k], et propter
25 sublime regnum. Pulsa de civitate, ab universitate exciperis, dum sic provocat quod promittis, ut quod imponis non terreat. Quid adhuc unius vineae plangis damnum, quod tanto tibi fenore est compensatum? *Pro eo quod fuisti derelicta et odio habita, et non fuit qui per te tran-*
30 *siret : Ponam te,* inquit, *in superbiam saeculorum,*

5. a. Ex. 32, 10 b. Jn 3, 29 ≠ c. Cf. Gen. 27, 36 d. Mc 16, 15 (Patr.) e. Cf. Rom. 5, 15 f. Cf. Ex. 17, 12 g. Cf. Act. 15, 10 h. Sir. 40, 1 i. Cf. Deut. 4, 1 j. I Tim. 4, 8 k. Matth. 11, 30 ≠

---

1. * Bernard emploie 4 fois ce texte avec l'impératif *ite,* après certains Pères, Ambroise et Bruno d'Asti en particulier, au lieu du participe présent *euntes* de *Vg.*

ci, et non pas Moïse, fût envoyée « vers une grande nation[a] ». « L'ami de l'Époux[b] » ne devait pas ravir la bénédiction[c] destinée à l'épouse. Voilà pourquoi ce n'est pas Moïse, mais la nouvelle épouse qui fut envoyée vers une grande nation. Car c'est à l'épouse que s'adresse cette parole : « Allez dans le monde entier[1], prêchez l'Évangile à toute créature[d]. » Y aurait-il une nation plus grande que le monde entier ? Et le monde se soumit docilement à celle qui apportait la paix et offrait la grâce. Mais il n'en va pas de la grâce comme de la loi[e]. Quel visage différent offrent à la conscience de chacun la douceur de l'une et la sévérité de l'autre ! Qui pourrait regarder d'un même œil celle qui condamne et celle qui console, celle qui exige et celle qui pardonne, celle qui châtie et celle qui embrasse ? On n'accueillait certes pas avec le même désir l'ombre et la lumière, la colère et la paix, le jugement et la miséricorde, la figure et la vérité, le bâton et l'héritage, le mors et le baiser. Pesantes étaient les mains de Moïse, au témoignage d'Aaron et de Hur[f] ; pesant le joug de la loi, au témoignage des Apôtres eux-mêmes, qui le déclarent insupportable et pour eux et pour leurs pères[g]. « Joug pesant[h] », et pauvre récompense : car c'est une terre qui est promise[i]. Voilà pourquoi ce n'est pas Moïse qui fut envoyé « vers une grande nation ». Mais toi, mère Église, « toi qui possèdes la promesse de la vie présente comme de la vie future[j] », tu obtiens sans peine d'être reçue par tous avec ta double grâce : « le joug aisé[k] » et le royaume sublime. Expulsée de ta cité, tu es reçue par tout le monde. Car ce que tu promets est si attrayant, que tes exigences n'effrayent pas. Pourquoi pleures-tu encore la perte d'une seule vigne, qui a été compensée par un si abondant bénéfice ? Il est écrit : « Au lieu que tu sois délaissée et haïe, sans personne qui passe, je ferai de toi la fierté des siècles, un

gaudium in generatione et generationem, et suges lac gentium, et mammilla regum lactaberis; et scies quia ego Dominus salvans te, et redemptor tuus fortis Iacob[1]. Tali itaque modo dicit se sponsa positam custodem in vineis,
35 et quia vineam suam non custodivit.

III. Qualiter anima sit vinea. Hic beatus Bernardus vineae suae quaerimoniam facit.

6. Ego loci huius occasione meipsum reprehendere soleo, quod animarum susceperim curam, qui meam non sufficerem custodire, vineas animas interpretans. Quod si probas et tu hanc nostram interpretationem, vide etiam
5 consequenter, an recte quoque dicamus fidem vitem, virtutes palmites, botrum opus, devotionem vinum. Siquidem nec vinum absque vite, nec virtus sine fide aliquid est. *Sine fide* enim *impossibile est placere Deo*[a], fortasse et displicere necesse erit. Denique *omne quod non est ex fide,*
10 *peccatum est*[b]. Hoc ergo considerare oportuit illos qui me posuerunt custodem in vineis, si videlicet propriam custodissem. At quanto tempore inculta iacuit et deserta, redacta in solitudinem! Prorsus defecerat vinum ex ea, arefactis, prae sterilitate fidei, virtutum palmitibus. Erat
214 15 *fides,* sed *mortua.* Quomodo enim non *mortua, sine operibus*[c]? Et id quidem in saeculari vita. Ceterum conversus ad Dominum, meliuscule coepi, fateor, custodire, non tamen prout oportuit. *Et quis* nempe *ad hoc idoneus*[d]? Nec sanctus Propheta qui ait : *Nisi Dominus custodierit*
20 *civitatem, frustra vigilat qui custodit eam*[e]. Quantis etiam

1. Is. 60, 15-16 ≠

6. a. Hébr. 11, 6 ≠ b. Rom. 14, 23 ≠ c. Jac. 2, 26 ≠ d. II Cor. 2, 16 ≠ e. Ps. 126, 1 ≠

---

1. *RB* 27, 6 (*SC* 182, 550-551).

2. Quand on a charge d'âmes, il faut d'abord ordonner sa propre vie spirituelle. Il faut que la foi se manifeste dans les vertus morales,

motif de joie d'âge en âge. Tu suceras le lait des nations et seras allaitée aux seins des rois. Tu sauras que c'est moi le Seigneur qui te sauve, et que ton rédempteur, c'est le Puissant de Jacob[1].» C'est en ce sens que l'épouse dit avoir été mise à garder les vignes, et ne pas avoir gardé sa vigne à elle.

III. Comment l'âme est une vigne. Plainte de saint Bernard sur sa propre vigne.

6. A propos de ce passage, je me reproche toujours d'avoir accepté charge d'âmes[1], moi qui n'arrive même pas à garder la mienne; car je donne au mot *vignes* le sens d'*âmes.* Si tu approuves mon interprétation, vois si en bonne logique je n'ai pas aussi raison d'appeler la foi *cep,* les vertus *sarments,* les œuvres *grappes,* la ferveur *vin*[2]. En effet, il n'y a pas de vin sans cep, ni de vertus sans la foi. Car «sans la foi, il est impossible de plaire à Dieu[a]». Peut-être même est-il inévitable alors de lui déplaire. Aussi bien, «tout ce qui ne procède pas de la foi est péché[b].» Ceux qui m'ont mis à garder les vignes auraient dû examiner si j'avais gardé la mienne. Combien longtemps est-elle restée en friche et déserte, réduite à l'abandon! Elle ne produisait plus de vin, parce que les sarments des vertus s'étaient desséchés, la foi étant stérile. «C'était bien la foi, mais une foi morte. Comment sans les œuvres n'aurait-elle pas été morte[c]?» Telle était ma vie dans le monde. Après m'être consacré au Seigneur, j'ai commencé à garder ma vigne un petit peu mieux, je le reconnais, mais pas autant qu'il aurait fallu. «Qui d'ailleurs en serait capable[d]?» Pas même le saint Prophète, qui dit : «Si le Seigneur ne garde la ville, c'est en vain que veille celui qui la garde[e].» Même alors, je

que celles-ci produisent les bonnes œuvres et que ces œuvres se fassent avec ferveur.

tunc memini me patere insidiis illius, qui *sagittat in occultis immaculatum*[f]! Quantum nobis, o mea vinea, furtivis subreptum est machinamentis, eo ipso tempore quo vigilantius intendere coepimus curae et custodiae nostri! Quot,
25 et quales piorum botros operum aut praefocavit ira, aut tulit iactantia, aut foedavit inanis gloria! Quanta ab illecebra gulae, quanta ab acediae spiritu, quanta *a pusillanimitate spiritus et tempestate*[g] sustinuimus! Sic eram; et nihilominus tamen *posuerunt me custodem in vineis,* non
30 considerantes quid de mea ego facerem vel fecissem, nec audientes arguentem magistrum et dicentem : *Si quis domui suae praeesse nescit, quomodo Ecclesiae Dei diligentiam habebit*[h]?

7. Miror audaciam plurimorum, quos videmus de suis vineis non *colligere,* nisi *spinas et tribulos*[a], vineis tamen dominicis etiam se ingerere non vereri. *Fures sunt et latrones*[b], non custodes, neque cultores. Hoc illis. Vae
5 autem mihi etiam nunc a periculo vineae meae, immo magis nunc, quando pluribus intentus, minus circa unam diligens minusque sollicitus fieri cogor! Nec *sepem circumdare,* nec *torcular fodere in ea*[c] licet. Heu! *destructa est maceria eius, et vindemiant eam omnes qui praeter-*
10 *grediuntur viam*[d]. Patet exposita tristitiae, iracundiae atque impatientiae pervia. Demoliuntur eam sedulae quaedam vulpeculae[e] instantium necessitatum[f]; irrumpunt undique

f. Ps. 63, 5 ≠ g. Ps. 54, 9 ≠ h. I Tim. 3, 5
7. a. Gen. 3, 18; cf. Matth. 7, 16 b. Jn 10, 8 c. Matth. 21, 33 ≠ d. Ps. 79, 13 ≠ e. Cf. Cant. 2, 15 (Patr.) f. Cf. I Cor. 7, 26

1. Le proverbe latin dit : *Pluribus intentus, minor est ad singula sensus,* «Plus on est attentif à plusieurs choses, moins on a d'attention pour chacune d'elles» (J. Werner, *Lateinische Sprichwörter...* p. 70, n. 57).

2. * *Vulpeculas* est un mot que Bernard a employé 12 fois dans des allusions à ce verset, tout en employant aussi une expression *Vl, vulpes pusillas,* et également *vulpes parvulas,* qui est celle de *Vg.* Ambroise, Augustin, Jérôme connaissent bien le mot, mais ne l'insèrent jamais

m'en souviens, combien étais-je exposé aux embûches de celui qui «lance en cachette ses flèches contre l'homme intègre[f]»! Combien nous a-t-on pillé, ô ma vigne, par des manœuvres sournoises, juste lorsque nous avons commencé de nous appliquer plus attentivement à la surveillance et à la garde de nous-mêmes! Quant aux grappes des bonnes œuvres, combien la colère en a-t-elle étouffé, ou l'orgueil volé, ou la vaine gloire pourri! Que de dégâts nous a fait subir l'appât de la gourmandise, l'esprit de tristesse, «le découragement et le trouble de l'âme[g]»! Voilà ce que j'étais. Et pourtant, «ils m'ont mis à garder les vignes», sans considérer ce que je faisais ou ce que j'avais fait de la mienne, sans écouter la réprimande du maître qui dit : «Si quelqu'un ne sait pas gouverner sa maison, comment prendrait-il soin de l'Église de Dieu[h]?»

7. Je m'étonne de l'audace de beaucoup «qui ne recueillent de leurs vignes que des épines et des ronces[a]», et qui pourtant n'hésitent pas à se proposer pour garder les vignes du Seigneur. «Ce sont des voleurs et des bandits[b]», non pas des gardiens ni des vignerons. Voilà pour eux. Mais malheur à moi pour le danger que court ma vigne à cette heure même, voire à cette heure surtout. En effet, attentif à plusieurs vignes, je suis obligé de donner moins de soins et d'attentions à la mienne[1]. Je n'arrive pas à «l'entourer d'une clôture, ni à y creuser un pressoir[c]». Hélas! «son enceinte est abattue, et tous ceux qui passent sur le chemin la grappillent[d]». Elle est à découvert, exposée à la tristesse, accessible à la colère et à l'impatience. Des nécessités urgentes[f], pareilles à des renardeaux[e 2], la ravagent de leur mieux. De tous côtés

dans *Cant.* 2, 15. Seuls quelques rares auteurs des deux ou trois siècles précédents (la «Glose ordinaire», Pierre Damien...) se sont mis à l'utiliser ainsi çà et là. Bernard s'en est largement servi, mais presque uniquement dans *SCt.* Après lui, on trouve d'assez nombreuses allusions à ce verset avec *vulpeculas*.

anxietates, suspiciones, sollicitudines ; turbae discordantium, causarum molestiae rara hora desunt. Non est
15 prohibendi facultas, non copia declinandi, sed nec orandi spatium. Quo imbre lacrimarum perfundere sufficiam *sterilitatem animae meae*[g]? Vineae meae volui dicere, sed de Psalmo sic incidit propter usum : et sensus idem est ; nec piget erroris qui admonet similitudinis, quia non de
20 vinea sermo est, sed de anima. Ergo anima cogitetur, cum vinea legitur : siquidem sub huius specie et nomine illius sterilitas deploratur. Quibus ergo lacrimis rigabo ste-
215 rilitatem vineae meae? Omnes palmites eius aruerunt *prae inopia*[h] : iacent sine fructu, *eo quod non habeant*
25 *humorem*[i]. Iesu bone, quot fasciculos sarmentorum ex eis in tuo quotidie sacrificio ustio contriti cordis mei, te teste, absumit ! Sit, obsecro, *sacrificium* tibi *spiritus contribulatus : cor contritum et humiliatum, Deus, non despicias*[j].

IV. Quomodo spirituali viro conveniat dicere : *Vineam meam non custodivi* ; et qualiter perdenda sit anima.

8. Et ego quidem sic pro imperfecto meo traho ad me capitulum praesens. *Perfectus autem omnis erit*[a] qui alias dicere poterit : *Vineam meam non custodivi*[b], illo videlicet sensu, quo Salvator loquitur in Evangelio : *Qui per-*
5 *diderit animam suam propter me, inveniet eam*[c]. Idoneus plane et dignus qui ponatur custos in vineis, quem propriae cura vineae a commissarum diligentia et sollicitudine

g. Ps. 34, 12 h. Ps. 87, 10 i. Lc 8, 6 ≠; cf. Mc 4, 6
j. Ps. 50, 19 ≠
8. a. Lc 6, 40 b. Cant. 1, 5 c. Matth. 10, 39

---

1. «Je n'ai même pas le temps de prier.» Aveu étonnant de la part du saint abbé. C'est pour cette raison qu'il s'est nommé dans une lettre «la chimère de son siècle» (animal fabuleux ayant la tête d'un lion, le ventre d'une chèvre et la queue d'un dragon). Voir *Ep* 250, 4 (*SBO* VIII, 147, l. 2).

y font irruption les soucis, les soupçons, les inquiétudes. Les querelles des factions, les ennuis des affaires la laissent bien rarement en paix. Je n'ai ni le pouvoir de m'y soustraire, ni la force de m'en défendre. Je n'ai même pas le temps de prier[1]. Quelle pluie de larmes suffira pour arroser «la stérilité de mon âme[g]»? Je voulais dire «de ma vigne», mais l'expression du Psaume m'est venue ainsi, du fait de l'habitude : et le sens est le même. D'ailleurs, je ne regrette pas cette erreur qui me rappelle l'analogie des deux termes : car ce n'est pas de la vigne qu'il est question, mais de l'âme. Qu'on pense donc à l'âme, lorsque le texte nous parle de la vigne : car sous l'image et le nom de celle-ci, on déplore la stérilité de celle-là. Alors, par quelles larmes vais-je irriguer la terre stérile de ma vigne? Tous ses sarments se sont desséchés «à cause de l'aridité[h]» : ils dépérissent sans fruit, «faute d'humidité[i]». Jésus miséricordieux, tu en es témoin : que de fagots de ces sarments se consument chaque jour au feu de mon cœur broyé, en sacrifice pour toi! Veuille agréer «le sacrifice de mon esprit brisé : ne méprise pas, ô Dieu, un cœur broyé et humilié[j].»

IV. Il sied à l'homme spirituel de dire : «Ma vigne à moi, je ne l'ai pas gardée.» Comment il faut perdre son âme.

8. C'est à cause de mon imperfection que j'applique à moi-même le présent passage. Mais «celui-là sera parfait[a]» qui pourra dire d'une autre façon : «Ma vigne à moi, je ne l'ai pas gardée[b]», à savoir, dans le sens où le Sauveur dit dans l'Évangile : «Qui perdra son âme à cause de moi la trouvera[c].» Il est vraiment capable et digne d'être mis à garder les vignes, celui qui s'occupe de la sienne propre sans négliger ni remettre à plus tard le soin attentif des vignes confiées à sa garde. Cet homme

non impedit aut retardat, dum *non quaerit quae sua sunt*[d], neque *quod sibi utile est sed quod multis*[e]. Propterea sane
10 Petro cura ista credita est in tam multis vineis, quae erant de circumcisione, quia homo *paratus erat et in carcerem et in mortem ire*[f]; usque adeo suae vineae, id est suae animae, non detinebatur amore, quominus curae intenderet creditarum. Merito et Paulo inter gentes tam ingens
15 silva credita est[g] vinearum, quod et ipse in suae custodia vineae minime curiosus inventus sit, ita ut *non solum alligari, sed et mori in Ierusalem paratus fuerit propter nomen Domini Iesu*[h] Christi. Denique : *Nihil horum vereor,* inquit, *nec facio animam meam pretiosiorem quam me*[i].
20 Optimus aestimator rerum, qui nihil suorum sibi praeferendum existimet.

9. Quam multi saluti propriae modicam vilissimamque pecuniam praetulerunt! Paulus nec animam. *Non,* inquit, *facio eam pretiosiorem quam me*[a]. Ergo differentiam facis inter te et tuam animam? Prudenter quidem tu tibi pluris
5 es, quam quidvis tuum. Sed quomodo non tua anima tu? Arbitror quod, quia Paulus iam tunc in spiritu ambularet et mente[b] *consentiret legi* Dei, *quoniam bona* est[c], idcirco hanc ipsam mentem suam, tamquam principale ac supremum quoddam sui, dignum duxerit suimet potius
10 quam suae cuiuspiam rei nomine designare; reliquum vero, quod constat naturae esse inferioris, et inferiori perinde viliorique essentiae, quod est corpus, inhaerere, non modo officio vivificandi ac sensificandi, sed et fovendi

d. I Cor. 13, 5 e. I Cor. 10, 33 ≠ f. Lc 22, 33 ≠ g. Cf. Gal. 2, 7-8 h. Act. 21, 13 ≠ i. Act. 20, 24 ≠
9. a. Act. 20, 24 ≠ b. Cf. Gal. 5, 16; I Cor. 14, 15 c. Rom. 7, 16 ≠

1. Remarquons que Bernard adopte ici la trichotomie paulinienne «corps, âme, esprit» (1 *Thess.* 5, 23). Texte souvent commenté par Origène et par Guillaume de St-Thierry. Voir GUILL. DE S.-TH., *Exposé*

« ne cherche pas son avantage personnel[d] », ni « son propre intérêt, mais celui du plus grand nombre[e] ». Voilà pourquoi on remit à Pierre le soin des vignes si nombreuses qui venaient de la circoncision : parce que c'était un homme « prêt à aller en prison et à la mort[f] ». Il ne se laissait pas accaparer par l'amour de sa propre vigne, c'est-à-dire de son âme, au point de négliger le soin de celles qui lui étaient confiées. A juste titre également on remit à Paul une si vaste plantation de vignes parmi les nations[g]. Car lui aussi « se montra si peu soucieux de garder sa propre vigne, qu'il était prêt non seulement à être enchaîné, mais encore à mourir à Jérusalem pour le nom du Seigneur Jésus-Christ[h] ». C'est ainsi qu'il dit : « Je ne crains rien de tout cela, et je n'attache pas plus de prix à mon âme qu'à moi-même[i]. » Excellent juge, celui qui n'estime aucun de ses biens préférable à soi-même.

9. Combien de gens ont préféré un peu de cet argent si méprisable à leur propre salut ! Paul, pas même son âme. « Je n'attache pas plus de prix à mon âme qu'à moi-même[a] », dit-il. Tu fais donc une différence entre toi et ton âme ? Tu t'estimes plus que n'importe lequel de tes biens, et c'est sagesse. Mais comment serais-tu autre que ton âme ? A mon avis, Paul marchait déjà selon l'Esprit, et par son esprit[b] « adhérait à la loi de Dieu, parce qu'elle est bonne[c] ». Voilà pourquoi il considéra son esprit comme la partie la plus noble et la plus haute de son être[1], et digne d'être désignée par « lui-même » plutôt que par le nom d'aucune chose lui appartenant. Le reste est évidemment d'une nature inférieure, et demeure attaché à une essence également inférieure et plus vile, le corps, non seulement pour lui donner la vie et la sensibilité, mais aussi pour l'entretenir et le nourrir.

sur le Cantique (*SC* 82, 30-42) ; J. DÉCHANET, *Aux sources de la pensée philosophique de S. Bernard, ASOC* 9 (1953), p. 67, n. 5.

216 nutriendique desiderio : hoc, inquam, sensuale atque
15 carnale appellatione sui homo spiritualis indignum iudicans, inter sua magis censuit deputandum, quam se personaliter exprimendum per illud. « Cum me dico, inquit, excellentius quod in me est, in quo et sto[d] per gratiam Dei, id est mentem rationemque intellige. Cum loquor
20 animam meam, hoc inferius accipe, quod carni animandae vides accommodatum, etiam et iunctum in concupiscentia. Id me fuisse quidem, sed iam non esse agnosco, quia *non secundum carnem* adhuc *ambulo, sed secundum spiritum*[e]. *Vivo ego, iam non ego, vivit vero in me Christus*[f].
25 Secundum mentem ego, secundum carnem non ego. Quid enim si carnaliter etiam nunc anima concupiscit? *Iam non ego operor illud, sed quod habitat in me peccatum*[g]. Et ideo non me quidem, sed tamen meum dixerim quod in me carnaliter sapit, idque non aliud quam ipsam animam. »
30 Revera enim animae portio est carnalis affectio eius, et vita quam administrat corpori. Hanc ergo animam suam Paulus spernebat prae se, *paratus pro Domino non tantum alligari, sed et mori in Ierusalem*[h], et sic *perdere animam suam*[i], iuxta consilium Domini.

10. Tu quoque si propriam deseras voluntatem, si corporis voluptatibus perfecte renunties, si *carnem* tuam *crucifigas cum vitiis et concupiscentiis*[a], sed et *mortifices membra tua, quae sunt super terram*[b], probabis te Pauli
5 imitatorem[c], qui non facias animam tuam pretiosiorem teipso[d]; probabis et Christi discipulum, etiam illam perdendo[e] salubriter. Et quidem prudentius eam perdis ut

d. Cf. I Cor. 15, 1 e. Rom. 8, 4 ≠ f. Gal. 2, 20 ≠ g. Rom. 7, 17 h. Act. 21, 13 ≠ i. Matth. 10, 39 ≠

10. a. Gal. 5, 24 ≠ b. Col. 3, 5 ≠ c. Cf. I Cor. 4, 16 d. Cf. Act. 20, 24 e. Cf. Lc 14, 26

Cette partie sensuelle et charnelle, l'homme spirituel estima indigne de l'appeler «lui-même». Il crut devoir la compter au nombre des choses lui appartenant, plutôt que de désigner par elle sa propre personne. «Lorsque je dis 'moi', affirme-t-il, entends ce qu'il y a en moi de meilleur, où je me maintiens[d] par la grâce de Dieu, c'est-à-dire mon esprit et ma raison. Lorsque je parle de mon âme, entends cette partie inférieure, qui a pour fonction d'animer ma chair, et qui participe aussi à ses convoitises. Je reconnais avoir été cela, certes, mais je ne le suis plus maintenant, parce que 'je ne marche plus selon la chair, mais selon l'esprit[e]'. 'Je vis, mais ce n'est plus moi, c'est le Christ qui vit en moi[f].' Selon l'esprit, c'est moi; selon la chair, ce n'est pas moi. Mais si mon âme continue d'éprouver des convoitises charnelles? 'Ce n'est plus moi qui accomplis cela, mais le péché qui habite en moi[g].' C'est pourquoi je n'appellerai pas 'moi', mais plutôt 'mien', ce qui en moi a le goût de la chair. Or, cela n'est pas autre chose que mon âme elle-même.» En effet, les passions charnelles de l'âme, comme la vie qu'elle communique au corps, sont bien une partie de l'âme. C'est donc cette âme que Paul méprisait au regard de lui-même. Car il était «prêt, pour le Seigneur, non seulement à être enchaîné, mais encore à mourir à Jérusalem[h]», et à «perdre ainsi son âme[i]», suivant le conseil du Seigneur.

10. Toi aussi, si tu te dépouilles de ta volonté propre, si tu renonces parfaitement aux plaisirs du corps, si «tu crucifies ta chair avec ses vices et ses convoitises[a]» et, de plus, si «tu mortifies tes membres terrestres[b]», tu te montreras imitateur de Paul[c], puisque tu n'attaches pas plus de prix à ton âme qu'à toi-même[d]. Tu te montreras aussi disciple du Christ, allant jusqu'à perdre ton âme pour ton salut[e]. Et, certes, tu te conduis plus sagement en perdant ton âme pour la garder, qu'en la gardant

custodias, quam custodis ut perdas. Nam *qui voluerit animam suam salvam facere, perdet eam*[f].

10

V. Correptio utilis adversus eos qui cibos vel complexionem diiudicant.

Quid hic vos dicitis, observatores ciborum, morum neglectores? Hippocras et sequaces eius docent animas salvas facere in hoc mundo[g], Christus et eius discipuli perdere. Quemnam vos e duobus sequi magistrum[h] eli-
15 gitis? At manifestum se facit qui sic disputat : « Hoc oculis et hoc capiti, illud pectori vel stomacho nocet. » Profecto unusquisque quod a suo magistro didicit, hoc in medium profert. Non in Evangelio legistis has differentias, aut in
217 Prophetis, aut in litteris Apostolorum. *Caro et sanguis* pro
20 certo *revelavit tibi*[i] hanc sapientiam, non Spiritus Patris : est enim carnis haec sapientia. Sed audi quid de ipsa nostri medici sentiant : *Sapientia,* inquiunt, *carnis mors est*[j] ; item : *Sapientia carnis inimica est Deo*[k]. Num Hippocratis seu Galieni sententiam, aut certe de schola Epicuri,
25 debui proponere vobis ? Christi sum discipulus, Christi discipulis loquor : ego si peregrinum dogma induxero, ipse peccavi. Epicurus atque Hippocras, corporis alter voluptatem, alter bonam habitudinem praefert ; meus Magister

f. Matth. 16, 25 g. Cf. Jn 12, 25 h. Cf. Matth. 6, 24 i. Matth. 16, 17 ≠ j. Rom. 8, 6 ≠ k. Rom. 8, 7 ≠

1. * Bernard remplace « prudence », du texte de Paul, par « sagesse ». Il le fait 4 autres fois, tandis que dans 3 autres cas on trouve bel et bien « prudence de la chair ». A-t-il connu un texte portant « prudence de la chair » ? fait-il une citation de mémoire approximative ? ou un jeu biblique ?

2. * Par 2 des 4 mots *sapientia carnis inimica est Deo,* Bernard s'oppose à *Vg,* édition critique, pour rejoindre « la bible d'Alcuin » et la *Vg* clémentine ; cf. *SC* 396, 246, n. 2 sur *Gra* 2.

pour la perdre. Car « qui voudra sauver son âme, la perdra[f] ».

V. Admonition salutaire à ceux qui chicanent au sujet des aliments et de la santé du corps.

Que dites-vous à ce propos, vous qui êtes pointilleux pour la nourriture et négligents dans vos mœurs? Hippocrate et ses élèves enseignent à sauver les âmes en ce monde[g], le Christ et ses disciples à les perdre. Lequel des deux choisissez-vous de suivre comme maître[h]? Il se trahit, celui qui discute ainsi : « Ceci est nuisible pour les yeux et ceci pour la tête, cela pour la poitrine ou pour l'estomac. » A l'évidence, chacun profère publiquement ce qu'il a appris de son maître. Ce n'est pas dans l'Évangile que vous avez lu ces distinctions, ni dans les Prophètes, ni dans les lettres des Apôtres. « C'est sans doute la chair et le sang qui t'ont révélé[i] » cette sagesse, non pas l'Esprit du Père : car c'est la sagesse de la chair. Mais écoute ce qu'en pensent nos médecins : « La sagesse de la chair, c'est la mort[j 1] », disent-ils; et encore : « La sagesse de la chair est ennemie de Dieu[k 2]. » Devais-je vous proposer la pensée d'Hippocrate ou de Galien, ou même celle de l'école d'Épicure[3]? Je suis disciple du Christ, je parle à des disciples du Christ : si j'introduisais une doctrine étrangère, je commettrais un péché. Épicure et Hippocrate donnent la priorité, l'un au plaisir du corps, l'autre à la bonne mine : mon Maître enseigne le mépris de l'un

3. Bernard prend ses distances à l'égard de deux grandes autorités de la médecine (Hippocrate et Galien) et du philosophe Épicure. Tous les trois s'intéressent surtout au bien-être du corps. Cf. J.B. BOSSUET, *Panégyrique de saint Bernard, Œuvres,* Paris 1836, V, 101 : « Épicure nous apprend à nourrir le corps parmi les plaisirs et Hippocrate promet de le conserver en bonne santé : pour moi, je suis disciple de Jésus Christ, qui m'enseigne de mépriser l'un et l'autre. » Ailleurs Bernard se distanciera de Platon et d'Aristote (*Pent* 3, 5, *SBO* V, 173, l. 24).

utriusque rei contemptum praedicat. Animae in corpore
30 vitam, quam summo studio iste unde sustentet, ille unde et delectet, inquirit atque inquirere docet, Salvator monet et perdere[1].

11. Quid enim tibi aliud de Christi auditorio sonuit, cum paulo ante clamatum est : *Qui amat animam suam, perdet eam*[a]? *Perdet eam,* dixit, sive ponendo ut martyr, sive affligendo ut paenitens. Quamquam genus martyrii
5 est, *spiritu facta carnis mortificare*[b], illo nimirum, quo membra caeduntur ferro, horrore quidem mitius, sed diuturnitate molestius. Videsne hac sententia Magistri mei carnis sapientiam condemnari[c], per quam utique aut in luxum voluptatis diffluitur, aut ipsa quoque bona valetudo
10 corporis ultra quam oportet appetitur? Denique quod vera sapientia in voluptates non effluat, audisti profecto a Sapiente, *ne inveniri* quidem hanc *in terra suaviter viventium*[d]. Qui autem invenit dicit : *Super salutem et omnem pulchritudinem dilexi sapientiam*[e]. Si super
15 salutem et pulchritudinem, quanto magis super voluptatem et turpitudinem? Quid vero prodest temperare a voluptatibus, et investigandis diversitatibus complexionum ciborumque varietatibus exquirendis quotidianam expendere curam? « Legumina, inquit, ventosa sunt, caseus
20 stomachum gravat, lac capiti nocet, potum aquae non sustinet pectus, caules nutriunt melancholiam, choleram porri accendunt, pisces de stagno aut de lutosa aqua meae penitus complexioni non congruunt. » Quale hoc est, ut in totis fluviis, agris, hortis cellariisve reperiri vix
25 possit quod comedas?

l. Cf. Matth. 10, 39

11. a. Jn 12, 25 b. Rom. 8, 13 ≠ c. Cf. Rom. 8, 7 d. Job 28, 13 ≠ e. Sag. 7, 10 (Lit.)

---

1. * La variante *pulchritudinem* se trouve dans un manuscrit liturgique, nous dit la *Vetus latina* de l'abbaye de Beuron.

comme de l'autre. L'un cherche et apprend à chercher comment entretenir avec le plus grand soin la vie de l'âme dans le corps; l'autre, comment la rendre aussi agréable que possible. Le Sauveur, lui, nous enjoint de la perdre[1].

11. Quelle autre leçon as-tu entendue à l'école du Christ, lorsque tout à l'heure on y a proclamé cette parole : « Qui aime son âme, la perdra[a] » ? « Il la perdra », dit-il, soit en la quittant par le martyre, soit en la mortifiant par la pénitence. D'ailleurs, c'est une sorte de martyre que « de faire mourir par l'esprit les œuvres de la chair[b] » ; un martyre sans doute moins effroyable que celui où les membres sont déchirés par le fer, mais plus pénible par sa durée. Ne vois-tu pas que cette parole de mon Maître condamne la sagesse de la chair[c] ? Car celle-ci nous pousse soit à nous amollir dans la volupté, soit à rechercher la bonne santé du corps plus qu'il ne faut. Bref, que la vraie sagesse ne se laisse pas aller aux plaisirs, tu l'as déjà appris du Sage disant qu'elle ne se trouve pas « sur la terre de ceux qui vivent dans les délices[d] ». Celui qui l'a trouvée déclare : « J'ai aimé la sagesse plus que la santé et que toute beauté[e][1]. » S'il l'a préférée à la santé et à la beauté, combien plus à la volupté et au dévergondage ? Mais à quoi bon s'abstenir des voluptés si l'on s'adonne chaque jour à étudier la diversité des santés et à examiner la variété des aliments ? « Les légumes provoquent des flatulences, dit-il. Le fromage alourdit l'estomac, le lait est nuisible pour la tête, ne boire que de l'eau affaiblit les poumons, les choux entretiennent la mélancolie, les poireaux échauffent la bile, les poissons des étangs ou des eaux limoneuses ne conviennent point à ma santé. » Comment se fait-il que dans tous les fleuves, les champs, les potagers et les celliers, on ne trouve rien que tu puisses manger[2] ?

2. Description satirique de certains moines que l'on pourrait qualifier de « gourmets ascétiques ».

218 **12.** Puta te, quaeso, monachum esse, non medicum, nec de complexione iudicandum, sed de professione. Parce, obsecro, primum quidem quieti tuae, parce deinde labori ministrantium, parce gravamini domus, parce conscientiae. Conscientiae dico, non tuae, sed alterius; illius videlicet qui propter te sedens et *edens quod sibi apponitur*[a], de tuo singulari ieiunio murmurat. Scandalo quippe est ei aut tua otiosa superstitio, aut duritia, quam forte putat, illius qui tibi habet providere. Scandalizatur, inquam, in tua singularitate frater iudicans te superstitiosum[b], tamquam superflua quaeritantem, aut certe me durum causans, qui non perquiram *victui tuo necessaria*[c]. Frustra sibi quidam blandiuntur de exemplo Pauli, hortantis discipulum *non bibere aquam, sed modico uti vino propter stomachum et frequentes infirmitates*[d] suas. Qui attendere debent primum quidem Apostolum minime sibi ipsi rem istiusmodi suadere, sed nec discipulum aeque exposcere sibi. Deinde non monacho hoc intimare, sed episcopo, cuius vita tenerae adhuc et nascenti Ecclesiae pernecessaria esset. Timotheus hic erat. Da mihi alterum Timotheum, et ego cibo eum, si vis, etiam auro, et poto balsamo. Ceterum tu tibimetipsi dispensas, misertus tui. Suspecta est mihi, fateor, tua ipsius in te dispensatio, et vereor tibi illudi sub tegmine et nomine discretionis a carnis prudentia[e]. Id te saltem volo admonitum esse, ut si ita tibi auctoritas Apostoli placet de bibendo vino, *modico* quod ille adiunxit non praetermittas. Et de hoc satis. Sed revertamur ad sponsam, et discamus ab ea vineas proprias se utiliter non custodire, praesertim nos

12. a. Prov. 23, 1 (Patr.) b. Cf. I Cor. 8, 13 c. Prov. 30, 8 ≠ d. I Tim. 5, 23 ≠ e. Cf. Rom. 8, 6

1. * Cf. p. 378, n. 3 sur *Prov.* 23, 1-2 (Patr.) cité en *SCt* 29, 2.

12. Souviens-toi, je t'en prie, que tu es moine, et non médecin. Tu ne dois pas être jugé sur ta santé, mais sur ta profession religieuse. Ménage d'abord, s'il te plaît, ta paix; ménage ensuite la peine de ceux qui te servent; ménage l'ennui que tu causes à la maison, ménage la conscience. Non pas la tienne, mais celle d'autrui; j'entends celle du frère assis à côté de toi, qui «mange ce qu'on lui présente[a][1]» et murmure à cause de la singularité de ton jeûne. Il se scandalise de tes vains scrupules, ou de la dureté qu'il attribue peut-être à celui qui doit pourvoir à ta nourriture. Oui, il se scandalise de ta singularité, le frère qui te juge scrupuleux[b], puisque tu réclames des choses superflues. Ou il s'en prend à ma dureté, parce que je ne cherche pas «ce qui est nécessaire à ta subsistance[c]». A tort certains se donnent bonne conscience par l'exemple de Paul, qui exhortait son disciple à «ne pas boire que de l'eau, mais à prendre un peu de vin, à cause de son estomac et de ses fréquents malaises[d]». Ces gens-là doivent remarquer tout d'abord que l'Apôtre n'adopte nullement un tel principe pour lui-même, et que le disciple ne le réclame pas pour lui non plus. En outre, l'Apôtre n'ordonnait pas cela à un moine, mais à un évêque, dont la vie était indispensable à l'Église naissante, encore fragile. Il s'agissait de Timothée. Donne-moi un autre Timothée et moi, si tu veux, je suis prêt à le nourrir d'or et à lui verser à boire de l'élixir. Mais toi, tu te ménages et tu as pitié de toi-même. Ces égards que tu as pour toi-même me sont suspects, je l'avoue. Je crains que la prudence de la chair[e] ne se joue de toi sous le couvert et le nom de la discrétion. Je veux seulement te donner un avertissement : si l'autorité de l'Apôtre au sujet du vin qu'il faut boire t'est si agréable, n'oublie pas qu'il a précisé «un peu». En voilà assez sur ce point. Mais revenons à l'épouse, et apprenons d'elle ceci : c'est avec grand profit qu'elle ne garde pas

30 qui videmur deputati custodes in vineis sponsi Ecclesiae, Iesu Christi Domini nostri, *qui est benedictus in saecula. Amen*[f].

f. Rom. 1, 25

ses propres vignes. Cette leçon vaut surtout pour nous, qui sommes chargés de garder les vignes de l'Époux de l'Église, Jésus-Christ notre Seigneur, « qui est béni dans les siècles. Amen[f] ».

SERMO XXXI

I. De visione Verbi futura pro similitudine solis. – II. De trina Dei inspectione quae in hac vita percipitur, et de angeli pro anima sollicitudine. – III. De tertia manifestatione Sponsi quae interna est, quod quadrupliciter fiat : ut sponsi, ut medici, ut ducis, ut divitis regis. – IV. De umbra fidei et veritate speciei, et de schemate pastorali in quo apparet Sponsus.

I. De visione Verbi futura pro similitudine solis.

1. *Indica mihi quem diligit anima mea, ubi pascas, ubi cubes in meridie*[a]. Studiosis mentibus Verbum sponsus frequenter apparet, et non sub una specie. Quid ita? Profecto quoniam *nondum videtur sicuti est*[b]. Nempe illa
5 visio stat, quia forma stat quae tunc videtur ; est enim, nec ullam capit ex eo quod est, fuit, vel erit, mutationem. Tolle nempe « fuit » et « erit » : unde iam *transmutatio,* aut *vicissitudinis obumbratio*[c]? At quidquid veniens ex eo quod fuit non cessat tendere in id quod erit, transitum
10 sane habet per « est », sed omnino non est. Nam quomodo est, quod *numquam in eodem statu permanet*[d]? Solum proinde vere est, quod nec a « fuit » praeciditur, nec ab « erit » expungitur, sed solum atque inexpugnabile remanet ei « est », et manet quod est. Nec « fuit » sane tollit illi
15 esse ab aeterno, nec « erit » esse in aeternum : ac per

1. a. Cant. 1, 6 b. I Jn 3, 2 ≠ c. Jac. 1, 17 ≠ d. Job 14, 2

1. Pensée analogue chez AUGUSTIN, *Conf.* XI, 17, 22 (*CCL* 27, 205, l. 1-11).

SERMON 31

I. La vision future du Verbe comparée à la vision du soleil. – II. Les trois manières de voir Dieu qui sont possibles en cette vie. Sollicitude de l'ange pour l'âme confiée à sa garde. – III. La troisième manifestation de l'Époux, qui est intérieure. Elle se réalise de quatre manières : comme époux, comme médecin, comme guide, comme riche roi. – IV. L'ombre de la foi et la vérité de la vision. L'Époux apparaît sous les traits d'un berger.

I. La vision future du Verbe comparée à la vision du soleil.

1. « Montre-moi, toi le bien-aimé de mon âme, où tu mènes paître ton troupeau, où tu reposes à midi[a]. » Le Verbe-Époux se montre souvent aux âmes de désir, mais sous diverses formes. Pourquoi cela ? Certainement parce qu'on « ne le voit pas encore tel qu'il est[b] ». Cette vision-là est immuable, parce que la forme que nous verrons alors l'est aussi ; elle est, en effet, et elle n'est atteinte d'aucun changement, présent, passé ou à venir[1]. Ôte le passé et l'avenir : d'où viendrait alors « le changement, ou l'ombre d'une variation[c] » ? Or, tout ce qui vient du passé ne cesse de tendre vers l'avenir ; il passe certes par le présent, mais il n'est pas réellement. En effet, comment peut-il être, « ce qui ne demeure jamais dans le même état[d] » ? Donc, seul est en vérité ce qui n'est pas amputé par un passé, ni effacé par un avenir ; il ne lui reste qu'un présent inexpugnable, et il demeure ce qu'il est. Ni le passé ne lui enlève d'être depuis toujours, ni l'avenir d'être pour toujours. Voilà pourquoi il reven-

hoc sibi vindicat verum esse, id est increabile, interminabile, invariabile. Cum ipse ergo qui sic est, immo qui non sic aut sic est, videtur *sicuti est,* stat, ut dixi, illa visio, quia nulla eam interpolat vicissitudo. Et tunc ille
20 de Evangelio unus omnibus, qui sic vident, denarius redditur in una specie quae offertur[e]. Nam et quod apparet, ut invariabile in se est, ita invariabiliter intuentibus praesto est; et quibus apparet, nil videre desiderabilius volunt, nil possunt delectabilius. Quando ergo illa vel fastidiet
220 25 aviditas, vel se subtrahet suavitas, vel fraudabit veritas, vel deficiet aeternitas? Quod si in aeternum extenditur videndi copia pariter et voluntas, quomodo non plena felicitas? Nil quippe aut deest iam semper videntibus, aut superest semper volentibus.

2. At talis visio non est vitae praesentis, sed in novissimis reservatur, his dumtaxat qui dicere possunt : *Scimus quia, cum apparuerit, similes ei erimus, quia videbimus eum sicuti est*[a]. Et nunc quidem apparet quibus vult, sed
5 sicuti vult, non *sicuti est.* Non sapiens, non sanctus, non propheta videre illum *sicuti est* potest aut potuit in corpore hoc mortali; poterit autem in immortali, qui dignus habebitur. Itaque videtur et hic, sed sicut videtur ipsi, et non *sicuti est.* Nam neque hoc *luminare magnum*[b], solem
10 loquor istum, quem quotidie vides, vidisti tamen aliquando *sicuti est,* sed tantum sicut illuminat, verbi gratia, aerem, montem, parietem. Quod ne ipsum quidem aliquatenus posses, si non aliqua ex parte ipsum lumen corporis tui[c],

e. Cf. Matth. 20, 9-10
2. a. I Jn 3, 2 ≠ b. Gen. 1, 16 ≠ c. Cf. Matth. 6, 22

1. Seul le Verbe de Dieu peut dire qu'il demeure pour l'éternité. Cf. AUGUSTIN, *Conf.* XI, 6, 8 (*CCL* 27, 198, l. 11-13).
2. La vision de Dieu, voilà « le denier identique » dont parle *Matth.* 20, 9-10.

dique comme sien l'être véritable, c'est-à-dire incréé, illimité, invariable[1]. Lorsque celui qui est ainsi – ou plutôt qui n'est ni de cette façon ni d'aucune autre – est vu «tel qu'il est», cette vision, comme je l'ai dit, est immuable, puisque aucun changement ne peut l'interrompre. Dès lors ceux qui jouissent de cette vision reçoivent tous le même denier dont parle l'Évangile, offert à tous sous la même apparence[e][2]. De même que ce qui apparaît est en soi invariable, il se présente d'une façon elle aussi invariable à ceux qui le regardent. Ceux-ci de leur côté ne veulent rien voir de plus désirable, et rien de plus délectable ne peut apparaître à leurs yeux. Quand donc cette avidité pourra-t-elle devenir dégoût, cette douceur se dérober, cette vérité tromper, cette éternité faire défaut? Car si le loisir et le désir de voir s'étendent aux dimensions de l'éternité, comment la félicité ne serait-elle pas à son comble? Rien en effet ne manque à ceux qui voient toujours, et rien ne reste à désirer pour ceux qui veulent toujours voir.

2. Mais cette vision n'appartient pas à la vie présente; elle est réservée aux derniers temps, du moins pour ceux qui peuvent dire : «Nous savons que, lorsqu'il apparaîtra, nous lui serons semblables, parce que nous le verrons tel qu'il est[a].» Maintenant aussi il apparaît à qui il veut, mais comme il veut, non pas «comme il est». Il n'est pas de sage, de saint, de prophète qui puisse ou qui ait pu, en ce corps mortel, le voir «tel qu'il est»; mais celui-là le pourra, en son corps immortel, qui en sera jugé digne. On le voit donc aussi ici-bas, mais tel qu'il lui plaît de se faire voir, et non «tel qu'il est». Car même ce «grand astre[b]» que tu vois tous les jours, je veux dire notre soleil, tu ne l'as jamais vu «tel qu'il est», mais seulement tel qu'il illumine, par exemple l'air, une montagne, un mur. Même cela tu ne le pourrais pas, si la lumière de ton corps[c], par sa pureté et sa transparence innées,

pro sui ingenita serenitate et perspicuitate, caelesti lumini
15 simile esset. Non denique alterum membrum corporis capax est luminis, ob multam utique dissimilitudinem. Sed nec ipse oculus, cum turbatus fuerit, lumini propinquabit, nimirum ob amissam similitudinem. Qui ergo turbatus nullatenus serenum solem videt propter dissimilitudinem,
20 serenus aliquatenus videt propter nonnullam similitudinem. Profecto si pari prorsus puritate vigeret, videret omnino inoffensa acie eum *sicuti est,* propter omnimodam similitudinem. Ita et *Solem iustitiae*[d] illum, qui *illuminat omnem hominem venientem in hunc mundum*[e], videre
25 in hoc mundo, sicut illuminat, illuminatus potes, tamquam iam in aliquo similis; *sicuti est,* omnino non potes, tamquam nondum perfecte similis. Propterea dicit : *Accedite ad eum, et illuminamini, et facies vestrae non confundentur*[f]. Ita sane, sed si quantum satis est illumi-
30 namur, ut *revelata facie speculantes gloriam Dei, in eamdem imaginem transformemur de claritate in claritatem, tamquam a Domini Spiritu*[g].

221 **3.** Ergo accedendum ad eum, non irruendum, ne irreverens *scrutator maiestatis opprimatur a gloria*[a]. Nec locis sane accedendum, sed claritatibus, ipsisque non corporeis, sed spiritualibus, *tamquam a Domini Spiritu*[b] : a Domini
5 plane, et non a nostro, quamvis in nostro. Qui itaque clarior, ille propinquior; esse autem clarissimum, pervenisse est. Porro iam praesentibus non aliud est *videre sicuti est*[c], quam esse *sicuti est,* et aliqua dissimilitudine non confundi. Sed id tunc, ut dixi.

d. Mal. 4, 2 ≠ e. Jn 1, 9 ≠ f. Ps. 33, 6 g. II Cor. 3, 18 ≠
3. a. Prov. 25, 27 ≠ b. II Cor. 3, 18 c. I Jn 3, 2 ≠

---

1. Bernard développe le grand principe augustinien : *Similibus simile cognoscitur,* « Seul le semblable connaît le semblable » (Augustin, *De Genesi ad litteram* XII, 24, *CSEL* 28-1, 416, l. 22-25).

n'était pas en quelque mesure semblable à la lumière céleste[1]. Aucun autre membre du corps n'est capable de percevoir la lumière, à cause de sa dissemblance trop grande. L'œil lui-même, lorsqu'il est trouble, n'est plus sensible à la lumière, parce qu'il a perdu sa ressemblance avec elle. Donc, l'œil trouble ne voit point la clarté du soleil, à cause de sa dissemblance; tandis que l'œil clair la voit, dans une certaine mesure, grâce à sa ressemblance partielle. Certes, si l'œil était doué d'une égale limpidité, il verrait le soleil «tel qu'il est», sans que son regard rencontre aucun obstacle, parce que leur ressemblance serait parfaite. Il en est de même du «Soleil de justice[d]» qui «illumine tout homme venant en ce monde[e]» : si tu en es illuminé, tu peux le voir en ce monde tel qu'il éclaire, car tu lui es déjà en partie semblable. Mais «tel qu'il est», tu ne peux nullement le voir, car la ressemblance n'est pas encore parfaite. C'est pourquoi le psalmiste dit : «Approchez-vous de lui et vous serez illuminés; vos visages ne seront pas couverts de confusion[f].» C'est bien vrai, mais à condition d'être assez illuminés pour que, «contemplant à visage découvert la gloire de Dieu, nous soyons transformés en cette même image, de clarté en clarté, comme par l'Esprit du Seigneur[g]».

3. Il faut donc s'approcher de lui, et non se précipiter vers lui, de peur que, en voulant «scruter sans respect la majesté, on ne soit accablé par la gloire[a]». Il faut s'approcher non par étapes, mais selon des clartés qui ne sont pas corporelles, mais spirituelles, «comme par l'Esprit du Seigneur[b]». L'Esprit du Seigneur, et non le nôtre, bien que tout cela se passe dans le nôtre. Plus on est éclairé, plus on est proche; être au comble de la clarté, c'est être parvenu au but. Pour ceux qui sont déjà en sa présence, «le voir tel qu'il est[c]» équivaut à être «tel qu'il est», sans avoir à rougir de la moindre dissemblance. Mais cela sera pour plus tard, comme je l'ai dit.

II. De trina Dei inspectione quae in hac vita percipitur, et de angeli pro anima sollicitudine.

10 Interim vero tanta haec formarum varietas atque numerositas specierum in rebus conditis, quid, nisi quidam sunt radii Deitatis, monstrantes quidem quia vere sit a quo sunt, non tamen quid sit prorsus diffinientes? Itaque de ipso vides, sed non ipsum. Cum autem de eo, quem non 15 vides, cetera vides, scis indubitanter exsistere quem oportet inquirere, ut inquirentem non fraudet gratia, negligentem ignorantia non excuset. Verum hoc genus videndi commune. In promptu enim est, iuxta Apostolum, omni utenti ratione, *invisibilia Dei per ea quae facta sunt intel-* 20 *lecta conspicere*[d].

4. Alius procul dubio ille modus, quo quondam Patribus crebra illa atque ambitiosa divinae praesentiae familiaritas dignanter indulta est, quamquam nec ipsis *sicuti est,* sed sicut dignata est. Nec uno omnibus modo, sed, ut ait 5 Apostolus, *multifarie multisque modis*[a], cum ipse in se sit unus, ipso dicente ad Israel : *Dominus Deus tuus, Deus unus est*[b]. Et haec demonstratio, non quidem communis, sed tamen foris facta est, nimirum exhibita per imagines extrinsecus apparentes seu voces sonantes. Sed est divina 10 inspectio eo differentior ab his, quo interior, cum per seipsum dignatur invisere Deus *animam quaerentem se*[c],

d. Rom. 1, 20 ≠
4. a. Hébr. 1, 1 ≠ b. Mc 12, 29 ≠ c. Lam. 3, 25 ≠

II. Les trois manières de voir Dieu qui sont possibles en cette vie. Sollicitude de l'ange pour l'âme confiée à sa garde.

En attendant, cette si grande variété de formes et le nombre immense des espèces dans le monde créé, ne sont-ils pas, pour ainsi dire, des rayons de la Divinité? Ils montrent que celui dont ils tiennent leur être est réellement, sans toutefois définir exactement ce qu'il est. C'est donc de lui que tu tiens la faculté de voir, mais non de le voir lui-même. Puisque tu vois toutes choses grâce à lui que tu ne vois pas, tu sais sans aucun doute possible qu'il existe, celui qu'il faut chercher. Ainsi, la grâce ne privera pas de sa récompense l'homme qui cherche, et l'ignorance ne pourra servir d'excuse à qui néglige de chercher. En effet, cette manière de voir est commune à tout le monde. Car, selon l'Apôtre, il est aisé à tout être doué de raison «de voir et de comprendre les perfections invisibles de Dieu à travers ses œuvres[d]».

4. Il existe sans aucun doute une autre manière de voir Dieu : jadis la présence divine a daigné se livrer familièrement aux Pères, souvent et avec sollicitude. Pourtant, cette présence ne s'est pas livrée à eux non plus «telle qu'elle est», mais telle qu'elle a daigné se faire voir. Elle ne s'est pas livrée à tous d'une seule et même manière, mais, comme dit l'Apôtre, «à maintes reprises et de multiples manières[a]». Pourtant Dieu en lui-même est un, comme il le dit à Israël : «Le Seigneur ton Dieu est le Dieu unique[b].» Et cette manifestation n'était certes pas commune. Mais elle se produisait extérieurement, soit par des images s'offrant à la vue, soit par des voix entendues. Mais il est une autre manière de voir Dieu d'autant plus différente de celles-là qu'elle est plus intérieure. Elle est donnée quand Dieu daigne, de son propre mouvement, visiter «l'âme qui le cherche[c]».

quae tamen ad quaerendum toto se desiderio et amore devovit. Et hoc signum istiusmodi adventus eius, sicut ab eo qui expertus est edocemur : *Ignis ante ipsum prae-*
15 *cedet, et inflammabit in circuitu inimicos eius*[d]. Oportet namque ut sancti desiderii ardor praeveniat faciem eius ad omnem animam, ad quam est ipse venturus, qui omnem consumat rubiginem vitiorum, et sic praeparet locum Domino. Et tunc scit anima, quoniam *iuxta est*
20 *Dominus*[e], cum se senserit illo igne succensam, et dixerit
222 cum Propheta : *De excelso misit ignem in ossibus meis, et erudivit me*[f]; et illud : *Concaluit cor meum intra me, et in meditatione mea exardescet ignis*[g].

5. Tali animae suspiranti frequenter, immo *sine intermissione oranti*[a], et afflictanti se prae desiderio, cum interdum desideratus ille, qui ita quaeritur, miseratus occurrit, puto illi de propria convenire experientia ut dicat
5 cum sancto Ieremia : *Bonus es, Domine, sperantibus in te, animae quaerenti te*[b]. Sed et angelus eius, qui unus est de sodalibus sponsi[c], in hoc ipsum deputatus, minister profecto et arbiter secretae mutuaeque salutationis, is, inquam, angelus quomodo tripudiat, quomodo collaetatur
10 et condelectatur, et conversus ad Dominum dicit : Gratias ago tibi, Domine maiestatis, quia *desiderium cordis eius tribuisti ei, et voluntate labiorum eius non fraudasti eam*[d]. Ipse est qui in omni loco sedulus quidam pedissequus animae non cessat sollicitare eam et assiduis suggestio-

d. Ps. 96, 3 e. Ps. 33, 19 f. Lam. 1, 13 g. Ps. 38, 4
5. a. I Thess. 5, 17 ≠ b. Lam. 3, 25 ≠ c. Cf. Cant. 1, 6 d. Ps. 20, 3 ≠

---

1. * Bernard cite 8 fois ce verset ainsi, à la 2[e] personne, alors que *Vg* est à la 3e personne, et qu'il la cite ainsi 4 fois. Se souviendrait-il d'un lectionnaire qui aurait été à la 2e personne? ou, selon sa tendance, transformerait-il cet énoncé en prière?

2. * Sur 25 occurrences du mot *sodalis* dans les *SBO,* 23 sont en

Mais celle-là seulement qui s'est vouée à cette recherche de tout son désir et de tout son amour. Voici le signe de cette venue de Dieu, comme nous l'apprenons de celui qui en a fait l'expérience : « Un feu s'avancera devant lui, et il embrasera ses ennemis alentour[d]. » Il convient en effet que l'ardeur d'un saint désir précède la face de Dieu en toute âme où lui-même doit venir ; une ardeur qui consume toute la rouille des vices et prépare ainsi une place pour le Seigneur. L'âme connaît que « le Seigneur est tout près d'elle[e] » lorsqu'elle se sent embrasée de ce feu et qu'elle peut dire avec le Prophète : « De là-haut il a envoyé son feu dans mes os, et il m'a instruit[f] » ; et encore : « Mon cœur s'est échauffé en moi-même, et dans ma méditation le feu va s'allumer[g]. »

5. Pris de pitié, celui qui est ainsi désiré et cherché vient parfois visiter une telle âme qui soupire souvent, ou plutôt qui « prie sans cesse[a] », et qui se consume de désir. Je pense qu'alors elle est en droit de dire, pour en avoir fait l'expérience, ces paroles du saint prophète Jérémie : « Tu es bon, Seigneur, pour ceux qui espèrent en toi, pour l'âme qui te cherche[b 1]. » Son ange, qui est l'un des compagnons de l'Époux[c 2], et qui a été délégué auprès d'elle pour être le médiateur et le témoin de cette entrevue secrète, cet ange, dis-je, comme il danse, transporté de joie et de liesse ! S'adressant au Seigneur, il dit : « Je te rends grâces, Seigneur de majesté, car 'tu lui as accordé le désir de son cœur, et tu ne l'as pas frustrée du souhait de ses lèvres'[d 3]. » C'est ce même ange qui, en tout lieu, suit l'âme pas à pas avec empressement. Il ne cesse de la solliciter et de l'exhorter par l'assiduité

rapport certain avec ce verset du *Cantique* ; cette allusion-ci devient, par le fait, presque sûre.

3. * « Le désir de son *cœur* » : Bernard suit ici, et d'ordinaire, les manuscrits bibliques de son époque ; cf. *SC* 414, 209, n. 5 ; cf. *SCt* 32, 2, l. 9, p. 450.

15 nibus monere, dicens : *Delectare in Domino, et dabit tibi petitiones cordis tui*[e] ; et rursum : *Exspecta Dominum et custodi viam eius*[f]. Item : *Si moram fecerit, exspecta eum, quia veniet et non tardabit*[g]. Ad Dominum autem : *Sicut cervus,* inquit, *ad fontes aquarum, ita desiderat anima* 20 ista *ad te, Deus*[h]. *Desideravit te in nocte, sed et Spiritus tuus in praecordiis eius de mane vigilavit ad te*[i]. Et iterum : *Tota die expandit ad te manus suas*[j] ; *dimitte illam, quia clamat post te*[k] ; *convertere* aliquantulum, *et deprecabilis esto*[l]. *Respice de caelo, et vide, et visita*[m] desolatam. Fidelis 25 paranymphus, qui mutui amoris conscius, sed non invidus, non suam quaerit, sed Domini gloriam[n], discurrit medius inter dilectum et dilectam, vota offerens, referens dona. Excitat istam, placat illum. Interdum quoque, licet raro, repraesentat eos pariter sibi, sive hanc rapiens, sive illum 30 adducens : siquidem domesticus est et notus in palatio[o], nec veretur repulsam, et quotidie *videt faciem Patris*[p].

223 **6.** Vide autem tu, ne quid nos in hac Verbi animaeque commixtione corporeum seu imaginarium sentire existimes. Id loquimur quod Apostolus dicit, quoniam *qui adhaeret Deo, unus spiritus est*[a]. Excessum purae mentis in Deum, 5 sive Dei pium descensum in animam, nostris, quibus possumus, exprimimus verbis, *spiritualibus spiritualia com-*

e. Ps. 36, 4 f. Ps. 36, 34 g. Hab. 2, 3 (Lit.) h. Ps. 41, 2 (Lit.) i. Is. 26, 9 (Lit., Patr.) j. Ps. 87, 10 ≠ k. Matth. 15, 23 ≠ l. Ps. 89, 13 ≠ m. Ps. 79, 15 n. Cf. Jn 7, 18 o. Cf. Jn 18, 15 p. Matth. 18, 10 ≠
6. a. I Cor. 6, 17 (Patr.)

---

1. * Antienne *Ecce apparebit* du 2e dimanche de l'Avent; cf. *SC* 414, 93, n. 3.

2. * Ici et dans 2 autres lieux, Bernard se souvient du premier mot du trait *Sicut cervus* chanté au cours de la procession aux fonts baptismaux le Samedi saint : *Sicut,* à la place de *Quemadmodum, Vg.*

3. * Cf. p. 101, n. 2 sur *Is.* 26, 9 (Lit., Patr.) cité en *SCt* 18, 6.

4. « Fidèle paranymphe » : celui qui reconduit les mariés. Ici le mot

de ses suggestions, en lui disant : « Mets ta joie dans le Seigneur, et il te donnera ce que ton cœur demande[e] » ; et encore : « Attends le Seigneur et garde son chemin[f]. » Et ailleurs : « S'il tarde, attends-le, car il viendra et ne tardera plus[g 1]. » S'adressant au Seigneur, il dit : « Comme le cerf désire les eaux vives, ainsi cette âme te désire, ô Dieu[h 2]. » « Elle t'a désiré toute la nuit, et ton Esprit, dans le fond de son cœur, a veillé pour toi dès le matin[i 3]. » Et encore : « Tout le jour elle a tendu vers toi ses mains[j] » ; « fais-lui grâce, car elle crie après toi[k] » ; « tourne-toi un peu vers elle, et laisse-toi fléchir[l] ». « Du ciel regarde, vois et visite[m] » cette âme désolée. Fidèle paranymphe[4] ! Témoin de cet amour réciproque, mais sans en être jaloux, il ne cherche pas sa propre gloire, mais celle du Seigneur[n]. Placé entre le bien-aimé et la bien-aimée, il court de l'un à l'autre, offrant des prières et rapportant des grâces. Il enflamme l'une, il apaise l'autre. Parfois aussi, bien que rarement, il leur ménage une entrevue, soit en ravissant l'épouse, soit en conduisant auprès d'elle l'Époux. Puisqu'il est de la maison et connu dans le palais[o], il ne craint pas un refus, et « voit tous les jours la face du Père[p] ».

6. Mais prends garde, toi ! Ne va pas croire que dans cette union du Verbe et de l'âme je songe à quelque chose qui appartienne au corps ou à l'imagination. Nous parlons de ce que l'Apôtre dit : « Celui qui s'attache à Dieu est avec lui un seul esprit[a 5]. » Le ravissement en Dieu d'une intelligence purifiée, ou la bienveillante descente de Dieu dans une âme, nous les exprimons comme nous pouvons, avec nos mots à nous, « expliquant aux

s'applique à l'ange gardien. Ailleurs, le pape est le paranymphe de l'Église (*SBO* III, 466, l. 5). Bernard a trouvé l'expression chez AUGUSTIN, *De civitate Dei* VI, 9, 53 (*CCL* 47, 179) ; XVI, 18, 15 (*CCL* 48, 441) ; *Sermon* 293 (*PL* 38, 1332).

5. * Cf. p. 117, n. 2 sur *I Cor.* 6, 17 (Patr.) cité en *SCt* 19, 5.

parantes[b]. Itaque in spiritu sit ista coniunctio, quia *spiritus est Deus*[c], et concupiscit decorem animae illius[d], quam forte adverterit in *spiritu ambulantem, et curam*
10 *carnis non perficientem in desiderio*[e], praesertim si sui amore flagrantem conspexerit.

III. De tertia manifestatione Sponsi quae interna est, quod quadrupliciter fiat : ut Sponsi, ut medici, ut ducis, ut divitis regis.

Non ergo sic affecta, et sic dilecta, contenta erit omnino vel illa, quae multis *per ea quae facta sunt*[f], vel illa, quae paucis per visa et somnia[g] facta est manifestatio sponsi,
15 nisi et speciali praerogativa intimis illum affectibus atque ipsis medullis cordis caelitus illapsum suscipiat, habeatque praesto quem desiderat, non figuratum, sed infusum, non apparentem, sed afficientem; nec dubium quin eo iucundiorem, quo intus, non foris. Verbum nempe est, non
20 sonans, sed penetrans; non loquax, sed efficax[h]; non obstrepens auribus, sed affectibus blandiens. Facies est non formata, sed formans; non perstringens oculos corporis, sed faciem cordis laetificans : grata quippe amoris munere, non colore.

7. Non tamen adhuc illum dixerim apparere sicuti est, quamvis non omnino aliud hoc modo exhibeat, quam quod est. Neque enim vel sic continue praesto erit,

b. I Cor. 2, 13 c. Jn 4, 24 d. Cf. Ps. 44, 12 e. Gal. 5, 16 ≠; Rom. 13, 14 ≠ f. Rom. 1, 20 g. Cf. Nombr. 12, 6 h. Cf. Hébr. 4, 12

1. * Bernard prend certains mots de chacun de ces 2 versets pour bâtir sa phrase; d'autre part, il préfère *perficere* à *facere, Vg*; cf. *Apo* 22 (*SBO* III, 99, l. 17).

2. La fin du § 6 ressemble beaucoup à *Miss* IV, 11 (fin), *SC* 390, 238.

spirituels ce qui est spirituel[b]». Que cette rencontre s'accomplisse donc en esprit, parce que «Dieu est esprit[c].» Il s'éprend de la beauté de cette âme[d] qu'il a vu «marcher sous l'impulsion de l'esprit et qui ne se soucie point de la chair et de ses désirs[e] [1]»; surtout s'il a remarqué que cette âme brûle d'amour pour lui.

III. La troisième manifestation de l'Époux, qui est intérieure. Elle se réalise de quatre manières : comme époux, comme médecin, comme guide, comme riche roi.

Une âme ainsi disposée, et aimée de la sorte, ne se contentera point de cette manifestation de l'Époux qui s'offre à tous «à travers ses œuvres[f]», ni de celle qui s'offre à quelques-uns à travers les visions et les songes[g]. Cette âme ne sera heureuse que si, par un privilège spécial, elle peut accueillir au plus intime de son affection et au cœur même de son cœur, celui qui du ciel vient à elle. Elle veut avoir tout près d'elle celui qu'elle désire : non pas sous la forme d'une image ou d'une apparition, mais infus en elle et la touchant avec amour. Sans aucun doute, il lui est d'autant plus agréable qu'il lui est intérieur et non extérieur. Car il est le Verbe qui ne résonne pas, mais pénètre; qui n'est pas loquace, mais efficace[h]; qui ne retentit pas aux oreilles, mais enchante le cœur[2]. Son visage ne prend pas une forme, mais il forme[3]; il n'éblouit pas les yeux du corps, mais réjouit la face du cœur : il ne séduit pas par son teint, mais par le don de son amour.

7. Cependant, je ne dirais pas encore qu'il apparaît tel qu'il est, bien qu'en se manifestant ainsi il ne se montre point autre qu'il n'est. Même alors, il n'est pas conti-

3. «Son visage ne prend pas une forme, mais il forme.» Voir AUGUSTIN, *Conf.* I, 7, 12; *De Genesi ad litt.* IV, 3-4.

quamvis devotissimis mentibus, sed nec uniformiter
5 omnibus. Oportet namque pro variis animae desideriis divinae gustum praesentiae variari, et infusum saporem supernae dulcedinis diversa appetentis animi aliter atque aliter oblectare palatum. Denique advertisti in hoc amatorio carmine, quoties mutaverit vultum, et in *quanta mul-*
10 *titudine dulcedinis suae*[a] coram dilecta dignatus sit transformari, et quomodo nunc quidem instar verecundi sponsi sanctae animae secretos petat amplexus et osculis delectetur, nunc vero in oleo et unguentis medicum exhibere appareat, nimirum propter teneras et infirmas animas
15 istiusmodi adhuc indigentes fomentis et medicamentis, unde et delicato adolescentularum nomine designantur[b].
224 Si mussitet quis, audiet quia *non est opus sanis medicus, sed male habentibus*[c]. Nunc rursum quasi viator quispiam itinerantibus sponsae simul atque adolescentulis sese asso-
20 cians, iucundissimis confabulationibus suis a labore viae omnem relevat comitatum, ita ut eo discedente loquantur : *Nonne cor nostrum ardens erat in nobis, dum loqueretur nobis in via*[d]? Facundus comes, qui in sermonum et morum suavitate suorum, tamquam in quadam fragranti
25 suaveolentia spirantium unguentorum, *post se currere*[e] faciat universos; unde et dicunt : *In odore unguentorum tuorum curremus*[e]. Item aliquando occurrens, quasi praedives aliquis paterfamilias, qui *in domo sua abundet panibus*[f], immo tamquam rex magnificus et potens, qui
30 sponsae pauperis videatur pusillanimitatem erigere, provocare cupiditatem, demonstrans illi omnia desiderabilia gloriae suae, divitias torcularium ac promptuariorum, hortorum et agrorum copias, demum etiam introducens eam

7. a. Ps. 30, 20 ≠ b. Cf. Cant. 1, 2 c. Matth. 9, 12 ≠; cf. Mc 2, 17 d. Lc 24, 32 (Lit.) e. Cant. 1, 3 ≠ f. Lc 15, 17 ≠

---

1. * Antienne du Benedictus du lundi de la 4e semaine après Pâques. Citation unique dans les *SBO*.

nuellement présent aux âmes, si ferventes soient-elles, et d'autre part il ne se montre pas à toutes de la même façon. Car il faut que le goût de la présence divine se diversifie selon les divers désirs de l'âme. Ainsi, la saveur infuse de la douceur céleste flatte de différentes façons le palais de l'esprit aux multiples appétits. Enfin, tu as remarqué combien de fois dans ce poème d'amour l'Époux a changé de visage, et comment il a daigné déployer devant la bien-aimée « les multiples aspects de sa douceur[a] ». Tantôt pareil à un chaste époux, il cherche les étreintes secrètes de l'âme sainte et se délecte de ses baisers. Tantôt il paraît se montrer en médecin avec huile et onguents, sans doute à cause des âmes tendres et infirmes qui ont encore besoin de ces calmants et de ces médicaments. Voilà pourquoi on les désigne du nom de jeunes filles[b], nom qui évoque leur fragilité. Si quelqu'un se met à maugréer, il s'entendra dire que « ce ne sont pas les bien-portants qui ont besoin de médecin, mais les malades[c] ». Tantôt encore, comme un voyageur, il se joint à l'épouse et aux jeunes filles qui font route ensemble, et par ses entretiens pleins de charme, il soulage toute la compagnie de la fatigue du voyage ; si bien qu'à son départ elles se disent entre elles : « Notre cœur n'était-il pas tout brûlant en nous, tandis qu'il nous parlait en chemin[d 1] ? » Compagnon disert, lui qui par la douceur de ses propos et de ses manières fait « courir après lui[e] » tout le monde, comme à l'odeur exquise de parfums qui s'exhalent. C'est pourquoi tous disent : « Nous courrons à l'odeur de tes parfums[e]. » Parfois encore, il se présente comme un père de famille très riche, « dont la maison regorge de pain[f] », ou plutôt comme un roi magnifique et puissant, qui semble encourager la timidité d'une épouse pauvre, et éveiller son désir, en lui montrant tout l'éclat de sa gloire, les richesses de ses pressoirs et de ses magasins, la luxuriance de ses jardins et de ses

in ipsa secreta cubiculi[g]. Nimirum *confidit in ea cor viri*
35 *sui*[h], et non est ex omnibus quod ab illa existimet abscondendum, quam redemit inopem, probavit fidelem, amplexatur amabilem. Atque ita non cessat, sive hoc, sive illo modo, interno iugiter apparere conspectui quaerentium se, *ut sermo impleatur quem dixit*[i] : *Ecce ego vobiscum*
40 *sum usque in consummationem saeculi*[j].

8. Et in his omnibus *suavis et mitis, et multae misericordiae*[a]. Nam in osculis quidem affectuosum et blandum, in oleo autem atque unguentis clementem et affluentem visceribus pietatis et compassionis; porro in via hilarem,
5 affabilem, plenum gratiae et solatii; in ostensione vero divitiarum et possessionum, munificum se ac largum pro regia liberalitate remuneratorem demonstrat. Ita per omnem huius carminis textum reperies Verbum istiusmodi similitudinibus adumbrari. Unde ego puto id significatum
10 apud Prophetam, ubi ait : *Spiritus ante faciem nostram Christus Dominus; in umbra eius vivemus inter gentes*[b] : quod scilicet *videamus nunc per speculum in aenigmate,* et necdum *facie ad faciem*[c]. At istud sane donec *vivimus*
225 *inter gentes*; nam inter angelos aliter : quando iam indif-
15 ferenti omnino felicitate cum ipsis *videbimus eum* et nos *sicuti est*[d], hoc est *in forma Dei*[e], et non *in umbra.*

g. Cf. Cant. 3, 4 h. Prov. 31, 11 i. Jn 18, 32 ≠ j. Matth. 28, 20 ≠

8. a. Ps. 85, 5 b. Lam. 4, 20 (Patr.) c. I Cor. 13, 12 ≠ d. I Jn 3, 2 ≠ e. Phil. 2, 6

---

1. * ... *in ipsa secreta cubiculi* : ces mots renvoient plutôt au thème bernardin de l'intimité avec l'Époux qu'à un verset donné; il faut penser à *Cantique* 1, 3 et 2, 4; il y a aussi le texte d'*Isaïe* 24, 16, souvent cité par Bernard; enfin, les variantes patristiques (Ambroise) ou liturgiques à ces textes sont nombreuses. Dans ce volume, on trouve ce thème en particulier dans *SCt* 23 tout entier et dans *SCt* 32, 9.

champs; et qui l'introduit enfin jusqu'au plus secret de sa chambre[g 1]. Car «le cœur de son mari lui fait confiance[h]»; il pense ne devoir rien cacher à celle qu'il a rachetée de la misère, dont il a éprouvé la fidélité et qu'il embrasse comme l'objet de son amour. C'est ainsi qu'il ne cesse d'apparaître constamment, de diverses manières, à la vue intérieure de ceux qui le cherchent, «pour que s'accomplisse sa parole[i]» : «Voici que je suis avec vous jusqu'à la fin du temps[j].»

8. En tout cela, il est «doux et aimable, et plein de miséricorde[a]». Par les baisers il se montre affectueux et caressant, par l'huile et les onguents il révèle sa clémence et ses entrailles débordantes de pitié et de compassion. Sur la route, il est enjoué, affable, plein de charme et d'attentions. Lorsqu'il fait voir ses richesses et ses domaines, il montre les récompenses magnifiques et abondantes qu'il distribue selon sa générosité royale. Ainsi, à travers tout le texte de ce poème, tu trouveras que le Verbe se cache sous l'ombre de pareilles comparaisons. C'est pourquoi je pense que le Prophète a voulu signifier cela, lorsqu'il dit : «Le Christ Seigneur est Esprit devant notre face; à son ombre nous vivrons parmi les nations[b 2].» En effet, «maintenant nous voyons dans un miroir, en énigme, et pas encore face à face[c]». Mais cela, certes, tant que «nous vivrons parmi les nations»; car il en sera tout autrement parmi les anges. Alors, jouissant d'une félicité absolument identique à la leur, «nous le verrons nous aussi tel qu'il est[d]», c'est-à-dire «dans sa forme de Dieu[e]», et non plus «sous le voile de l'ombre[3]».

2. * Cf. p. 128, n. 2 sur *Lam.* 4, 20 (Patr.) cité en *SCt* 20, 3.

3. En cette vie nous voyons Dieu dans un miroir, comme une énigme. Mais cela ne doit durer que tant que «nous vivrons parmi les nations». Car au ciel, nous le verrons dans sa forme de Dieu, et non plus sous le voile de l'ombre.

IV. De umbra fidei et veritate speciei, et de schemate pastorali in quo apparet Sponsus.

Quomodo namque apud veteres quidem umbram figuramque dicimus exstitisse, nobis autem per gratiam Christi in carne praesentis ipsam per se illucescere veritatem, ita 20 nos quoque respectu futuri saeculi in quadam interim veritatis umbra vivere non negabit, nisi qui non acquiescit Apostolo dicenti : *Ex parte cognoscimus et ex parte prophetamus*[f]; et illud : *Non arbitror me comprehendisse*[g]. Quomodo enim non est distinctio eius, qui *per fidem* 25 *ambulat,* et illius qui *per speciem*[h]? Ergo *iustus ex fide vivit*[i], beatus exsultat in specie; et ideo sanctus homo interim vivit in umbra Christi[j], sanctus angelus in splendore vultus gloriae gloriatur.

9. Et bona fidei umbra, quae lucem temperat oculo caliganti, et oculum praeparat luci; scriptum est enim : *Fide mundans corda eorum*[a]. Fides itaque lucem non exstinguit, sed custodit. Quidquid sane est illud quod videt 5 angelus, hoc mihi umbra fidei servat, fideli sinu repositum, in tempore revelandum. Annon expedit tenere vel involutum quod nudum non capis? Denique et Mater Domini vivebat in umbra fidei, cui dictum est : *Et beata quae credidisti*[b]. Habuit et de Christi corpore umbram 10 quae audivit : *Et virtus Altissimi obumbrabit tibi*[c]. Nec vilis umbra, quae de virtute Altissimi formatur. Et vere virtus in carne Christi, quae Virgini obumbravit, ut, quod impos-

f. I Cor. 13, 9 g. Phil. 3, 13 ≠ h. II Cor. 5, 7 ≠ i. Rom. 1, 17 j. Cf. Lam. 4, 20

9. a. Act. 15, 9 (Patr.) b. Lc 1, 45 ≠ c. Lc 1, 35

1. * Cf. p. 357, n. 2 sur *Act.* 15, 9 (Patr.) cité en *SCt* 28, 5.

2. * 4 fois Bernard énonce ce verset à la 2e personne, à la suite de certains Pères (Grégoire le Grand), mais aussi de plusieurs pièces liturgiques (de la Toussaint, du 3e dimanche de l'Avent, de plusieurs fêtes de la Vierge).

IV. L'ombre de la foi et la vérité de la vision. L'Époux apparaît sous les traits d'un berger.

Nous disons donc que les hommes de l'Ancien Testament eurent en partage l'ombre et la figure, tandis que pour nous la vérité elle-même resplendit, par la grâce du Christ présent dans la chair. De même, personne ne saurait nier que, par rapport au siècle à venir, nous aussi, nous vivons encore d'une certaine manière dans l'ombre de la vérité ; à moins de contester ce que dit l'Apôtre : « Partielle est notre connaissance et partielle notre prophétie[f] », et aussi : « Je n'estime pas l'avoir compris[g]. » Comment en effet n'y aurait-il pas de différence entre celui qui « marche dans la foi et celui qui marche dans la claire vision[h] » ? « Le juste vit donc par la foi[i] » ; le bienheureux exulte dans la vision. L'homme saint vit ici-bas à l'ombre du Christ[j], tandis que l'ange saint se glorifie dans la splendeur du visage de gloire.

9. Elle est bienfaisante, cette ombre de la foi, qui tamise la lumière pour l'œil enténébré, et qui prépare l'œil à la lumière. Il est écrit en effet : « C'est par la foi que leurs cœurs sont purifiés[a 1]. » La foi n'éteint donc pas la lumière, mais la garde. Tout ce que l'ange voit, l'ombre de la foi le conserve pour moi, déposé fidèlement en son sein, pour le révéler en temps voulu. N'est-ce pas une bonne chose de tenir, même enveloppé, ce que tu ne peux pas saisir à découvert ? D'ailleurs, la Mère du Seigneur vivait elle aussi dans l'ombre de la foi, puisqu'il lui fut dit : « Bienheureuse toi qui as cru[b 2]. » Elle reçut aussi l'ombre du corps du Christ, elle qui entendit ces paroles : « La puissance du Très-Haut te couvrira de son ombre[c]. » Cette ombre, formée par la puissance du Très-Haut, n'a rien de méprisable. Oui, vraiment, dans la chair du Christ il y avait une puissance, qui couvrit la Vierge de son ombre. Par le voile de ce corps

sibile erat mortali feminae, obiectu tamen involucri vivifici corporis ferret praesentiam maiestatis, et lucem sustineret
15 inaccessibilem[d]. Virtus plane, in qua omnis contraria fortitudo debellata est. Et virtus et umbra fugans daemones, tutans homines; aut certe virtus vegetans, umbra refrigerans.

10. Vivimus proinde in umbra Christi[a] qui *per fidem ambulamus*[b], et carne ipsius pascimur ut vivamus. *Caro enim* Christi *vere est cibus*[c]. Et vide ne propterea etiam nunc describatur hoc loco apparens tamquam in schemate
5 pastorali, ubi illum sponsa, quasi quempiam de pastoribus, videtur alloqui, dicens : *Indica mihi ubi pascas, ubi*
226 *cubes in meridie*[d]. *Bonus Pastor,* qui *animam suam dat pro ovibus suis*[e]! Animam pro illis, carnem illis; illam in pretium, istam in cibum. Res mira! Ipse pastor, ipse pascua
10 est, ipse redemptio. Verum sermo in longum pergit, quoniam locus amplus est et grandia continens, et non explicatur paucis; atque hac necessitate videtur mihi iam rumpendus potius quam finiendus. Oportet autem ut, quoniam materia pendet, memoria vigilet, quatenus ubi
15 pausatum erit, inde mox resumatur et pertractetur, prout Dominus dabit, Iesus Christus sponsus Ecclesiae, *qui est Deus benedictus in saecula. Amen*[f].

d. Cf. I Tim. 6, 16
10. a. Cf. Lam. 4, 20 (Patr.) b. II Cor. 5, 7 c. Jn 6, 56 ≠ d. Cant. 1, 6 ≠ e. Jn 10, 11 ≠ f. Rom. 9, 5 ≠

vivifiant, elle put supporter la présence de la majesté, et soutenir la lumière inaccessible[d], chose impossible à une femme mortelle. Véritable puissance, par qui toute force adverse fut mise en déroute. Puissance et ombre qui mettent en fuite les démons et protègent les hommes; puissance fécondante, ombre rafraîchissante[1]!

10. Nous vivons donc à l'ombre du Christ[a], « nous qui marchons dans la foi[b] », et nous nous nourrissons de sa chair pour vivre. « Car la chair du Christ est vraiment une nourriture[c]. » Considère si ce n'est pas pour cela qu'il est dépeint maintenant sous les traits d'un pâtre, dans ce passage où l'on voit l'épouse s'adresser à lui comme à l'un des bergers. Elle dit en effet : « Montre-moi où tu mènes paître ton troupeau, où tu reposes à midi[d]. » « Bon Pasteur, lui qui donne sa vie pour ses brebis[e]! » Sa vie pour elles, en rançon; sa chair à elles, en nourriture. Chose étonnante! Il est lui-même le pasteur, la pâture et la rédemption. Mais le sermon s'allonge, parce que ce passage est important et il contient de grandes choses; on ne l'explique pas en peu de mots. Je me sens donc obligé de l'interrompre plutôt que de le terminer. Mais, puisque le sujet demeure en suspens, il faut que la mémoire veille, afin qu'après un intervalle nous puissions aussitôt le reprendre et l'approfondir, selon ce que nous donnera le Seigneur, Jésus-Christ Époux de l'Église, « qui est Dieu béni dans les siècles. Amen[f] ».

1. Marie a conçu le Verbe divin sous l'ombre de la foi. Mais cette ombre avait la puissance de sauver tout le genre humain.

SERMO XXXII

I. Quomodo mereamur Sponsi praesentiam, et cui animae se Sponsum exhibeat. – II. Cui se medicum exhibeat vel cui viae se socium praebeat. – III. De Verbi locutione et cordis cogitatione vel maligni immissione. – IV. Cui affectui se regem vel patremfamilias praebeat Sponsus, et cur post omnia quasi pastor appareat.

I. Quomodo mereamur Sponsi praesentiam, et cui animae se Sponsum exhibeat.

1. *Indica mihi ubi pascas, ubi cubes in meridie*[a]. Hic sumus, hinc progredimur. Sed antequam tractari incipiat visio ista et allocutio, recapitulandum breviter arbitror de aliis visionibus quae praecesserunt, quomodo nobis aptari 5 spiritualiter possint pro votis et meritis singulorum, ut apprehensis illis, si tamen hoc datum fuerit, facilior et in huius discussione eluceat intellectus. Verum id difficillimum. Nam etsi verba illa, quibus ipsae visiones seu similitudines describuntur, sonare corpora atque corporea 10 videantur, spiritualia tamen sunt quae nobis ministrantur in his, ac per hoc in spiritu quoque causas et rationes earum oportet inquiri. Et quis idoneus investigare et comprehendere tam multos animae affectus profectusque quibus haec de praesentia sponsi tam *multiformis gratia* 227 15 *dispensatur*[b]? Tamen si intremus ad nos, et Spiritus Sanctus

1. a. Cant. 1, 6 ≠ b. I Pierre 4, 10 ≠

SERMON 32

I. Comment nous pouvons mériter la présence de l'Époux, et à quelle âme il se manifeste comme Époux. – II. A qui il se montre comme médecin, et à qui il s'offre comme compagnon de route. – III. Les paroles du Verbe, les pensées du cœur et les suggestions du malin. – IV. Les sentiments de l'âme à laquelle l'Époux se présente comme roi ou comme père de famille. Pourquoi il apparaît à la fin comme berger.

I. Comment nous pouvons mériter la présence de l'Époux, et à quelle âme il se manifeste comme Époux.

1. « Montre-moi où tu mènes paître ton troupeau, où tu te reposes à midi[a]. » C'est ici que nous en sommes restés, c'est à partir d'ici que nous reprenons. Mais avant d'examiner cette vision et ces paroles, je pense qu'il faut faire un bref résumé : comment les visions précédentes peuvent-elles s'appliquer à nous spirituellement, selon les désirs et les mérites de chacun. Une fois ces visions-là bien comprises – si toutefois cette grâce nous est faite –, nous parviendrons plus aisément à une claire intelligence de cette vision-ci. Mais ce sera très difficile. Bien que les paroles qui décrivent ces visions ou ces comparaisons semblent évoquer des corps et des réalités corporelles, ce sont pourtant des réalités spirituelles qui nous sont présentées en elles. C'est donc en esprit que nous devons en rechercher les causes et les raisons. Qui est capable de scruter et de saisir les sentiments et les progrès si nombreux de l'âme, par lesquels « se manifeste cette grâce multiforme[b] » venant de la présence de l'Époux ? Pourtant, si nous rentrons en nous-mêmes et que l'Esprit-Saint

in lumine suo dignetur ostendere nobis quod opere suo non dedignatur assidue actitare in nobis, puto non omnino nos in his sine intellectu remansuros[c]. Confido enim *non accepisse nos spiritum huius mundi, sed Spiritum qui ex*
20 *Deo est, ut sciamus quae a Deo donata sunt nobis*[d].

2. Ergo si cui nostrum cum sancto Propheta *adhaerere Deo bonum est*[a], et, ut loquar manifestius, si quis in nobis est ita *desiderii vir*[b], ut *cupiat dissolvi et cum Christo esse*[c], cupiat autem vehementer, ardenter sitiat, assidue
5 meditetur : is profecto non secus quam in forma sponsi suscipiet Verbum *in tempore visitationis*[d], hora videlicet qua se astringi intus quibusdam brachiis sapientiae atque inde sibi infundi senserit sancti suavitatem amoris. Siquidem *desiderium cordis eius tribuetur ei*[e], etsi adhuc
10 *peregrinanti in corpore*[f], ex parte tamen, idque ad tempus et tempus modicum. Nam cum vigiliis et obsecrationibus[g] et multo imbre lacrimarum quaesitus affuerit, subito, dum teneri putatur, elabitur; et rursum lacrimanti et insectanti occurrens, comprehendi patitur, sed minime retineri, dum
15 subito iterum quasi e manibus avolat. Et si institerit precibus et fletibus devota anima, denuo revertetur, *et voluntate labiorum eius non fraudabit eam*[h]; sed rursum disparebit et non videbitur, nisi iterum toto desiderio requiratur. Ita ergo et in hoc corpore potest esse de prae-
20 sentia sponsi frequens laetitia, sed non copia, quia etsi visitatio laetificat, sed molestat vicissitudo. Et hoc tamdiu

c. Cf. Matth. 15, 16 d. I Cor. 2, 12 ≠
2. a. Ps. 72, 28 b. Dan. 9, 23 ≠ c. Phil. 1, 23 (Patr.) d. I Pierre 5, 6 e. Ps. 20, 3 ≠ f. II Cor. 5, 6 ≠ g. Cf. Lc 2, 37 h. Ps. 20, 3 ≠

1. * Cf. p. 149, n. 3 sur *Phil.* 1, 23 (Patr.) cité en *SCt* 21, 1.
2. * Cf. p. 435, n. 3 sur *Ps.* 20, 3 cité en *SCt* 31, 5.
3. «Pour un temps très court». Bernard reprend ici avec d'autres

daigne nous montrer dans sa lumière ce qu'il ne dédaigne pas d'accomplir en nous par son action constante, je pense que nous ne resterons pas sans quelque intelligence de ces mystères[c]. J'ai en effet cette confiance, que « nous n'avons pas reçu l'esprit de ce monde, mais l'Esprit qui vient de Dieu, afin de connaître les dons que Dieu nous a faits[d] ».

2. Si l'un d'entre nous, avec le saint Prophète, « trouve son bonheur à s'attacher à Dieu[a] », et pour parler plus clairement, si l'un de nous est tellement « homme de désir[b] » qu'il « souhaite mourir et être avec le Christ[c 1] »; si son désir est intense, sa soif ardente, sa pensée assidue : cet homme, certes, ne recevra pas le Verbe, « au temps de sa visite[d] », autrement que sous la forme de l'Époux. A cette heure-là, il se sentira intérieurement étreint comme par les bras de la sagesse et inondé par la suavité du saint amour. Car « le désir de son cœur lui sera accordé[e 2] », bien que cet homme soit encore « en exil dans un corps[f] ». Mais il ne lui sera accordé qu'en partie, et cela pour un temps, et un temps très court[3]. Dès que le Verbe, appelé par les veilles, les implorations[g] et une abondante pluie de larmes, s'est rendu présent, déjà il échappe à la prise de l'âme qui croit le tenir. Puis, revenant sur ses pas, il accourt vers l'homme qui pleure et le poursuit. Il se laisse saisir, mais nullement retenir : aussitôt il s'envole encore, comme s'il lui glissait d'entre les mains. Que l'âme fervente insiste par des prières et des pleurs, il reviendra, « et ne la frustrera pas du souhait de ses lèvres[h] ». Mais de nouveau il disparaîtra et ne se laissera revoir que si elle le réclame encore avec un désir aussi total. Ainsi, même dans ce corps, on peut jouir souvent de la présence de l'Époux, mais pas en abondance. Si sa visite nous réjouit, son va-et-vient nous chagrine. La bien-aimée

mots ce qu'il avait déjà dit : *Rara hora et parva mora,* « Rare est l'heure et peu on y demeure » (*SCt* 23, 15, l. 5, p. 230 et n. 1).

necesse est pati dilectam, donec, semel posita corporeae sarcina molis, avolet et ipsa levata pennis desideriorum suorum, libere iter carpens per campos contemplationis, 25 et mente *sequens* expedita dilectum *quocumque ierit*[i].

3. Nec tamen vel in transitu praesto erit sic omni animae, nisi illi dumtaxat quam ingens devotio et desiderium vehemens et praedulcis affectus speciosam probat et dignam, ad quam gratia visitandi accessurum Verbum 5 *decorem induat*[a], *formam* sponsi *accipiens*[b].

II. Cui se medicum exhibeat vel cui viae se socium praebeat.

Qui enim nondum invenitur ita affectus, sed compunctus magis actuum recordatione suorum, *loquens in amaritudine animae suae dicit Deo : Noli me condemnare*[c], aut 228 10 forte etiam adhuc periculose *tentatur a propria concupiscentia abstractus et illectus*[d], hic talis non sponsum requirit, sed medicum ; ac per hoc non oscula quidem vel amplexus, sed tantum remedia vulneribus accipiet suis, in oleo utique et unguentis. Annon saepenumero sic sen- 15 timus, et sic experimur orantes, nos qui nostris quotidie adhuc excessibus tentamur praesentibus, mordemur praeteritis ? A quanta me amaritudine frequenter liberasti adveniens, Iesu bone ? Quotiens post anxios fletus, post inenarrabiles gemitus et singultus, sauciam conscientiam meam

i. Apoc. 14, 4 (Lit.)
3. a. Ps. 92, 1 ≠ b. Phil. 2, 7 ≠ c. Job 10, 1-2 ≠ d. Jac. 1, 14 (Patr.)

---

1. Ce paragraphe décrit d'une façon discrète les grâces d'oraison de Bernard lui-même. On trouvera une description analogue dans *SCt* 74, 4-7 (*SBO* II, 241-242). * Cf. p. 148, n. 1 sur *Apoc.* 14, 4 (Lit.) cité en *SCt* 21, 1.

2. * Chacun des 8 emplois de ce texte de *Jacques* par Bernard comporte l'adjectif *propria (concupiscentia)*, que l'on trouve dans Cassien,

doit supporter ces vicissitudes jusqu'à l'heure où, déposant pour toujours le fardeau pesant du corps, elle aussi s'envolera, emportée sur les ailes de ses désirs. Alors, elle prendra librement son essor à travers les vastes espaces de la contemplation et, l'esprit sans entraves, « elle suivra le bien-aimé partout où il ira[i 1] ».

3. Pourtant cette présence, même passagère, ne sera pas accordée à toute âme, mais seulement à celle dont l'intense ferveur, le désir passionné et la tendre affection attestent la beauté. Celle-là est digne de cette faveur : le Verbe, pour venir la visiter, « se revêt de splendeur[a] », « prenant la forme[b] » de l'Époux.

II. A qui il se montre comme médecin, et à qui il s'offre comme compagnon de route.

L'homme qui n'éprouve pas encore de tels sentiments, mais qui se souvient plutôt avec regret de ses actes, « disant à Dieu dans l'amertume de son âme : Ne me condamne pas[c] » ; ou bien celui qui, « séduit et entraîné par sa propre concupiscence[d 2] », est encore en butte aux périls de la tentation : celui-là, dis-je, ne requiert pas l'Époux, mais le médecin. Il n'obtiendra donc ni baisers ni étreintes, mais seulement des remèdes pour ses blessures, à savoir de l'huile et des onguents. N'est-ce pas ce que nous ressentons bien souvent, et dont nous faisons l'expérience dans la prière, nous qui sommes encore tentés chaque jour par nos passions présentes, et touchés de remords pour celles du passé ? De quelle amertume ne m'as-tu pas délivré bien des fois par ta venue, Jésus miséricordieux ? Combien de fois, après des pleurs d'angoisse, après des sanglots et des gémissements inexprimables, n'as-tu pas répandu sur ma conscience blessée

Cassiodore et Hugues de Saint-Victor, et qui paraît insister davantage que le *sua* de *Vg* sur l'intériorité de la concupiscence.

20 unxisti unctione misericordiae tuae, et oleo laetitiae[e] perfudisti? Quotiens me oratio, quem pene desperantem suscepit, reddidit exsultantem et praesumentem de venia? Qui similiter afficiuntur, ecce hi sciunt, quod vere medicus sit Dominus Iesus, *qui sanat contritos corde et alligat* 25 *contritiones eorum*[f]. Qui experti non sunt, credant inde eidem ipsi dicenti : *Spiritus Domini unxit me, ad evangelizandum mansuetis misit me, ut mederer contritis corde*[g]. Si adhuc dubitant, accedant certe et probent, et sic in semetipsis discant quid sit : *Misericordiam volo, et* 30 *non sacrificium*[h]. Sed videamus et reliqua.

4. Sunt qui in studiis spiritualibus fatigati, et versi in tepore, atque in defectu quodam spiritus positi, ambulant tristes vias Domini, corde arente[a] et taedente accedunt ad quaeque iniuncta, frequenter murmurant, longos dies, 5 longas queruntur et noctes, loquentes cum sancto Iob : *Si dormiero dicam : quando consurgam? Et rursum exspectabo vesperam*[b]. Ergo ubi contingit tale aliquid pati, si misertus Dominus appropiet nobis *in via qua ambulamus*[c], et incipiat loqui de caelo qui de caelo est[d], 10 necnon favorabile quippiam *cantare nobis de canticis Sion*[e], narrare etiam de civitate Dei, de pace civitatis, de aeternitate pacis, de statu aeternitatis : dico vobis, erit pro vehiculo animae dormitanti et pigritanti[f] laeta narratio, ita

e. Cf. Ps. 44, 8 f. Ps. 146, 3 ≠ g. Is. 61, 1 ≠; Lc 4, 18 ≠ h. Matth. 9, 13

4. a. Cf. Lc 24, 17. 32 b. Job 7, 4 ≠ c. Cf. Lc 24, 15; Ps. 141, 4 ≠ d. Cf. Lc 24, 27; Jn 3, 31 e. Ps. 136, 3 ≠ f. Cf. Ps. 118, 28

---

1. Christ-médecin est un titre très ancien. Voir p. 98, n. 1 sur *SCt* 18, 5.
2. * Cf. p. 178, n. 1 sur *Is.* 61, 1-2 cité en *SCt* 22, 3.
3. *Tepor,* « tiédeur ». Bernard décrit ici l'*acedia,* vice bien connu des moines. Cf. CASSIEN, *De institutis coenobiorum* X, 1 (*CSEL* 17, 173-174).

l'onguent de ta miséricorde et l'huile de la joie[e]? Combien de fois ma prière, commencée au bord du désespoir, ne m'a-t-elle pas vu repartir exultant et plein de confiance dans le pardon? Ceux qui éprouvent de tels sentiments savent bien que le Seigneur Jésus est vraiment un médecin, lui « qui guérit les cœurs meurtris et soigne leurs blessures[f1] ». Ceux qui n'ont pas fait cette expérience, qu'ils croient ce qu'il en dit lui-même : « L'Esprit du Seigneur m'a oint, il m'a envoyé porter la bonne nouvelle aux hommes doux et panser les cœurs meurtris[g2]. » S'ils doutent encore, que du moins ils s'approchent et en fassent l'épreuve. Ainsi ils apprendront par eux-mêmes le sens de cette parole : « C'est la miséricorde que je veux, et non le sacrifice[h]. » Mais voyons aussi la suite.

4. Il en est qui se lassent de s'appliquer à la vie spirituelle, et se laissent aller à la tiédeur[3]. Installés dans une sorte d'apathie spirituelle, ils marchent tristes dans les voies du Seigneur. Quoi qu'on leur ordonne, ils acquiescent d'un cœur sec[a] et plein d'ennui. Ils murmurent souvent; ils se plaignent de la longueur des jours et des nuits. Avec le bienheureux Job, ils s'écrient : « Si je m'endors, je dis : Quand me lèverai-je? Mais ensuite, j'attends le soir avec impatience[b]. » Quand il nous arrive d'être dans un tel état, si le Seigneur pris de pitié s'approche de nous « sur la route où nous marchons[c] », si celui qui vient du ciel[d] commence à nous parler du ciel, et même à « nous chanter quelque air charmant des cantiques de Sion[e] »; s'il nous décrit aussi la cité de Dieu, la paix de cette cité, l'éternité de cette paix, la stabilité de cette éternité : cette description pleine de joie, je vous l'affirme, donnera des ailes à l'âme somnolente et paresseuse[f], si bien que l'esprit de l'auditeur sera débarrassé

Les sermons de Bernard veulent secouer la léthargie de certains moines qui souffrent de ce vice (cf. p. 157, n. 2).

ut pellat omne fastidium ab animo audientis, et a corpore
15 fatigationem. An tibi aliud vel pati, vel petere ille videtur qui ait : *Dormitavit anima mea prae taedio; confirma me in verbis tuis*[g]? Et nonne cum obtinuerit, exclamabit : *Quomodo dilexi legem tuam, Domine! Tota die meditatio*
229 *mea est*[h]? Sunt enim quaedam verba Verbi sponsi ad nos,
20 nostrae meditationes de ipso et eius gloria, elegantia, potentia, maiestate. Non solum autem, sed et cum avida mente versamus testimonia eius *et iudicia oris eius*[i], et *in lege eius meditamur die ac nocte*[j], sciamus pro certo adesse Sponsum, atque alloqui nos, ut non fatigemur
25 laboribus, sermonibus delectati.

5. Tu ergo cum tibi talia volvi animo sentis, non tuam putes cogitationem, sed illum agnosce loquentem, qui apud Prophetam dicit : *Ego qui loquor iustitiam*[a].

III. De Verbi locutione et cordis cogitatione vel maligni immissione.

Simillima enim sunt nostrae cogitata mentis sermonibus
5 Veritatis in nobis loquentis; nec facile quis discernat quid intus pariat cor suum, quidve audiat, nisi qui prudenter advertit Dominum in Evangelio loquentem, quia *de corde exeunt cogitationes malae*[b]; et illud : *Quid cogitatis mala in cordibus vestris*[c]? et : *Qui loquitur mendacium, de suo*
10 *loquitur*[d]. Apostolus autem : *Non quod sufficientes simus,* inquit, *cogitare aliquid a nobis tamquam ex nobis,* subaudis bonum, *sed sufficientia nostra ex Deo est*[e]. Cum

g. Ps. 118, 28 h. Ps. 118, 97 i. Ps. 104, 5 j. Ps. 1, 2 ≠
5. a. Is. 63, 1 b. Matth. 15, 19 c. Matth. 9, 4 d. Jn 8, 44 ≠
e. II Cor. 3, 5 ≠

de tout dégoût, et son corps de toute fatigue. A ton avis, n'est-ce pas cela qu'éprouve et que demande celui qui dit : « Mon âme a somnolé d'ennui ; raffermis-moi par tes paroles[g] » ? Et quand il aura obtenu cette grâce, ne va-t-il pas s'exclamer : « Combien j'ai aimé ta loi, Seigneur ! Tout le jour j'en fais ma méditation[h] » ? En effet, nos méditations sur le Verbe et sur sa gloire, sa beauté, sa puissance, sa majesté sont comme des paroles que le Verbe-Époux nous adresse. Il ne nous parle pas seulement ainsi, mais également lorsque, d'un cœur avide, nous examinons ses témoignages et « les jugements de sa bouche[i] », « méditant sa loi jour et nuit[j] ». Soyons assurés que l'Époux est présent et qu'il nous parle là aussi, afin que, charmés par ses discours, nous ne soyons pas accablés par nos labeurs.

5. Toi donc, quand tu t'aperçois que de telles pensées surgissent dans ton esprit, ne va pas croire que c'est le fruit de ta réflexion, mais reconnais la voix de celui qui dit par le Prophète : « C'est moi qui énonce la justice[a]. »

III. Les paroles du Verbe, les pensées du cœur et les suggestions du malin.

Les pensées de notre esprit sont toutes semblables aux discours de la Vérité qui parle au dedans de nous. Nul ne peut aisément discerner ce que son cœur engendre en lui et ce qu'il entend lui-même, sinon celui qui prête sagement attention au Seigneur disant dans l'Évangile : « C'est du cœur que sortent les mauvaises pensées[b]. » Et ceci : « Pourquoi pensez-vous du mal dans vos cœurs[c] ? » ; et encore : « Celui qui parle et dit un mensonge, parle de son propre fonds[d]. » De son côté, l'Apôtre dit : « Non pas que nous soyons capables de penser par nous-mêmes quelque chose comme venant de nous – sous-entends : quelque chose de bon –, mais notre capacité vient de Dieu[e]. » Lorsque nous entretenons dans notre cœur des

ergo mala in corde versamus, nostra cogitatio est; si bona, Dei est sermo. Illa cor nostrum dicit, haec audit. *Audiam,* 15 ait, *quid loquatur in me Dominus Deus, quoniam loquetur pacem in plebem suam*[f]. Itaque pacem, pietatem, iustitiam Deus in nobis loquitur; nec talia nos cogitamus ex nobis, sed in nobis audimus. Ceterum *homicidia, adulteria, furta, blasphemiae,* et similia his, *de corde exeunt*[g], nec audimus 20 ea, sed dicimus. Denique *dixit insipiens in corde suo : Non est Deus*[h]. Et *propter hoc irritavit impius Deum, quia dixit in corde suo : Non requiret*[i]. Sed est praeterea quod corde quidem sentitur, non tamen cordis est verbum. Nec enim de corde exit, sicut nostra cogitatio, sed neque illud 25 est quod ad cor fieri diximus, verbum videlicet Verbi, cum sit malum. Immittitur autem a contrariis potestatibus, sicut fiunt *immissiones per angelos malos*[j], quale, verbi causa, fuit quod legitur *misisse in cor diabolus, ut traderet* Dominum *Iudas Simonis Iscariotis*[k].

6. Verum quis ita vigil et diligens observator motionum internarum suarum, sive in se, sive et ex se factarum, ut 230 liquido ad quaeque illicita sensa cordis sui discernat inter morbum mentis et morsum serpentis? Ego nulli hoc mor- 5 talium possibile puto, nisi qui illuminatus a Spiritu Sancto speciale accepit donum illud quod Apostolus, inter cetera charismata quae enumerat, nominat discretionem spirituum[a]. Quantumlibet enim quis, secundum Salomonem, *omni custodia servet cor suum*[b], et omnia quae intra se

f. Ps. 84, 9 g. Matth. 15, 19 ≠ h. Ps. 13, 1 i. Ps. 9, 34 ≠ j. Ps. 77, 49 ≠ k. Jn 13, 2 ≠
6. a. Cf. I Cor. 12, 10 b. Prov. 4, 23 ≠

1. Les §§ 5-6 présentent la doctrine de Bernard concernant le discernement des esprits. L'auteur recherche l'origine des bonnes et mauvaises pensées de notre cœur.

pensées mauvaises, elles sont de nous; si elles sont bonnes, c'est Dieu qui parle[1]. Les mauvaises, c'est notre cœur qui les formule; les bonnes, il les entend. «J'entendrai, dit le psaume, ce que le Seigneur Dieu dira au-dedans de moi; car il dira : 'Paix' pour son peuple[f].» Ainsi, c'est Dieu qui parle en nous de paix, de pitié, de justice; de telles paroles, nous ne les pensons pas par nous-mêmes, mais nous les entendons au-dedans de nous. Par contre «les meurtres, les adultères, les vols, les blasphèmes et autres choses semblables sortent de notre cœur[g]»; nous ne les entendons pas, mais nous les disons. Ainsi, «l'insensé a dit en son cœur : Dieu n'existe pas[h]». «C'est pourquoi l'impie a irrité Dieu, parce qu'il a dit en son cœur : Il n'exigera rien[i].» Mais il existe en outre quelque chose qui est ressenti par le cœur, et qui pourtant n'est pas une parole venant du cœur. Car cela ne sort pas du cœur, comme notre pensée; mais, puisque c'est du mal, ce n'est pas non plus ce que nous avons dit surgir dans le cœur, à savoir une parole du Verbe. Au contraire, cela nous est suggéré par les puissances ennemies, à la manière des «suggestions qui nous viennent des mauvais anges[j]». Telle fut, par exemple, la pensée de livrer le Seigneur que, selon l'Écriture, «le diable mit au cœur de Judas Iscariote, fils de Simon[k]».

6. Mais qui peut observer les mouvements intérieurs qui se produisent en lui ou par lui avec assez de lucidité et de diligence pour distinguer à coup sûr, parmi les sentiments défendus de son cœur, ce qui vient de la maladie de l'esprit et ce qui vient de la morsure du serpent? Pour moi, je pense que cela n'est guère possible à un mortel, sauf celui qui, éclairé par l'Esprit-Saint, a reçu ce don spécial que l'Apôtre, dans son énumération des charismes, appelle le discernement des esprits[a]. «Quelque soin qu'un homme prenne de garder son cœur[b]», suivant la parole de Salomon; quelque attention

10 moventur vigilantissima intentione observet, etiamsi diuturnum forte in his habuit exercitium et frequens experimentum, non poterit tamen ad purum in se dignoscere discernereve ab invicem malum innatum et malum seminatum. Nam *delicta quis intelligit*[c]? Nec multum refert 15 nostra, scire unde inest nobis malum, dummodo inesse sciamus; vigilandum potius et orandum, undecumque sit, ne consentiamus[d]. Denique orat Propheta contra utrumque malum, dicens : *Ab occultis meis munda me, Domine, et ab alienis parce servo tuo*[e]. Et ego non possum tradere 20 vobis quod non accepi[f]. Non autem accepi, fateor, unde assignem certam notionem inter partum cordis et seminarium hostis. Quippe utrumque malum, utrumque a malo : utrumque in corde, sed non utrumque de corde. Hoc totum certum mihi in me, etsi incertum quid cordi, 25 quid hosti tribuam. Et id quidem, ut dixi, absque periculo.

7. Sed sane est ubi periculose, immo damnabiliter erratur, atque ibi merito nobis certa praefigitur regula, ne quod Dei est in nobis, demus nobis, putantes Verbi visitationem nostram esse cogitationem. Ergo quantum distat 5 bonum a malo, tantum ista duo a se : quoniam nec de Verbo malum, nec de corde exiet bonum, nisi quod prius forte de Verbo conceperit, quia *non potest bona arbor fructus malos facere, nec arbor mala fructus bonos facere*[a]. At satis distinctum est credo, quid Dei et quid nostrum 10 in nostro sit corde; nec superflue, ut arbitror, sed ut

c. Ps. 18, 13 d. Cf. Matth. 26, 41 e. Ps. 18, 13-14 (Lit.) f. Cf. I Cor. 15, 3

7. a. Matth. 7, 18 ≠

1. * Sur 5 citations, Bernard ajoute 4 fois *Domine* au texte du *Psaume,* comme le font 2 textes de la liturgie de Carême (graduel du mardi de la 3e semaine et communion du lundi de la 4e semaine).

2. Le texte de *Matth.* 7, 18 restera le principal critère de discernement pour juger des expériences spirituelles ou mystiques.

vigilante qu'il apporte à en observer tous les mouvements; quelque assidue que soit son application en ce domaine et quelque grande son expérience : il ne pourra cependant pas reconnaître clairement en son cœur et discerner l'un de l'autre le mal inné et le mal ensemencé. Car «qui comprend les péchés[c]?» Du reste, il ne nous importe guère de savoir d'où vient le mal qui est en nous, pourvu que nous sachions qu'il y est. D'où qu'il vienne, il nous faut plutôt veiller et prier, pour ne pas y consentir[d]. Aussi le Prophète prie-t-il contre l'un et l'autre mal, en disant : «Purifie-moi de mes fautes cachées, Seigneur, et préserve ton serviteur de celles qui lui sont étrangères[e 1].» Quant à moi, je ne peux pas vous transmettre ce que je n'ai pas reçu[f]. Or je n'ai pas reçu, je l'avoue, une connaissance qui me permettrait de distinguer avec sûreté entre les productions de mon cœur et les semences déposées par l'ennemi. Certes, les deux sont mauvaises et viennent d'un mauvais principe; les deux sont dans le cœur, mais ne viennent pas, l'une et l'autre, du cœur. Je suis certain que tout cela est en moi, bien que je ne puisse faire avec certitude la part du cœur et la part de l'ennemi. De toute façon, comme je l'ai dit, cette ignorance est sans danger.

7. Par contre, il est un point où l'erreur est dangereuse, et même mortelle. A juste titre on nous prescrit ici une règle sûre : ne pas nous attribuer ce qui en nous est de Dieu, prenant la visite du Verbe pour l'une de nos pensées. Ces deux choses sont aussi éloignées l'une de l'autre que le bien l'est du mal : parce que du Verbe ne sortira jamais le mal, ni du cœur le bien, sinon celui qu'il aura d'abord conçu grâce au Verbe. Car «un bon arbre ne peut pas porter de mauvais fruits, ni un arbre mauvais porter de bons fruits[a 2]». Mais je crois que nous avons suffisamment distingué ce qui en notre cœur est de Dieu et ce qui est de nous. Cela n'a pas été inutile,

sciant inimici gratiae, absque gratia nec ad cogitandum bonum sufficere cor humanum, sed sufficientiam ipsius ex Deo esse[b], Dei vocem, bonum quod cogitatur, non cordis prolem exsistere. Tu ergo si *vocem eius audis,* non
231 15 iam *nescias unde veniat aut quo vadat*[c], *sciens quia a Deo exit et ad* cor *vadit*[d]. Vide autem quomodo *verbum quod egreditur de ore* Dei *non revertatur ad eum vacuum, sed prosperetur et faciat omnia ad quae misit illud*[e], ut dicere possis et tu, quia *gratia Dei in me vacua non*
20 *fuit*[f]. Felix mens cui Verbum, individuus comes, ubique se affabile praebet, cuius indesinenter oblectata suavitate facundiae, a carnis molestiis et vitiis sese vindicet omni hora, *redimendo tempus a diebus malis*[g]. Non lassabitur, non molestabitur, quoniam, sicut dicit Scriptura, *non*
25 *contristabit iustum, quidquid acciderit ei*[h].

IV. Cui affectui se regem vel patremfamilias praebeat Sponsus, et cur post omnia quasi pastor appareat.

8. Iam vero magni Patrisfamilias seu regiae maiestatis schema apparere existimo his, qui *ascendentes ad cor altum*[a], de maiori spiritus libertate et puritate conscientiae magnanimiores facti, consueverunt audere maiora, inquieti
5 prorsus et curiosi secretiora penetrare, apprehendere sublimiora, et tentare perfectiora, non modo sensuum, sed et virtutum. Hi enim pro fidei magnitudine digni inveniuntur qui inducantur in omnem plenitudinem[b]; nec est omnino

b. Cf. II Cor. 3, 5 c. Jn 3, 8 ≠ d. Jn 13, 3 ≠ e. Is. 55, 11 ≠ f. I Cor. 15, 10 ≠ g. Éphés. 5, 16 ≠ h. Prov. 12, 21 ≠
8. a. Ps. 63, 7 ≠ b. Cf. Jn 16, 13 (Patr.); Éphés. 3, 19

1. * *Ascendentes ad cor altum* : il s'agit, non d'une variante du *Psaume,* mais d'un jeu de mots de Bernard, délibéré et répété, *ascendet / accedet,* et aussi *ascensus / accessus,* etc. ; cf. *SC* 380, 254, n. 14.
2. * Cf. p. 116, n. 1 sur *Jn* 16, 13 (Patr.) cité en *SCt* 19, 5.

à mon avis, pour que les ennemis de la grâce sachent que le cœur humain sans la grâce n'est pas capable de penser le bien, mais que sa capacité lui vient de Dieu[b]. Car le bien que nous pensons est la voix de Dieu, et non pas le fruit de notre cœur. Toi donc, si « tu entends sa voix, tu n'ignores plus désormais d'où elle vient et où elle va[c] », « sachant qu'elle sort de Dieu et va à ton cœur[d] ». Mais prends garde que « la parole sortie de la bouche de Dieu ne revienne pas à lui sans effet, qu'au contraire elle soit efficace et réalise pleinement l'objet de sa mission[e] ». Ainsi tu pourras dire à ton tour : « La grâce de Dieu en moi n'a pas été sans effet[f]. » Heureuse l'âme dont le Verbe se fait partout l'inséparable et avenant compagnon ! Sans cesse charmée par la douceur de ses entretiens, elle se garde à toute heure des misères et des vices de la chair, « tirant parti du temps, car les jours sont mauvais[g] ». Elle ne sera pas atteinte par la lassitude ni par les misères, parce que, comme dit l'Écriture : « Quoi qu'il arrive au juste, cela ne pourra le contrister[h]. »

IV. Les sentiments de l'âme à laquelle l'Époux se présente comme roi ou comme père de famille. Pourquoi il apparaît à la fin comme berger.

8. Enfin, à mon sens, les traits d'un noble père de famille ou d'un roi majestueux apparaissent à ceux qui, « s'élevant à la cime du cœur[a1] », rendus plus généreux par une plus grande liberté d'esprit et par la pureté de leur conscience, ont coutume d'oser de plus grandes entreprises. Ils se montrent impatients et curieux de pénétrer les mystères les plus secrets, de saisir les vérités les plus sublimes, et de s'essayer à la plus haute perfection, non seulement de l'intelligence, mais aussi des vertus. En raison de leur grande foi, ils sont jugés dignes d'entrer dans toute la plénitude[b2]. Et dans toutes les res-

in omnibus apothecis sapientiae a quo *Deus scientiarum*
10 *Dominus*[c] arcendos censeat cupidos veritatis, vanitatis non conscios. Talis erat Moyses, qui audebat dicere Deo : *Si inveni gratiam in oculis tuis, ostende mihi teipsum*[d]. Talis Philippus, qui sibi et suis condiscipulis Patrem flagitabat ostendi[e]. Talis et Thomas, qui nisi sua manu tangeret
15 vulnus et fossum latus, credere recusabat[f]. Pusilla fides, sed de magnitudine animi miro modo descendens. Talis quoque David, qui et ipse dicebat Deo : *Tibi dixit cor meum : Exquisivit te facies mea; faciem tuam, Domine, requiram*[g]. Tales itaque magna audent, quoniam magni
20 sunt; et quae audent obtinent, iuxta verbum promissionis ad ipsos, quod est istiusmodi : *Quemcumque locum calcaverit pes vester, vester erit*[h]. Magna siquidem fides magna meretur; et quatenus in bonis Domini fiduciae pedem porrexeris, eatenus possidebis.

9. Denique Moysi *ore ad os loquitur* Deus, *et palam, non per aenigmata et figuras* Dominum *videre*[a] meretur,
232 cum *Prophetis* aliis tantum *in visione apparere* se dicat et *per somnium loqui*[b]. Philippo quoque, secundum *peti-*
5 *tionem cordis sui*[c], ostensus est Pater in Filio, in eo procul dubio quod incontinenti audivit : *Philippe, qui me videt, et Patrem*[d]; et : *Quia ego in Patre et Pater in me est*[e].

c. I Sam. 2, 3 d. Ex. 33, 13 (Patr.) e. Cf. Jn 14, 8 f. Cf. Jn 20, 25 g. Ps. 26, 8 ≠ h. Deut. 11, 24 ≠
9. a. Nombr. 12, 8 ≠ b. Nombr. 12, 6 ≠ c. Ps. 36, 4 ≠ d. Jn 14, 9 ≠ e. Jn 14, 10

1. * Ce texte de l'*Exode,* que l'on retrouve identiquement dans *SCt* 34, 1 (*SBO* II, 245, l. 16), est fort différent de l'édition critique de la *Vg* («Montre-moi *ton chemin*»), mais proche du texte *Vg* de l'époque de Bernard («Montre-moi *ta face*»), davantage encore des mots et du sens de la *Septante* («Montre-*toi toi-même à moi*»).

2. *Magnitudo animi,* «grandeur d'âme». Moïse, David, Philippe et Thomas étaient pécheurs, mais ils osaient demander des grâces peu

serres de la sagesse il n'y a aucun endroit dont «Dieu, le Seigneur des sciences[c]», pense devoir écarter les hommes avides de vérité et exempts de vanité. Tel était Moïse, qui osait dire à Dieu : «Si j'ai trouvé grâce à tes yeux, montre-toi à moi[d 1].» Tel était Philippe, qui suppliait qu'on lui montre le Père, à lui et aux autres disciples[e]. Tel aussi Thomas, qui refusait de croire à moins de toucher de sa main la blessure et le flanc transpercé[f]. Foi chétive, mais qui provenait d'une étonnante grandeur d'âme[2]. Tel encore David, qui lui aussi disait à Dieu : «Mon cœur t'a dit : Ma face t'a cherché ; je chercherai ta face, Seigneur[g].» Ainsi, de tels hommes osent de grandes entreprises, parce qu'ils sont grands. Ce qu'ils osent demander, ils l'obtiennent, selon la promesse qui leur fut faite en ces termes : «Tout lieu qu'auront foulé vos pieds sera vôtre[h 3].» Car une grande foi mérite de grandes récompenses ; tu posséderas les biens du Seigneur dans la mesure même où tu y poseras le pied avec confiance.

9. «Dieu parle à Moïse face à face, et Moïse mérite de voir le Seigneur à découvert, non pas en énigmes et en figures[a 4].» En revanche, Dieu dit qu'il «n'apparaît aux autres Prophètes qu'en vision et qu'il ne leur parle qu'en rêve[b]». A Philippe également, selon «la prière de son cœur[c]», le Père se montra dans le Fils. Ce fut sans aucun doute grâce à la réponse qu'il entendit aussitôt : «Philippe, qui me voit, voit aussi le Père[d]» ; et encore : «Je suis dans le Père, et le Père est en moi[e].» A Thomas

communes... «A ces grands esprits, l'Époux se présentera en toute sa grandeur.»

3. * Bernard emploie 5 fois ce texte, toujours en remplaçant *omnis quem, Vg*, par *quemcumque*.

4. On retrouve ici la double tradition scripturaire à propos de la vision que Moïse a eue de la face de Dieu. Il y a contradiction entre *Ex.* 33, 23 et *Nombr.* 12, 8.

Sed et Thomae iuxta *desiderium cordis eius* palpandum se praebuit[f], *et voluntate labiorum eius non fraudavit*
10 *eum*[g]. Quid David? Nonne et ipse voto se non omnino frustrari significat, ubi ait *non daturum se somnum oculis suis nec palpebris suis dormitationem, donec inveniret locum Domino*[h]? Igitur istiusmodi magnis spiritibus magnus occurret sponsus, et *magnificabit facere cum eis*[i],
15 *emittens lucem suam et veritatem suam*, eosque *deducens et adducens in montem sanctum suum et in tabernacula sua*[j], ita ut dicat qui eiusmodi est : *Quia fecit mihi magna qui potens est*[k]. *Regem in decore suo videbunt oculi eius*[l], praeeuntem se ad *speciosa deserti*[m], ad *flores rosarum et*
20 *lilia convallium*[n], ad amoena hortorum et irrigua fontium, ad delicias cellariorum et odoramenta aromatum, postremo ad ipsa secreta cubiculi[o].

10. Isti *sunt thesauri sapientiae et scientiae* penes sponsum *absconditi*[a], haec vitae pascua praeparata in refectionem animarum sanctarum[b]. *Beatus vir qui implevit desiderium suum ex ipsis*[c]. Hoc solum admonitus sit, ne
5 solus habere velit quae possunt sufficere pluribus. Propterea enim fortassis post ista omnia sponsus tamquam pastor apparere describitur, ut perinde admoneatur assecutor tantorum munerum pascendi gregis simpliciorum, qui scilicet tam non valent per semetipsos apprehendere
10 ista, quam non audent sine pastore oves exire in pascua.

f. Cf. Jn 20, 27 ; Lc 24, 39 ; Act. 1, 3 g. Ps. 20, 3 ≠ h. Ps. 131, 4-5 ≠ i. Ps. 125, 2 ≠ j. Ps. 42, 3 ≠ k. Lc 1, 49 l. Is. 33, 17 m. Ps. 64, 13 n. Cant. 2, 1 (Lit.) o. Cf. Cant. 3, 4
10. a. Col. 2, 3 ≠ b. Cf. Sag. 3, 13 c. Ps. 126, 5 ≠

---

1. * Cf. p. 435, n. 3 sur *Ps.* 20, 3 cité en *SCt* 31, 5.
2. * Cf. p. 366, n. 1 sur *Cant.* 2, 1 cité en *SCt* 28, 10.
3. * A 3 reprises, les *SBO* écrivent *in refectione,* « pour le réconfort », variante très rare, alors que *Vg* a *in respectione,* « en considérant..., en jugeant... » L'apparat d'un 4[e] passage (cf. *Ep* 135, *SBO* VII, 331, l. 22)

aussi, selon «le désir de son cœur[1]», le Seigneur se donna à toucher[f], «et il ne le frustra pas du souhait de ses lèvres[g]». Que dirai-je de David? Ne montre-t-il pas que lui aussi n'est pas déçu dans son espérance, lorsqu'il dit «qu'il ne donnera point de sommeil à ses yeux ni de répit à ses paupières, tant qu'il n'aura pas trouvé un lieu pour le Seigneur[h]»? A ces grands esprits, donc, l'Époux se présentera en toute sa grandeur, et «il les traitera avec magnificence[i]», «leur envoyant sa lumière et sa vérité, les conduisant et les amenant jusqu'à sa montagne sainte et à ses demeures[j]». Ainsi, tout homme qui leur ressemble pourra dire : «Le Puissant a fait pour moi de grandes choses[k].» «Ses yeux verront le Roi en sa beauté[l]»; le Roi le guidera vers «les oasis du désert[m]», vers «les roses en fleurs et les lis des vallées[n2]», vers les jardins riants et les sources jaillissantes, vers les délices des celliers et les effluves des aromates, enfin jusqu'au plus secret de sa chambre[o].

10. Tels sont «les trésors de la sagesse et de la science cachés[a]» chez l'Époux, tels sont les pâturages de la vie préparés pour réconforter les âmes saintes[b3]. «Heureux l'homme qui en rassasie tout son désir[c]!» Il faut seulement l'avertir de ceci : qu'il ne veuille pas posséder seul ce qui pourrait suffire pour plusieurs. C'est sans doute pour cela que l'Époux est représenté ensuite sous l'apparence d'un berger : afin que l'homme comblé de ces faveurs si grandes soit averti qu'il devra paître le troupeau des âmes plus simples. Celles-ci en effet ne sont pas capables de comprendre par elles-mêmes ces mystères, pas plus que les brebis sans le berger n'osent sortir vers les pâturages. Dans sa sagesse, l'épouse s'en

montre une tradition textuelle complexe. En outre, les *SBO*, avec la «Bible d'Alcuin» et la *Vg* clémentine, ajoutent toujours «saintes» à «âmes».

Denique hoc ipsum sponsa prudenter advertens, postulat sibi indicari ubi ipse pascat et cubet sub meridiano fervore[d], parata, ut quidem ex hoc intelligi datur, pasci et pascere cum illo et sub illo. Nec enim tutum arbitratur
15 longe agere gregem a summo Pastore, nimirum ob incursiones luporum, eorum maxime qui veniunt ad nos *in vestimentis ovium*[e]; et propterea satagit eisdem cum ipso
233 pariter pascere pascuis et cubare umbris. Et causam ponit : *Ne incipiam,* inquiens, *vagari post gregem sodalium*
20 *tuorum*[f]. Ipsi sunt qui se volunt videri amicos sponsi, et non sunt; et cum suos, non illius, greges pascere cura sit eis, hinc inde tamen insidiantes dicunt : *Ecce hic est Christus, ecce illic est*[g], videlicet ut *multos seducant*[h] et abducant a Christi gregibus, et socient suis. Hoc pro lit-
25 terae textu. Iam vero spiritualem sensum qui in ea latet, sub alio sermonis principio exspectate, quidquid illud erit quod mihi inde vobis orantibus sua misericordia partiri dignabitur sponsus Ecclesiae Iesus Christus Dominus noster, *qui est Deus benedictus in saecula. Amen*[i].

d. Cf. Cant. 1, 6 e. Matth. 7, 15 f. Cant. 1, 6 ≠ g. Mc 13, 21 ≠ h. Matth. 24, 5 ≠ i. Rom. 9, 5 ≠

aperçoit. Elle demande donc qu'on lui montre où l'Époux mène paître son troupeau et où lui-même se repose dans la chaleur de midi[d]. Elle est prête – du moins on peut le déduire de ce texte – à se repaître et à paître le troupeau, avec l'Époux et sous sa houlette. Car elle n'estime pas du tout sûr de mener le troupeau loin du souverain Pasteur, sans doute à cause des incursions des loups, surtout de ceux qui viennent à nous « déguisés en brebis[e] ». C'est pourquoi elle fait tout son possible pour paître avec lui dans les mêmes pâturages et pour se reposer sous les mêmes ombrages. Elle en donne la raison en disant : « De peur que je ne commence à suivre en vagabonde le troupeau de tes compagnons[f]. » Ce sont ceux qui veulent passer pour amis de l'Époux, et qui ne le sont pas. Bien qu'ils n'aient souci que de paître leurs propres troupeaux, et non le sien, ils disent pourtant, en dressant partout des embûches : « Le Christ est ici, le Christ est là[g]. » C'est « pour en séduire plusieurs[h] », pour les séparer des troupeaux du Christ et les joindre aux leurs. Voilà pour la lettre du texte. Mais pour le sens spirituel qui se cache en elle, attendez le développement d'un autre sermon. Quoi que ce soit, je vous dirai tout ce que d'ici-là, grâce à vos prières, daignera me partager dans sa miséricorde l'Époux de l'Église, Jésus-Christ notre Seigneur, « qui est Dieu béni dans les siècles. Amen[i] ».

INDEX SCRIPTURAIRE

Les chiffres en gras renvoient aux sermons et les chiffres en maigre qui les suivent aux paragraphes. Les italiques signalent une simple allusion scripturaire («Cf.», dans l'apparat). Le chiffre ² en exposant indique la présence, dans le paragraphe correspondant, de deux citations ou allusions au même verset. Les mentions « Patr. » et « Lit. » valent pour l'ensemble des citations ou allusions à la référence indiquée.

Jérémie

Lamentations

Baruch

Ézéchiel

Daniel

Osée

Joël

Jonas

Habaquq

Aggée

Malachie

Matthieu

Jean

I Corinthiens

II Corinthiens

TABLE DES MATIÈRES

SOURCES CHRÉTIENNES

Fondateurs : † H. de Lubac, s.j.
† J. Daniélou, s.j.
† C. Mondésert, s.j.
Directeur : D. Bertrand, s.j.
Directeur de la collection : J.-N. Guinot

Dans la liste qui suit, dite « liste alphabétique », tous les ouvrages sont rangés par nom d'auteur ancien, les numéros précisant pour chacun l'ordre de parution depuis le début de la collection. Pour une information plus complète, on peut se procurer deux autres listes au secrétariat de « Sources Chrétiennes » – 29, rue du Plat, 69002 Lyon (France) – Tél. : 04 72 77 73 50 :

1. la « liste numérique », qui présente les volumes et leurs auteurs actuels d'après les dates de publication; elle indique les réimpressions et les ouvrages momentanément épuisés ou dont la réédition est préparée.
2. la « liste thématique », qui présente les volumes d'après les centres d'intérêt et les genres littéraires : exégèse, dogme, histoire, correspondance, apologétique, etc.

LISTE ALPHABÉTIQUE (1-431)

SOUS PRESSE

CYRILLE D'ALEXANDRIE, **Lettres festales.** Tome III. M.-O. Boulnois, B. Meunier.
EUDOCIE, **Centons homériques.** A.-L. Rey.
ÉVAGRE LE PONTIQUE, **Sur les pensées.** P. Géhin, A. et C. Guillaumont.
GALAND DE REIGNY, **Petit livre de proverbes**. A. Grélois.
GRÉGOIRE LE GRAND, **Commentaire sur le Premier Livre des Rois.** Tome III. A. de Vogüé.
HILAIRE DE POITIERS, **La Trinité.** Tome I. J. Doignon (†), G.-M. de Durand (†), M. Figura, Ch. Morel, G. Pelland.
JEAN CHRYSOSTOME, **Sermons sur la Genèse.** L. Brottier.
MARC LE MOINE, **Traités.** Tome I. G.-M. de Durand (†).

PROCHAINES PUBLICATIONS

Les Apophtegmes des Pères. Tome II. J.-C. Guy (†).
BERNARD DE CLAIRVAUX, **Lettres.** Tome II. M. Duchet-Suchaux, H. Rochais.
La Doctrine des douze apôtres (Didachè). W. Rordorf, A. Tuilier (2e édition).
Livre d'heures ancien du Sinaï. M. Ajjoub.
Pseudo-PHILON, **Homélies synagogales**. F. Siegert.
SULPICE SÉVÈRE, **Chroniques**. G. Housset.
SYMÉON LE STUDITE, **Discours ascétique**. H. Alfeyev, L. Neyrand.

RÉIMPRESSIONS PRÉVUES EN 1998

5 bis. DIADOQUE DE PHOTICÉ, **Œuvres spirituelles.** É. des Places.
10 bis. IGNACE D'ANTIOCHE, **Lettres et Martyre de Polycarpe de Smyrne.** P.-T. Camelot.
11 bis. HIPPOLYTE DE ROME, **La Tradition apostolique.** B. Botte.
26 bis. BASILE DE CÉSARÉE, **Homélies sur l'Hexaéméron.** S. Giet.
35. TERTULLIEN, **Traité sur le baptême.** R.-F. Refoulé, M. Drouzy.
61. GUILLAUME DE SAINT-THIERRY, **Traité de la contemplation de Dieu.** J. Hourlier
63. RICHARD DE SAINT-VICTOR, **La Trinité.** G. Salet.
80. JEAN DAMASCÈNE, **Homélies sur la Nativité et la Dormition.** P. Voulet.
82. GUILLAUME DE SAINT-THIERRY, **Exposé sur le Cantique des Cantiques.** J.-M. Déchanet.
87. ORIGÈNE, **Homélies sur saint Luc.** H. Crouzel, F. Fournier, P. Périchon.
208. GRÉGOIRE DE NAZIANZE, **Lettres théologiques.** P. Gallay, M. Jourjon.
310. TERTULLIEN, **De la patience.** J.-C. Fredouille.

Également aux Éditions du Cerf :

LES ŒUVRES DE PHILON D'ALEXANDRIE
publiées sous la direction de
R. ARNALDEZ, C. MONDÉSERT, J. POUILLOUX.
Texte original et traduction française

1. **Introduction générale, De opificio mundi.** R. Arnaldez.
2. **Legum allegoriae.** C. Mondésert.
3. **De cherubim.** J. Gorez.
4. **De sacrificiis Abelis et Caini.** A. Méasson.
5. **Quod deterius potiori insidiari soleat.** I. Feuer.
6. **De posteritate Caini.** R. Arnaldez.

7-8. **De gigantibus. Quod Deus sit immutabilis.** A. Mosès.

9. **De agricultura.** J. Pouilloux.
10. **De plantatione.** J. Pouilloux.

11-12. **De ebrietate. De sobrietate.** J. Gorez.

13. **De confusione linguarum.** J.-G. Kahn.
14. **De migratione Abrahami.** J. Cazeaux.
15. **Quis rerum divinarum heres sit.** M. Harl.
16. **De congressu eruditionis gratia.** M. Alexandre.
17. **De fuga et inventione.** E. Starobinski-Safran.
18. **De mutatione nominum.** R. Arnaldez.
19. **De somniis.** P. Savinel.
20. **De Abrahamo.** J. Gorez.
21. **De Iosepho.** J. Laporte.
22. **De vita Mosis.** R. Arnaldez, C. Mondésert, J. Pouilloux, P. Savinel.
23. **De Decalogo.** V. Nikiprowetzky.
24. **De specialibus legibus.** Livres I-II. S. Daniel.
25. **De specialibus legibus.** Livres III-IV. A. Mosès.
26. **De virtutibus.** R. Arnaldez, A.-M. Vérilhac, M.-R. Servel, P. Delobre.
27. **De praemiis et poenis. De exsecrationibus.** A. Beckaert.
28. **Quod omnis probus liber sit.** M. Petit.
29. **De vita contemplativa.** F. Daumas et P. Miquel.
30. **De aeternitate mundi.** R. Arnaldez et J. Pouilloux.
31. **In Flaccum.** A. Pelletier.
32. **Legatio ad Caium.** A. Pelletier.
33. **Quaestiones in Genesim et in Exodum. Fragmenta graeca.** F. Petit.

34 A. **Quaestiones in Genesim,** I-II (e vers. armen.). Ch. Mercier.
34 B. **Quaestiones in Genesim,** III-IV (e vers. armen.). Ch. Mercier et F. Petit.
34 C. **Quaestiones in Exodum,** I-II (e vers. armen.). A. Terian.

35. **De Providentia,** I-II. M. Hadas-Lebel.
36. **Alexander** *vel* **De animalibus** (e vers. armen.). A. Terian.

Photocomposition laser
Abbaye de Melleray
C.C.S.O.M.
44520 Moisdon-la-Rivière

Cet ouvrage
a été reproduit
et achevé d'imprimer
en avril 1998
par l'Imprimerie Floch
53100 – Mayenne.

Dépôt légal : avril 1998.
N° d'imprimeur : 43438.
N° d'éditeur : 10837.
Imprimé en France.